# Escândalos Privados

# Nora Roberts

A Pousada do Fim do Rio
O testamento
Traições legítimas
Três destinos
Lua de sangue
Doce vingança
Segredos
O amuleto
Santuário
A villa
Tesouro secreto
Pecados sagrados
Virtude indecente
Bellissima
Mentiras genuínas
Riquezas ocultas
Escândalos privados
Ilusões honestas
A testemunha
A casa da praia
A mentira
O colecionador
A obsessão
Ao pôr do sol
O abrigo
Uma sombra do passado
O lado oculto
Refúgio
Legado
Um sinal dos céus
Aurora boreal
Na calada da noite
Identidade roubada

### Trilogia da Magia
Dançando no Ar
Entre o Céu e a Terra
Enfrentando o Fogo

### Trilogia da Gratidão
Arrebatado pelo Mar
Movido pela Maré
Protegido pelo Porto
Resgatado pelo amor

### Trilogia da Fraternidade
Laços de Fogo
Laços de Gelo
Laços de Pecado

### Trilogia do Círculo
A Cruz de Morrigan
O Baile dos Deuses
O Vale do Silêncio

### Trilogia das Flores
Dália Azul
Rosa Negra
Lírio Vermelho

### Trilogia do Sonho
Um Sonho de Amor
Um Sonho de Vida
Um Sonho de Esperança

### Trilogia do Coração
Diamantes do Sol
Lágrimas da Lua
Coração do Mar

# Nora Roberts

## Escândalos Privados

3ª edição

*Tradução*
Valéria Lamim Delgado Fernandes

Rio de Janeiro | 2025

Copyright © 1993 by Nora Roberts

Título original: *Private Scandals*

Capa: Leonardo Carvalho

Editoração: FA Studio

Texto revisado segundo o novo
Acordo Ortográfico da Língua Portuguesa

2025
Impresso no Brasil
*Printed in Brazil*

Cip-Brasil. Catalogação na publicação.
Sindicato Nacional dos Editores de Livros, RJ.

| | |
|---|---|
| R549m<br>3. ed. | Roberts, Nora, 1950-<br>    Escândalos privados / Nora Roberts; tradução Valéria Lamim Delgado Fernandes. — 3.ed. — Rio de Janeiro: Bertrand Brasil, 2025.<br>    574 p. ; 23 cm.<br><br>    Tradução de: Private scandals<br>    ISBN 978-85-286-1768-9<br><br>    1. Romance americano. I. Fernandes, Valéria Lamim Delgado. II. Título. |
| 14-09012 | CDD: 813<br>CDU: 821.111(73)-3 |

Todos os direitos reservados pela:
EDITORA BERTRAND BRASIL LTDA.
Rua Argentina, 171 — 3º andar — São Cristóvão
20921-380 — Rio de Janeiro — RJ
Tel.: (21) 2585-2000

Não é permitida a reprodução total ou parcial desta obra, por quaisquer meios, sem a prévia autorização por escrito da Editora.

Atendimento e venda direta ao leitor:
sac@record.com.br

*Para papai*

# Primeira Parte

♦ ♦ ♦ ♦

*"Chegou o momento de falarmos de muitas coisas", disse a Morsa.*

— Lewis Carroll

♦♦♦♦

## Chicago, 1994

Era uma noite sem luar em Chicago, mas, para Deanna, o momento tinha tudo para ser uma cena de *Matar ou Morrer*. Era fácil se ver no papel de Gary Cooper, tranquilo, cheio de dignidade e corajoso, enquanto se preparava para enfrentar o pistoleiro astuto que buscava vingança.

Mas, que se dane, pensou Deanna. Chicago era *sua* cidade. A intrusa era Angela.

Combinava com o senso dramático de Angela, supôs Deanna, exigir um confronto no estúdio onde as duas haviam subido as escadas escorregadias da ambição. Mas agora era o estúdio de Deanna, e era *seu* programa que levava a maior parte dos índices de audiência. Não havia nada que Angela pudesse fazer para mudar isso, a não ser invocar Elvis do túmulo e pedir que cantasse "Heartbreak Hotel" para a plateia.

O traço de um sorriso surgiu nos lábios de Deanna ao imaginar a cena, mas não havia muita graça nisso. Angela era uma adversária à sua altura. Ao longo dos anos, ela havia usado estratégias horríveis para manter seu programa diário de entrevistas nos picos de audiência.

Mas o que quer que Angela tivesse na manga desta vez não daria certo. Ela havia subestimado Deanna Reynolds. Podia sussurrar segredos e ameaçar com os escândalos que quisesse, mas nada que pudesse dizer mudaria os planos de Deanna.

No entanto, ouviria o que Angela tinha a dizer. Deanna achava que ela até tentaria, pela última vez, ceder. Oferecer, se não a amizade, pelo menos uma trégua cautelosa. Era pouco provável que o rompimento delas pudesse ser resolvido depois de todo esse tempo e de toda a hostilidade, mas, para Deanna, a esperança não morria.

Pelo menos até que tudo tivesse acabado.

Com a cabeça no que estava acontecendo, Deanna entrou com o carro no estacionamento do edifício da CBC. Durante o dia, o estacionamento ficava cheio de carros de técnicos, editores, produtores, novos talentos, secretárias e pessoal interno. O motorista de Deanna sempre a deixava e a buscava ali, evitando problemas. Dentro do grande edifício branco, pessoas corriam para preparar o noticiário — que ia ao ar às sete da manhã, ao meio-dia, às cinco da tarde e às dez da noite —, o programa *Vamos Cozinhar!*, de Bobby Marks, o programa semanal *A Fundo*, de Finn Riley, e o programa de entrevistas de Deanna, que tinha a maior audiência do país, *A Hora de Deanna*.

Mas nesse momento, pouco depois da meia-noite, o estacionamento estava quase vazio. Havia meia dúzia de carros do pessoal da equipe de apoio que matava o tempo na sala de redação, esperando que algo acontecesse em algum lugar do mundo. Provavelmente torcendo para que alguma nova guerra esperasse para acontecer até que o turno solitário da noite acabasse.

Desejando estar em outro lugar, em qualquer outro lugar, Deanna estacionou e desligou o carro. Por um momento permaneceu ali sentada, ouvindo os sons da noite: o vaivém de carros na rua à esquerda, o barulho do grande sistema de ar-condicionado que refrigerava o edifício e os equipamentos caros. Ela precisava controlar suas emoções confusas e seus nervos antes de encarar Angela.

A tensão fazia parte da profissão que ela havia escolhido. Ela deveria trabalhar ou lidar com ela. Sua irritação era algo que ela podia controlar — e controlava —, principalmente porque não ganharia nada se perdesse a calma. Mas essas emoções tão fortes e tão contraditórias eram outra história. Mesmo depois de todo esse tempo, era difícil esquecer que a mulher que ela estava prestes a encarar era alguém que Deanna antes admirava e respeitava. E em quem confiava.

Por experiência própria, Deanna sabia que Angela era especialista quando o assunto era manipular emoções. O problema de Deanna — e muitos diziam ser seu talento — era a incapacidade de esconder seus sentimentos. Ali estavam eles, expostos, gritando para quem quisesse ouvir. Tudo o que ela sentia se refletia em seus olhos cinzentos, revelava-se no modo como inclinava a cabeça ou na expressão de sua boca. Alguns diziam que era isso que a tornava irresistível e perigosa. Com um movimento leve do pulso, virou o espelho retrovisor em sua direção. Sim, refletiu, ela podia ver em seus olhos as faíscas de irritação, o ressentimento a ponto de estourar, o pesar que se arrastava. Afinal, ela e Angela já haviam sido amigas. Ou quase amigas.

Mas ela também podia ver o prazer da expectativa. Era uma questão de orgulho. Este confronto já era esperado há muito tempo.

Sorrindo um pouco, Deanna pegou um batom e pintou cuidadosamente a boca. Ninguém aparece diante de seu arqui-inimigo sem o mais básico dos escudos. Satisfeita por ter a mão bem firme, jogou o batom dentro da bolsa e saiu do carro. Ficou parada por um instante, inspirando o ar agradável da noite enquanto se fazia uma pergunta:

Você está calma, Deanna?

Não, pensou ela. Estava acelerada. Se a energia era estimulada pelos nervos, não importava. Bateu a porta do carro e atravessou o estacionamento a passos largos. Tirou do bolso seu cartão plástico de identificação e o introduziu na ranhura ao lado da porta dos fundos. Segundos depois apareceu uma pequena luz verde que lhe permitiu abrir a porta pesada.

Bateu de leve no interruptor para iluminar as escadas e deixou a porta se fechar quando passou por ela.

Achou interessante o fato de Angela não ter chegado antes dela. Deve ter pedido um táxi, pensou Deanna. Agora que Angela estava instalada em Nova York, já não tinha um motorista fixo em Chicago. Deanna estava surpresa por não ter visto uma limusine à espera no estacionamento.

Angela era sempre, sempre pontual.

Era uma das muitas coisas que Deanna respeitava nela.

O barulho dos saltos de Deanna nas escadas ecoava enquanto ela descia para o andar inferior. Ao passar seu cartão de identificação na próxima ranhura de segurança, imaginou rapidamente a quem Angela teria subornado, ameaçado ou seduzido para conseguir entrar no estúdio.

Não muitos anos antes, Deanna fazia esse mesmo trajeto às pressas, de olhos arregalados e empolgada, cumprindo pequenas tarefas ao estalo dos dedos exigentes de Angela. Ela estava pronta para abanar a cauda como um cachorrinho ansioso por qualquer sinal de aprovação de Angela. Mas, como qualquer cachorrinho esperto, ela havia aprendido.

E quando veio a traição, com sua desilusão afiada, ela poderia ter choramingado, mas lambeu as feridas e usou tudo o que havia aprendido... até a aluna se transformar na professora.

Não deveria ter sido uma surpresa para ela descobrir como velhos ressentimentos, há muito esfriados, podiam voltar a ferver. E, desta vez, pensou Deanna, ao enfrentar Angela, isso aconteceria em seu território, com suas próprias regras. A mocinha ingênua do Kansas já estava mais do que preparada para flexionar os músculos de sua própria ambição.

E talvez, uma vez feito isso, elas finalmente pudessem eliminar as tensões e se encontrar em pé de igualdade. Se não fosse possível esquecer o que havia acontecido entre elas no passado, ao menos poderiam aceitar os fatos e seguir em frente.

Deanna passou o cartão na ranhura da porta do estúdio. A luz verde piscou. Ela empurrou a porta e entrou no escuro.

O estúdio estava vazio.

Isso lhe agradou. Ser a primeira a chegar dava-lhe mais uma vantagem, como uma anfitriã acompanhando um hóspede indesejável para dentro de sua casa. E se era em casa que a menina se transformava em mulher, onde ela aprendia e discutia, então o estúdio era sua casa.

Sorrindo um pouco, Deanna estendeu o braço no escuro à procura do interruptor que controlava um conjunto de luzes do teto. Pensou ter ouvido algo, um sussurro que mal perturbou o ar. E uma sensação atravessou aquele belo sentimento de expectativa. Uma sensação de que ela não estava sozinha.

Angela, pensou ela, e bateu de leve no interruptor. Mas, enquanto as luzes do teto se acendiam, outras mais intensas e ofuscantes explodiram em sua cabeça. Ao sentir uma dor aguda, mergulhou novamente na escuridão.

♦ ♦ ♦ ♦

Enquanto recuperava os sentidos, ela gemia. Sua cabeça, pesada por causa da dor, caiu para trás e bateu no encosto de uma cadeira. Zonza, desorientada, levou a mão ao ponto mais dolorido. Os dedos apareceram levemente manchados de sangue. Tentou pensar com clareza, confusa por ver que estava sentada em sua própria cadeira, em seu próprio estúdio. Perdera alguma pista?, ela se perguntou, tonta, encarando a câmera em que brilhava a luz vermelha.

Mas não havia plateia atrás da câmera, nem técnicos atarefados a distância. Embora as luzes inundassem o estúdio com o calor que ela já conhecia bem, nenhum programa estava sendo gravado. Deanna lembrou-se de que havia ido até lá para se encontrar com Angela.

Sua visão turvou novamente, como água perturbada por um seixo, e ela piscou para desembaçá-la. Foi então que seu olhar se fixou nas duas imagens que apareciam no monitor. Ela se viu, pálida e com os olhos parados. Em seguida, viu, com horror, a convidada sentada na cadeira ao seu lado.

Angela, com seu conjunto de seda cor-de-rosa adornado com botões de pérolas. Várias voltas de um colar de pérolas idênticas ao redor do pescoço, aglomerando-se nas orelhas. Angela, com o cabelo louro delicadamente penteado, as pernas cruzadas, as mãos entrelaçadas sobre o braço direito da cadeira.

Era Angela. Ah, sim, não havia dúvida alguma. Embora seu rosto estivesse destruído.

Havia respingos de sangue na seda cor-de-rosa e outros que desciam lentamente de onde aquele rosto bonito e sagaz deveria estar.

Foi então que Deanna começou a gritar.

# Capítulo Um
♦ ♦ ♦ ♦

## CHICAGO, 1990

*Em cinco, quatro, três...*

Deanna sorriu para a câmera de onde estava, no canto do set do *Noticiário do Meio-dia*.

— Nosso convidado desta tarde é Jonathan Monroe, um autor local que acaba de publicar um livro intitulado *Quero o que é meu*. — Levantou o pequeno exemplar da mesinha redonda localizada entre as cadeiras, inclinando-o para a câmera dois. — Jonathan, o subtítulo de seu livro é *Egoísmo saudável*. O que o inspirou a escrever sobre uma característica que a maioria das pessoas considera uma falha de caráter?

— Bem, Deanna — riu ele, um homem pequeno com um sorriso radiante que estava transpirando muito sob as luzes. — Eu queria o que é meu.

Boa resposta, pensou ela, mas era óbvio que ele não iria além disso sem um pouco de estímulo.

— E, se formos honestos, quem não quer? — perguntou ela, tentando deixá-lo à vontade com um clima de camaradagem. — Jonathan, você diz no livro que esse egoísmo saudável é reprimido por pais e educadores desde o berço.

— Exatamente. — Seu sorriso paralisado e brilhante permaneceu fixo enquanto seus olhos se moviam em pânico.

Discretamente, Deanna mudou de posição, colocando a mão sobre os dedos rígidos do homem, fora do alcance da câmera. Seus olhos revelavam interesse, seu toque expressava apoio.

— Você acredita que a exigência dos adultos para que os filhos dividam brinquedos com outras crianças crie um precedente que não é natural. — Ela apertou a mão dele como se estivesse lhe dando coragem. — Você não acha que dividir é uma forma básica de cortesia?

— De modo algum. — E ele começou a explicar por quê. Embora suas explicações fossem dadas com hesitação, ela conseguiu suavizar a falta de jeito do homem, orientando-o durante o intervalo de três minutos e quinze segundos para os comerciais.

— Este é o livro *Quero o que é meu*, de Jonathan Monroe — disse ela para a câmera, encerrando a entrevista. — Já à venda nas livrarias. Muito obrigada por estar conosco hoje, Jonathan.

— Foi um prazer. Eu gostaria de acrescentar que estou trabalhando no momento em meu segundo livro, *Saia do meu caminho, eu cheguei aqui primeiro*. É sobre a agressão saudável.

— Boa sorte com ele. Voltaremos dentro de instantes com a sequência do *Noticiário do Meio-dia*. — Uma vez que entraram nos comerciais, Deanna sorriu para Jonathan. — Você foi ótimo. Agradeço por ter vindo.

— Espero não ter feito feio. — Assim que removeram seu microfone, Jonathan tirou um lenço para secar a testa. — É a primeira vez que apareço na televisão.

— Você se saiu bem. Eu acho que isso criará muito interesse local por seu livro.

— Sério?

— Com certeza. Você poderia autografar este exemplar para mim? Radiante novamente, ele pegou o livro e a caneta que ela ofereceu.

— Você, com certeza, facilitou as coisas, Deanna. Fiz uma entrevista pela rádio hoje de manhã. O locutor nem sequer tinha lido a sinopse do livro.

Ela pegou o livro autografado e levantou-se. Parte de sua mente, a maior parte de sua energia, já estava na mesa de notícias do outro lado do estúdio.

— Isso dificulta para todo mundo. Obrigada mais uma vez — disse ela, estendendo a mão. — Espero que você volte com seu próximo livro.

— Eu adoraria. — Mas ela já havia se afastado, desviando-se agilmente das pilhas de cabos que serpenteavam pelo chão para ocupar seu lugar atrás da mesa no set de notícias. Depois de colocar o livro sob a mesa, prendeu o microfone na lapela de seu terninho vermelho.

— Outro maluco. — O comentário de Roger Crowell, âncora do programa ao seu lado, era típico.

— Ele foi muito simpático.

— Para você todo mundo é simpático. — Arreganhando os dentes, Roger olhou para seu espelho de mão e ajustou rapidamente a gravata. Tinha um belo rosto para as câmeras: maduro, confiável, com manchas acinzentadas notáveis nas têmporas do cabelo cor de ferrugem. — Especialmente os malucos.

— É por isso que eu amo você, Rog.

Esse comentário provocou risadinhas entre os cinegrafistas. Qualquer resposta que Roger pudesse ter dado foi interrompida pelo sinal de tempo feito pelo diretor. Enquanto o *TelePrompTer* corria, Roger sorria para a câmera, definindo o tom para um segmento tranquilo sobre o nascimento de tigres gêmeos no zoológico.

— É tudo por hoje. Assistam a seguir ao programa *Vamos Cozinhar!* Eu sou Roger Crowell.

— E eu, Deanna Reynolds. Até amanhã.

Enquanto a música de encerramento tocava no ponto em seu ouvido, Deanna virou-se para sorrir para Roger.

— Você tem um coração mole, colega. Foi você mesmo que escreveu essa matéria sobre os filhotinhos de tigre. Tinha seu dedo aí.

Ele ficou um pouco vermelho, mas piscou os olhos.

— Só dou para eles o que eles querem, querida.

— Pronto! — disse o diretor, esticando os ombros. — Bom programa, pessoal.

— Obrigada, Jack — disse Deanna enquanto tirava o microfone.

— Ei, quer almoçar comigo? — Roger sempre estava pronto para comer, e contra-atacava seu caso de amor com a comida com seu *personal trainer*. Não havia como esconder os quilos a mais do olhar impiedoso da câmera.

— Não posso. Tenho uma coisa para fazer.

Roger levantou-se. Debaixo de seu impecável paletó de sarja azul, ele usava uma bermuda chamativa.

— Não me diga que é para o terror do estúdio B.

Um leve traço de aborrecimento anuviou os olhos de Deanna.

— Bom, não vou dizer.

— Ei, Dee. — Roger alcançou-a na saída do set. — Não precisa ficar irritada.

— Eu não disse que estava irritada.

— Não precisa. — Desceram o único degrau largo do estúdio lustroso para o piso de madeira cheio de marcas, contornando câmeras e cabos. Empurraram juntos as portas do estúdio. — Você está irritada. Dá para ver. Você está com uma ruga entre as sobrancelhas. Veja. — Puxou-a pelo braço para dentro do camarim. Depois de acender as luzes, ficou atrás dela, com as mãos nos ombros dela enquanto encaravam o espelho. — Viu? Ela ainda está aí.

Intencionalmente, ela a suavizou com um sorriso.

— Não estou vendo nada.

— Então vou dizer o que eu vejo. A mulher dos sonhos de todo homem. Sexo delicado e sadio. — Quando ela franziu a testa, ele apenas deu um sorriso largo. — A imagem é essa, menina. Esses olhos grandes que dizem "confie em mim" e esse poder de sedução. Qualidades nada más para uma repórter de televisão.

— E a inteligência? — reagiu ela. — Capacidade para escrever, coragem.

— Estamos falando de aparência. — O sorriso dele reluziu, realçando as linhas de expressão ao redor de seus olhos. Ninguém na televisão tinha coragem de se referir a elas como rugas. — Olha, a última âncora que trabalhou ao meu lado era uma Barbie. Cabelos escovados, dentes perfeitos. Ela se preocupava mais com os cílios do que em fazer o trabalho dela.

— E agora ela está lendo as notícias na segunda maior estação de Los Angeles. — Deanna sabia como as coisas funcionavam naquele meio. Ah, sim, ela sabia! Mas ela não precisava gostar disso. — Dizem que ela está sendo preparada para a rede de comunicações.

— É esse o jogo. Pessoalmente, eu gosto de ter alguém com cérebro ao meu lado, mas não vamos esquecer o que somos.

— Eu pensei que fôssemos jornalistas.

— Jornalistas *de televisão*. Você tem um rosto que foi feito para a câmera e que diz tudo o que está pensando, tudo o que você está sentindo. O único problema é que isso também acontece longe das câmeras, e isso deixa você vulnerável. Uma mulher como Angela devora mocinhas do campo como você no café da manhã.

— Eu não cresci no campo. — A voz dela era seca como um deserto.

— Teria sido melhor. — Roger apertou delicadamente os ombros dela.

— Quem é seu amigo, Dee?

Ela suspirou e revirou os olhos.

— Você, Roger.

— Cuidado com Angela.

— Olha, eu sei que ela tem fama de ser temperamental...

— Ela tem fama de ser uma vaca de pedra.

Afastando-se de Roger, Deanna tirou a tampa de um pote de creme para remover a maquiagem pesada. Não gostava de ver os colegas de trabalho falando mal uns dos outros, competindo por seu tempo, e não gostava de se sentir pressionada a escolher entre eles. Já era bastante difícil conciliar suas responsabilidades na redação e no estúdio com os favores que fazia para Angela. E, no final das contas, eram apenas favores. Feitos sobretudo em seu tempo livre.

— Tudo o que eu sei é que ela não tem sido outra coisa senão boa comigo. Ela gostou do meu trabalho no *Noticiário do Meio-dia* e no segmento "Canto da Deanna" e se ofereceu para me ajudar a refinar meu estilo.

— Ela está usando você.

— Ela está me ensinando — corrigiu Deanna, enquanto ia descartando os chumaços de algodão usados para tirar a maquiagem. Seus movimentos eram rápidos e práticos. Ela acertava o centro do cesto de lixo com a mesma consistência de um marcador de lances livres no basquete. — Há uma razão para Angela ter o programa de entrevistas com maior audiência do mercado. Eu levaria anos para aprender o que ela me ensinou em meses.

— E você acha mesmo que ela vai dar uma fatia deste bolo?

Ela fez um beicinho porque, é claro, queria uma fatia. Uma bem grande. *Egoísmo saudável*, pensou ela, e riu em seu íntimo.

— Não estou competindo com ela.

— Ainda não. — Mas ela faria isso, ele sabia. Era uma surpresa para ele o fato de Angela não ter detectado o brilho de ambição por trás dos olhos de Deanna. Mas, por outro lado, pensou ele, o ego muitas vezes cegava. Ele tinha motivos para saber disso. — Aqui vai um conselho de amigo: não dê munição a Angela. — Estudou-a uma última vez enquanto ela refazia rapidamente a maquiagem para sair para a rua. Deanna talvez fosse ingênua, refletiu ele, mas também era teimosa. Ele podia ver isso na linha formada pelos lábios dela e no ângulo de seu queixo. — Tenho uns especiais para gravar. — Deu um puxãozinho nos cabelos dela. — Até amanhã.

— Até. — Uma vez sozinha, Deanna começou a bater de leve o lápis de olhos na mesa de maquiagem. Não descartou tudo o que Roger havia dito. Uma vez que era perfeccionista, que exigia e recebia o melhor para seu programa, Angela Perkins tinha fama de ser durona. E, sem dúvida, valia a pena. Depois de seis anos na emissora, o *Programa da Angela* tinha a maior audiência havia mais de três.

Uma vez que tanto o *Programa da Angela* como o *Noticiário do Meio-dia* eram gravados nos estúdios da CBC, Angela podia exercer um pouco de pressão para liberar parte do tempo de Deanna.

Também era verdade que Angela só havia sido boa para Deanna. Ela havia mostrado a Deanna uma amizade e uma disposição de compartilhar que eram raras no mundo altamente competitivo da televisão.

Era ingenuidade confiar na bondade? Deanna não pensava assim. Nem era tonta a ponto de acreditar que a bondade sempre era recompensada.

Pensativa, apanhou a escova que tinha seu nome e passou-a nos cabelos negros que batiam nos ombros. Sem a camada grossa de maquiagem pesada necessária para as luzes e as câmeras, sua pele era tão elegantemente pálida como porcelana, um contraste marcante com a cabeleira escura e os olhos cinzentos e um pouco puxados. Para dar mais um toque de drama, pintou os lábios de rosa-shocking.

Satisfeita, prendeu os cabelos em um rabo de cavalo com dois movimentos rápidos do pulso.

Nunca planejou competir com Angela. Embora esperasse usar o que havia aprendido para dar um impulso na própria carreira, o que ela queria era ter um lugar na estação um dia. Talvez um cargo no *20/20*. E não era impossível a ideia de que pudesse expandir o segmento "Canto da Deanna" no noticiário da tarde para um programa de entrevistas totalmente seu. Mas nem isso significaria competir com Angela, a rainha do mercado.

A década de 1990 estava aberta a todos os tipos de estilos e programas. Se ela tivesse sucesso, seria porque havia aprendido com a mestra. Ela sempre seria grata a Angela por isso.

♦ ♦ ♦ ♦

— Se o filho da mãe acha que eu vou me entregar, ele vai ter uma bela surpresa. — Angela Perkins olhava para o reflexo de seu produtor no espelho do camarim. — Ele concordou em vir ao programa para divulgar o novo álbum. Olho por olho, Lew. Vamos dar-lhe exposição nacional, por isso ele vai ter de responder a algumas perguntas sobre as acusações de sonegação de impostos que estão sendo feitas contra ele.

— Ele não disse que não responderia, Angela. — A dor de cabeça por trás dos olhos de Lew McNeil ainda incomodava tanto que ele deixou de acreditar que ela passaria. — Ele só disse que não poderá ser específico enquanto o caso estiver sendo julgado. Ele gostaria que você se concentrasse na carreira dele.

— Eu não estaria onde estou se deixasse um convidado dar ordens em meu programa, estaria? — Ela praguejou novamente e depois girou na cadeira para gritar com a cabeleireira. — Puxe meu cabelo de novo, queridinha, e você vai apanhar os bobes com os dentes!

— Desculpe, srta. Perkins, mas seu cabelo está muito curto.

— Acabe logo com isso! — Angela olhou mais uma vez seu reflexo no espelho e intencionalmente suavizou a expressão do rosto. Ela sabia como era importante relaxar os músculos faciais antes de um programa, por maior que fosse a adrenalina. A câmera pegava todas as linhas e rugas, como uma velha amiga com quem uma mulher se encontra para almoçar. Então, respirou profundamente, fechando os olhos por um momento como se fosse um sinal para que o produtor parasse de falar. Quando os abriu novamente, estavam claros, um azul brilhante feito diamante rodeado de cílios sedosos.

E ela sorriu quando a cabeleireira escovou seus cabelos para trás e para cima, formando um halo louro ondulado. Era um visual bonito, decidiu Angela. Sofisticada, mas não ameaçadora. Chique, mas não forçada. Examinou o penteado de todos os ângulos antes de fazer que sim com a cabeça em sinal de aprovação.

— Está ótimo, Marcie. — Deu o belo sorriso que fez a cabeleireira se esquecer da ameaça anterior. — Eu me sinto dez anos mais jovem.

— Está maravilhosa, srta. Perkins.

— Graças a você. — Relaxada e satisfeita, ela começou a brincar com as pérolas em volta do pescoço, que eram sua marca registrada. — E como vai aquele homem novo que apareceu em sua vida, Marcie? Ele está tratando você bem?

— Ele é maravilhoso. — Marcie arreganhou os dentes enquanto borrifava uma dose generosa de laquê nos cabelos de Angela para segurar o penteado. — Eu acho que ele pode ser o homem da minha vida.

— Que bom! Se ele causar problemas para você, me avise. — Ela piscou. — Eu dou um jeito nele.

Com uma gargalhada, Marcie se afastou.

— Obrigada, srta. Perkins. Boa sorte nesta manhã.

— Hum-hum. Agora, Lew. — Ela sorriu e levantou a mão para segurar na dele. O aperto era encorajador, feminino, cordial. — Não se preocupe com nada. Apenas mantenha nosso convidado feliz até o programa entrar no ar. Eu cuido do resto.

— Ele quer sua palavra, Angela.

— Querido, dê-lhe o que ele quiser. — Ela riu; a dor de cabeça de Lew transformou-se em total agonia. — Não se preocupe tanto. — Ela se curvou para a frente a fim de tirar um cigarro do maço de Virginia Slims que estava sobre a penteadeira. Acendeu um isqueiro dourado com suas iniciais, um presente do segundo marido. Soltou uma nuvem fina de fumaça.

Lew estava ficando mole, pensou ela, tanto pessoal como também profissionalmente. Embora usasse terno e gravata, figurino exigido por ela, os ombros estavam caídos como se estivessem sendo puxados para baixo pelo peso da barriga cada vez maior. Os cabelos estavam ficando ralos também, percebeu ela, e com muitos fios grisalhos. O programa de Angela era conhecido pela energia e velocidade. Ela não gostava que seu produtor parecesse um velho gorducho.

— Depois de todos esses anos, Lew, você já deveria confiar em mim.

— Angela, se você atacar Deke Barrow, vai dificultar as coisas para nós quando quisermos outras celebridades no programa.

— Bobagem. Há dezenas delas esperando para participar de meu programa. — Ela lançou o cigarro no ar como se fosse uma flecha. — Elas querem que eu promova seus filmes, especiais de televisão, livros e discos, e querem muito que eu promova a vida amorosa delas. Elas precisam de mim, Lew, porque sabem que todos os dias milhões de pessoas estão sintonizadas em meu programa. — Sorriu para o espelho, e o rosto que sorriu de volta para ela era belo, sereno, perfeito. — E elas assistem ao programa por minha causa.

Lew trabalhava com Angela havia mais de cinco anos e sabia exatamente como resolver uma discussão. Ele a adulava.

— Ninguém está negando isso, Angela. O programa é você. Eu só acho que você deveria ir com calma com Deke. Ele já está nesse meio da música country há muito tempo, e este retorno dele desperta muitos sentimentos.

— Deixe o Deke comigo. — Ela sorriu por trás de uma nuvem de fumaça. — Serei bem sentimental.

Angela pegou os cartões com notas que Deanna havia acabado de organizar às sete horas daquela manhã. Foi um gesto para que Lew fosse embora, ao que ele respondeu com um abano de cabeça. O sorriso de Angela aumentava enquanto ela passava os olhos nas notas. A menina era boa, pensou ela. Muito boa, muito meticulosa.

Muito útil.

Angela deu um último trago no cigarro com ar de quem estava pensativa antes de esmagá-lo no pesado cinzeiro de cristal sobre a penteadeira. Como sempre, cada pote, cada escova, cada tubo estava alinhado em uma ordem meticulosa. Havia um vaso com duas dúzias de rosas vermelhas, que eram compradas todas as manhãs, e um pratinho com balas de hortelã de várias cores que Angela adorava.

Ela se saía melhor com a rotina, sendo capaz de controlar seu ambiente, incluindo as pessoas que a cercavam. Todos tinham seu lugar. Ela estava gostando de arrumar um para Deanna Reynolds.

Alguns poderiam achar estranho o fato de uma mulher com quase 40 anos, uma mulher vaidosa, ter contratado uma mais jovem e atraente como sua protegida. Mas Angela era uma mulher graciosa que, com o tempo, a experiência e a ilusão, tornara-se uma bela mulher. E ela não tinha medo da idade. Não em um mundo onde a idade podia ser tão facilmente combatida.

Ela queria Deanna na retaguarda por causa de sua aparência, seu talento e sua juventude. Sobretudo porque o poder farejava poder.

E pela simples razão de gostar da moça.

Ah, ela daria a Deanna bons conselhos, críticas delicadas, elogios e, talvez, a seu tempo, uma posição de certa importância. Mas não tinha intenção de permitir que alguém que ela já percebia como uma possível concorrente saísse de seu lado. Ninguém se libertava de Angela Perkins.

Tinha dois ex-maridos que haviam aprendido isso. Eles não se libertaram. Foram despachados.

— Angela?

— Deanna. — Angela acenou com a mão dando-lhe boas-vindas. — Eu estava justamente pensando em você. Suas notas estão maravilhosas. Vão contribuir muito para o programa.

— Que bom poder ajudar. — Deanna levantou a mão para brincar com o brinco na orelha esquerda, um sinal de hesitação que ainda tinha de aprender a controlar. — Angela, estou sem jeito de lhe pedir isso, mas minha mãe é uma grande fã de Deke Barrow.

— E você gostaria de um autógrafo.

Depois de um sorriso rápido e envergonhado, Deanna mostrou o CD que estava escondendo atrás das costas.

— Ela adoraria se ele pudesse autografá-lo para ela.

— Deixe comigo. — Angela bateu de leve com uma unha francesinha perfeita na ponta do CD. — E como sua mãe se chama, Dee?

— Marilyn. Eu agradeço de verdade, Angela.

— É um prazer, querida. — Esperou um segundo. Ela sempre sabia muito bem escolher a hora certa. — Ah, e há um favorzinho que você poderia fazer para mim.

— Claro.

— Você poderia fazer uma reserva para dois no La Fontaine, esta noite, às sete e meia? Eu simplesmente não tenho tempo para cuidar disso, e esqueci de pedir à minha secretária que fizesse as reservas.

— Sem problema. — Deanna tirou um bloco do bolso para tomar nota.

— Você é um tesouro, Deanna. — Angela levantou-se em seguida para dar uma última olhada no terninho azul-claro em um espelho móvel. — O que você acha desta cor? Não é muito apagada, é?

Como sabia que Angela se preocupava com todos os detalhes do programa, da pesquisa ao calçado apropriado, Deanna demorou certo tempo para um exame sério. O caimento suave do tecido assentava lindamente no corpo atlético e cheio de curvas de Angela.

— Audaciosamente feminino.

A tensão nos ombros de Angela desapareceu.

— Perfeito, então. Vai ficar para a gravação?

— Não posso. Ainda tenho matérias para escrever para o *Noticiário do Meio-dia*.

— Oh! — A irritação veio à tona, mas por pouco tempo. — Espero que o fato de você ter me ajudado não tenha atrasado seu trabalho.

— O dia tem vinte e quatro horas — disse Deanna. — Eu gosto de usar todas elas. Agora, é melhor deixar você sozinha.

— Tchau, querida.

Deanna fechou a porta quando saiu. Todos no prédio sabiam que Angela insistia em ficar sozinha nos últimos dez minutos antes de subir ao palco. Todos acreditavam que ela usava esse tempo para rever suas notas. Isso era tolice, é claro. Ela estava completamente preparada. Mas preferia que pensassem que estava repassando suas informações. Ou até que a imaginassem dando um gole rápido da garrafa de conhaque que guardava na penteadeira.

Não que ela tocasse no conhaque. A necessidade de guardá-lo ali, ao seu alcance, apavorava tanto quanto confortava.

Ela preferia que acreditassem em qualquer coisa, desde que não soubessem a verdade.

Angela Perkins passava aqueles últimos momentos solitários antes de cada gravação em um ciclo apreensivo de pânico. Ela, uma mulher que transpirava uma imagem de suprema autoconfiança; ela, que havia entrevistado presidentes, reis, assassinos e milionários, sucumbia, como sempre, a um ataque violento e perigoso de nervosismo diante da audiência.

Centenas de horas de terapia não fizeram nada para aliviar os tremores, os suores, as náuseas. Impotente, ela desabou na cadeira, encolhendo-se. O espelho refletia-a de forma triplicada, a mulher refinada, perfeitamente arrumada, apresentada sem defeito algum. Os olhos vidrados com o terror da autodescoberta.

Angela pressionou as mãos nas têmporas e deslizou na assustadora montanha-russa do medo. Naquele dia ela teria um lapso, e todos ouviriam em sua voz o sotaque caipira do Arkansas. Veriam a menina malamada e indesejada por uma mãe que havia preferido as imagens trêmulas da tela granulada da pequena televisão Philco à sua própria carne e sangue. A menina que queria tanto atenção, de forma tão desesperada, a ponto de se imaginar dentro daquela televisão para que a mãe focasse aqueles olhos vagos e embriagados pelo menos uma vez e olhasse para ela.

Veriam a menina que vestia roupas de segunda mão e calçava sapatos que não lhe serviam, e que estudava muito para conseguir notas aceitáveis.

Saberiam que ela não era nada, ninguém, uma fraude que havia enganado para entrar na televisão da mesma forma que seu pai trapaceava para ganhar no pôquer.

E ririam dela.

Ou pior, trocariam de canal.

A batida na porta causou-lhe um sobressalto.

— Tudo pronto, Angela.

Ela respirou fundo uma vez, depois outra.

— Já vou. — Sua voz estava perfeitamente normal. Ela sabia fingir como ninguém. Por mais alguns segundos, ficou olhando para sua imagem no espelho, observando o pânico desaparecer de seus olhos.

Ela não falharia. Nunca ririam dela. Nunca iriam ignorá-la novamente. E ninguém veria qualquer coisa que ela não permitisse. Levantou-se, saiu do camarim, atravessou o corredor.

Tinha ainda de ver seu convidado e passou pela sala verde sem pestanejar. Nunca falava com um convidado antes de começar a gravação do programa.

Seu produtor estava aquecendo a plateia do estúdio. Havia um zumbido de alvoroço entre aqueles sortudos o suficiente para terem garantido ingressos para a gravação. Marcie, cambaleando em cima de saltos de dez centímetros, correu para dar uma última olhada em seus cabelos e sua maquiagem. Uma pesquisadora entregou a Angela mais alguns cartões. Angela não falou com nenhuma das duas.

Quando subiu ao palco, o zumbido irrompeu em aplausos de entusiasmo.

— Bom-dia. — Angela sentou-se em sua cadeira e deixou os aplausos inundarem o estúdio enquanto colocavam o microfone nela. — Espero que vocês todos estejam preparados para um grande programa. — Examinou a plateia enquanto falava e ficou satisfeita com o perfil do grupo. Era uma boa mistura de idades, sexo e raça; um visual importante para as panorâmicas das câmeras. — Alguém aqui é fã de Deke Barrow?

Ela riu de orelha a orelha com a próxima salva de aplausos.

— Eu também sou — disse ela, embora detestasse música country de qualquer tipo. — Eu diria que todos nós teremos uma agradável surpresa.

Fez que sim com a cabeça, recostou-se, cruzou as pernas e entrelaçou as mãos sobre o braço da cadeira. A luz vermelha da câmera acendeu. A música de abertura começou a soar animadamente no ar.

— "Lost Tomorrows", "That Green-Eyed Girl" e "One Wild Heart". Esses são apenas alguns dos sucessos que transformaram o convidado de hoje em uma figura lendária. Ele faz parte da história da música country há mais de 25 anos, e seu álbum mais recente, *Lost in Nashville*, está subindo nas paradas de sucessos. Por favor, uma salva de palmas para Deke Barrow. Bem-vindo a Chicago.

Os aplausos ressoaram novamente quando Deke apareceu no palco. De peito largo, com têmporas grisalhas aparecendo debaixo do chapéu de vaqueiro de feltro preto, Deke sorriu para a plateia antes de aceitar o caloroso aperto de mão de Angela. Ela se afastou, deixando-o aproveitar o momento e cumprimentar a plateia com a ponta dos dedos na aba do chapéu. Como quem estava totalmente fascinada, Angela juntou-se à plateia, batendo palmas em pé. No final do programa, pensou ela, Deke sairia tonto do palco. E não faria ideia do que o havia acertado.

♦ ♦ ♦ ♦

ANGELA ESPEROU até a segunda metade do programa para começar a atacar. Como uma boa anfitriã, ela adulou o convidado, ouviu atentamente as piadas dele e riu das brincadeiras. Agora Deke estava se deliciando com a admiração de todos enquanto Angela segurava o microfone para fãs eufóricos que se levantavam para fazer perguntas. Ela esperava, astuta como uma cobra.

— Deke, eu queria saber se você vai passar por Danville, no Kentucky, em sua turnê? É minha cidade natal — perguntou uma ruiva corada.

— Bom, não dá para dizer agora. Mas estaremos em Louisville no dia 17 de junho. Fale para seus amigos irem lá me ver.

— A turnê *Lost in Nashville* vai mantê-lo na estrada por alguns meses — começou Angela. — Isso é difícil para você, não é?

— Mais difícil do que era antes — respondeu ele com uma piscada. — Já não tenho mais 20 anos. — Levantou e abriu os braços, exibindo as mãos grandes de músico. — Mas tenho de dizer que adoro isso. Cantar em um estúdio de gravação não chega nem perto do que é cantar diante de uma plateia.

— E a turnê, decerto, tem sido um sucesso até aqui. Então não há verdade alguma nos boatos de que você talvez tenha de encurtá-la por causa de problemas com a Receita Federal?

O sorriso simpático de Deke foi sumindo.

— Não, senhora. Vamos até o fim com ela.

— Tenho certeza de que falo por todos aqui quando digo que tem nosso apoio nesse sentido. Sonegação de impostos. — Ela revirou os olhos em um sinal de descrença. — Eles querem transformar você no Al Capone!

— Eu não posso falar sobre isso. — Deke arrastou as botas e puxou o broche da gravata de caubói. — Mas ninguém está chamando isso de sonegação de impostos.

— Ah! — Ela arregalou os olhos. — Desculpe. Do que estão chamando?

Ele mudou de posição desconfortavelmente na cadeira.

— É uma divergência sobre impostos atrasados.

— "Divergência" é uma palavra muito suave para isso. Eu compreendo que você não possa discutir este assunto enquanto ele está sob investigação, mas acredito ser um escândalo. Um homem como você, que dá alegria a milhões de pessoas há duas gerações, estar diante de uma possível ruína financeira porque suas contas com a Receita não estão em perfeita ordem.

— Não está tão ruim assim...

— Mas você teve de pôr sua casa em Nashville à venda. — A voz de Angela destilava empatia. Seus olhos brilhavam com o mesmo sentimento. — Eu acho que o país que você tem elogiado em suas músicas deveria mostrar mais compaixão, mais gratidão. Você não acha?

Ela tocou no xis da questão.

— Parece que o cobrador de impostos não tem muito a ver com o país sobre o qual venho cantando há 25 anos. — A boca de Deke estreitou-se, os olhos endureceram como ágatas. — Eles só olham para os cifrões. Não pensam no quanto um homem teve de trabalhar. No quanto tem de suar para ser alguém na vida. Só vão tirando de você até que a maior parte do que é seu seja deles. Eles transformam pessoas honestas em mentirosas e trapaceiras.

— Você não está dizendo que trapaceou em seus impostos, está, Deke? — Angela sorriu inocentemente quando ele paralisou. — Voltamos em alguns instantes — disse ela para a câmera, e esperou até a luz vermelha apagar. — Tenho certeza de que a maioria de nós aqui já foi espremida pela Receita, Deke. — Dando as costas para ele, ela levantou as mãos. — Ele tem nosso apoio, não tem, pessoal?

Houve uma explosão de aplausos e de gritos de aprovação que de nada serviu para apagar a expressão pálida de choque do rosto de Deke.

— Eu não posso falar sobre isso — conseguiu dizer ele. — Posso beber um pouco de água?

— Vamos encerrar o assunto, não se preocupe. Teremos tempo para mais algumas perguntas. — Angela virou-se para a plateia novamente enquanto uma assistente saiu correndo para buscar um copo de água para Deke. — Tenho certeza de que Deke agradeceria se evitássemos qualquer outra discussão sobre este assunto delicado. Vamos aplaudi-lo muito quando voltarmos do intervalo e dar-lhe um tempo para se recompor.

Com essa demonstração de apoio e empatia, ela se virou novamente para a câmera.

— De volta com vocês o *Programa da Angela*. Temos tempo só para mais algumas perguntas, mas, a pedido de Deke, vamos encerrar qualquer discussão sobre sua situação fiscal, já que ele não está livre para se defender enquanto o caso está sendo investigado.

E, sem dúvida, quando ela encerrou o programa alguns minutos depois, era exatamente esse o assunto na mente de todos os espectadores.

Angela não ficou muito tempo no meio de sua plateia, mas se juntou a Deke no palco.

— O programa foi maravilhoso. — Deu um aperto firme na mão mole dele. — Muito obrigada por ter vindo. E boa sorte.

— Obrigado. — Traumatizado, ele começou a dar autógrafos até a assistente de produção tirá-lo do palco.

— Quero uma cópia — ordenou Angela enquanto voltava a passos largos para o camarim. — Quero ver a última parte. — Foi direto ao espelho e sorriu para o próprio reflexo.

## Capítulo Dois
♦ ♦ ♦ ♦

Deanna detestava cobrir matérias sobre tragédias. Intelectualmente, sabia que era seu trabalho como jornalista dar as notícias e entrevistar os feridos. Acreditava piamente no direito que o público tinha de saber das coisas. Mas, emocionalmente, toda vez que apontava um microfone na direção do sofrimento, sentia-se como a pior espécie de *voyeur*.

— O tranquilo bairro de Wood Dale foi cenário de uma tragédia súbita e violenta nesta manhã. A polícia suspeita que uma discussão doméstica tenha resultado na morte a tiros de Lois Dossier, 32 anos, uma professora do ensino fundamental nascida em Chicago. O marido dela, dr. Charles Dossier, foi detido. Os dois filhos do casal, de 5 e 7 anos de idade, estão sob os cuidados dos avós maternos. Pouco depois das oito da manhã, irromperam tiros neste lar tranquilo e abastado.

Deanna acalmou-se enquanto o câmera fazia uma panorâmica da casa de dois andares atrás dela. Ela continuou a reportar com os olhos fixos no ponto onde ficava a lente, ignorando a multidão que se juntava no local, as outras equipes de jornalistas trabalhando e a doce brisa de primavera que trazia o perfume acre de jacintos.

Sua voz estava firme, adequadamente imparcial. Mas seus olhos revelavam muita emoção.

— Às oito e quinze, a polícia chegou ao local, após receber ligações sobre um tiroteio, e Lois Dossier foi declarada morta. De acordo com os vizinhos, a sra. Dossier era uma mãe dedicada que participava ativamente de projetos da comunidade. Ela era querida e respeitada. Entre as amigas mais próximas estava sua vizinha, Bess Pierson, que avisou a polícia sobre o tumulto. — Deanna virou-se para a mulher ao seu lado que vestia blusa e calça de moletom roxo. — Sra. Pierson, até onde a senhora sabe, houve algum tipo de violência na casa dos Dossier antes desta manhã?

— Sim... não. Eu nunca pensei que ele pudesse machucá-la. Eu ainda não consigo acreditar. — A câmera ampliou o rosto inchado e banhado em lágrimas de uma mulher pálida de choque. — Ela era minha melhor amiga. Éramos vizinhas há seis anos. Nossos filhos brincam juntos.

Lágrimas começaram a descer. Sentindo desprezo por si mesma, Deanna apertou a mão da mulher com a que estava livre e continuou:

— Conhecendo Lois e Charles Dossier, a senhora concorda com a polícia que esta tragédia foi resultado de uma discussão doméstica que fugiu ao controle?

— Não sei o que pensar. Eu sei que eles estavam com problemas conjugais. Eu ouvia brigas, gritos. — A mulher olhou para o nada, traumatizada. — Lois disse que queria que Chuck fosse a um conselheiro matrimonial com ela, mas ele não queria. — Ela começou a soluçar naquele momento, cobrindo os olhos com uma das mãos. — Ele não queria ir, e agora ela se foi. Oh, meu Deus! Ela era como uma irmã para mim!

— Corta — disse Deanna de improviso, pondo em seguida o braço em volta dos ombros da sra. Pierson. — Sinto muito. Sinto muito mesmo. A senhora não deveria estar aqui agora.

— Eu ainda acho que estou sonhando. Que não pode ser verdade.

— Tem algum lugar para onde a senhora possa ir? Um amigo ou um parente? — Deanna passou os olhos no jardim bem-cuidado, repleto de vizinhos curiosos e repórteres obstinados. Alguns metros à esquerda havia outra equipe filmando o local. O repórter não parava de estragar as tomadas, rindo de si mesmo porque estava enrolando a língua. — As coisas não vão se acalmar por aqui durante um bom tempo.

— É verdade. — Depois de um último soluço, a sra. Pierson limpou os olhos. — Íamos ao cinema hoje à noite — disse ela, e, em seguida, virou-se e saiu correndo.

— Meu Deus! — Deanna viu quando outros repórteres apontaram os microfones na direção da mulher em fuga.

— Você sofre demais — comentou o cinegrafista.

— Cale-se, Joe. — Deanna conteve-se e respirou fundo. Seu coração talvez estivesse sangrando, mas ela não podia deixar que isso afetasse seu julgamento. Seu trabalho era dar a notícia clara e precisa, informar e mostrar ao espectador imagens que causassem impacto.

— Vamos terminar isso. Queremos a matéria para o *Noticiário do Meio-dia*. Dê um zoom na janela do quarto e depois volte para mim. Não se esqueça de enquadrar os jacintos e os narcisos e a carretinha vermelha das crianças. Entendeu?

Joe examinou o cenário, o boné dos White Sox sobre seus cabelos castanhos e crespos puxados para baixo para fazer sombra nos olhos. Ele já podia ver as imagens, cortadas, enquadradas, editadas. Olhou com os olhos meio fechados e fez que sim com a cabeça. Os músculos agruparam-se sob a blusa de moletom quando ele ergueu a câmera.

— Quando você quiser.

— Então... três, dois, um. — Ela esperou um pouco enquanto a câmera dava um close. — A morte violenta de Lois Dossier abalou esta comunidade tranquila. Enquanto seus amigos e familiares perguntam por quê, o dr. Charles Dossier está preso. Deanna Reynolds, em Wood Dale, para a CBC.

— Bom trabalho, Deanna. — Joe desligou a câmera.

— Sim, muito bom. — Enquanto seguia para o furgão, pôs duas pastilhas de antiácido na boca.

♦♦♦♦

A CBC USOU a gravação novamente no bloco local do noticiário da noite, com as últimas informações da delegacia de polícia onde Dossier estava detido sob acusação de assassinato em segundo grau. Encolhida em uma cadeira em seu apartamento, Deanna assistia imparcialmente quando a âncora passou da história principal para uma matéria sobre um incêndio em um apartamento da zona sul da cidade.

— Boa matéria, Dee. — Esparramada no sofá estava Fran Myers. Os cabelos ruivos e cacheados, presos no alto da cabeça, pendiam para um lado. Tinha um rosto triangular e atraente, acentuado pelos olhos castanhos. A voz era típica de Nova Jersey. Ao contrário de Deanna, ela não havia crescido em uma casa tranquila em um bairro arborizado de classe média, mas em um apartamento barulhento em Atlantic City, com uma mãe divorciada duas vezes e um grupo diverso de meios-irmãos.

Bebendo um *ginger ale* em goles curtos, ela fez um gesto com o copo para a tela. O movimento foi tão preguiçoso quanto um bocejo.

— Você sempre fica tão bem na televisão. Eu pareço uma anã rechonchuda no vídeo.

— Eu tinha de tentar entrevistar a mãe da vítima. — Colocando as mãos nos bolsos da calça jeans, Deanna levantou-se de um salto e começou a andar de um lado para o outro nervosamente. — Ela não atendia ao telefone, e, como uma boa repórter, consegui localizar o endereço. Eles também não atendiam à porta. As cortinas estavam fechadas. Fiquei do lado de fora com um grupo de outras pessoas da imprensa por quase uma hora. Senti-me uma vampira.

— Você já deveria saber a essa altura que os termos "vampiro" e "repórter" são sinônimos. — Mas Deanna não sorriu. Fran reconheceu a culpa por trás dos movimentos agitados. Depois de colocar o copo na mesinha, Fran apontou para a cadeira. — Tudo bem, sente-se e ouça um conselho da Tia Fran.

— Não posso ouvir os conselhos em pé?

— Não. — Fran agarrou a mão de Deanna e puxou-a para o sofá. Apesar das diferenças de origem e estilo, elas eram amigas desde o primeiro ano de faculdade. Fran já havia visto Deanna travar aquela guerra entre intelecto e emoção dezenas de vezes. — Está bem. Pergunta número um: Por que você foi para Yale?

— Porque consegui uma bolsa.

— Não esfregue sua inteligência na minha cara, Einstein. Para que você e eu fomos para a faculdade?

— Você foi para conhecer homens.

Fran estreitou os olhos.

— Isso foi só um benefício secundário. Pare de enrolar e responda à pergunta.

Vencida, Deanna soltou um suspiro.

— Fomos para estudar, para ser jornalistas, para ter um bom salário e trabalhos de prestígio na televisão.

— Perfeito. E conseguimos?

— Mais ou menos. Temos os diplomas. Eu sou repórter da CBC e você é assistente de produção do *Papo de Mulher* na TV a cabo.

— Excelente para quem está começando. Agora, você se esqueceu do famoso Plano dos Cinco Anos de Deanna Reynolds? Se sim, tenho certeza de que tem uma cópia escrita naquela escrivaninha.

Deanna deu uma olhada para seu orgulho e alegria, o único móvel que havia comprado desde que se mudara para Chicago. Adquirira a bela escrivaninha Queen Anne de pátina em um leilão. E Fran tinha razão. Havia uma cópia escrita do plano de carreira de Deanna na gaveta de cima. Em duplicata.

Desde a faculdade ela já havia mudado um pouco os planos. Fran casara-se, estabelecera-se em Chicago e havia encorajado a ex-colega de quarto a aparecer por lá e tentar a sorte.

— Primeiro Ano — lembrou Deanna. — Um trabalho diante das câmeras em Kansas City.

— Feito.

— Segundo Ano: um posto na CBC, em Chicago.

— Feito.

— Terceiro Ano: um segmento pequeno e de bom gosto que fosse meu.

— O atual "Canto da Deanna" — disse Fran, brindando ao segmento com o *ginger ale*.

— Quarto Ano: ser âncora do noticiário da noite. Local.

— Que você já foi, várias vezes, como substituta.

— Quinto Ano: enviar fitas de áudio e currículos para o lugar sagrado: Nova York.

— Que jamais poderá resistir à sua combinação de estilo, simpatia diante das câmeras e sinceridade, a não ser, é claro, que você continue a duvidar de si mesma.

— Você tem razão, mas...

— Nada de "mas". — Nisso Fran foi firme. Gastou parte da energia que preferia poupar ao pôr os pés sobre a mesinha de centro. — Você faz um bom trabalho, Dee. As pessoas falam com você porque você tem compaixão. Isso é um ponto positivo em um jornalista, não um defeito.

— Não me ajuda a dormir à noite. — Inquieta e subitamente cansada, Deanna passou uma das mãos nos cabelos. Depois de apoiar as pernas no braço do sofá, examinou a sala, pensativa.

Lá estavam o minguado jogo de mesa e cadeiras que ela ainda precisava trocar por algo adequado, o tapetinho gasto e a única poltrona firme que havia sido reformada com um novo tecido cinza-claro. Somente a escrivaninha se destacava, brilhante, uma prova do sucesso parcial. No entanto, tudo estava em seu devido lugar: as poucas bugigangas que ela juntava estavam organizadas de forma precisa.

Aquele apartamento arrumado não era a casa de seus sonhos, mas, como mostrou Fran, era um excelente ponto de partida. E Deanna tinha toda a intenção de dar o pontapé inicial, tanto pessoal como profissionalmente.

— Lembra como pensávamos na faculdade? Que correr atrás de ambulâncias, entrevistar serial killers, escrever artigos fortes que prenderiam a atenção do espectador seriam pura adrenalina para nós? Bem, e são mesmo. — Soltando um suspiro, Deanna levantou-se para andar de um lado para o outro novamente. — Mas essa emoção tem um preço. — Parou por um instante, apanhou uma caixinha de porcelana e colocou-a no lugar de novo. — Angela insinuou que eu poderia ser chefe da equipe de jornalistas de investigação no programa dela com meu nome aparecendo nos créditos e um aumento considerável de salário.

Uma vez que não queria influenciar a amiga, Fran apertou os lábios e manteve a imparcialidade na voz.

— E você está considerando a possibilidade?

— Toda vez que penso nisso, lembro que eu teria de renunciar às câmeras. — Com uma rápida gargalhada, Deanna fez que não com a cabeça. — Eu sentiria falta daquela luzinha vermelha. Viu só? Esse é o problema. — Sentou-se subitamente no braço do sofá. Seus olhos brilharam novamente, entristecidos por uma euforia reprimida. — Eu não quero ser chefe da equipe principal de Angela. Eu já nem tenho certeza se quero ir para Nova York. Eu acho que quero meu próprio programa. Aparecer em 120 canais. Quero 20% do mercado. Quero aparecer na capa da *TV Guide*.

Fran sorriu.

— Então, o que impede você?

— Nada. — Mais confiante agora que havia dito isso em voz alta, Deanna ajeitou-se no sofá, colocando os pés descalços sobre a almofada. — Talvez esse seja o Sétimo ou Oitavo Ano, ainda não sei. Mas é o que quero, e eu posso fazer isso. Mas... — Suspirou. — Significa engolir lágrimas e sofrimentos até chegar aonde quero.

— O Plano de Carreira Estendido de Deanna Reynolds.

— Exatamente. — Ela estava contente por Fran ter entendido. — Você não acha que sou louca?

— Querida, eu acho que qualquer pessoa com sua mente meticulosa, sua postura diante das câmeras e sua ambição educada, mas forte, consegue exatamente o que quer. — Fran estendeu a mão para pegar a tigela de amêndoas doces que estava na mesinha e lançou três para dentro da boca. — Só não se esqueça dos pobres quando você chegar lá.

— Como você se chama mesmo?

Fran atirou uma almofada nela.

— Bom, agora que sua vida já está resolvida, eu gostaria de fazer um adendo à Minha Vida Nunca é Aquilo Que Pensei Que Seria, Uma Saga, de Fran Myers.

— Você foi promovida?

— Não.

— O Richard foi?

— Não, embora haja a possibilidade de uma pequena participação no Dowell, Dowell e Fritz em um futuro próximo. — Deu um suspiro profundo. A pele de ruiva enrubesceu como uma rosa exuberante. — Eu estou grávida.

— O quê? — Deanna piscou. — Grávida? Sério? — Rindo, deslizou no sofá para segurar as mãos de Fran. — Um bebê? Isso é maravilhoso! Isso é incrível! — Deanna lançou os braços em torno de Fran para abraçá-la com força e depois se afastou repentinamente para examinar o rosto da amiga. — Não é?

— Pode apostar! Só planejávamos ter um filho daqui a um ou dois anos, mas, droga, demora nove meses, certo?

— Pelo que sei, demora. Você está feliz. Dá para ver. Só não consigo acreditar. — Parou e afastou-se novamente. — Meu Deus, Fran! Você já está aqui há quase uma hora e só agora me conta isso! E por falar em enrolar...

Satisfeita consigo mesma, Fran deu uns tapinhas na barriga reta.

— Eu não queria que nada atrapalhasse para que você pudesse se concentrar em mim. Em nós.

— Sem problemas, então. Está tendo enjoos pela manhã ou alguma coisa do tipo?

— Eu? — Fran ergueu uma sobrancelha. — Com meu estômago de ferro?

— Certo. O que Richard disse?

— Antes ou depois de parar de dançar nas nuvens?

Deanna riu novamente e depois se levantou de um salto para dar uma pirueta rápida. Um bebê, pensou. Tinha de planejar o chá de bebê, comprar bichinhos de pelúcia e abrir uma poupança.

— Precisamos comemorar!

— O que fazíamos na faculdade quando tínhamos de festejar alguma coisa?

— Comida chinesa e vinho branco barato — respondeu Deanna com um sorriso largo. — Perfeito, só que com leite no lugar do vinho.

Fran fez uma careta e depois encolheu os ombros.

— Acho que vou ter de me acostumar com isso. Mas tenho um favor para pedir.

— Diga.

— Concentre-se nesse plano de carreira, Dee. Eu acho que adoraria que meu filho tivesse uma estrela como madrinha.

♦ ♦ ♦ ♦

Quando o telefone tocou às seis horas, Deanna acordou com uma ressaca. Apertando a cabeça com uma das mãos, começou a procurar o telefone com a outra.

— Reynolds.

— Deanna, querida, desculpe acordar você.

— Angela?

— Quem mais seria indelicado a ponto de ligar a esta hora? — O riso suave de Angela chegou ao outro lado da linha enquanto Deanna, sonolenta, olhava para o relógio. — Tenho um enorme favor para pedir. Estamos gravando hoje, e Lew está de cama com uma virose.

— Que pena! — Com coragem, Deanna limpou a garganta e conseguiu se sentar.

— Essas coisas acontecem. O problema é que estamos tratando de um assunto delicado hoje, e, quando pensei nisso, percebi que você realmente seria a pessoa perfeita para cuidar dos convidados nos bastidores. Essa é a função de Lew, você sabe, por isso eu estou de mãos atadas.

— E Simon ou Maureen? — Seu cérebro podia estar confuso, mas Deanna se lembrava do sistema hierárquico.

— Nenhum dos dois serve para isso. Simon faz ótimas entrevistas pelo telefone, e só Deus sabe que Maureen é uma joia em se tratando de arranjos com transporte e alojamento. Mas estes convidados requerem um toque muito especial. Seu toque.

— Eu adoraria ajudar, Angela, mas tenho de estar na estação às nove.

— Resolverei isso com seu produtor, querida. Ele me deve um favor. Simon pode cuidar da segunda gravação, mas, se você conseguisse dar um jeito de me ajudar nesta manhã, eu ficaria muito grata.

— Claro. — Deanna jogou o cabelo desgrenhado para trás e se conformou com uma rápida xícara de café e um frasco de aspirina. — Desde que não haja conflito.

— Não se preocupe com isso. Ainda tenho influência no departamento de notícias. Preciso de você aqui às oito em ponto. Obrigada, querida.

— Tudo bem, mas...

Ainda confusa, Deanna ficou olhando para o telefone enquanto ouvia o sinal da linha desocupada. Alguns detalhes não foram tratados, refletiu ela. Que raio de tema era esse daquela manhã, e quem eram os convidados que precisavam de um cuidado tão especial?

♦ ♦ ♦ ♦

Deanna entrou na sala verde com um sorriso desajeitado no rosto e uma garrafa térmica com café fresquinho na mão. Àquela altura, já sabendo qual era o tema do programa, examinou cuidadosamente os sete convidados como um soldado veterano inspecionando um campo minado.

Triângulos amorosos. Deanna respirou fundo. Dois casais e as outras mulheres que quase destruíram o casamento deles. Um campo minado talvez fosse mais seguro.

— Bom-dia. — A sala permaneceu sinistramente silenciosa, com exceção dos sussurros do noticiário da manhã na televisão. — Eu sou

Deanna Reynolds. Sejam bem-vindos ao *Programa da Angela*. Alguém aceita mais café?

— Obrigado. — O homem sentado em uma cadeira no canto ajeitou a pasta aberta que tinha no colo e estendeu a xícara. Deu a Deanna um sorriso rápido que se intensificou com o brilho divertido nos olhos castanho-claros. — Eu sou o dr. Pike. Marshall Pike. — Baixou a voz enquanto Deanna enchia sua xícara. — Não se preocupe, eles estão desarmados.

Os olhos de Deanna encontraram os dele e ali ficaram.

— Mas eles têm dentes e unhas — sussurrou ela.

Ela sabia quem ele era, o especialista do segmento, um psicólogo que tentaria fechar aquela caixa de marimbondos antes dos créditos finais do programa. Trinta e cinco anos, calculou ela, com a perícia de um policial ou de um repórter. Confiante, relaxado, atraente. Conservador, a julgar pelos cabelos louros cuidadosamente penteados e pelo terno de risca de giz e corte impecável. Os sapatos brilhavam, as unhas estavam feitas e o sorriso era espontâneo.

— Eu protejo você — ofereceu ele — se você me proteger.

Ela devolveu o sorriso.

— Combinado. Sr. e sra. Forrester? — Deanna parou quando o casal olhou para ela. O rosto da mulher estampava uma carranca de ressentimento, o do homem, um terrível constrangimento. — Vocês serão os primeiros com a srta. Draper.

Lori Draper, a última parte do triângulo, irradiava entusiasmo. Parecia mais uma líder de torcida entusiasmada, pronta para executar um salto, do que uma mulher fatal.

— Minha roupa está boa para a televisão?

Sob o olhar da sra. Forrester, que bufava, Deanna assegurou-lhe que sim.

— Eu sei que explicaram o procedimento básico para todos vocês na entrevista prévia. Os Forrester e a srta. Draper vão primeiro...

— Eu não quero me sentar ao lado dela. — As palavras sibiladas da sra. Forrester saíram por entre dentes.

— Isso não será problema.

— Eu também não quero Jim sentado ao lado dela.

Lori Draper revirou os olhos.

— Meu Deus, Shelly! Rompemos há meses! Você acha que vou pular em cima dele na frente das câmeras, ou o quê?

— De você, não duvido nada. — Shelly escondeu a mão de repente quando o marido tentou afagá-la. — Não vamos ficar sentados ao lado dessa mulher — disse ela para Deanna. — E Jim também não vai falar com ela. Nunca.

A declaração serviu para lançar mais lenha à fogueira no triângulo número dois. Antes que Deanna pudesse abrir a boca, todos começaram a falar ao mesmo tempo. Eram acusações e amarguras de um lado ao outro da sala. Deanna olhou de relance para Marshall Pike, que lhe deu aquele mesmo sorriso espontâneo e levantou um ombro elegante.

— Muito bem! — Deanna falou com uma voz mais alta que o tumulto ao entrar na discussão. — Tenho certeza de que todos vocês têm motivos válidos e muita coisa para dizer. Por que não guardamos isso para o programa? Todos concordaram em vir aqui nesta manhã para contar sua versão da história e procurar algumas possíveis soluções. Tenho certeza de que podemos arrumar lugares adequados para todos.

Passou rapidamente o restante das instruções, controlando os convidados da mesma forma que uma professora de jardim de infância controla crianças teimosas de 5 anos de idade. Com uma alegria inabalável e pulso firme.

— Agora, sra. Forrester... Shelly... Jim, Lori, se me acompanharem, vamos acomodá-los e colocar os microfones em vocês.

Dez minutos depois, Deanna voltou à sala verde, agradecendo por não ter havido derramamento de sangue. Enquanto as pessoas do triângulo restante estavam sentadas como pedras, encarando a tela da televisão, Marshall estava em pé examinando uma bandeja de pães doces.

— Bom trabalho, srta. Reynolds.

— Obrigada, dr. Pike.

— Marshall. — Ele escolheu um pão doce com canela. — É uma situação delicada. Embora o triângulo tenha tecnicamente se quebrado quando o caso amoroso terminou, ele ainda existe emocional, moral e até intelectualmente.

Pior que é mesmo, pensou ela. Se o homem que ela amasse a traísse, seria ele que ficaria quebrado, em todos os sentidos.

— Imagino que você lide com situações parecidas em seu consultório.

— Com frequência. Decidi concentrar-me na área depois que me divorciei. — Seu sorriso era doce e tímido. — Por motivos óbvios. — Olhou de relance para as mãos dela, reparando que usava um único anel com uma granada cravada em ouro antigo na mão direita. — Você não está precisando de meus conhecimentos em particular?

— No momento, não. — Marshall Pike era extremamente atraente, pensou ela. O sorriso encantador, o físico de um homem alto e esbelto que fez até Deanna, com seu 1,77 metro de altura de saltos altos, inclinar a cabeça para trás para se deparar com o interesse lisonjeiro nos profundos olhos castanhos. Contudo, naquele momento, ela precisava concentrar a maior parte de sua atenção no grupo emburrado atrás dele.

— O programa vai começar logo depois deste comercial. — Deanna fez um gesto na direção do set. — Marshall, você só vai entrar nos últimos vinte minutos, mas ajudaria se assistisse ao programa para formular conselhos específicos.

— Naturalmente. — Ele estava gostando de observá-la, o modo como ela acelerava em ponto morto. Ele quase conseguia ouvir o acelerador de sua energia. — Não se preocupe. Já participei três vezes do *Programa da Angela*.

— Ah, um veterano. Você precisa de alguma coisa?

Os olhos de Marshall correram para o trio que estava atrás dele e depois voltaram para os de Deanna.

— Um colete à prova de balas?

Ela riu baixinho, apertando o braço dele. Ele se sairá muito bem, concluiu ela.

— Vou ver o que posso fazer.

O programa, por fim, foi emotivo, e, apesar da troca de acusações amargas, ninguém saiu seriamente ferido. Fora das câmeras, Deanna admirava o modo como Angela mantinha a mão leve nas rédeas, permitindo que os convidados agissem como bem quisessem e, então, acalmando-os novamente quando os ânimos ameaçavam exaltar-se.

Ela conduzia a plateia também. Com um instinto infalível, oferecia o microfone à pessoa certa no momento certo e, então, voltava tranquilamente a fazer uma pergunta ou comentário.

Quanto ao dr. Pike, pensou Deanna, eles não podiam ter escolhido um mediador melhor. Ele emanava a combinação perfeita de intelecto e compaixão, misturada com conselhos concisos, o que funciona muito bem na TV.

Quando o programa terminou, os Forrester estavam de mãos dadas. O outro casal havia parado de se falar, e as *outras* duas mulheres conversavam como velhas amigas.

Angela acertara em cheio novamente.

♦ ♦ ♦ ♦

— Resolveu se juntar a nós, Deanna? — Roger beliscou o braço dela quando pulou para seu lado.

— Eu sei que vocês não conseguem passar o dia sem mim. — Deanna atravessou a barulhenta sala de redação em direção à sua mesa. Telefones tocavam, teclados retiniam. Em uma parede, os programas atuais da CBC e de outras três redes eram exibidos em monitores. Pelo cheiro da sala, fazia pouco tempo que alguém havia derramado café. — Qual é a notícia mais importante? — perguntou a Roger.

— O incêndio de ontem à noite na zona sul.

Concordando com a cabeça, Deanna sentou-se à sua mesa. Ao contrário da maioria dos outros repórteres, sua área de trabalho era meticulosamente organizada. Lápis apontados com a ponta para baixo dentro de um copo de cerâmica com desenhos de flor, um bloco de notas alinhado ao lado deles. Sua agenda estava aberta no dia de hoje.

— Incêndio premeditado?

— É o que todos dizem. Eu tenho a matéria. Temos uma entrevista gravada com o comandante dos bombeiros e um repórter ao vivo no local. — Roger ofereceu-lhe seu pacote de balas de goma. — E como sou um cara bonzinho, peguei sua correspondência.

— Estou vendo. Obrigada.

— Peguei uns minutos do *Programa da Angela* desta manhã. — Pensativo, mastigou a bala. — Discutir adultério logo cedo não deixa as pessoas nervosas?

— Serve como tema para elas conversarem na hora do almoço. — Ela pegou um abridor de cartas de ébano e abriu o primeiro envelope.

— Expondo-se em rede nacional?

Ela levantou uma sobrancelha.

— Parece que terem se exposto na televisão ajudou o relacionamento dos Forrester.

— Tive a impressão de que o outro casal saiu direto dali para assinar a papelada do divórcio.

— Às vezes a solução é o divórcio.

— É o que você acha? — perguntou ele de modo suave. — Se seu marido a estivesse traindo, você perdoaria e esqueceria o assunto ou assinaria os papéis do divórcio?

— Bem, eu ouviria, discutiria o problema, tentaria descobrir o motivo da traição. Depois encheria o porco adúltero de balas. — Deu um sorriso largo para ele. — Mas isso sou eu. E viu só? Isso não nos deu algo sobre o que falar? — Olhou de relance para baixo para a única folha que tinha na mão. — Ei! Veja isto!

Inclinou a folha para que ambos pudessem vê-la. No centro do papel, escrita com tinta vermelha, estava uma única frase:

Deanna, eu amo você.

— O velho admirador secreto? — Roger perguntou de forma despreocupada, mas havia uma expressão carrancuda em seus olhos.

— Parece que sim. — Curiosa, ela virou o envelope. — Sem remetente. E sem selo também.

— Eu acabei de buscar sua correspondência. — Roger fez que não com a cabeça. — Alguém deve ter colocado em sua caixa sem ser visto.

— Achei meigo. — Ela esfregou os braços depois de sentir um breve arrepio e riu. — E de arrepiar.

— Talvez fosse melhor perguntar para o pessoal aqui, ver se alguém percebeu alguém às escondidas perto de sua caixa de correio.

— Não é importante. — Deanna jogou a carta e o envelope no lixo e foi para a próxima.

— Com licença.

— Ah, dr. Pike. — Deanna colocou a correspondência na mesa e sorriu para o homem atrás de Roger. — Você se perdeu na saída?

— Não. Na verdade, me disseram que eu a encontraria aqui.

— Dr. Marshall Pike, Roger Crowell.

— Sim, eu o reconheci. — Marshall estendeu a mão. — Vejo vocês dois com frequência.

— Eu acabei de ver parte de sua participação no programa. — Roger enfiou o pacote de balas no bolso. Seus pensamentos ainda estavam na carta, e ele prometeu para si mesmo que a tiraria do lixo de Deanna assim que fosse possível. — Precisamos de um artigo sobre a exposição de cachorros, Dee.

— Sem problema.

— Foi um prazer conhecê-lo, dr. Pike.

— Digo o mesmo. — Marshall virou-se novamente para Deanna quando Roger saiu. — Eu queria lhe agradecer por manter as coisas sob controle hoje de manhã.

— É uma das coisas que faço melhor.

— Eu tenho de concordar. Sempre achei que você apresenta as notícias com uma compaixão de quem está pensando com lucidez. É uma combinação notável.

— E um elogio notável. Obrigada.

Ele deu uma olhada pela sala de redação. Dois jornalistas discutiam acerbamente sobre beisebol, os telefones tocavam alto, um estagiário empurrava um carrinho cheio de arquivos pelos espaços estreitos entre as mesas.

— Lugar interessante.

— É mesmo. Seria um prazer acompanhá-lo para conhecer a sala de redação, mas eu tenho de escrever um artigo para o *Noticiário do Meio-dia*.

— Então fica para a próxima. — Olhou novamente para ela com aquele sorriso simpático e espontâneo nos cantos da boca. — Deanna, já que estivemos juntos nas trincheiras, por assim dizer, eu estava pensando se você gostaria de jantar comigo.

— Jantar. — Ela o examinou com mais atenção, como faz uma mulher quando um homem deixa de ser simplesmente um homem e passa a ser uma possível relação. Teria sido tolice fingir que ele não a atraía. — Sim, acho que eu gostaria disso.

— Hoje à noite? Que tal às sete e meia?

Ela hesitou. Raramente era impulsiva. Ele era um profissional, pensou ela, de boas maneiras, um colírio para os olhos. E, mais importante, havia mostrado tanto inteligência como compaixão sob pressão. — Claro! — Tirou uma folha do bloco de notas de vidro fumê e anotou seu endereço para ele.

# Capítulo Três

♦♦♦♦

— Logo mais, no *Noticiário do Meio-dia*, a história de uma mulher que abre sua casa e seu coração para as crianças pobres de Chicago. E também as últimas notícias dos esportes com Les Ryder e a previsão do tempo para o final de semana com Dan Block. Esperamos você ao meio-dia.

Assim que a luz vermelha apagou, Deanna tirou o microfone e levantou-se da mesa de notícias. Tinha artigos para terminar e uma entrevista por telefone para fazer, e precisava revisar suas anotações para o próximo "Canto da Deanna". Durante as duas semanas em que havia substituído Lew, ela dedicou mais de cem horas sem parar ao trabalho.

Passou depressa pelas portas do estúdio e estava no meio do corredor que levava à sala de redação quando Angela a fez parar.

— Querida, você só tem duas velocidades. Pare e siga.

Deanna só parou porque Angela impediu sua passagem.

— Neste momento a ordem é "siga". Estou atolada de trabalho.

— Eu nunca vi você deixar de fazer seu trabalho, e na hora certa. — Para mantê-la no lugar onde estava, Angela colocou uma das mãos no braço dela. — E isto só vai levar um minuto.

Deanna estava impaciente.

— Você pode ter dois minutos, se conversarmos enquanto andamos.

— Ótimo. — Angela virou-se e começou a andar no mesmo ritmo de Deanna. — Tenho um almoço de negócios daqui a uma hora, por isso estou com um pouco de pressa também. Preciso de um favorzinho.

— Tudo bem. — Com a cabeça já no trabalho, Deanna entrou na sala de redação e foi para sua mesa. Seus papéis estavam empilhados por ordem de prioridade: as anotações precisas a serem transcritas e transformadas em artigo, a lista de perguntas que faria ao entrevistado pelo telefone e os cartões para o "Canto da Deanna". Ligou o computador e digitou a senha enquanto esperava a explicação de Angela.

Angela não se apressou. Fazia meses, talvez mais, pensou ela, que não ia à sala de redação, uma vez que seus escritórios e estúdio ficavam no que os funcionários da CBC chamavam de "a Torre", uma estrutura branca estreita que se projetava do prédio. Era uma forma não tão sutil de separar os programas nacionais e que não eram de notícias dos locais.

— Vou dar uma festinha amanhã à noite. Finn Riley deve voltar de Londres esta tarde e eu pensei em fazer uma pequena recepção de boas-vindas para ele.

— Hum-hum. — Deanna já estava fazendo seu trabalho.

— Ele ficou lá fora por tanto tempo desta vez, e, depois daquele assunto desagradável no Panamá antes de voltar para seu posto em Londres, achei que ele merecia umas férias.

Deanna não sabia ao certo se uma guerra pequena e sangrenta pudesse ser chamada de "assunto desagradável", mas fez que sim com a cabeça.

— Já que foi de última hora, preciso mesmo de uma ajuda para organizar as coisas: o bufê, as flores, a música e, é claro, a festa. Alguém para garantir que tudo corra sem problemas. Minha secretária não consegue dar conta, e eu realmente quero que essa festa saia perfeita. Se você puder me conceder algumas horas hoje à tarde e amanhã, obviamente.

Deanna lutou contra a sensação de ressentimento e obrigação.

— Angela, eu adoraria ajudar você, mas estarei ocupada.

O sorriso persuasivo de Angela não se alterou, mas seus olhos gelaram.

— Você não está escalada para o sábado.

— Não, não é aqui, embora esteja de prontidão. Mas eu tenho um compromisso. — Deanna começou a bater um dedo nas anotações. — Um encontro.

— Eu entendo. — A mão de Angela foi de encontro ao seu colar de pérolas, onde os dedos começaram a esfregar uma bola lisa e brilhante. — Dizem que você tem saído muito com o dr. Marshall Pike.

O noticiário da noite podia se basear em fatos e informações comprovadas, mas Deanna percebia que as salas de redação e os estúdios de televisão se baseavam em fofocas.

— Saímos algumas vezes nas últimas duas semanas.

— Bem, eu não queria me intrometer e espero que você não me leve a mal, Dee. — Para acrescentar intimidade à afirmação, Angela apoiou o quadril na mesa de Deanna. — Você acha mesmo que ele faz seu tipo?

Dividida entre a boa educação e sua agenda, Deanna preferiu ser educada.

— Sinceramente, eu não tenho isso. Quero dizer, um tipo.

— É claro que você tem. — Com uma rápida gargalhada, Angela inclinou a cabeça. — Jovem, um belo corpo, amante da natureza. Atlética — continuou ela. — Você precisa de alguém que acompanhe o ritmo acelerado que você estabeleceu para si mesma. E inteligente, é claro, mas não excessivamente intelectual. Você precisa de alguém que consiga dizer o que quer em rápidos quinze segundos.

Ela não tinha realmente tempo para nada daquilo. Deanna pegou um de seus lápis apontados e passou-o por entre os dedos.

— Isso me faz parecer um pouco superficial.

— Que nada! — Os olhos de Angela arregalaram em protesto enquanto ela dava risadinhas. — Querida, eu só quero o melhor para você. Eu odiaria ver um interesse passageiro interferindo no ritmo que sua carreira está tomando, e, quanto a Marshall, ele é um pouco espertalhão, não é?

A raiva que começou a brilhar nos olhos de Deanna logo foi contida.

— Eu não sei o que você quer dizer com isso. Eu gosto da companhia dele.

— É claro que você gosta. — Angela deu uns tapinhas no ombro de Deanna. — Que mulher jovem não gostaria? Um homem mais velho, experiente, agradável. Mas deixar que ele interfira em seu trabalho...

— Ele não está interferindo em nada. Saímos algumas vezes nas últimas semanas, só isso. Desculpe, Angela, mas eu tenho mesmo de voltar ao trabalho aqui.

— Desculpe — disse ela friamente. — Pensei que fôssemos amigas. Eu não imaginei que um pequeno conselho construtivo fosse ofendê-la.

— Não ofendeu. — Deanna evitou um suspiro. — Mas estou com o prazo apertado. Ouça, se eu conseguir arrumar um tempo mais tarde, farei o que puder para ajudá-la com a festa.

Como se um interruptor tivesse sido apertado, o olhar frio se converteu no mais caloroso dos sorrisos.

— Você é uma joia. Vamos fazer o seguinte: só para provar que não guardo rancor, você pode levar Marshall amanhã à noite.

— Angela...

— Ora, não vou aceitar não como resposta. — Ela deslizou de cima da mesa. — E se você puder chegar lá uma ou duas horas antes, eu ficaria muito agradecida. Ninguém sabe organizar as coisas como você, Dee. Depois falamos sobre isso.

Deanna recostou-se na cadeira quando Angela começou a andar em direção à porta. Era como se um caminhão tivesse passado por cima dela.

Fazendo um não com a cabeça, ela olhou para suas anotações, os dedos suspensos sobre o teclado. Franzindo as sobrancelhas, relaxou-as novamente. Angela estava errada, pensou. Marshall não estava interferindo em seu trabalho. Estar interessada em alguém não significava esquecer sua ambição.

Ela gostava de sair com ele. Gostava de como ele pensava — do modo como conseguia abrir a mente para ver os dois lados de uma situação. E do modo como ele ria quando ela defendia uma opinião e se recusava a mudar de ideia.

Gostava do fato de Marshall deixar que a parte física da relação se desenvolvesse aos poucos, no ritmo dela. Embora ela tivesse de admitir que estava se tornando uma tentação acelerar as coisas. Já fazia muito tempo que não se sentia segura e forte com um homem a ponto de convidá-lo à intimidade.

Quando chegasse a hora, pensou, teria de contar tudo a ele.

Deanna afastou rapidamente a lembrança antes que ela pudesse cravar as garras em seu coração. Sabia por experiência própria que era melhor atravessar uma ponte de cada vez e se preparar para a próxima.

A primeira ponte era analisar sua relação com Marshall, saber se havia de fato um relacionamento entre eles, e decidir até onde ela queria que fosse esse relacionamento.

Ao olhar para o relógio, ela gemeu.

Teria de atravessar aquela ponte pessoal a seu tempo. Colocando os dedos no teclado, começou a trabalhar.

♦ ♦ ♦ ♦

Os MEMBROS da equipe de Angela referiam-se entre si ao seu conjunto de escritórios como "fortaleza". De sua mesa rústica francesa, ela reinava como um lorde feudal, dando ordens e distribuindo recompensas e castigos na mesma medida. Qualquer pessoa que permanecesse na equipe depois de um período de experiência de seis meses era leal e diligente e mantinha suas queixas em segredo.

Ela era, reconhecidamente, dura, impaciente com desculpas e exigente em se tratando de certos luxos pessoais. Afinal, havia conquistado tais requisitos.

Angela entrou na antessala de seu escritório, onde sua secretária-executiva estava atarefada, cuidando dos detalhes para a gravação de segunda-feira. Havia outros escritórios — produtores, pesquisadores, assistentes — ao longo do corredor silencioso. Fazia muito tempo desde que Angela deixara para trás o tumulto barulhento das salas de redação. Ela havia usado a reportagem não apenas como um trampolim, mas também como catapulta para suas ambições. Só queria uma coisa, e a queria desde que se conhecia por gente: ser o centro das atenções.

No mundo das notícias, a história era soberana. Quem tinha a notícia era notado, sem dúvida, se fosse bom o bastante. Angela havia sido muito boa. Seis anos na panela de pressão das notícias ao vivo custaram-lhe um marido, deram-lhe um segundo e prepararam o caminho para o *Programa da Angela*.

Ela gostava do silêncio proporcionado pelos tapetes grossos e pelas paredes isoladas, e insistira nisso.

— A senhorita recebeu algumas mensagens, srta. Perkins.

— Mais tarde. — Angela puxou com força uma das portas que levavam ao seu escritório particular. — Eu preciso de você aqui dentro, Cassie.

Começou a andar de um lado para o outro no mesmo instante. Mesmo depois de ouvir a porta se fechando silenciosamente, continuou a se movimentar de modo impaciente, sobre o tapete Aubusson, passou pela elegante mesa, afastou-se da faixa larga de janelas e seguiu em direção ao antigo armário de raridades que guardava sua coleção de prêmios.

São meus, pensou. Ela os ganhou, era dona deles. Agora que os tinha, ninguém iria ignorá-la novamente.

Parou ao lado das fotografias e gravuras emolduradas que adornavam uma das paredes. Retratos de Angela com celebridades em eventos de caridade e cerimônias de premiação. Suas capas da *TV Guide*, da *Time* e da *People*. Ficou olhando para elas, respirando fundo.

— Será que ela sabe quem sou eu? — murmurou. — Será que ela sabe com quem está lidando?

Fez um não com a cabeça e virou-se novamente. Foi um pequeno erro, lembrou a si mesma. Um erro que podia ser facilmente corrigido. Afinal, ela gostava muito da moça.

Quando estava mais calma, deu a volta na mesa e sentou-se na cadeira de couro rosa feita sob encomenda que o diretor-executivo de sua agência — seu ex-marido — lhe tinha dado quando seu programa chegou ao pico de audiência.

Cassie ainda estava em pé. Ela sabia que só devia se aproximar de uma das cadeiras de mogno com almofadas bordadas cheias de detalhes quando fosse convidada.

— Você fez contato com o bufê?

— Sim, srta. Perkins. O cardápio está em cima da sua mesa.

Angela deu uma olhada para ele e, sem pensar, fez que sim com a cabeça.

— A florista.

— Confirmaram tudo menos os copos-de-leite — disse Cassie. — Estão tentando achar o que a senhorita quer, mas sugeriram outros que poderiam substituí-los.

— Se eu quisesse outra coisa para substituí-los, teria pedido. — Acenou com a mão. — A culpa não é sua, Cassie. Sente-se. — Angela fechou os olhos. Estava tendo uma de suas dores de cabeça, uma daquelas que fazem a cabeça explodir. Suavemente, começou a massagear o meio da testa com dois dedos. Sua mãe também tinha dores de cabeça, lembrou ela. E usava o álcool para acabar com elas. — Você pode pegar um copo de água para mim? Estou com enxaqueca.

Cassie levantou-se da cadeira na qual havia acabado de se sentar e atravessou a sala até o bar reluzente. Ela era uma mulher calma, no aspecto e no modo de falar. E era ambiciosa em seu desejo de ser promovida a ponto de ignorar os defeitos de Angela.

Sem dizer nada, escolheu a garrafa de cristal que estava cheia de água mineral e encheu um copo.

— Obrigada. — Angela tomou um analgésico com a água e rezou para que fizesse efeito. Não podia se distrair durante o almoço de negócios. — Você tem a lista de quem confirmou presença na festa?

— Está em cima da sua mesa.

— Ótimo. — Angela manteve os olhos fechados. — Entregue uma cópia dela e de todas as outras coisas a Deanna. Ela cuidará dos detalhes de agora em diante.

— Sim, senhora. — Ciente de seus deveres, Cassie pôs-se atrás da cadeira de Angela e massageou suavemente as têmporas da chefe. Os minutos passavam, contados pelo silencioso tique-taque do relógio de pé do outro lado da sala. De modo harmonioso, ele anunciou o quarto de hora.

— Você viu a previsão do tempo? — sussurrou Angela.

— Céu limpo e dia fresco, mas a temperatura vai cair para oito graus.

— Então vamos ter de usar os aquecedores do terraço. Eu quero dança.

De modo respeitoso, Cassie afastou-se para anotar as instruções. Não houve agradecimento algum por sua atenção; não era preciso.

— Sua cabeleireira deverá chegar às duas horas em sua casa. Seu vestido será entregue o mais tardar às três.

— Certo, então, vamos deixar tudo isso de lado por ora. Eu quero que entre em contato com Beeker. Quero saber tudo sobre o dr. Marshall Pike. Ele é psicólogo e tem um consultório particular aqui em Chicago. Quero as informações assim que Beeker as conseguir, em vez de esperar pelo relatório completo.

Ela abriu os olhos novamente. A dor de cabeça ainda não havia passado totalmente, mas o comprimido estava fazendo efeito.

— Diga a Beeker que não é uma emergência, mas que é uma prioridade. Entendeu?

— Sim, srta. Perkins.

♦ ♦ ♦ ♦

*Às seis* da tarde daquele dia, Deanna ainda estava a todo vapor. Enquanto conciliava três ligações ao mesmo tempo, fazia os últimos ajustes no artigo que seria lido no noticiário da noite.

— Sim, eu entendo sua posição. Mas uma entrevista, principalmente uma entrevista transmitida na televisão, ajudaria a mostrar sua versão. — Deanna apertou os lábios e suspirou. — Se pensa assim, naturalmente. Eu acho que sua vizinha está mais do que disposta a contar a história no ar para mim. — Sorriu quando um grito de indignação veio do outro lado da linha. — Sim, nós preferíamos ter as duas partes representadas. Obrigada, sra. Wilson. Estarei aí amanhã às dez.

Deanna reconheceu Marshall vindo em sua direção e fez um sinal com a mão levantada enquanto apertava outro botão que piscava no telefone.

— Desculpe, sra. Carter. Sim, como eu estava dizendo, entendo sua posição. É uma pena o que aconteceu com suas tulipas. Uma entrevista na televisão ajudaria a mostrar sua versão da história. — Deanna sorriu quando Marshall a cumprimentou, acariciando seus cabelos com uma das mãos. — Se tem certeza. A sra. Wilson concordou em contar a história dela no ar. — Colocando o aparelho receptor do telefone a uma distância segura do ouvido, Deanna revirou os olhos para Marshall. — Sim, isso seria ótimo. Estarei aí às dez. Tchau.

— História quente de última hora?

— Ânimos exaltados na periferia — disse Deanna enquanto desligava o telefone. — Enfim, vou ter de gastar uma ou duas horas nisso amanhã. Duas vizinhas estão envolvidas em uma briga acirrada por causa de um canteiro de tulipas, um laudo de inspeção antigo e incorreto e um cocker spaniel.

— Parece fascinante.

— Vou deixá-lo a par da situação durante o jantar. — Ela não fez objeção quando ele baixou a cabeça e, prontamente, foi ao encontro dos lábios dele. O beijo foi delicado, sem a pressão da intimidade. — Você está todo molhado — murmurou ela, sentindo o gosto da chuva e a pele fria.

— Está uma chuvarada lá fora. Tudo o que eu preciso é de um restaurante quente e agradável e de um vinho seco.

— Tenho mais uma chamada em espera.

— Fique à vontade. Você quer alguma coisa?

— Uma bebida gelada. Minhas cordas vocais estão secas.

Deanna colocou as ideias no lugar e apertou o próximo botão.

— Sr. Van Damme, sinto muito pela interrupção. Parece que há uma confusão com o pedido do vinho da srta. Perkins para amanhã à noite. Ela vai precisar de três caixas de Taittinger, e não de duas. Sim, isso mesmo. E o vinho branco? — Deanna fazia uma marca na lista enquanto o fornecedor dizia o que havia na dele. — Sim, está certo. E posso tranquilizá-la com relação à escultura de gelo? — Deu outro sorriso para Marshall quando ele voltou com uma latinha gelada de 7-Up. — Isso é maravilhoso, sr. Van Damme. E o senhor trocou as tortinhas por *petits-fours*? Ótimo! Eu acho que temos tudo sob controle. Então, até amanhã. Tchau.

Expirando demoradamente, Deanna desligou o telefone.

— Pronto! — disse para Marshall. — Assim eu espero.

— O dia foi longo para você?

— Longo e produtivo. — Automaticamente, ela começou a arrumar a mesa. — Obrigada por ter passado aqui para se encontrar comigo, Marshall.

— Minha agenda estava mais tranquila que a sua.

— Hum. — Deu um grande gole no refrigerante e depois pôs a latinha de lado antes de desligar o computador. — E fico devendo um favor a você por mudar os planos para amanhã por causa da Angela.

— Um bom psicólogo deve ser flexível. — Ele a observava enquanto ela arrumava papéis e organizava anotações. — Além disso, parece que vai ser uma festa incrível.

— Tem tudo para ser. Ela não é mulher de fazer as coisas pela metade.

— E você admira isso.

— Com certeza. Preciso de cinco minutos para me refrescar, e aí prometo concentrar toda a minha energia em relaxar com você no jantar.

Quando ela se levantou, ele mudou de posição para que seu corpo esbarrasse no dela. Foi um movimento sutil, uma insinuação sutil.

— Você parece bem fresca para mim.

Ela sentiu um frio de ansiedade percorrer suas costas, o calor da consciência aumentar em sua barriga. Inclinando a cabeça para encontrar os olhos dele, ela viu desejo, carência e paciência, uma combinação que fez seu coração saltar.

Ela sabia que só precisava dizer sim, e eles esqueceriam tudo o que tivesse a ver com jantar e relaxar. E, por um instante, um instante muito longo e muito tranquilo, ela quis que pudesse ser simples assim.

— Não vou demorar — murmurou.

— Eu espero.

Ele esperaria, pensou ela quando ele se mexeu para o lado para deixá-la passar. E ela teria de se decidir logo, se quisesse seguir adiante com aquela relação confortável e amigável; do contrário, teria de tomar outro rumo.

— Está tratando da cabeça, Dee?

Ela viu o cinegrafista à porta dando uma dentada em um chocolate.

— Que feio, Joe!

— Eu sei. — Ele arreganhou os dentes com o chocolate perto da boca. Havia um broche com a palavra DISPONÍVEL preso ao seu colete de brim esfarrapado. Seu jeans tinha buracos nos joelhos. Os técnicos não precisavam se preocupar com a aparência. Era exatamente assim que Joe gostava das coisas. — Mas alguém precisa dizer. Você marcou aquelas duas entrevistas para amanhã de manhã? A guerra das tulipas?

— Sim. Tem certeza de que não se importa de perder sua manhã de sábado?

— Não, já que vou receber hora extra.

— Bom. Delaney ainda está à mesa dele, não está?

— Estou esperando por ele. — Joe deu mais uma dentada no chocolate. — Temos um jogo de pôquer hoje à noite. Vou acabar com ele por ter dobrado meu turno na semana passada.

— Então, faça um favor para mim e diga para ele que está tudo certo, as duas mulheres estão marcadas para as dez horas.

— Pode deixar.

— Obrigada. — Deanna saiu às pressas para ajeitar rapidamente os cabelos e a maquiagem. Ela estava retocando o batom quando Joe irrompeu no toalete feminino. A porta bateu com força contra a parede, ecoando quando ele arremeteu contra ela.

— Meu Deus, Joe! Você está louco?

— Mexa-se, Dee! Temos um trabalho e temos de ir rápido. — Ele pegou a bolsa dela que estava em cima da pia com uma das mãos e agarrou-a pelo braço com a outra.

— Pelo amor de Deus, o que foi? — Ela tropeçou na soleira da porta quando ele a puxou para fora. — Alguém começou uma guerra?

— Quase isso. Temos de ir ao O'Hare.

— Ao O'Hare? Droga! Marshall está me esperando!

Lutando contra a impaciência, Joe deixou Deanna soltar o braço. Se ele tinha alguma queixa em relação a ela, era que a visão dela não era limitada o suficiente. Ela sempre via o periférico quando a câmera precisava de uma tomada fechada.

— Vá dizer ao seu namorado que você é uma repórter. Delaney acabou de saber que está chegando um avião com problemas. É importante.

— Meu Deus! — Ela saiu correndo para a sala de redação com Joe atrás dela. Irrompendo no meio da confusão, ela apanhou um bloco novo de anotações em cima da mesa. — Marshall, me desculpe. Eu tenho de ir.

— Já entendi. Você quer que eu espere?

— Não. — Passou a mão pelos cabelos, pegou o casaco. — Eu não sei quanto tempo vou levar. Eu ligo para você. Delaney! — gritou ela.

O robusto editor de pautas abanou o toco de seu charuto apagado na direção de Deanna.

— Vá, Reynolds! Faremos contato ao vivo! Quero um grande furo jornalístico.

— Desculpe! — gritou ela para Marshall. — De onde o avião está vindo? — gritou para Joe enquanto subiam as escadas às pressas. As botas de motoqueiro dele retiniam no metal como tiros de arma de fogo.

— De Londres. Eles vão nos dar o restante das informações ao longo do caminho. — Joe abriu a porta externa e se lançou em direção à chuvarada. O blusão do Chicago Bulls ficou colado ao seu peito no mesmo instante. Gritou mais forte que o barulho da tempestade enquanto abria o furgão:

— É um 747! Mais de duzentos passageiros! Falha no motor esquerdo, algum problema com o radar. Pode ter sido atingido por um raio! — Para enfatizar suas palavras, um relâmpago atravessou o céu negro, cortando a escuridão.

Já encharcada, Deanna entrou no furgão.

— Qual é a hora prevista para a chegada? — Como sempre, ligou o rádio da polícia sob o painel do carro.

— Eu não sei. Só espero que consigamos chegar lá antes dele. — Ele detestava ficar sem uma imagem do acidente. Ligou o carro e deu uma olhada para ela. O brilho em seus olhos prometia o pé no acelerador durante todo o trajeto. — E o pior, Dee, é que Finn Riley está a bordo. Foi o próprio filho da mãe que ligou para contar o que estava acontecendo.

# Capítulo Quatro
♦ ♦ ♦ ♦

Estar sentado na cabine dianteira de um 747 com problemas era como montar um cavalo chucro com indigestão. O avião balançava, dava trancos e sacudia como se pretendesse expulsar os passageiros à força. Algumas das pessoas a bordo rezavam, outras choravam ou tinham o rosto enterrado nos saquinhos para vômito, muito fracas para fazer outra coisa que não fosse gemer.

Finn Riley não ligava muito para orações. Era religioso à sua maneira. Podia, se sentisse a necessidade, recitar o ato de contrição como havia feito durante todas aquelas sessões sombrias no confessionário quando era criança. Naquele momento, a expiação não era prioridade em sua lista.

O tempo estava acabando — na bateria de seu computador portátil. Logo ele teria de passar para seu gravador. Finn preferia escrever uma matéria enquanto as palavras fluíam de sua mente para os dedos.

Olhou pela janelinha. O céu negro explodia com relâmpagos. Como lanças dos deuses — não, decidiu ele, apagando as palavras. Muito cafona. Um campo de batalha, a natureza contra a tecnologia humana. Os sons eram, sem dúvida, como os de uma guerra, pensou. As orações, o choro, os gemidos, as risadas histéricas de vez em quando. Já os havia ouvido antes nas trincheiras. E o estrondo frequente dos trovões que sacudiam o avião como se fosse um brinquedo.

Usou os últimos momentos da bateria quase sem carga para desenvolver aquele ponto de vista.

Quando acabou, guardou o disquete e o computador na mala pesada de metal. Teria de esperar o melhor, pensou Finn, enquanto tirava o minigravador da pasta. Já havia visto as consequências de desastres aéreos o suficiente para saber que o que sobrevivia era por pura sorte.

— Dia 5 de maio, sete horas e dois minutos — recitou Finn para o gravador. — Estamos a bordo do voo 1129 que se aproxima do aeroporto de O'Hare, embora seja impossível ver alguma luz no meio da tempestade. Um raio atingiu uma turbina há cerca de vinte minutos. E, pelo que pude arrancar da comissária de bordo da primeira classe, há algum problema com o radar, provavelmente por causa da tempestade. Duzentos e cinquenta e dois passageiros estão a bordo, e doze tripulantes.

— Você é louco. — O homem sentado ao lado de Finn, finalmente, levantou a cabeça que estava entre os joelhos. Seu rosto, que brilhava por causa do suor, estava verde. O sotaque inglês refinado estava bem indistinto por causa de uma combinação de uísque e terror. — Podemos estar mortos daqui a alguns minutos, e você está aí falando com uma maldita máquina.

— Podemos estar vivos daqui a alguns minutos também. De qualquer forma, é notícia. — Solidário, Finn tirou um lenço do bolso de trás da calça jeans. — Aqui está.

— Obrigado. — Resmungando, o homem limpou o rosto. Debilitado, quando o avião estremeceu novamente, ele recostou a cabeça no assento e fechou os olhos. — Em vez de sangue, você deve ter água gelada correndo nas veias.

Finn apenas sorriu. Seu sangue não era gelado; estava quente, praticamente fervendo, mas de nada adiantaria tentar explicar isso a um leigo. Não que não estivesse com medo ou que fosse particularmente fatalista. Mas tinha o senso especial do campo visual restrito de repórter. Tinha seu gravador, seu bloco de anotações e seu computador portátil. Esses eram escudos que davam a ilusão de indestrutibilidade.

Por que outro motivo um cinegrafista continuava a filmar quando balas voavam para todos os lados? Por que um repórter colocava um microfone na cara de um psicopata ou, em vez de sair, corria para dentro de um edifício durante uma ameaça de bomba? Porque os escudos do Quarto Poder deixavam-no cego.

Ou talvez, pensou Finn com um sorriso largo, eles fossem simplesmente loucos.

— Ei! — Ajeitou-se no assento e apontou o gravador. — Quer ser minha última entrevista?

Seu companheiro abriu os olhos vermelhos. O que viu foi um homem apenas alguns anos mais novo do que ele, com a pele pálida sombreada por nuanças de uma barba um pouco mais escura do que a juba desgrenhada de cabelos acobreados e ondulados que roçavam o colarinho de uma jaqueta de couro. Os traços acentuados e angulares eram suavizados por uma boca larga em um sorriso simpático que realçava um canino torto. O sorriso aberto criou covinhas que deveriam ter suavizado o rosto, mas só o deixaram mais forte. Como entalhes em pedra.

Mas foram os olhos que chamaram a atenção do homem. Naquele exato momento estavam azul-escuros e enevoados, como um lago envolto pela bruma, e cheios de diversão, autocensura e temeridade.

O homem ouviu um som de bolha na própria garganta e ficou surpreso ao perceber que era uma gargalhada.

— Vá se ferrar! — disse ele, devolvendo o sorriso.

— Mesmo que consigamos chegar ao fim da viagem, não acho que vão colocar isso no ar. Padrões da televisão. É sua primeira viagem aos Estados Unidos?

— Meu Deus! Você é louco! — Mas parte de seu medo começou a diminuir. — Não. Eu faço essa viagem duas vezes por ano.

— Qual é a primeira coisa que você vai querer fazer se aterrissarmos sãos e salvos?

— Ligar para minha mulher. Tivemos uma briga antes de eu partir. Por uma coisa boba. — Limpou o rosto pegajoso novamente. — Eu quero falar com minha mulher e meus filhos.

O avião perdeu altitude. A voz soou no alto-falante sob os sons de gritos e soluços.

— Senhoras e senhores, por favor, permaneçam sentados e com o cinto de segurança afivelado. Vamos aterrissar dentro de alguns momentos. Para sua segurança, por favor, coloquem a cabeça entre os joelhos e segurem firmemente os tornozelos. Assim que aterrissarmos, daremos início aos procedimentos de evacuação de emergência.

Ou vão nos tirar com pás, pensou Finn. A imagem dos destroços do voo 103 da Pan Am espalhados sobre a Escócia passava inquietantemente por sua cabeça. Ele se lembrava muito bem do que havia visto, do cheiro e do que sentira ao transmitir aquela notícia.

Ficou se perguntando de modo fatalista quem estaria em frente ao metal retorcido e fumegante, e contaria ao mundo o destino do voo 1129.

— Como se chama sua esposa? — perguntou Finn, inclinando-se para a frente.

— Anna.

— Filhos?

— Brad e Susan. Oh, meu Deus! Eu não quero morrer!

— Pense em Anna, Brad e Susan — disse-lhe Finn. — Concentre-se neles. Isso vai ajudar. — Com um olhar sereno, examinou a cruz celta que aparecia debaixo do suéter e balançava na corrente. Ele também tinha em quem pensar. Fechou a mão sobre a cruz e esquentou-a ali.

— São sete horas e nove minutos. O piloto está iniciando a descida.

♦ ♦ ♦ ♦

— *Você já* consegue vê-lo? Joe, consegue vê-lo?

— Não consigo ver droga nenhuma com essa maldita chuva! — Olhou com os olhos meio fechados e levantou a câmera. A chuva escorria pela viseira de seu boné de beisebol e caía em cascata na frente de seu rosto. — Não acredito que as outras equipes não estejam aqui ainda. É a cara do Finn telefonar com uma puta história para termos exclusividade!

— A essa altura, já devem ter ouvido falar. — Esforçando-se para ver através da escuridão, Deanna tirou os cabelos molhados dos olhos. Com as luzes da pista, a chuva parecia uma saraivada de balas de prata. — Não vamos ficar sozinhos aqui por muito tempo. Espero que estejamos certos quanto à pista que eles vão usar.

— Estamos certos. Ouviu isso? Não acho que foi um trovão.

— Não, parecia ali! — Apontou um dedo para o céu. — Olha! Só pode ser aquilo!

Mal dava para ver as luzes em meio à chuvarada. Vagamente, Deanna ouviu o ronco de um motor e depois as sirenes de veículos de emergência. Ficou com o estômago embrulhado.

— Benny? Você está recebendo isto? — Ela falou mais alto que a tempestade, satisfeita quando ouviu a voz do produtor no ponto em seu ouvido. — Está descendo agora. Sim? — Fez que sim com a cabeça para Joe. — Estamos prontos. Vamos transmitir ao vivo — disse ela para Joe e virou-se de costas para a pista. — Comece comigo e depois acompanhe o avião. Fique no avião. Já estão com nossa imagem — murmurou, ouvindo o tumulto da sala de controle pelo ponto no ouvido. — Em cinco, Joe.

Ela ouviu a abertura feita pelo âncora, e sua deixa.

— Acabamos de avistar as luzes do voo 1129. Como vocês podem ver, a tempestade ficou muito violenta, a chuva corre torrencialmente pelas pistas. As autoridades do aeroporto recusam-se a comentar sobre a natureza exata do problema com o voo 1129, mas os veículos de emergência estão preparados.

— O que você está vendo, Deanna? — perguntou o apresentador à mesa no estúdio.

— As luzes, e conseguimos ouvir o motor enquanto o avião desce. — Ela se virou quando Joe apontou a câmera para o céu. — Ali! — Com a luz do relâmpago, o avião pôde ser visto, um míssil prateado reluzente lançando-se em direção à terra. — Há 264 pessoas, entre passageiros e tripulação, a bordo do voo 1129. — Ela gritava por sobre o barulho da tempestade, motores e sirenes. — Entre elas está Finn Riley, correspondente da CBC que está voltando para Chicago de seu posto em Londres. Por favor, Deus! — murmurou ela, e depois ficou em silêncio, deixando as imagens contarem a história enquanto o avião começava a ser visto com clareza.

Era como um trabalho de parto. Ela se imaginou dentro do avião enquanto o piloto lutava para manter o nariz da aeronave levantado e nivelado. O som provavelmente era ensurdecedor.

— Quase — sussurrou ela, esquecendo a câmera, o microfone e os telespectadores enquanto mantinha os olhos fixos no avião. Viu o trem de pouso e depois o logo vermelho, branco e azul da companhia aérea na lateral do avião. Não se ouvia um pio no ponto em seu ouvido.

— Não consigo ouvir você, Martin. Espere.

Deanna prendeu a respiração quando as rodas tocaram na pista, deslizaram e rebateram. Ficou assim enquanto o avião derrapava e ia de um lado para o outro, seguido na pista pelas luzes brilhantes dos veículos de emergência.

— Está derrapando! — gritou ela. — Há fumaça. Pelo que estou vendo, a fumaça parece vir de baixo da asa esquerda! Estou ouvindo o som agudo dos freios, e o avião está diminuindo a velocidade. Está, com certeza, diminuindo, mas há um problema com o controle.

A asa abaixou, roçando o asfalto e produzindo uma saraivada de faíscas. Deanna viu quando elas chiaram e apagaram-se na pista molhada enquanto o avião virava repentinamente. Então, com uma sacudida, ele parou em uma posição diagonal.

— Ele pousou. O voo 1129 está em terra.

— Deanna, você consegue avaliar os danos?

— Daqui não é possível. Só a fumaça que vi na asa esquerda, que confirma nossas informações extraoficiais de falha na turbina esquerda. As equipes de emergência estão molhando a área com espuma. As ambulâncias estão a postos. A porta está abrindo, Martin. A rampa de evacuação está saindo. Dá para ver, sim, os primeiros passageiros sendo retirados.

— Aproxime-se — ordenou o produtor. — Vamos voltar para Martin para que você tenha tempo de se aproximar.

— Vamos nos aproximar do local e dar-lhes mais informações sobre o voo 1129 que acabou de pousar no aeroporto de O'Hare. Deanna Reynolds para a CBC.

— Você está fora do ar! — gritou o produtor. — Vá!

— Caramba! — O entusiasmo fez a voz de Joe subir uma oitava. — Que imagens! Que imagens! São para ganhar um prêmio Emmy!

Deanna lançou um olhar para ele, mas já estava habituada demais ao estilo do cinegrafista para comentar.

— Vamos, Joe. Vamos ver se conseguimos algumas entrevistas.

Correram em direção à pista enquanto outros passageiros deslizavam pela rampa de emergência para os braços da equipe de resgate. Quando chegaram ao emaranhado de veículos e voltaram a se preparar para transmitir, já havia meia dúzia de pessoas a salvo do lado de fora. Uma mulher sentada no chão chorava com a cabeça apoiada nos braços cruzados. Com a determinação de um jornalista, Joe começou a filmar.

— Benny, estamos no local. Você está nos ouvindo?

— Perfeitamente. As imagens estão boas. Vamos colocá-la ao vivo de novo. Quero um dos passageiros. Quero...

— Riley! — gritou Joe. — Ei, Finn Riley!

Deanna deu uma olhada em direção à rampa a tempo de ver Finn deslizar para o chão. Ao ouvir seu nome, ele virou a cabeça. De olhos meio fechados contra a chuvarada, ele se concentrou na câmera. E sorriu.

Finn parou com facilidade, a despeito da mala de metal à qual estava agarrado. A chuva pingava de seus cabelos, deslizava por sua jaqueta de couro e ensopava suas botas.

Com agilidade, percorreu a distância entre a rampa e a câmera.

— Seu filho da mãe sortudo! — Joe sorriu e deu-lhe um soco no ombro.

— Que bom ver você, Joe. Dê-me um minuto. — Sem aviso, agarrou Deanna e cravou-lhe um beijo ardente na boca. Ela teve tempo de sentir o calor que irradiava do corpo dele, de registrar o choque de eletricidade que vinha daquela boca para a sua, uma rápida explosão de poder, antes de ser solta por ele.

— Espero que você não se importe. — Ele lhe deu um sorriso encantador. — Pensei em beijar o chão, mas você é muito melhor. Posso pegar isso emprestado por um minuto?

Tirou o ponto do ouvido dela.

— Ei!

— Quem é o produtor?

— Benny. E eu...

— Benny? — Agarrou o microfone dela. — Sim, sou eu. Feliz porque você recebeu minha ligação. — Riu baixinho. — O prazer é meu. Tudo o que eu puder fazer para o departamento de notícias. — Ouviu por um instante e fez que sim com a cabeça. — Sem problema. Vamos entrar ao vivo em dez segundos — disse a Joe. — Fique de olho nisto para mim — pediu a Deanna e pôs a mala aos pés dela. Tirou os cabelos do rosto e olhou para a câmera.

— Aqui é Finn Riley, ao vivo do O'Hare. Hoje, às seis e trinta e dois da noite, o voo 1129 que vinha de Londres foi atingido por um raio.

Deanna ficou se perguntando por que a chuva que escorria de sua roupa não fazia barulho enquanto ela observava Finn fazer a reportagem dele. A reportagem que era *dela*, corrigiu-se. Dois minutos depois de pisar no chão, o sacana já havia ocupado o lugar de Deanna, roubado a matéria dela e a transformado na moça de recados.

Ele era bom, pensou Deanna, irritada enquanto o via conduzir os telespectadores pela odisseia do voo 1129 vindo de Londres. Isso não era surpresa alguma. Ela já havia visto outras reportagens dele — de Londres, sim, e do Haiti, da América Central, do Oriente Médio.

Ela até havia feito a apresentação de algumas delas.

Mas essa não era a questão.

A questão era que ele havia roubado a matéria dela. Bem, decidiu Deanna, ele podia ter roubado a cena dela, mas descobriria que não seria tão fácil assim.

Ela se lembrou de que as entrevistas eram seu ponto forte. Era esse seu trabalho, disse para si mesma, esforçando-se para se acalmar. E era isso que ela faria. De forma brilhante.

Dando as costas para Finn, ela arqueou os ombros em meio ao aguaceiro que caía do céu e foi procurar passageiros.

Momentos depois, sentiu um tapinha nas costas. Virou-se e ergueu uma sobrancelha.

— Você precisa de alguma coisa?

— De conhaque e de uma lareira. — Finn limpou a chuva do rosto. Ele estava a todo vapor, estimulado pelo caos e pelo imediatismo da reportagem. E pelo simples fato de não ser um homem morto. — Nesse meio-tempo, pensei em completarmos a matéria com algumas entrevistas. Alguns passageiros, algumas pessoas da equipe de emergência e parte da tripulação, se tivermos sorte. Precisamos conseguir isso para um informe especial antes das notícias da noite.

— Eu já consegui alguns passageiros que se dispuseram a falar comigo diante da câmera.

— Bom. Leve Joe com você e faça isso enquanto eu vejo se consigo uma entrevista com o piloto.

Ela o agarrou pelo braço antes que ele pudesse ir embora.

— Eu preciso do meu microfone.

— Ah! Claro. — Ele o entregou a ela e depois lhe ofereceu o ponto do ouvido. Ela parecia um cachorro molhado, pensou ele. Não um vira-lata, na verdade. Um daqueles cães afegãos que conseguem manter a dignidade e o estilo sob a pior das circunstâncias. O prazer de Finn por estar vivo subiu mais um grau na escala. Era puro deleite vê-la fulminando-o com os olhos. — Eu conheço você, não conheço? Não é você que faz o *Noticiário da Manhã*?

— Já faz alguns meses que não faço. Agora faço o *Noticiário do Meio-dia*.

— Parabéns. — Ele a observou mais atentamente, o azul nebuloso de seus olhos mais nítidos e claros. — Diana não, Deanna. Certo?

— Você tem uma boa memória. Acho que nunca nos falamos.

— Não, mas já vi seu trabalho. Muito bom. — Mas ele já estava olhando para trás dela. — Havia algumas crianças no avião. Se você não conseguir falar com elas, pelo menos tente filmá-las. A concorrência já está aqui. — Fez um sinal na direção de outros jornalistas se enfiando no meio dos passageiros. — Vamos trabalhar depressa.

— Eu sei qual é meu trabalho — disse ela, mas ele já estava se afastando. — Ele não parece ter problema com autoestima.

Joe bufou ao lado dela.

— Ele tem um ego do tamanho do mundo. E esse ego não é frágil. O negócio é o seguinte: uma matéria com Finn, você sabe que será bem-feita. E ele não trata sua equipe como se fossem empregados retardados.

— Que pena que ele não trata os outros repórteres com a mesma cortesia — disse ela e virou. — Vamos fazer as imagens.

♦ ♦ ♦ ♦

ERAM MAIS de nove horas quando eles voltaram à CBC, onde Finn foi recebido como um herói. Alguém lhe entregou uma garrafa de Jameson, ainda fechada. Tremendo, Deanna seguiu direto para sua mesa, ligou o computador e começou a escrever o artigo.

Ela sabia que aquilo viraria notícia nacional. Era uma oportunidade que não tinha intenção de perder.

Desligou-se dos gritos, das risadas e dos tapinhas nas costas e escreveu energicamente, recorrendo de vez em quando às anotações que havia rabiscado enquanto voltavam para a redação.

— Aqui está! — Deanna olhou para baixo e viu a mão grande de um homem, com dedos longos e uma cicatriz na base do polegar, colocar um copo sobre sua mesa. O copo tinha aproximadamente dois dedos de um líquido castanho-amarelado escuro.

— Eu não bebo no trabalho. — Ela esperava parecer calma, não afetada.

— Eu não acho que um gole de uísque vá prejudicar seu raciocínio. Além disso — disse ele, mudando facilmente para um sotaque irlandês divertido —, vai esquentar você um pouco. Você não está pensando em manobrar máquinas pesadas, está? — Finn deu a volta na cadeira dela e sentou-se na beira da mesa. — Você está com frio. — Entregou-lhe uma toalha. — Beba de uma vez. Seque o cabelo. Temos muito trabalho pela frente.

— É isso que estou fazendo — respondeu ela, mas aceitou a toalha. E, depois de hesitar por um instante, bebeu o uísque. Podia ter sido só um gole, mas ele tinha razão, a bebida deu-lhe um agradável calor no estômago.

— Temos trinta minutos para fazer o artigo. Benny já está editando a fita. — Finn esticou o pescoço para ver o monitor de Deanna. — Bom material — comentou ele.

— Seria melhor se você me deixasse sozinha.

Ele estava acostumado a hostilidades, mas gostava de conhecer a fonte delas. — Você está brava porque eu lhe dei um beijo? Sem querer ofender, Deanna, mas não foi nada pessoal. Foi mais um instinto primitivo.

— Não estou brava por isso. — Ela falou por entre os dentes e começou a digitar novamente. — Eu estou brava porque você roubou minha história.

Envolvendo o joelho com as mãos, Finn pensou no que ela havia dito e chegou à conclusão de que Deanna tinha certa razão nesse sentido.

— Deixe-me fazer uma pergunta: O que é melhor? Você aparecendo com a notícia ou eu relatando lance por lance do voo alguns minutos depois da evacuação?

Ela o fulminou com os olhos e não disse nada.

— Tudo bem. Enquanto você pensa no que eu falei, vamos imprimir meu artigo e ver como ele fica com o seu.

Ela parou.

— O que você quer dizer com seu artigo?

— Eu o escrevi no avião. Também fiz uma entrevista rápida com o homem que estava sentado ao meu lado. — Uma expressão impulsiva e divertida surgiu em seus olhos. — Acho que atrairá o interesse das pessoas.

Apesar da irritação, Deanna quase riu.

— Você escreveu um artigo enquanto o avião estava caindo?

— Esses computadores portáteis funcionam em qualquer lugar. Você tem uns cinco minutos antes de Benny aparecer e começar a arrancar os cabelos.

Deanna seguiu Finn com os olhos quando ele se afastou para pedir uma mesa.

Era óbvio que o sujeito era louco.

♦ ♦ ♦ ♦

E UM LOUCO muito talentoso, concluiu ela trinta minutos depois.

A fita editada estava pronta e os gráficos indicavam menos de três minutos para eles entrarem no ar. O texto, revisado, reescrito e com o tempo calculado, apareceu no *TelePrompTer*. E Finn Riley, ainda de suéter e calça jeans, estava sentado atrás da mesa do âncora para apresentar sua reportagem para todo o país.

— Boa-noite. Esta é uma reportagem especial sobre o voo 1129. Eu sou Finn Riley.

Deanna sabia que ele estava lendo as notícias, uma vez que ela mesma havia escrito os trinta primeiros segundos. Contudo, parecia estar contando uma história. Ele sabia exatamente que palavra enfatizar, quando fazer uma pausa. Sabia exatamente como atravessar a câmera e chegar aos telespectadores.

Não era algo familiar, pensou ela, mexendo no brinco. Ele não estava sentado ali para uma conversa agradável. Ele estava transmitindo notícias, concluiu ela. Levando a mensagem. E, de algum modo, mantendo certa distância.

Belo truque, pensou ela, já que ele havia estado no mesmo avião que estava descrevendo.

Mesmo lendo as próprias palavras, palavras que havia escrito enquanto caía do céu em um avião danificado com a turbina soltando fumaça, ele se manteve distante. O contador de histórias, não a história.

Um sentimento de admiração passou sem ser percebido pelas defesas de Deanna.

Quando as imagens surgiram, ela se virou para o monitor e se viu. Cabelo pingando, olhos arregalados, rosto pálido como a água que caía sobre ela. Sua voz era firme. Sim, tinha isso, pensou. Mas não conseguia se distanciar. O medo e o terror estavam ali, transmitidos com a mesma clareza de suas palavras.

E, quando a câmera se deslocou para captar o avião derrapando na pista, ela ouviu o sussurro da própria oração.

Muito envolvida, percebeu ela, e suspirou.

Foi pior quando viu Finn no monitor, assumindo o controle da história minutos depois de escapar do avião com problemas. Ele tinha a aparência de um guerreiro recém-chegado da batalha — um guerreiro veterano que podia discutir cada golpe e ataque de forma concisa, sem emoção.

E ele estava certo. Ele se saiu melhor.

Durante os comerciais, Deanna subiu à sala de controle para observar. Benny estava com um sorriso de orelha a orelha como um palhaço, mesmo tendo a testa larga iluminada pelo suor. Era gordo e tinha o rosto sempre corado e o hábito de puxar mechas de seus cabelos castanhos e lisos. Mas Deanna sabia que ele era um grande produtor.

— Batemos todas as outras estações da cidade — dizia ele a Finn pelo ponto no ouvido. — Nenhuma delas tem imagens do pouso nem dos estágios iniciais da evacuação. — Mandou um beijo para Deanna. — É uma grande matéria. Você voltará em dez minutos, Finn. Vamos passar as entrevistas com os passageiros.

Durante os últimos três minutos e meio, Benny continuou a murmurar consigo mesmo, puxando os cabelos.

— Talvez devêssemos ter colocado um paletó em Finn — disse ele em um determinado momento. — Talvez devêssemos ter encontrado um paletó para ele.

— Não. — De nada adiantava ficar ressentida. Deanna pôs a mão no ombro de Benny. — Ele está maravilhoso.

— E, naqueles últimos momentos no ar, alguns, como Harry Lyle, pensaram na família. Outros, como Marcia DeWitt e Kenneth Morgenstern, pensaram em sonhos não realizados. Para eles, e para todos os outros a bordo do voo 1129, a noite longa terminou às sete e dezesseis, quando o avião pousou em segurança na pista três.

— Finn Riley para a CBC. Boa-noite.

— Passem os créditos. Música. E acabamos!

Vivas irromperam na sala de controle. Benny recostou-se em sua cadeira giratória e levantou os braços como quem se sentia vitorioso. Os telefones começaram a tocar.

— Benny, Barlow James na linha dois.

Fez-se silêncio na sala, e Benny ficou olhando para o telefone como se fosse uma cobra. Barlow James, o presidente da divisão de notícias, raramente telefonava.

Todos os olhos estavam voltados para Benny quando ele engoliu em seco e pegou o telefone.

— Sr. James? — Benny ouviu por um instante, seu rosto corado ficando pálido e depois enrubescendo. — Obrigado, senhor. — Abrindo bem a boca, Benny levantou o polegar, e os vivas irromperam novamente.

— Sim, senhor, Finn é um em um milhão. Estamos muito felizes em tê-lo de volta. Deanna Reynolds? — Ele girou a cadeira e revirou os olhos para

Deanna. — Sim, sr. James, temos muito orgulho de tê-la em nossa equipe. Muito obrigado. Direi a eles.

Benny desligou o telefone, levantou-se e fez uma dancinha rápida que levou a barriga a cair sobre o cinto.

— Ele adorou! — cantarolou Benny. — Ele adorou tudo. Eles querem os oito minutos inteiros nas filiais. Ele gostou de você. — Benny segurou as mãos de Deanna e a fez girar. — Ele gostou de seu "estilo forte e profundo". E o fato de você parecer bem toda encharcada.

Com um sorriso reprimido, Deanna deu um passo para trás e tropeçou com Finn.

— Duas qualidades muito boas em uma repórter — concluiu Finn, sentindo o cheiro dos cabelos dela enquanto a ajudava a se reequilibrar, chuva e flores de maçã.

— Bom trabalho, pessoal. — Soltou Deanna para apertar as mãos da equipe de controle. — Ótimo mesmo.

— O sr. James disse que você é bem-vindo, Finn — disse Benny. Ao relaxar novamente, os pneus na cintura caíram confortavelmente sobre o cinto. — E ele não vê a hora de acabar com você no tênis na semana que vem.

— Ele está sonhando. — Com o canto dos olhos, viu Deanna descendo as escadas. — Obrigado mais uma vez.

Ele a alcançou na sala de redação no momento em que ela estava colocando o casaco.

— Foi uma boa matéria — disse ele.

— Sim, foi.

— Ler textos não é uma de minhas prioridades, mas ler o seu foi um prazer.

— Sem dúvida, hoje é uma noite de elogios. — Ela colocou a bolsa no braço. — Obrigada, e bem-vindo a Chicago.

— Quer uma carona?

— Não, estou de carro.

— Eu não. — Ele lhe deu um sorriso. Covinhas apareceram de modo encantador. — É muito provável que eu não consiga um táxi com este tempo.

Ela o examinou. De salto, tinha quase a mesma altura que ele, e deu uma boa olhada naqueles olhos azuis inocentes. Muito inocentes, pensou ela, especialmente quando combinados com aquele sorrisinho largo e vivo e as covinhas no rosto. Ele *queria* parecer inocente, concluiu. Sendo assim, conseguiu. Belo truque.

— Eu acho que, como um favor profissional, posso dar-lhe uma carona até sua casa.

Ele percebeu que os cabelos de Deanna ainda estavam molhados e que ela não havia se dado ao trabalho de retocar a maquiagem.

— Você ainda está brava comigo?

— De verdade, não. Só estou um pouco mordida.

— Posso pagar um hambúrguer para você — disse ele, estendendo a mão para brincar com um dos botões da jaqueta dela. — Talvez eu possa acalmá-la um pouco.

— Essas coisas normalmente se resolvem sozinhas. De qualquer forma, eu acho que sua volta já foi bastante emocionante. Preciso fazer uma ligação.

Finn percebeu que ela estava envolvida com alguém. Uma pena. Uma pena mesmo.

— Só a carona, então. Ficarei agradecido.

# Capítulo Cinco
♦♦♦♦

Para alguns, organizar uma festa era uma coisa tranquila. Bastava reunir comida, bebida, música e boa companhia, e deixar que se misturassem por conta própria.

Para Deanna, era uma campanha. Do momento em que Cassie lhe passou a tocha, apenas 24 horas antes, nenhum detalhe foi negligenciado, nenhuma lista ficou incompleta. Como um general incitando suas tropas, ela conversou com o serviço de bufê, o florista, o atendente do bar, a equipe responsável pelos serviços domésticos. Organizava, reorganizava e aprovava. Contava as taças, discutia a lista de músicas com a banda e foi pessoalmente provar os espetos de frango com pasta de amendoim de Van Damme.

— Incrível — murmurou ela, os olhos fechados, os lábios um pouco abertos enquanto apreciava o sabor. — Realmente incrível.

Quando abriu os olhos, ela e o jovem magro sorriram um para o outro.

— Graças a Deus. — Van Damme ofereceu-lhe uma taça de vinho enquanto estavam em pé no centro da imensa cozinha de Angela. — A srta. Perkins queria pratos de várias partes do mundo como tema. Foi preciso muita imaginação e preparação em tempo tão curto para apresentarmos sabores que se complementassem. A *ratatouille*, os cogumelos fritos *à la Berlin*, os pedaços de *spanakopita*... — A lista continuava.

Deanna não conhecia a *ratatouille* de atum, mas fez sons apropriados.

— O senhor fez um trabalho maravilhoso, sr. Van Damme. — Deanna propôs um brinde a ele e bebeu. — A srta. Perkins e todos os convidados dela ficarão satisfeitos. Agora eu sei que posso deixar tudo isso em suas mãos.

Ela esperou. Havia meia dúzia de pessoas na cozinha, batendo panelas, arrumando bandejas, discutindo.

— Temos trinta minutos — disse ela, dando uma última olhada ao redor.

Cada centímetro das bancadas rosadas estava ocupado por bandejas e panelas. Aromas deliciosos enchiam o ar. Os assistentes de Van Damme corriam de um lado para o outro. Maravilhada com o fato de que alguém pudesse funcionar em meio à confusão, Deanna escapou.

Foi correndo para a frente da casa. A sala elevada de Angela era toda de tons pastel e flores. Copos-de-leite delicados projetavam-se de vasos de cristal. Arranjos de rosas boiavam em vasos frágeis. O tema floral continuava com as pequenas violetas que salpicavam o papel de parede de seda e o desenho suave dos tapetes orientais espalhados pelo chão.

A sala, como toda a organizada casa de dois andares de Angela, era uma celebração à decoração feminina, com cores suaves e almofadas macias. Os olhos experientes de Deanna examinaram as almofadas de tons alaranjados e terrosos no sofá de encosto arredondado, o arranjo de velas finas, a disposição das *bonbonnières* de cristal em tons suaves de rosa e menta. Podia ouvir os sons vagos da banda afinando os instrumentos do outro lado das portas fechadas do terraço.

Por um instante, ela imaginou que a casa era sua. Teria mais cor, pensou. Menos enfeites. Mas ela, com certeza, gostava do pé-direito alto e das janelas arqueadas, da lareira acolhedora com lenha de macieira.

Queria que houvesse algumas obras de arte nas paredes. Gravuras arrojadas, esculturas sinuosas. E algumas antiguidades escolhidas a dedo para combinar com peças modernas de linhas retas.

Um dia, pensou ela, e moveu alguns centímetros um vaso em uma mesa.

Satisfeita, deu uma última volta no andar principal. Havia acabado de atravessar a antessala em direção à escadaria quando a campainha tocou. Era muito cedo para os convidados, pensou enquanto se virava para atender à porta. Esperava que não fosse uma entrega de último minuto da qual teria de tratar.

Finn estava em pé na entrada com as cores do crepúsculo atrás dele. Uma brisa soprou, balançou os cabelos dele e levou até Deanna o perfume do homem e o aroma da noite. Ele lhe deu um sorriso largo e fitou-a dos pés, ainda de tênis, à cabeça, com os cabelos desgrenhados.

— Olá. Você está cobrindo o evento desta noite?

— Digamos que sim — respondeu ela, e notou que ele havia feito a barba. E, embora ele não tivesse se dado ao trabalho de pôr uma gravata, a jaqueta acinzentada e as calças deixavam elegante o estilo casual. — Você chegou cedo.

— Foi o que me pediram. — Ele entrou e fechou a porta. — Gostei de seu vestido de festa.

— Eu estava subindo para trocar de roupa. — E ele estava atrapalhando o cronograma dela. Ao perceber que estava brincando com o brinco, ela abaixou a mão rapidamente. — Por que você não entra e se senta? Vou dizer a Angela que você está aqui.

— Que pressa é essa? — perguntou enquanto a seguia até a sala.

— Nenhuma. Aceita alguma coisa para beber? O atendente do bar está na cozinha, mas posso lhe preparar algo simples.

— Não se preocupe.

Ele se sentou no braço do sofá enquanto conferia o ambiente. Deanna não combinava com a feminilidade adornada da sala, assim como ele também não, concluiu. Ela o fez pensar em Titania. E, embora não pudesse dizer por quê, Titania o fez pensar em sexo selvagem no chão úmido de uma floresta.

— Nada mudou por aqui nos últimos seis meses. Sempre tenho a sensação de que estou entrando nos jardins de um palácio.

Os lábios de Deanna contraíram-se. Ela reprimiu o desejo desleal de rir e concordar.

— Angela gosta de flores. Vou chamá-la.

— Deixe-a se enfeitar. — Finn agarrou a mão de Deanna antes que ela pudesse sair. — Ela gosta disso também. Você nunca se senta?

— É claro que me sento.

— Quero dizer, quando não está dirigindo um carro ou escrevendo um artigo.

Ela não se preocupou em puxar a mão para soltá-la da dele.

— De vez em quando eu me sento para comer.

— Interessante! Eu também. Talvez possamos fazer isso juntos um dia.

Deanna levantou uma sobrancelha e inclinou a cabeça.

— Sr. Riley, o senhor está tentando me seduzir?

Ele suspirou, mas o riso permaneceu em seus olhos.

— Srta. Reynolds, pensei que eu estivesse sendo sutil.

— Não.

— Não estou sendo sutil?

— Não, não está. E não. — Nesse momento, ela deslizou a mão para soltá-la da dele. — É um belo convite, mas estou saindo com uma pessoa. — *Talvez*, acrescentou para si mesma. — E, se não estivesse, não acho que seria prudente misturar o relacionamento pessoal com o profissional.

— Isso me parece muito definitivo. Você é sempre assim?

— Sim. — Mas ela sorriu. — Definitivamente.

Angela parou à porta e rangeu os dentes de raiva. A imagem de sua protegida e seu amante sorrindo de modo íntimo em sua sala deixou-a com nojo. Embora o gosto da fúria fosse familiar, e até agradável, ela respirou fundo e pôs um sorriso no rosto.

— Finn, querido! — Ela atravessou voando a sala, uma flor dourada curvilínea envolvida por seda azul-clara. Assim que Finn se levantou do sofá, ela se lançou em seus braços e apertou a boca na dele de forma possessiva. — Ah, que saudade! — murmurou ela, deslizando os dedos pelos cabelos embaraçados dele. — Muita.

Ela impressionou, pensou Finn. Sempre impressionava. O convite ao sexo sem arrependimentos estava ali no aperto do corpo de Angela contra o seu, no calor de sua boca. Seu corpo respondeu, ainda que sua mente, cuidadosamente, batesse em retirada.

— Que bom ver você. — Ele se soltou, segurando-a pelo braço para examiná-la. — Você está maravilhosa.

— Ah, você também. Que vergonha, Deanna! — disse ela, mas sem tirar os olhos de Finn. — Por não me dizer que o convidado de honra estava aqui.

— Desculpe. — Deanna resistiu ao desejo de limpar a garganta para acabar com a rouquidão. Queria ter saído da sala no instante em que Angela entrou, mas o olhar ganancioso e astuto no rosto da mulher enquanto corria na direção de Finn deixara Deanna paralisada em seu lugar. — Eu já ia chamá-la.

— Primeiro, ela ia preparar uma bebida para mim. — Finn olhou para Deanna por sobre o ombro de Angela. Havia ainda diversão em seus olhos, percebeu ela. E, se não estivesse enganada, um leve toque de constrangimento.

— Eu não sei o que faria sem ela. — Virando-se, Angela deslizou um braço pela cintura de Finn, aconchegando o corpo na linha curva do dele de um modo que somente mulheres pequenas e delicadas conseguiriam facilmente. — Posso depender de Deanna para absolutamente tudo. E dependo. Ah, esqueci. — Rindo, ela estendeu a mão para Deanna, como se a estivesse convidando a entrar no círculo encantado. — Com toda essa confusão, eu me esqueci completamente da agitação da noite passada. Quase morri de preocupação quando fiquei sabendo do avião. — Estremeceu e apertou a mão de Deanna. — E, falando sério, que trabalho maravilhoso você fez! Não é a cara do Finn sair do meio de uma catástrofe iminente e dar uma notícia?

Os olhos de Deanna voltaram-se para os de Finn e depois para os de Angela. O clima sexual na sala estava esquentando tanto que ela mal podia respirar.

— Eu não sabia. Tenho certeza de que vocês dois gostariam de ficar um tempo a sós antes que os convidados cheguem, e eu realmente preciso trocar de roupa.

— Ah, claro, estamos prendendo você. Deanna é enérgica com horários — acrescentou Angela, encostando a cabeça na de Finn. — Vá, querida. — Ela ronronou ao soltar a mão de Deanna. — Cuidarei das coisas de agora em diante.

— Por que não preparo aquela bebida? — Finn afastou-se de Angela quando os passos rápidos de Deanna soaram nas escadas.

— Tenho certeza de que há champanhe ali — disse-lhe Angela enquanto ele andava atrás do bar de pau-rosa. — Quero brindar por sua volta com o melhor.

Prestativo, Finn tirou a garrafa da pequena geladeira embutida na parte de trás do bar. Pensou em diversas maneiras de lidar com a situação com Angela enquanto tirava o papel laminado e retorcia o arame.

— Tentei telefonar para você várias vezes ontem à noite — começou ela.

— Quando entrei em casa, deixei a secretária eletrônica atender às ligações. Eu estava exausto. — A primeira mentira, mas não a última, decidiu ele com uma careta enquanto estourava a rolha. O vinho espumante subiu até a boca da garrafa e depois recuou.

— Entendi. — Ela atravessou o bar e pôs uma das mãos sobre a dele. — E você está aqui agora. Já se passaram seis meses.

Sem dizer nada, ele serviu o champanhe para ela e abriu uma garrafa de água com gás para ele.

— Não vai beber comigo?

— Vou ficar com isto por enquanto. — Ele tinha a sensação de que precisava ficar sóbrio naquela noite. — Angela, você teve um trabalhão para organizar essa festa. Não precisava.

— Eu faria muito mais por você. — Ela deu um gole no champanhe, observando-o por sobre a borda da taça.

Talvez manter o bar entre eles fosse covardia. Mas seus olhos foram diretos, firmes e frios.

— Tivemos bons momentos, Angela, mas não podemos voltar.

— Seguiremos adiante — concordou ela. Ela levou a mão de Finn aos seus lábios e pôs a ponta do dedo dele em sua boca. — Somos tão bons juntos, Finn. Você se lembra, não?

— Eu me lembro. — E seu sangue ferveu em resposta. Ele se lamentou por ser tão estúpido quanto os cachorros de Pavlov. — Não vai dar certo.

Os dentes de Angela fincaram na pele dele, surpreendendo-o e deixando-o excitado.

— Você está enganado — sussurrou ela. — Vou lhe provar. — A campainha tocou novamente, e ela sorriu. — Mais tarde.

♦ ♦ ♦ ♦

Ele se sentia como um homem preso atrás de grades de veludo. A casa estava cheia de gente — amigos, colaboradores, o alto escalão das redes de comunicação, sócios, todos comemorando com alegria sua volta. A comida estava maravilhosa e exótica, a música era suave e seguia o estilo do *blues*. Ele queria fugir.

Finn não se importava em ser rude, mas sabia que, se tentasse ir embora, Angela faria uma cena que repercutiria de um lado ao outro do país. Havia jornalistas demais ali para que uma briga como essa não virasse notícia. E ele preferia muito mais ser o repórter, não o tema da reportagem. Com isso na cabeça, optou por aguentar firme, mesmo com o inevitável e conturbado confronto com ela no final da festa interminável.

Pelo menos o ar estava limpo e fresco no terraço. Ele era um homem capaz de apreciar a fragrância das flores na primavera e da grama recém-cortada, da mistura de perfumes das mulheres e da comida temperada. Talvez tivesse apreciado estar sozinho para assimilar a noite, mas havia aprendido a ser flexível quando não havia opção.

E ele tinha talento para ouvir e manter uma conversa enquanto sua mente vagava. Naquele momento, ele a deixou ir para sua cabana, onde estaria sentado junto à lareira com um livro e um conhaque, ou debruçado sobre uma caixa preparando novas iscas. Sozinho. A fantasia de estar sozinho era o que mantinha seu equilíbrio durante discussões sobre índices de audiência e programações.

— Vou lhe dizer uma coisa, Riley. Se eles não melhorarem a programação das noites de terça, vamos enfrentar outro corte no departamento de notícias. Fico doente só em pensar nisso.

— Eu sei o que você quer dizer. Ninguém se esqueceu das baixas ocorridas há dois anos. — Ele percebeu Deanna. — Um minuto, por favor. Tem uma coisa que preciso fazer. — Ele se enfiou no meio da multidão no terraço e passou os braços em torno dela. Quando ela enrijeceu, ele fez que não com a cabeça. — Isto não é uma tentativa de sedução; é uma forma de desviar a atenção.

— Ah, é? — Automaticamente, ela acertou os passos ao ritmo da dança dele. — De quê?

— De uma discussão exaltada sobre política na televisão. A programação das noites de terça.

— Ah. — Ela passou a língua pelos dentes. — Estamos um pouco fracos nesse horário, como você certamente já sabe. Nossa chamada para as notícias da noite é...

— Silêncio. — Ele sorriu quando ela começou a rir, e gostou do fato de estarem olhos nos olhos. — Você é alta, não?

— Já me disseram isso. Você sabe, é claro, que, como convidado de honra, você tem de conversar com os outros convidados.

— Detesto regras.

— Eu vivo para elas.

— Então considere esta dança como uma forma de conhecer os convidados. Até falamos sobre coisas triviais. Gosto de seu vestido. — Era verdade. As linhas simples e o vermelho-vivo do vestido Adolfo eram uma maneira agradável de esquecer o vestido exagerado de tons pastel e laços de Angela.

— Obrigada. — Curiosamente, ela examinou o rosto dele. Era quase possível ver a dor fazendo as têmporas de Finn pulsarem. — Dor de cabeça?

— Não. Já tenho uma.

— Vou buscar uma aspirina para você.

— Está tudo bem. Vai passar. — Ele a puxou para mais perto e encostou o rosto no dela. — Já estou melhor. De onde você é?

— De Topeka. — Ela quase suspirou, quase fechou os olhos antes de voltar bruscamente a dar-lhe atenção. Ele era todo macio, concluiu ela, embora o adjetivo parecesse estranho ao ser pressionada com firmeza a um corpo duro como ferro.

— Por que Chicago?

— Minha colega de quarto da universidade estabeleceu-se aqui depois que se casou. Ela me convenceu a me mudar para cá. O emprego na CBC facilitou a mudança.

O cheiro de Deanna era maravilhoso, pensou ele. O perfume de seus cabelos e de sua pele fez com que ele se lembrasse de vinho aromatizado e de um cigarro em um ambiente tranquilo. Ele pensou no lago, iluminado pelas estrelas, e o canto dos grilos na grama alta.

— Você gosta de pescar?

— O quê?

— Pesca. Você gosta de pescar?

Ela se afastou para ver o rosto dele.

— Não faço a menor ideia. Que tipo de pesca?

Ele sorriu. Não foi só o olhar de espanto que fez seus lábios se curvarem. Era o fato de que ela estava, de forma tão óbvia, considerando sua pergunta com a mesma seriedade com que considerava uma pergunta sobre a política mundial.

— Você fez a coisa certa, Kansas. Esse tipo de curiosidade irá levá-la ao topo desta profissão. Deus sabe que você tem um rosto maravilhoso para isso.

— Eu prefiro pensar que tenho inteligência para isso.

— Se tem, então você sabe que a aparência é importante nos noticiários da televisão. O público prefere que as notícias de morte, destruição e política suja sejam dadas por uma pessoa atraente. E, meu Deus do céu, por que não?

— Quanto tempo você levou para ser tão cínico assim?

— Quase cinco minutos depois de conseguir meu primeiro trabalho no ar na estação nº 3 de Tulsa. — Os pensamentos de Finn avançaram; só alguns centímetros separavam-no da boca deliciosa, atraente e perigosa de Deanna. — Eu derrotei outros dois candidatos porque me saí melhor na gravação.

— E seu trabalho não tem nada a ver com isso?

— Agora tem. — Ele brincou com as pontas dos cabelos de Deanna que caíam sobre os ombros dela.

Percebendo que era muito bom sentir os dedos de Finn em sua pele, Deanna mudou de assunto.

— O que foi essa cicatriz?

— Qual?

— Esta. — Ela moveu a mão dele para tocar na cicatriz.

— Ah! Briga de bar. Em... — Seus olhos estreitaram quando ele tentou identificar o local do incidente. — Belfast. Um barzinho agradável que recebe membros do IRA.

— Mmm. — Por precaução, continuou segurando a mão dele. Por mais íntimo que parecesse, o gesto impedia-o de tocá-la. — Você não acha inconveniente para um conhecido correspondente da televisão se meter em brigas em bares?

— Tenho direito de me divertir um pouco, mas isso aconteceu há muito tempo. — O polegar com a cicatriz roçou levemente a lateral do rosto de Deanna e desceu novamente em direção ao pulso, onde a pulsação começou a ficar forte. — Sou muito mais sério agora. — E ele sorriu, puxando-a para mais perto.

Cada músculo do corpo de Deanna derreteu.

— Eu não acho.

— Faça um teste. — Foi um desafio sussurrado para o qual ela não teve resposta. — Alguém está procurando você.

Acabando com o clima, ela olhou por cima do ombro e viu Marshall. Quando seus olhos se encontraram, ele sorriu e ergueu duas taças de champanhe.

— Acho que é um sinal para deixá-la ir. — Finn soltou-a e, então, segurou a mão dela por um último instante. — Até onde o relacionamento com ele é sério?

Ela hesitou, olhando para as mãos dadas dos dois. O desejo de entrelaçar os dedos era muito forte.

— Eu não sei. — Seus olhos encontraram os dele. — Não decidi ainda.

— Avise-me quando decidir. — Ele soltou a mão dela e viu-a se afastar.

— Desculpe, eu me atrasei. — Marshall beijou-a de leve antes de oferecer-lhe uma taça de champanhe.

— Tudo bem. — Ela deu um pequeno gole, surpresa por ver que sua garganta estava tão seca.

— Está um pouco frio aqui fora, não está? — Preocupado, ele tocou na mão dela. — Você está fria. Vamos entrar.

— Está bem. — Ela olhou de relance para trás na direção de Finn enquanto Marshall a conduzia. — Desculpe-me por ter estragado a noite de ontem.

— Não se preocupe com isso. — Depois de examinar rapidamente a sala, Marshall levou-a para um canto tranquilo. — Nós dois temos emergências no trabalho.

— Eu telefonei para você quando cheguei em casa.

— Sim, ouvi a mensagem na secretária eletrônica. — Seus olhos moveram-se para sua taça antes de beber. — Resolvi ir para a cama cedo.

— Então você não viu a reportagem.

— Ontem à noite? Não, mas vi lances dela no noticiário da manhã. Aquele com quem você estava dançando agora não era Finn Riley?

— Sim.

— Ele está tendo uma recepção e tanto. Não consigo me imaginar tão sucinto e imparcial assim depois de estar tão perto da morte. Imagino que ele já tenha se acostumado a isso.

Deanna franziu as sobrancelhas.

— Eu diria que se trata mais de uma questão de instinto e treinamento.

— Fico feliz que seu instinto e treinamento não a tenham deixado tão fria. Sua reportagem no aeroporto foi muito intensa, muito autêntica.

Ela sorriu levemente.

— Deveria ser objetiva e informativa.

— Foi muito informativa. — Ele a beijou novamente. — E você estava bonita na chuva. — Pensando no beijo, ele não percebeu a expressão de incômodo de Deanna. — Deixando os boletins de notícias de lado — disse ele, calmamente —, podemos sair de fininho mais cedo para ficarmos um pouco sozinhos?

Deanna percebeu que, 24 horas atrás, ela teria aceitado. Mas, naquele momento, com o murmúrio das conversas ao redor deles, a música passando pelas portas do terraço, o champanhe borbulhando em sua boca, ela hesitou. Marshall pôs um dedo debaixo do queixo dela, um gesto que antes ela achava carinhoso.

— Algum problema? — perguntou ele.

— Não. Sim. — Ela suspirou, impaciente com a própria hesitação. Era hora de recuar, pensou ela, e fazer uma avaliação. — Desculpe, Marshall, mas Angela está contando comigo até o fim da festa. E, para ser sincera, as coisas estão indo um pouco rápido para mim.

Ele não tirou a mão, mas ela percebeu que ele estava se retraindo.

— Não tive a intenção de forçar a barra.

— Você não fez isso. — Ela envolveu o pulso dele com os dedos em um gesto tanto contrito como carinhoso. — Normalmente sou cuidadosa, talvez em excesso, em se tratando de relacionamentos. Há motivos, e vou explicá-los para você quando puder.

— Não é preciso ter pressa. — Ele tirou a mão do queixo dela. — Você sabe quanto quero estar com você, e não é algo simplesmente sexual.

— Eu sei. — Colocando-se na ponta dos pés, ela encostou o rosto no dele. E lembrou-se, com muita clareza, do que sentiu ao encostar o rosto no de Finn enquanto dançavam.

♦ ♦ ♦ ♦

ELE ESTAVA cansado, e não era de se cansar facilmente. Anos e mais anos pegando no sono em trens, aviões e ônibus, acampando no meio de selvas, desertos e atrás de linhas inimigas tornaram-no resistente. Finn gostava dos linhos finos e dos travesseiros novos dos hotéis de luxo, mas ele podia ter o mesmo sono profundo com a cabeça apoiada no saco de dormir e os ecos de canhões como canção de ninar.

Naquela noite, ele desejava uma cama e esquecer-se de tudo. Infelizmente, havia um assunto para ser resolvido. Finn podia ser um homem que ignorava regras, mas nunca ignorava problemas.

— Esse foi o último. — Angela voltou para a sala com a mesma aparência fresca e adorável de horas antes. — Todos ficaram muito contentes por vê-lo novamente. — Ela o envolveu com os braços, aninhando a cabeça debaixo de seu ombro.

Finn levantou a mão para acariciar os cabelos dela como sempre fazia. Ela parecia frágil e, de algum modo, emocionada, pensou ele. Era como estar enroscado em uma trepadeira perfumada. Se ele não arrancasse as raízes, ela certamente iria sufocá-lo.

— Vamos nos sentar. Precisamos conversar.

— Eu sei que é difícil acreditar, mas para mim a conversa já estava encerrada. — Ela deslizou uma das mãos pela camisa dele e depois a subiu para brincar com o primeiro botão. — E esperei a noite toda para ficar a sós com você, para dar-lhe as boas-vindas de verdade. — Inclinou-se para beijá-lo. Seus olhos faiscaram um brilho cobalto perturbado quando ele a afastou.

— Angela, me desculpe. Não estou interessado em retomar de onde paramos seis meses atrás. — Ele manteve as mãos firmes nos ombros dela. — Acabamos mal, e sinto muito por isso, mas acabamos de verdade.

— Você não vai me punir por ser emotiva demais, por dizer coisas no calor do momento. Finn, significamos muito um para o outro.

— Tivemos um caso — corrigiu ele. — Fizemos sexo. E do bom! E tivemos um tipo estranho de amizade. Talvez consigamos salvar a amizade se soubermos separar as coisas.

— Você está sendo cruel.

— Estou sendo sincero.

— Você não me quer? — Ela jogou a cabeça para trás e riu. O som, assim como seus olhos, era apático. — Eu sei que você quer. Posso sentir. — Sua pele estava brilhando quando se aproximou dele novamente. Seus lábios abriram-se e curvaram-se, enquanto ela observava os olhos de Finn pousarem neles e ali ficarem. — Sabe o que eu posso fazer por você. O que deixarei que você me faça. Quer isso tanto quanto eu.

— Não tenho tudo o que quero.

— Mas você me teve. Bem aqui, neste chão, na primeira vez. Lembra? — Com os olhos fixos nos de Finn, ela começou a passar a mão no peito dele, tremendo com a vitória, quando sentiu a batida irregular do coração de Finn debaixo da palma de sua mão. — Eu o deixei louco; você arrancou minha roupa às pressas. Lembra como foi? — Sua voz abaixou, percorrendo o corpo dele como mel impuro.

Ele se lembrou, e a lembrança o fez morrer de desejo. As unhas que Angela cravava em suas costas, os dentes em seus ombros. Ela arrancou sangue dele, que nem se importou.

— Eu quero que você me tenha de novo, Finn. — Ela ficou observando o rosto dele enquanto sua mão descia lentamente.

Finn cravou os dedos na pele de seda das costas dela. Ele sabia como seria e, por um instante, desejou desesperadamente aquele momento de puro prazer. Mas então se lembrou de muitas outras coisas além do sexo urgente e das fantasias deslumbrantes.

— Não vai acontecer de novo, Angela. — Ele tirou as mãos das costas dela. Ela reagiu rapidamente. Ele deveria estar preparado, mas o tapa forte que Angela lhe deu levou-o a dar dois passos para trás.

Seus olhos arderam como duas bolas de fogo, mas ele ergueu a mão e friamente limpou o sangue da boca.

— Pelo visto, não foi só esta sala que não mudou.

— É porque sou mais velha que você, não é? — Ela atirou as palavras nele enquanto a fúria desfigurava a beleza cuidadosa de seu rosto. — Você acha que pode encontrar alguém mais jovem, alguém que pode moldar, adestrar e ensinar a se arrastar atrás de você.

— Eu já vi este filme. Eu diria que já vimos todos. — Finn se virou e seguiu em direção à porta. Ele estava quase do outro lado da sala quando ela se lançou aos seus pés.

— Não! Não me deixe! — Soluçando, agarrou-se às pernas dele. A rejeição deixou-a despedaçada, trazendo medo e dor. Como sempre fez. Como sempre faria. — Desculpe! — E ela falava muito sério naquele momento. Isso só piorou as coisas. — Desculpe! Por favor, não me deixe.

— Pelo amor de Deus, Angela. — Movido por compaixão e revolta, ele a pôs em pé. — Não faça isso.

— Eu amo você. Eu amo tanto você. — Com os braços entrelaçados em torno do pescoço de Finn, ela chorou no ombro dele. O amor era tão real quanto sua fúria de antes, tão inconstante e tão caprichoso.

— Se achasse que você está falando sério, eu sentiria pena de nós dois. — Ele a afastou e deu-lhe uma sacudida rápida. Lágrimas. Para ele, as lágrimas sempre eram a arma mais poderosa e secreta das mulheres. — Pare com isso! Que droga! Você acha que eu conseguiria dormir com você de vez em quando por três meses e não saber quando está me manipulando? Você não me ama, e só me quer porque estou indo embora.

— Não é verdade. — Ela levantou o rosto manchado de lágrimas. Havia nele uma dor tão ingênua, uma sinceridade tão angustiada, que Finn quase hesitou. — Eu amo você, Finn. E posso fazer você feliz.

Furioso, com ela e consigo mesmo por se sentir atraído, ele afastou os braços dela.

— Acha que eu não sei que você pressionou James para que eu fosse demitido só porque não queria que eu aceitasse o trabalho em Londres?

— Eu estava desesperada. — Ela cobriu o rosto com as mãos e deixou as lágrimas escorrerem pelos dedos. — Tive medo de perdê-lo.

— Você queria provar que estava no controle. E se não fosse o apoio de James, você poderia ter destruído minha carreira.

— Ele não me ouviu. — Ela abaixou as mãos, e seu rosto estava frio. — Nem você.

— Não. Eu vim aqui esta noite porque esperava que nós dois tivéssemos tido tempo suficiente para que as coisas acalmassem. Parece que me enganei.

— Você acha que pode me deixar? — Ela perguntou em voz baixa e com toda a calma do mundo enquanto Finn se dirigia à porta. As lágrimas haviam sumido. — Pensa que pode simplesmente me dar as costas e ir embora? Eu vou acabar com você. Posso levar anos, mas juro que vou acabar com você.

Finn parou junto à porta. Ela estava no meio da sala, seu rosto manchado por causa do choro, seus olhos inchados e inflexíveis como pedras.

— Obrigado pela festa, Angela. Foi um belo espetáculo.

◆ ◆ ◆ ◆

Deanna teria concordado. Enquanto Finn seguia a passos largos para seu carro, ela bocejava no elevador ao subir para seu apartamento. Deanna dava graças a Deus por estar de folga no dia seguinte. Isso lhe daria tempo para se recuperar e tempo para pensar em sua situação com Marshall.

Contudo, a única coisa que estava em seus planos agora era um bom e demorado banho e uma boa noite de sono.

Tirou as chaves da bolsa antes que as portas do elevador se abrissem. Murmurando consigo mesma, ela abriu as trancas da porta. Por hábito, acendeu a luz ao lado da porta enquanto entrava no apartamento.

Que silêncio maravilhoso, pensou ela. Com a porta trancada, foi automaticamente até a secretária eletrônica para ouvir as mensagens. Enquanto as ouvia, tirou as sandálias de cetim preto e mexeu os dedos contraídos. Estava sorrindo com a mensagem de voz deixada por Fran recitando possíveis nomes para seu bebê quando viu o envelope perto da porta.

Que estranho, pensou. Aquele envelope estava ali quando ela entrou? Atravessou a sala e deu uma olhada pelo olho mágico na porta antes de se curvar para pegá-lo.

Não havia nada escrito no envelope fechado. Confusa, e espantando outro bocejo, ela abriu o envelope e depois a única folha de papel branco.

Havia uma única frase, escrita com tinta vermelha em letras garrafais:

Deanna, eu adoro você.

# Capítulo Seis
♦ ♦ ♦ ♦

Vamos entrar no ar em trinta segundos.

— Vamos conseguir. — Deanna foi para a cadeira ao lado de Roger no estúdio de notícias. Pelo ponto no ouvido chegavam as vozes frenéticas e sobrepostas da sala de controle. A alguns passos de distância, o diretor exigia informações aos gritos e dava pulos onde estava. Um dos cinegrafistas fumava de forma preguiçosa e conversava com um assistente de produção.

— Meu Deus! Vinte segundos. — Roger secou as palmas úmidas das mãos nos joelhos. — De onde Benny tirou a brilhante ideia de colocar música no vídeo?

— De mim. — Deanna deu a Roger um rápido sorriso de quem pede desculpas. — Foi só uma ideia improvisada que tive quando assisti à gravação. Deixará a matéria perfeita. — Alguém gritava obscenidades no ponto em seu ouvido, e seu sorriso ficou um pouco sem graça. Por que ela sempre queria a perfeição? — Sinceramente, eu não imaginava que ele fosse se agarrar à ideia assim.

— Dez malditos segundos. — Roger olhou de relance pela última vez para seu espelho de mão. — Se tivermos de cobrir buracos, vou pegar pesado com você, querida.

— Vai dar tudo certo. — Deanna manteve o queixo firme em uma atitude de teimosia. Por Deus! Ela se sairia bem. Faria os melhores dez minutos que a emissora já havia levado ao ar. As palavras feias na sala de controle tornaram-se um pandemônio de vivas quando o diretor começou a contagem regressiva. — Pronto. — Ela olhou de relance de modo convencido na direção de Roger e depois para a câmera.

— Boa-tarde, este é o *Noticiário do Meio-dia*. Eu sou Roger Crowell.

— E eu sou Deanna Reynolds. Duzentos e sessenta e quatro era o número de passageiros no voo 1129 que vinha de Londres na sexta passada. Hoje cedo, esse número aumentou. Matthew John Carlyse, filho dos passageiros Alice e Eugene Carlyse, veio ao mundo às cinco e quinze desta manhã. Embora tenha nascido seis semanas antes da data prevista, Matthew passa bem e pesa pouco mais de dois quilos.

Enquanto a reportagem continuava, com o acompanhamento da doce melodia de "Baby, Baby", Deanna soltou um suspiro de alívio e abriu um sorriso para o monitor. A ideia foi sua, lembrou ela. E *foi* perfeita.

— Belas imagens.

— Nada mal — concordou Roger, e foi forçado a sorrir quando apareceu no monitor a imagem de um bebezinho se contorcendo e berrando na incubadora. Havia um pequeno par de asas preso com um alfinete em seu cobertor. — Quase valeu a úlcera.

— Os Carlyse deram ao filho o nome de Matthew Kirkland, o piloto que pousou o voo 1129 em segurança no O'Hare na sexta à noite, a despeito de uma falha na turbina. O sr. Carlyse disse que nem ele nem sua esposa estão preocupados com o voo de volta para Londres no final do mês. O pequeno Matthew não fez nenhum comentário.

— Em outras notícias... — passou Roger para o próximo bloco.

Deanna olhou para seu texto na mesa, revisando seu ritmo. Quando ergueu os olhos novamente, viu Finn no fundo do estúdio. Ele estava em pé, os polegares enganchados nos bolsos da frente, mas a cumprimentou com a cabeça.

Que diabo ele está fazendo ali, assistindo, avaliando? O homem tinha uma semana livre pela frente. Por que não estava na praia, nas montanhas, em algum lugar? Mesmo virando-se para a câmera novamente e aproveitando a deixa, ela podia sentir que os olhos dele, friamente azuis e objetivos, estavam nela.

Quando fizeram uma pausa para os últimos comerciais antes do "Canto da Deanna", seus nervos estavam à flor da pele.

Deanna afastou-se da mesa onde apresentava o noticiário, desceu o degrau e atravessou o estúdio em meio aos cabos que serpenteavam pelo chão. Antes que ela pudesse cumprimentar sua convidada do dia, Finn se pôs na frente dela.

— Você está melhor do que eu me lembrava.

— Sério? — perguntou ela, dando um puxão rápido na bainha de sua jaqueta. — Bem, com um elogio como esse, já posso morrer feliz.

— Foi só uma observação. — Curioso, ele passou os dedos em volta do braço dela para segurá-la onde ela estava. — Não posso dizer o que penso sobre você. Ainda estou na lista negra por ter roubado sua história na outra noite?

— Você não está em nenhuma lista. Só não gosto de ser observada.

Ele não conseguiu evitar o sorriso largo.

— Então você está na profissão errada, Kansas.

Ele a soltou. De forma impulsiva, puxou uma das cadeiras dobráveis que estavam fora do alcance da câmera. Não tinha intenção de ficar, e sabia que fazia isso só para irritá-la. Ele havia entrado ali naquela tarde, assim como havia feito na noite anterior, porque gostava de estar de volta aos estúdios de Chicago.

Não restava muita coisa em sua vida naquele momento senão sua carreira. Ele preferia as coisas assim. Observou Deanna acalmando a convidada com um bate-papo fora das câmeras e ficou ali pensando. Seria um alívio ou incômodo para ela saber que ele não havia pensado nela em nenhum momento durante o fim de semana? Anos na profissão haviam-no transformado em um especialista em separar as coisas. As mulheres não interfeririam em seu trabalho, na elaboração de uma história ou em suas ambições.

Os meses em Londres contribuíram para sua reputação e sua credibilidade, mas ele estava feliz em estar de volta.

Seus pensamentos voltaram para Deanna ao ouvi-la rir. Um riso agradável e rouco, pensou ele. Sutilmente excitante. Combinava com a aparência dela, concluiu. E aqueles olhos... Eles estavam apaixonados naquele momento e cheios de um interesse animado enquanto sua convidada anunciava uma exposição de arte que seria inaugurada naquela noite.

Naquele momento, Finn não estava ligando nem um pouco para arte, mas estava interessado, muito interessado, em Deanna. No modo como ela se inclinava só um pouquinho para a frente a fim de dar um toque de intimidade à entrevista. Não a viu olhar nem uma vez para suas anotações nem se perder para fazer a próxima pergunta.

Mesmo com a entrevista encerrada, Deanna continuou a dar atenção à sua convidada. Consequentemente, a artista deixou o estúdio com o ego inflado. Deanna voltou a ficar ao lado de Roger à mesa de notícias para encerrar o programa.

— Ela é boa, não é?

Finn olhou para trás. Simon Grimsley estava em pé dentro do estúdio. Ele era um homem de ombros estreitos, rosto longo e fino marcado por linhas profundas de preocupação e dúvida. Mesmo quando sorria, como naquele momento, havia uma expressão de uma inevitável fatalidade em seus olhos. Ele estava perdendo cabelo, embora Finn soubesse que Simon estava na casa dos trinta. Vestia, como sempre, um terno escuro e uma gravata com o nó frouxo. E, como sempre, a roupa acentuava seu corpo ossudo.

— Tudo bem, Simon?

— Nem me pergunte. — Simon revirou os olhos escuros e pessimistas. — Angela está de mau humor hoje. A coisa está feia.

— Isso não é novidade, Simon.

— E eu não sei! — Ele abaixou a voz quando a luz vermelha acendeu. — Jogou um pesa-papéis em mim. Ainda bem que ela não tem muita força.

— Quem sabe ela não consegue arrumar um emprego em algum time de beisebol.

Simon riu baixinho e depois, como se sentisse culpado, engoliu as risadinhas.

— Ela está sob muita pressão.

— É verdade.

— Não é fácil manter-se na primeira posição. — Simon suspirou aliviado quando o sinal "no ar" se apagou. Os programas ao vivo deixavam-no em um estado constante de agitação. — Deanna. — Ele fez um sinal para ela e quase enroscou o pé em um cabo enrolado na pressa de conseguir sua atenção. — Bom programa. Bom mesmo.

— Obrigada — disse ela, tirando os olhos dele para olhar para Finn e depois para Simon novamente. — Como foi a gravação desta manhã?

— Foi boa — respondeu com uma careta. — Angela pediu que eu lhe entregasse esta mensagem. — Ele lhe entregou um envelope rosa-claro. — Parecia importante.

— Tudo bem. — Deanna resistiu ao desejo de colocá-lo no bolso. — Não se preocupe. Dou um retorno para ela.

— Bom, é melhor eu subir. Apareça na gravação desta tarde se tiver chance.

— Pode deixar.

Finn viu a porta se fechar quando Simon passou por ela.

— Eu nunca vou entender como alguém tão nervoso e deprimido consegue lidar com os convidados dos programas da Angela.

— Ele é organizado. Não conheço ninguém melhor do que Simon para arrumar as coisas.

— Não foi uma crítica — disse Finn enquanto tentava acompanhar os passos largos de Deanna ao sair do estúdio. — Foi um elogio.

— Você parece estar cheio de comentários hoje. — Por hábito, ela ia para o camarim para retocar a maquiagem.

— Então tenho outro. Sua entrevista com a artista, Mira, certo?, foi inteligente.

Sem perceber, Deanna sentiu certa satisfação.

— Obrigada. Era um tema interessante.

— Não necessariamente. Você a segurou quando ela começou a discorrer sobre a técnica e o simbolismo. Você manteve a entrevista leve e agradável.

— Prefiro que seja leve e agradável. — Seus olhos encontraram-se com os dele no espelho e arderam. — Vou deixar Gorbachev e Hussein para você.

— Agradeço. — Ele fez um não com a cabeça enquanto ela retocava os lábios. — Você foi sensível. O comentário foi um elogio.

Ele tinha razão, pensou ela. Ela estava sendo sensível.

— Sabe o que eu acho, Finn? — Ela alisou os cabelos e se virou. — Eu acho que há muita energia nesta sala. Uma energia incompatível.

Ele havia sentido a eletricidade desde o momento em que se deparou com ela na pista molhada de chuva.

— E como você está se sentindo com toda essa energia incompatível?

— Sufocada. — Ela sorriu em uma reação direta à expressão divertida nos olhos dele. — Talvez porque parece que você está sempre em meu caminho.

— Acho melhor me afastar então e lhe dar espaço.

— Por que não? — Ela pegou o envelope rosa que havia colocado na bancada, mas, antes que pudesse abri-lo, Finn segurou sua mão.

— Uma pergunta. Como você concilia seu trabalho como repórter da CBC com seu trabalho com Angela?

— Eu não trabalho com Angela. Trabalho no noticiário. — Com movimentos rápidos e experientes, escovou os cabelos e os prendeu. — De vez em quanto faço alguns favores para Angela. Ela não me paga por isso.

— Vocês são só duas colegas que se ajudam?

Ela não se importou com o tom incisivo na voz dele.

— Não diria que Angela e eu somos colegas. Somos amigas, e ela é muito generosa comigo. A divisão de notícias não tem problema algum com minha relação pessoal com Angela, ou com o tempo que dedico a ela.

— Foi o que ouvi. No entanto, a divisão de entretenimento não hesitaria em pôr um pouco de pressão, uma vez que detém o poder de um dos programas de maior audiência. — Ele deu um passo firme para trás, estudando-a. — Isso me faz perguntar por que Angela se daria ao trabalho de usar você.

Ela se irritou.

— Ela não está me usando. Estou aprendendo com ela. E, para mim, aprender é algo útil.

— Aprendendo o quê, exatamente?

A ser melhor, pensou ela, mas, prudentemente, guardou esse pensamento para si.

— Ela é incrível nas entrevistas.

— Isso é verdade, mas você também parece saber fazer isso bem. — Ele fez uma pausa. — Pelo menos nas notícias mais leves.

Ela quase grunhiu para deleite dele.

— Eu gosto do que faço e, mesmo que não gostasse, isso não seria da sua conta.

— Uma afirmação correta. — Ele deveria ter encerrado o assunto, mas sabia muito bem o que Angela podia fazer quando cravava suas garras. A menos que estivesse muito enganado, Deanna sangraria rápida e terrivelmente. — Você gostaria de ouvir um conselho de amigo sobre Angela?

— Não. Eu sei formar minha própria opinião sobre as pessoas.

— Como você quiser. Fico me perguntando... — continuou ele, examinando o rosto de Deanna. — Você é tão durona como pensa que é?

— Posso ser mais.

— Vai precisar ser. — Ele soltou a mão dela e foi embora.

Sozinha, Deanna soltou um suspiro longo, recompondo-se. Por que toda vez que passava cinco minutos com Finn era como se tivesse corrido uma maratona? Exausta e eufórica. Arrancando Finn da cabeça, abriu o bilhete de Angela. A caligrafia era uma série de laços e floreios feitos com uma caneta-tinteiro.

*Querida Deanna,*
*Tenho algo de vital importância para discutir com você. Minha agenda hoje está uma loucura, mas posso dar uma escapadinha às quatro. Encontre-me para tomarmos um chá no Ritz. Na recepção. Acredite, é urgente.*

*Com carinho,*
*Angela*

Angela detestava esperar. Por volta das quatro e quinze, pediu um segundo coquetel de champanhe e começou a bufar. Estava prestes a oferecer a Deanna a oportunidade de sua vida, e, em vez de gratidão, recebeu um gesto de grosseria. Consequentemente, descontou sua raiva na garçonete que lhe serviu a bebida e, com a cara feia, ficou observando o salão suntuoso.

Havia música na fonte atrás dela. Isso a acalmava um pouco, assim como um gole do espumante. Não era, de fato, beber que a satisfazia, pensou. Era como provar o sucesso.

Todo aquele brilho e glória do Ritz passavam longe de Arkansas, lembrou. E estava disposta a ir mais longe ainda.

A lembrança de seus planos suavizou as linhas de seu rosto. O sorriso encorajou uma mulher de meia-idade de cabelos azulados a aproximar-se para pedir um autógrafo. Angela foi muito amável. Quando Deanna entrou correndo às quatro e vinte, viu Angela conversando de forma simpática com uma fã.

— Perdão! — Deanna sentou-se de frente para Angela. — Sinto muito pelo atraso.

— Não se preocupe. — Dispensando com a mão o pedido de desculpas, Angela sorriu. — Foi um prazer conhecê-la, sra. Hopkins. Fico feliz que goste do programa.

— Eu não o perco por nada. E você é ainda mais bonita pessoalmente do que na televisão.

— Não é uma graça? — perguntou Angela a Deanna quando ficaram sozinhas. — Ela vê o programa todas as manhãs. Agora vai poder se gabar no bingo de que me conheceu pessoalmente. Vamos pedir uma bebida para você.

— É melhor chá. Estou dirigindo.

— Tolice! — Angela chamou a garçonete, bateu de leve em sua taça e depois levantou dois dedos. — Eu me recuso a comemorar com algo tão sem graça como chá.

— Então é melhor que eu saiba o que estamos comemorando. — Deanna tirou a jaqueta. Uma taça de champanhe, pensou ela, poderia facilmente durar os trinta minutos que tinha para esse encontro.

— Só depois que estiver com seu champanhe. — Angela sorriu de forma reservada antes de dar um gole no seu. — Eu realmente preciso lhe agradecer de novo por ter trabalhado tanto na outra noite. A festa foi maravilhosa.

— Não tinha muita coisa para fazer.

— Para você é fácil dizer isso. Você consegue cuidar bem de todos esses detalhes. — Com um gesto, Angela os desdenhou. — Os detalhes me irritam. — Deixando a bebida de lado novamente, ela pegou um cigarro. — E o que você acha de Finn?

— Devo dizer que ele é um dos melhores repórteres da CBC ou de qualquer uma das redes. Cheio de energia. Ele tem um jeito de chegar ao fundo de um assunto e de deixar que só uma parte dele seja vista, o suficiente para despertar a curiosidade do público.

— Não, não, não! Não estou me referindo ao lado profissional dele. — disse Angela, impaciente, ao soltar a fumaça do cigarro. — Mas como homem.

— Não o conheço como homem.

— Impressões, Deanna. — A voz de Angela afinou, deixando Deanna em estado de alerta. — Você é uma repórter, não é? Está treinada para observar. Que comentários você tem a fazer?

Terreno pantanoso, concluiu Deanna. Havia boatos de uma história passada, e a especulação de um caso entre as estrelas no momento.

— Objetivamente? Ele é muito atraente, carismático, e eu acho que deveria usar a expressão "cheio de energia" de novo. Sem dúvida, os técnicos e os chefes gostam muito dele.

— Especialmente as mulheres. — Angela começou a balançar o pé, um sinal de agitação. Seu pai havia sido carismático também, não?, lembrou-se com amargura. E atraente e, certamente, cheio de energia, quando ele estava em sua melhor fase. E ele a havia deixado também, a ela e à sua mãe patética e bêbada, por outra mulher e pelo canto de uma sereia que o chamava para uma aventura maravilhosa. Mas, desde então, ela aprendeu muita coisa sobre vingança. — Ele pode ser bastante charmoso — continuou. — E muito espertalhão. Ele não se importa de usar as pessoas para conseguir o que quer. — Ela deu uma boa tragada no cigarro e sorriu sutilmente em meio à fumaça. — Percebi que ele estava atrás de você na festa e pensei em lhe dar um conselho de amiga.

Deanna ergueu uma sobrancelha, imaginando o que Angela sentiria se soubesse que Finn havia usado a mesma expressão algumas horas antes.

— Não é necessário.

— Eu sei que você está saindo com Marshall no momento, mas Finn pode ser muito convincente. — Ela bateu de leve o cigarro no cinzeiro, aproximando-se de Deanna. Papo de mulher para mulher. — Eu sei como as notícias correm no estúdio, por isso você não precisa fingir que não sabe sobre o que houve entre mim e Finn antes de ele ir para Londres. É uma pena, mas, desde que rompi nossa relação, ele tenta salvar seu ego e se vingar de mim, tentando conquistar alguém com quem me importo. Eu não gostaria de vê-la magoada.

— Não vou me magoar. — Pouco à vontade, Deanna se afastou. — Angela, meu tempo realmente está curto. Se era sobre isso que você queria falar comigo...

— Não, não! Era só algo sem importância. E aqui estamos nós. — Ela sorriu quando as bebidas foram servidas. — Agora temos as ferramentas adequadas para um brinde. — Ela levantou sua taça e esperou que Deanna levantasse a dela. — A Nova York. — As taças retiniram ao mesmo tempo.

— Nova York?

— Durante toda a minha vida me esforcei para isso. — Depois de um gole rápido, Angela pôs a taça na mesa. Era possível ver o entusiasmo nela. Nada, nem mesmo o champanhe, poderia competir com ele. — Agora é uma realidade. O que estou lhe contando é extremamente confidencial, entendeu?

— Claro.

— Recebi uma proposta da Starmedia, Deanna, uma proposta incrível. — Sua voz era efervescente como o vinho. — Vou embora de Chicago e da CBC em agosto, quando meu contrato vence. O programa irá para Nova York, e passará a ter quatro especiais por ano em horário nobre. — Seus olhos tinham a cor azul do vidro, seus dedos corriam para cima e para baixo na taça como pássaros alvoroçados à procura de um lugar para pousar.

— Isso é maravilhoso. Mas eu pensei que você já havia concordado em renovar o contrato com a CBC e com a Delacort.

— Verbalmente. — Ela encolheu os ombros. — A Starmedia é um grupo que tem muito mais imaginação. A Delacort nem presta atenção em mim. Vou para onde serei mais valorizada... e mais recompensada. Vou abrir minha própria produtora. E não vamos produzir só o *Programa da Angela*. Faremos especiais, filmes, documentários. Terei acesso ao que há de melhor no ramo. — Ela fez uma pausa, um artifício típico da apresentadora que era. — É por isso que quero que você venha comigo e seja minha produtora-executiva.

— Quer que eu vá com você? — Deanna fez que não com a cabeça como se estivesse afastando pensamentos confusos. — Não sou produtora. E Lew...

— Lew. — Angela descartou seu parceiro de tanto tempo jogando a cabeça para trás. — Quero alguém jovem, disposta, com imaginação. Não, quando eu me mudar, não vou levar Lew comigo. O emprego é seu, Deanna. Você só precisa aceitá-lo.

Deanna tomou um longo e demorado gole do champanhe. Estava esperando que ela lhe oferecesse o cargo de pesquisadora-chefe, e, uma vez que a ambição apontava para outro lugar, ela estava preparada para recusá-lo. Mas isso? Isso aparecera do nada. E era muito mais tentador.

— Estou lisonjeada — começou. Perplexa, ela se corrigiu. — Não sei o que dizer.

— Então vou lhe dar uma sugestão: diga que sim.

Dando uma risada rápida, Deanna encostou-se na cadeira e examinou a mulher à sua frente. Ansiosa, impulsiva e, sim, implacável. Em geral, qualidades nada ruins. Também havia talento, inteligência e aqueles nervos à flor da pele que Angela achava que ninguém notava. Era a combinação que a impulsionara ao topo e a mantinha ali.

Um cargo importante em um programa espetacular, pensou Deanna.

— Eu gostaria de aceitar, Angela, mas preciso pensar melhor.

— O que há para pensar? — O vinho estava afetando os pensamentos de Angela. Deanna foi rápida o suficiente para impedir que uma taça virasse quando Angela se esticou despreocupadamente sobre a mesa para se aproximar dela. — Você não recebe ofertas como esta na área todos os dias, Deanna. Aceite o que é concreto enquanto pode. Você sabe de quanto dinheiro estou falando? O prestígio, o poder?

— Tenho alguma ideia.

— Duzentos e cinquenta mil por ano, para começar. E todos os benefícios.

Deanna levou um tempo para fechar a boca.

— Não — disse devagar. — Pelo visto, eu não fazia a menor ideia.

— Seu próprio escritório, sua própria equipe, um carro com motorista à sua disposição. Oportunidades para viajar, para estar no meio da nata.

— Por quê?

Satisfeita, Angela encostou-se na cadeira.

— Porque eu posso confiar em você. Porque eu posso contar com você e porque vejo algo de mim quando olho para você.

Deanna sentiu um rápido calafrio na espinha.

— É um passo muito grande.

— Os pequenos são perda de tempo.

— Talvez, mas preciso pensar bem nisso. Não sei se sirvo para o trabalho.

— Eu acho que serve. — A impaciência de Angela estava aumentando novamente. — Por que você duvida disso?

— Angela, uma das razões pelas quais imagino que você esteja me oferecendo este emprego é que sou uma pessoa bem detalhista. Sou minuciosa e obsessivamente organizada. Eu não seria nada disso se não dedicasse tempo para resolver as coisas.

Fazendo que sim com a cabeça, Angela tirou outro cigarro.

— Você tem razão. Eu não deveria insistir, mas quero você comigo nisto. De quanto tempo você precisa?

— Alguns dias. Posso dar uma resposta no final da semana?

— Tudo bem. — Ela apertou o isqueiro e examinou rapidamente a chama. — Só vou dizer mais uma coisa. Seu lugar não é atrás de uma mesa em um programa local do meio-dia lendo as notícias. Você foi feita para coisas maiores, Deanna. Vi isso em você desde o início.

— Espero que esteja certa. — Deanna soltou um suspiro longo. — Eu espero mesmo.

◆ ◆ ◆ ◆

A PEQUENA GALERIA perto da avenida Michigan estava abarrotada de gente. Nem um pouco maior que uma garagem em um bairro de classe média, o espaço estava bem iluminado para acomodar as pinturas ousadas e chamativas, dispostas muito próximas umas das outras ao longo das paredes. Assim que entrou, Deanna ficou feliz por ter seguido o impulso de ir até lá. Isso não só a fez se esquecer da oferta surpreendente de Angela naquela tarde, mas também lhe permitiu seguir de perto sua própria entrevista.

O ar estava repleto de sons e aromas. Champanhe barato e vozerio barulhento. E cor, pensou ela. Os tons de preto e de cinza nas roupas das pessoas faziam um contraste nítido com as cores vibrantes das pinturas. Ela lamentou não ter levado uma equipe de filmagem para fazer uma rápida reportagem.

— Belo evento! — murmurou Marshall no ouvido dela.

Deanna virou-se e sorriu.

— Não vamos demorar muito. Eu sei que isto não é exatamente seu estilo.

Ele deu uma olhada para as cores fortes que manchavam as telas ao seu redor.

— Não é mesmo.

— Coisas extravagantes. — Fran abriu caminho de mãos dadas com o marido, Richard. — Sua entrevista desta tarde pelo visto causou impacto.

— Não tenho certeza disso.

— Bom, não prejudicou nada. — Levantando a cabeça, Fran aspirou o ar. — Sinto cheiro de comida.

— O olfato dela está tão aguçado que ela consegue sentir o cheiro de um cachorro-quente sendo preparado a três quarteirões de distância. — Richard mudou de posição para passar o braço em volta de Fran. Ele tinha um rosto de menino bonito que sorria com facilidade. Seus cabelos louro-claros tinham um corte conservador, mas o furinho no lóbulo da orelha esquerda já havia ostentado vários brincos.

— Estou com os sentidos aguçados — afirmou Fran. — E eles estão me dizendo que teremos mini cachorros-quentes às três da tarde. Até mais — disse ela, arrastando Richard.

— Com fome? — perguntou Marshall, abraçando-a por trás. Deanna moveu-se confortavelmente para dentro dos braços protetores dele.

— Na verdade, não. — Usando a vantagem da altura, ele deu uma olhada para os lados e afastou-a do meio da multidão. — Você tem sido um bom companheiro — disse ela.

— Vindo aqui? É interessante.

Ela riu e o beijou novamente.

— Um bom companheiro. Eu gostaria de dar uma volta rápida e cumprimentar Myra. — Deanna olhou para os lados. — Se eu puder encontrá-la.

— Fique à vontade. Vou tentar conseguir alguns canapés para nós.

— Obrigada.

Deanna atravessou a multidão com dificuldade. Gostava da pressão dos corpos, das meias-vozes de empolgação, dos pedaços de conversas ouvidas por acaso. Estava na metade do caminho quando uma pintura a fez parar. Linhas sinuosas e manchas ousadas com um plano de fundo de textura azul da prússia transformavam a tela em uma explosão de emoção e energia. Fascinada, Deanna aproximou-se. A legenda abaixo da moldura de ébano lisa dizia: DESPERTARES. Perfeito, pensou Deanna. Absolutamente perfeito.

As cores eram vivas e pareciam lutar para se libertarem da tela, para se afastarem da noite. Enquanto examinava a obra, ela percebeu que seu prazer se transformava em desejo, e o desejo, em determinação. Com um pequeno ajuste em seu orçamento...

— Gostou?

Ela se viu com os pés no chão novamente, mas não se incomodou de se virar para se deparar com Finn.

— Sim, bastante. Você passa muito tempo em galerias?

— De vez em quando. — Ele se pôs ao lado de Deanna, entretido com o modo como ela olhava para a pintura. Tudo o que se passava na cabeça dela estava refletido em seus olhos. — Na verdade, sua chamada desta tarde me convenceu a passar por aqui.

— Sério? — Ela, então, olhou para ele. Ele estava vestido como no dia em que atravessara a pista de pouso: uma jaqueta de couro cara aberta, calça jeans confortável, botas bem surradas.

— É sério. E lhe devo uma, Kansas.

— Por quê?

— Por isto. — Ele fez que sim olhando para a pintura. — Eu acabei de comprá-la.

— Você... — Tirou os olhos dele, olhou para a pintura e depois para ele novamente. Seus dentes estavam cerrados. — Entendi.

— Ela realmente me fascinou. — Ele pôs a mão no ombro dela e encarou a pintura. Se continuasse a olhar para Deanna, Finn sabia que daria um sorriso largo. Estava tudo ali nos olhos dela: a frustração, o desejo, a irritação. — E o preço foi justo. Acho que logo vão perceber que estão vendendo barato as telas de Myra.

Droga, a tela era dela. Deanna já a havia imaginado pendurada acima de sua mesa em casa. Não podia acreditar que ele a havia arrancado dela.

— Por que esta?

— Porque era perfeita para mim. — Com uma leve pressão no ombro dela, Finn a colocou de frente para ele. — Eu soube no momento em que a vi. E quando vejo algo que quero... — Arrastou um dedo, leve como uma pena, para o pescoço de Deanna enquanto seus olhos permaneciam nos dela. — Eu faço o que posso para conseguir.

O pulso de Deanna batia rapidamente, surpreendendo-a, perturbando-a. Eles estavam muito próximos um do outro, os olhos e os lábios no mesmo nível. E tão perto, alguns centímetros de distância, que ela podia se ver refletida no azul cheio de sonhos dos olhos de Finn.

— Às vezes não podemos ter o que queremos.

— Às vezes. — Ele sorriu, e ela se esqueceu de que a multidão os apertava, da pintura cobiçada atrás dela, da voz em sua cabeça que lhe dizia para se afastar. — Um bom repórter precisa saber quando se mover rápido e quando ser paciente. Não acha?

— Sim. — Mas Deanna não estava conseguindo pensar direito. Eram os olhos dele, pensou ela, o modo como a fitavam, como se não houvesse nada nem ninguém. E Deanna sabia, de algum modo, que Finn continuaria a olhar para ela daquela forma, mesmo que o chão, de repente, se abrisse debaixo deles.

— Você quer que eu seja paciente, Deanna? — Seu dedo deslizou para a linha do queixo dela e ali ficou.

— Eu... — Faltou-lhe ar nos pulmões. E, por um instante, um instante de surpresa, ela se viu se inclinando na direção dele.

— Ah, vejo que você já encontrou algo para beber — disse Marshall.

Ela viu a estranha diversão no rosto de Finn.

— Sim, Marshall. — A voz de Deanna foi hesitante. Esforçando-se para normalizá-la, ela agarrou o braço dele como se ele fosse uma rocha em um mar tempestuoso. — Eu encontrei Finn. Acho que vocês não se conhecem. Dr. Marshall, Finn Riley.

— Naturalmente. Conheço seu trabalho. — Marshall estendeu a mão. — Bem-vindo novamente a Chicago.

— Obrigado. Você é psicólogo, certo?

— Sim. Eu me especializei em aconselhamento familiar.

— Um trabalho interessante. As estatísticas apontam para o fim da família tradicional, mas parece que a tendência geral, se você observar a publicidade e o entretenimento, é justamente o oposto disso.

Deanna tentou achar algo sarcástico no comentário, mas só viu um interesse genuíno de Finn enquanto levava Marshall a uma discussão sobre a cultura familiar norte-americana. Era o repórter que havia dentro dele, imaginou ela, que lhe permitia conversar com qualquer pessoa em qualquer momento sobre qualquer assunto. Naquele instante, Deanna se sentiu agradecida por isso.

Era um alívio para ela ter a mão colada na de Marshall, sentir que poderia ser, se quisesse, parte de um casal. Preferia muito mais o romantismo delicado de Marshall ao ataque direto de Finn contra seu sistema nervoso. Se tivesse de comparar os dois homens — o que disse para si mesma que certamente não faria —, ela daria as melhores notas a Marshall por sua cortesia, respeito e estabilidade.

Ela sorriu para ele mesmo tendo os olhos atraídos para a bela e intensa pintura.

Quando Fran e Richard juntaram-se a eles, Deanna fez as apresentações. Alguns minutos de conversa informal, e eles se despediram. Deanna tentou fingir que não percebia os olhos de Finn nela enquanto abriam caminho para chegar à porta.

— Acalme-se — murmurou Fran para si mesma no ouvido de Deanna. — Ele é ainda mais atraente pessoalmente do que pela televisão.

— Você acha?

— Querida, se eu não fosse casada e não estivesse grávida, faria muito mais do que pensar. — Fran deu uma última olhada para ele por sobre o ombro. — Delicioso.

Dando risadinhas, Deanna deu-lhe um empurrãozinho de leve em direção à porta.

— Controle-se, Myers.

— As fantasias não fazem mal algum, Dee. Eu vivo lhe dizendo isso. E se ele estivesse olhando para mim como estava olhando para você, eu me derreteria aos pés dele.

Deanna resistiu às fisgadas de nervoso no estômago ao respirar rapidamente o ar da primavera.

— Eu não me derreto assim com tanta facilidade.

♦ ♦ ♦ ♦

Não se derreter com facilidade, pensou Deanna mais tarde, era parte do problema. Quando Marshall estacionou seu carro em frente ao prédio dela, Deanna sabia que ele subiria com ela. E, uma vez lá em cima, ele esperaria ser convidado a entrar. E depois...

Ela simplesmente não estava pronta para o "e depois".

A falha estava nela, certamente. Deanna podia culpar o passado por sua hesitação em ser íntima. Ela não queria admitir que outra parte de sua hesitação estava relacionada a Finn.

— Você não precisa subir comigo.

Ele ergueu a mão para brincar com os cabelos dela.

— É cedo ainda.

— Eu sei, mas tenho um trabalho bem cedo. Obrigada por ter ido à galeria comigo.

— Eu gostei mais do que imaginei.

— Que bom. — Sorrindo, ela encostou a boca na dele. Quando ele quis um beijo mais intenso, puxando-a para si, ela se rendeu. Havia calor ali, uma paixão apenas contida. Um gemido reservado de prazer surgiu em sua garganta quando ele mudou o ângulo do beijo. A batida do coração de Marshall batia contra o dela.

— Deanna — disse ele enquanto passeava lentamente com a boca pelo rosto dela. — Eu quero ficar com você.

— Eu sei. — Ela virou os lábios para os dele novamente. Falta pouco, pensou Deanna como se estivesse em um sonho. Ela estava quase certa. — Preciso de um pouco mais de tempo, Marshall. Desculpe.

— Sabe o que sinto por você? — Ele segurou o rosto dela com as mãos, examinando-a. — Mas eu entendo que precisa ser no momento certo. Por que não damos uma escapada por alguns dias?

— Escapada?

— De Chicago. Podíamos tirar um fim de semana. — Ele inclinou a cabeça dela para trás e a beijou no canto dos lábios. — Cancún, São Tomé, Mauí. Para onde você quiser. Só nós dois. Poderíamos ver até que ponto estamos juntos, longe do trabalho e de todas as pressões.

— Eu gostaria. — Seus olhos fecharam-se. — Eu gostaria de pensar no assunto.

— Então pense. — Havia uma expressão misteriosa de triunfo em seus olhos. — Veja sua agenda e deixe o resto por minha conta.

## Capítulo Sete
♦ ♦ ♦ ♦

Deanna não esperava as alfinetadas da deslealdade. Afinal, a televisão era um negócio. E parte desse negócio era ser promovido, conseguir a melhor oferta. Mas, enquanto todos no edifício da CBC, dos chefes às equipes de manutenção, faziam o balanço de maio e discutiam e analisavam os índices de audiência da programação noturna, Deanna se sentia uma traidora.

As previsões dos orçamentos do ano seguinte estavam sendo feitas fora desse mês de balanço, e essas previsões estavam sendo feitas sobre suposições equivocadas.

Ela sabia que o *Programa da Angela* acabaria antes do início da temporada de outono. E com o negócio que Angela havia fechado, ela competiria com os programas diurnos da CBC e também com os especiais em horários nobres.

Quanto mais festivo ficava o clima na sala de redação, mais a consciência de Deanna se sentia culpada.

— Algum problema, Kansas?

Deanna ergueu os olhos enquanto Finn se acomodava no canto de sua mesa.

— Por que a pergunta?

— Faz cinco minutos que você não tira os olhos daquela tela. Estou acostumado a vê-la em movimento.

— Eu estou pensando.

— Isso normalmente não faz você parar. — Inclinando-se para a frente, ele esfregou o polegar entre as sobrancelhas dela. — Tensão.

Defendendo-se, ela se recostou na cadeira para interromper o contato.

— Estamos no meio do balanço de maio. Quem não está tenso?

— O *Noticiário do Meio-dia* está mantendo a posição.

— Está indo melhor do que isso — respondeu ela, bruscamente. Orgulho e lealdade surgiram ao mesmo tempo. — Temos uma fatia de 28% do mercado. Subimos três pontos na audiência desde o último balanço.

— Que ótimo! Eu prefiro vê-la entusiasmada a triste.

— Eu não estava triste — disse ela entre os dentes. — Eu estava pensando.

— Tanto faz. — Ele, então, se levantou e pegou a bolsa de viagem que havia deixado no chão.

— Para onde você está indo?

— Nova York. — Com um movimento fácil e experiente, Finn lançou a bolsa sobre o ombro. — Vou substituir o apresentador do programa *Hora de Despertar* por alguns dias. Kirk Brooks está com problemas de alergia.

Deanna arqueou uma sobrancelha. Ela sabia que esse programa da CBC ia mal, ficando bem atrás do *Bom-Dia, América* e *Hoje*.

— Você quer dizer que o problema é a audiência.

Finn encolheu os ombros e pegou uma das balas que estavam em uma vasilha na mesa de Deanna.

— Basicamente, é isso. Os chefes acreditam que os telespectadores vão achar deslumbrante alguém que já esteve no meio de tiroteios e terremotos. — Uma expressão de desgosto passou por seu rosto enquanto engolia a bala. — Por isso vou acordar cedo por alguns dias e usar uma gravata.

— Vai ser um pouco mais do que isso. É um programa complexo. Entrevistas, histórias de última hora...

— Conversa fiada. — A expressão estava cheia de desprezo.

— Não há mal nenhum nisso. Serve para envolver o público, colocá-lo a par da situação. E abre portas.

Os lábios de Finn curvaram-se, formando algo entre um sorriso e um riso de escárnio.

— Está certo. Da próxima vez que eu entrevistar Gaddafi, não vou me esquecer de perguntar o que ele acha do novo vídeo da Madonna.

Intrigada, Deanna inclinou a cabeça para trás a fim de examiná-lo. Para ela, ele era um rebelde despreocupado que fazia exatamente o que queria e deixava os executivos do canal no escuro.

— Se você detesta isso tanto assim, por que vai fazê-lo?

— Eu trabalho aqui — respondeu ele, simplesmente, e se serviu de um punhado de balas.

Deanna baixou os olhos e começou a brincar com os papéis em sua mesa. O mesmo acontecia com ela, pensou com tristeza. O mesmo acontecia com ela.

— Então é uma questão de lealdade.

— A princípio. — O que se passava pela cabeça dela?, Finn ficou imaginando. Era uma pena que ele não tivesse tempo para ficar por perto e descobrir. — Depois, há a perspectiva mais ampla. Se o programa vai para o buraco, a receita sofre. Quem é o primeiro a sentir na pele?

— O departamento de notícias.

— Acertou! O programa da manhã começa a bater os índices de audiência, mas parece que alguns imbecis não conseguem fazer um trabalho decente nas noites de terça-feira, e, antes que você tenha tempo de dizer qualquer coisa, é cortado.

— Os programas de segunda e de sexta estão fortes — murmurou ela. — E temos o *Programa da Angela*.

— É um pouco difícil imaginar que Angela e um punhado de seriados cômicos estão salvando nossa pele. — Então, ele sorriu e encolheu os ombros. — Negócio estranho. Acho que você não gostaria de me dar um beijo de despedida.

— Acho que não.

— Mas você vai sentir saudades de mim. — Havia uma expressão divertida o suficiente em seus olhos para fazê-la retribuir o sorriso.

— Você não está indo para a guerra, Finn.

— Para você é fácil dizer isso. Fique ligada. — Ele se afastou devagar. Deanna viu quando Finn se aproximou de outra repórter. A mulher riu e, então, lascou-lhe um beijo exagerado na boca. Enquanto os outros aplaudiam, ele se virou e abriu um sorriso largo para Deanna. Com uma saudação final para a sala de redação, ele passou pelas portas.

Deanna ainda estava sorrindo quando voltou a trabalhar em seu texto. O homem podia ter seus defeitos, pensou ela, mas pelo menos conseguia fazê-la rir.

E, admitiu, ele podia fazê-la pensar.

Mentalmente, ela visualizou sua lista. Duas colunas, bem-digitadas, especificando suas razões para aceitar e recusar a proposta de Angela. Havia uma cópia impressa na primeira gaveta de sua mesa em casa. Com um suspiro, acrescentou uma palavra à coluna "recusar".

Lealdade.

— Srta. Reynolds?

Ela piscou e concentrou-se. Atrás de um vaso de porcelana de hibiscos vermelhos exuberantes apareceu um rosto redondo e alegre. Deanna levou alguns segundos para reconhecê-lo. Mas, quando ele pôs os óculos com aros de metal, ela se lembrou.

— Oi, Jeff. O que é tudo isto?

— Para você. — Ele pôs as flores na mesa dela e, imediatamente, colocou as mãos nos bolsos. Como assistente editorial, Jeff Hyatt ficava mais à vontade com equipamentos do que com pessoas. Ele deu a Deanna um sorriso fugaz e ficou olhando para as flores.

— Bonitas. Eu cruzei com o rapaz das entregas, e como eu estava vindo para cá...

— Obrigada, Jeff.

— Por nada.

Deanna já havia se esquecido dele quando pegou o cartão escondido entre as flores.

*Que tal o Havaí?*

Sorrindo, ela estendeu a mão para acariciar uma flor. Mais um item para a lista "recusar", pensou ela. Marshall.

♦♦♦♦

— A srta. Reynolds quer vê-la, srta. Perkins.

— Peça a ela para esperar. — Com um cigarro aceso entre os dedos, Angela franzia as sobrancelhas para o relatório de Beeker sobre Marshall Pike. A leitura era, sem dúvida, interessante e exigia toda a sua atenção. As credenciais de Marshall foram bem-conquistadas: um doutorado em Georgetown, um ano de estudos no exterior. E, financeiramente, o psicólogo ia bem, aconselhando pessoas da alta sociedade e políticos com casamentos em dificuldades e famílias problemáticas. Compensava sua prática lucrativa doando três tardes da semana a serviços sociais.

De modo geral, um bom e respeitável perfil de um homem que havia estudado bastante, trabalhava com afinco e dedicava-se a preservar a vida familiar.

Angela sabia tudo sobre perfis, e as ilusões que eles criavam.

O próprio casamento de Marshall havia fracassado. Um divórcio tranquilo e civilizado, que não causara muita agitação na sociedade de Chicago, e, sem dúvida, não prejudicara sua prática como psicólogo. Entretanto, era interessante. Interessante porque Beeker havia descoberto que o acordo financeiro de Marshall com a ex-mulher era muito alto, assim como a pensão alimentícia. Muito mais do que um casamento breve e sem filhos costumava garantir.

Ele não contestou isso, pensou Angela. Um sorriso formava-se nos cantos de sua boca à medida que continuava a ler. Talvez ele não tenha tido coragem. Quando um homem de 35 anos era pego com a filha bonita, nua e muito jovem de sua secretária às duas horas da madrugada, ele não tinha muito espaço para negociações. Uma menor, por mais disposta que estivesse a ficar com ele, ainda era uma menor. E o adultério, principalmente com uma menina de 16 anos, tinha um preço muito alto.

Ele foi esperto ao encobrir o que fez, refletiu Angela, examinando a pasta de Beeker. A secretária recebeu uma boa quantia de dinheiro e uma bela referência, e mudou-se com a família para San Antonio. A esposa levou uma quantia ainda maior, mas nem um sussurro sobre o bom médico escapou. E, quando algo foi dito — e Angela o admirava por sua ousadia —, os rumores associaram-no indiretamente à sua secretária, não à filha núbil dela.

Então, o elegante dr. Pike continuou seu trabalho como um dos solteiros mais cobiçados de Chicago.

O ilustre conselheiro familiar com um fraco por adolescentes. Um tema interessante para um programa, concluiu ela, e riu alto. Não, não, eles manteriam isso em segredo. Algumas informações valem muito mais do que índices de audiência. Angela fechou a pasta e jogou-a em uma gaveta. Ficou pensando até onde Deanna sabia da história.

— Mande-a entrar, Cassie.

Angela estava muito simpática quando Deanna entrou.

— Perdão por fazê-la esperar. Eu estava terminando um negocinho.

— Eu sei que você é muito ocupada. — Deanna mexeu rapidamente em um dos brincos. — Você tem uns minutinhos?

— Claro. — Ela se levantou, fazendo um gesto para uma cadeira. — Aceita um café?

— Não, não se preocupe.

Deanna sentou-se e obrigou-se a entrelaçar calmamente as mãos no colo.

— Não é incômodo algum. Uma bebida gelada? — Contente, no momento, por servir, Angela cruzou a sala até o bar e pegou água mineral para as duas. — Se eu não tivesse um jantar hoje à noite, pediria a Cassie para trazer alguns daqueles biscoitos de chocolate que eu sei que ela tem na mesa. — Angela riu levemente. — Ela não sabe que eu sei. Entretanto, minha política é saber tudo sobre as pessoas que trabalham comigo. — Depois de entregar um copo a Deanna, ela se jogou em uma cadeira e esticou as pernas. — Que dia! E ao amanhecer estou de partida para a Califórnia.

— Califórnia? Eu não sabia que você estava fazendo externas.

— Não. Vou discursar na cerimônia de formatura de Berkeley. — Nada mal, pensou Angela, para alguém que trabalhou como garçonete para vencer na vida em Arkansas. — Estarei de volta para as gravações de segunda. Sabe, Dee, já que passou por aqui, você poderia dar uma olhada em meu discurso. Sabe como valorizo sua opinião.

— Claro. — Desconsolada, Deanna deu um golinho na água. — Só vou poder fazer isso depois das cinco, mas...

— Sem problema. Você pode enviá-lo por fax para minha casa. Vou lhe dar uma cópia.

— Está bem, Angela. — A única maneira de tratar do assunto era de forma direta. — Vim aqui para falar com você sobre sua proposta.

— Eu esperava que você viesse. — Relaxada e satisfeita, Angela tirou os sapatos e pegou um cigarro. — Não dá para dizer como estou ansiosa para me mudar para Nova York, Deanna. Sabe, é lá que este negócio pulsa. — Ela apertou o isqueiro e deu uma rápida tragada no cigarro. — É lá que está o poder. Já pedi ao meu agente para procurar um apartamento para mim.

Seus olhos perderam a expressão calculista e tornaram-se cheios de sonhos. Por dentro ela ainda era a menina do Arkansas que queria ser uma princesa.

— Quero algo com uma bela vista, muitas janelas e luz, bastante espaço. Um lugar onde eu possa me sentir em casa, onde eu possa receber visitas. Se eu encontrar o lugar certo, podemos até gravar alguns especiais lá. O público gosta de dar uma espiada em nossa vida pessoal.

Ela sorriu ao bater de leve o cigarro no cinzeiro. A expressão meiga em seus olhos ficou aguçada.

— Vamos nos dar bem na vida, Dee. As mulheres finalmente conquistaram um lugar sólido na televisão, e vamos chegar ao topo. Você e eu.

— Ela estendeu a mão e apertou rapidamente a mão de Deanna. — Sabe, sua inteligência e sua criatividade são apenas parte da razão pela qual quero você comigo. — Sua voz era convincente e expressava sinceridade. — Eu posso confiar em você, Dee. Posso relaxar quando está por perto. Não preciso dizer o que isso significa para mim.

Deanna fechou os olhos por um instante enquanto a culpa fazia seu estômago revirar.

— Eu não acho que tenha existido outra mulher de quem me senti tão próxima — concluiu Angela.

— Angela, eu quero...

— Você vai ser mais do que minha produtora-executiva; vai ser meu braço direito. Na verdade, preciso pedir ao meu agente que procure um lugar para você também. Um lugar perto do meu — murmurou ela, imaginando as conversas de mulher que teriam nas madrugadas, as quais nunca lhe foram permitidas durante a juventude. — Vai ser maravilhoso para nós duas.

— Angela, calma. — Com um sorriso sem graça, Deanna levantou uma das mãos. — Eu acho que entendo o quanto esse negócio com a Starmedia significa para você, e fico empolgada por isso. Você tem sido maravilhosa para mim, sua ajuda, sua amizade, e eu lhe desejo todo o sucesso do mundo. — Inclinando-se, Deanna segurou a mão de Angela. — Mas não posso aceitar o trabalho.

O brilho nos olhos de Angela apagou-se. Sua boca contraiu-se. A recusa inesperada quase lhe tirou o ar.

— Você tem certeza de que entendeu o que estou lhe oferecendo?

— Ah, sim, entendi — repetiu ela, apertando a mão de Angela entre as suas antes de se levantar para andar pela sala. — E, acredite, pensei muito nessa oferta. E foi difícil pensar em outra coisa. — Ela se virou para trás, gesticulando com as mãos. — E eu simplesmente não posso fazer isso.

Muito devagar, Angela endireitou-se na cadeira. Cruzou as pernas. O simples gesto acabou com toda a ternura.

— Por quê?

— Por muitas razões. Primeiro, eu tenho um contrato.

Com um som que parecia um misto de repugnância e diversão, Angela fez um gesto com os polegares para baixo.

— Você já está por aqui tempo suficiente para saber como resolver isso facilmente.

— Pode ser, mas, quando assinei o contrato, dei minha palavra.

Pensativa e dando outra tragada no cigarro, Angela estreitou os olhos.

— Você é tão ingênua assim?

Deanna entendeu a pergunta como um insulto, mas simplesmente ergueu um ombro.

— Há outros fatores. Mesmo sabendo que você não tem intenção de levar Lew, eu me sentiria culpada por ficar no lugar dele, principalmente porque não tenho a experiência que ele tem. Não sou produtora, Angela, embora seja muito tentador esquecer isso e aceitar a proposta: o dinheiro, a posição, o poder e, meu Deus, Nova York. — Ela soltou um suspiro que fez sua franja se levantar. Ela só entendeu plenamente o quanto queria todas aquelas coisas quando, uma vez ao seu alcance, abrira mão delas. — E a oportunidade de trabalhar com você. Trabalhar de verdade com você... Não é fácil para mim dar as costas para isso.

— Mas você está dando. — O tom de Angela era frio. — É exatamente isso que está fazendo.

— Não é só por mim. Outros fatores me impedem de ir, por mais que eu tente ajustá-los. Minhas ambições estão na frente das câmeras. E eu sou feliz em Chicago. Meu emprego, minha casa, meus amigos estão aqui.

Angela apagou o cigarro com movimentos rápidos e curtos, como disparos de metralhadora.

— E Marshall? Ele é um dos fatores nesta decisão?

Deanna pensou no vaso de hibiscos vermelhos em sua mesa.

— Mais ou menos. Sinto algo por ele. Eu gostaria de dar uma chance a esse sentimento.

— Preciso dizer que você está cometendo um erro. Está deixando que detalhes e sentimentos pessoais encubram seu bom senso profissional.

— Eu não acho. — Deanna atravessou a sala para se sentar novamente e inclinou-se para a frente. Era complicado, pensou ela, recusar uma proposta sem parecer ingrata, principalmente quando a oferta havia assumido todas as conotações de um favor a uma amiga. — Considerei a proposta por todos os ângulos. É isso que faço e, de vez em quando, de forma exagerada. Não foi fácil recusar sua proposta, e não estou fazendo isso sem pensar. Sempre serei grata e me sentirei muito lisonjeada por você ter acreditado o suficiente em mim para ajudá-la.

— Então você vai continuar sentada atrás de uma mesa lendo notícias? — Angela se levantou. A raiva fervia tanto dentro dela que podia senti-la queimando debaixo da pele. Oferecera a Deanna um banquete, e a moça estava se contentando com migalhas. Onde estava a gratidão? Onde estava a maldita lealdade? — A escolha é sua — disse ela friamente enquanto se sentava atrás de sua mesa. — Por que você não aproveita mais alguns dias, o fim de semana, enquanto eu estiver fora, para pensar, caso mude de ideia. — Ela fez que não com a cabeça para interromper qualquer comentário de Deanna. — Vamos conversar de novo na segunda — disse Angela com tom de despedida. — Entre as gravações. Marque na agenda para as... ah... — Sua mente trabalhava freneticamente enquanto ela folheava sua agenda. — Onze e quinze. — Seu sorriso foi afetuoso e simpático novamente quando ergueu os olhos. — Se você não mudar de ideia, não vou discutir com você. Certo?

— Tudo bem. — Pareceu mais agradável e, sem dúvida, mais fácil concordar. — Vejo você na segunda, então. Boa viagem.

— Será. — Esperou de propósito Deanna chegar à porta. — Ah, Dee. — Ela sorriu e levantou um envelope pardo. — Meu discurso!

— É verdade. — Deanna atravessou a sala novamente para pegar o pacote.

— Tente devolvê-lo antes das nove. Preciso dormir bem para ficar com a pele bonita.

Angela esperou que a porta se fechasse para entrelaçar as mãos sobre a mesa. Seus dedos ficaram brancos por causa da pressão que ela fazia. Ficou por um bom tempo olhando para a porta fechada, respirando de forma superficial. De nada adiantaria ficar com raiva, disse para si mesma. Não, não dessa vez. Em se tratando de Deanna, tinha de ser fria, calma e concisa para rever os fatos.

Ela havia oferecido a Deanna uma posição de poder, sua amizade incondicional, sua confiança. E ela preferia ler as notícias ao meio-dia por causa de um contrato, um apartamento alugado e um homem.

Será que ela era realmente tão inexperiente assim?, perguntou-se Angela. Tão ingênua? Tão idiota?

Ela relaxou as mãos obrigou-se a se encostar em sua cadeira e desacelerar a respiração. Qualquer que fosse a resposta, Deanna descobriria que ninguém nunca rejeitava uma oferta de Angela.

Mais calma, Angela abriu uma gaveta e tirou a pasta com informações sobre Marshall. Seus olhos não estavam rígidos, nem brilhavam de raiva. Seus lábios tremiam e formavam um beiço, a expressão de uma criança a quem se negava alguma coisa. Deanna não iria com ela para Nova York, pensou. E ela se arrependeria amargamente.

♦♦♦♦

Foi só pisar na antessala que os sentimentos de culpa de Deanna desapareceram e transformaram-se em uma onda inesperada de prazer.

— Kate. Kate Lowell.

A mulher de pernas longas e olhos grandes e inocentes virou-se, jogando para o lado a maravilhosa cabeleira vermelha. Seu rosto — a pele de porcelana, os ossos delicados, os olhos ardentes e uma boca generosa — era tão estonteante quanto famoso. O sorriso rápido e brilhante foi automático. Ela era, antes de qualquer coisa, uma atriz.

— Oi.

— Aquele aparelho, com certeza, foi útil. — Nesse momento, Deanna riu. — Kate, sou Dee. Deanna Reynolds.

— Deanna. — A tensão nervosa e impetuosa por trás do sorriso se desfez. — Oh, meu Deus, Deanna. — Kate deu a risadinha contagiante que fazia os homens derreterem. — Não acredito!

— Imagine o que eu estou sentindo. Já faz catorze, quinze anos...

Para Kate, por um belo instante, era como se fosse ontem. Ela podia se lembrar de todas as longas conversas — a inocência das confidências de meninas.

Sob o olhar fascinado de Cassie, as duas mulheres atravessaram a sala e se abraçaram. Elas ficaram em um abraço apertado por um instante.

— Você está maravilhosa — disseram ao mesmo tempo e depois riram.

— É verdade. — Kate afastou-se, mas continuou a segurar a mão de Deanna. — Nós estamos. A viagem de Topeka para cá é longa.

— Mais longa para você. O que a mais nova estrela de Hollywood está fazendo em Chicago? — perguntou Deanna.

— Um pequeno negócio. — O sorriso de Kate apagou-se. — Um pequeno trabalho publicitário. E você?

— Eu trabalho aqui.

— Aqui? — O que restava do sorriso afetuoso desapareceu. — Para Angela?

— Não. No andar de baixo. Na sala de redação. *Noticiário do Meio-dia*, com Roger Crowell e Deanna Reynolds.

— Não me digam que duas das minhas pessoas favoritas se conhecem — disse Angela, a anfitriã graciosa, ao sair da sala. — Kate, querida, desculpe por fazê-la esperar. Cassie não me disse que você estava aqui.

— Eu acabei de chegar. — A mão ainda agarrada à de Deanna ficou rígida e depois relaxou. — Meu voo desta manhã atrasou, por isso meu dia está todo corrido.

— Terrível, não é? Até uma mulher com seus talentos está sujeita aos caprichos da tecnologia. Agora me diga... — Ela se aproximou para pôr uma das mãos no ombro de Deanna, como se ela fosse sua propriedade. — Como você conhece nossa Dee?

— Minha tia morava em frente à casa da família de Deanna. Passei alguns verões em Kansas quando era menina.

— E vocês brincavam juntas. — O riso de Angela era de quem estava satisfeita. — Que graça! E Deanna vem guardando suas ligações com a fama só para ela. Que vergonha!

Com um movimento sutil, não menos enérgico por causa da elegância, Kate mudou de posição. O gesto delicadamente tirou Angela do círculo. — Como está sua família?

— Está bem. — Confusa com a tensão que pairava no ar, Deanna tentou encontrar a fonte dela nos olhos de Kate. Tudo o que pôde ver foi o tom castanho-amarelado suave. — Eles nunca perdem um de seus filmes. Nem eu. Eu me lembro das peças que você interpretava no quintal da casa de sua tia.

— Você as escrevia. Agora transmite notícias.

— E é você quem as cria. Você estava maravilhosa em *A farsa*. Chorei muito.

— Estão falando que será indicado para o Oscar. — Delicadamente, Angela deu um passo para a frente e abraçou os ombros de Kate. — Por que seria diferente, já que Kate interpretou de forma tão marcante a jovem e heroica mãe que luta para ficar com o filho? — Elas trocaram um olhar afiado como uma navalha. — Eu fui à estreia. Não havia um par de olhos secos na sala.

— Ah, imagino que houve um. — O sorriso de Kate era brilhante e curiosamente traiçoeiro. — Ou dois.

— Eu adoraria dar tempo para vocês, meninas, colocarem o papo em dia. — Angela apertou os dedos, como uma advertência, nos ombros de Kate. — Mas estamos atrasadas.

— Vou deixar vocês trabalharem. — Colocando o discurso de Angela debaixo do braço, Deanna deu um passo para trás. — Até quando você fica em Chicago?

— Vou embora amanhã. — Kate deu um passo para trás também. — Foi bom vê-la.

— Digo o mesmo. — Estranhamente afetada, Deanna virou-se e foi embora.

— Isso não é maravilhoso? — Angela fez sinal para Kate entrar em seu escritório e fechou a porta. — Você cruzar com uma amiga da infância, que, por acaso, é minha protegida, bem aqui em meu escritório? Diga-me, Kate, você manteve o contato com Dee? Dividiu todos os seus segredos com ela?

— Só uma tonta divide segredos por livre e espontânea vontade, Angela. Agora, não vamos perder tempo com papo-furado. Vamos aos negócios.

Satisfeita, Angela sentou-se atrás de sua mesa.

— Sim, vamos.

♦ ♦ ♦ ♦

Para Finn Riley, Nova York era como uma mulher: uma deusa de pele macia e pernas longas que conhecia muito bem a cidade. Era atraente e, alternadamente, espalhafatosa e elegante. E Deus sabia que ela era perigosa.

Talvez por isso ele preferisse Chicago. Finn amava as mulheres e tinha uma queda por pernas longas e pelo tipo perigoso. Mas Chicago era um homem grande e robusto, com a camisa suada e um copo de cerveja gelado na mão. Chicago era um homem de briga.

Finn acreditava mais em uma briga honesta do que em uma sedução.

Ele estava familiarizado com Manhattan. Havia vivido algum tempo lá com sua mãe, durante uma das tentativas de separação de seus pais. Perdera as contas de quantas foram as tentativas antes do inevitável divórcio.

Ele se lembrou de como os dois foram sensatos. Como foram frios e civilizados. E lembrou-se de ficar sob os cuidados de criadas, secretárias, escolas, supostamente para ser poupado daquela discórdia bem-coreografada.

Na realidade, ele sabia que nenhum de seus pais ficaria à vontade com um menino que fazia perguntas diretas e não ficava satisfeito com respostas lógicas e covardes.

Por isso, ele morou em Manhattan, em Long Island, em Connecticut e em Vermont. Passou os verões em Bar Harbor e em Martha's Vineyard. Estudou em três das melhores escolas primárias da Nova Inglaterra.

Talvez por isso ele ainda tivesse rodinhas nos pés. No momento em que começava a criar raízes em alguma cidade, arrancá-las e mudar-se para outro lugar tornava-se uma questão de honra.

Agora estava de volta a Nova York. Temporariamente. A cidade em que conhecia o o gueto tão bem quanto a elegante cobertura de sua mãe no Central Park West.

Ele nem podia dizer se preferia um a outro. Também não podia dizer que se importava em dedicar alguns dias ao programa *Hora de Despertar*.

Então, Finn tirou Nova York da cabeça e concentrou-se na bola que vinha girando em direção ao seu nariz. Não era tanto autodefesa quanto o espírito de competição. E Deus sabia que um pouco de atividade era uma forma bem-vinda de deixar para trás as horas que havia passado sentado em um sofá no estúdio nos últimos quatro dias.

Cortou a bola com a raquete, soltando um grunhido de esforço que se perdeu enquanto ela quicava na parede. A força sobressaía-se em seu braço, o eco das jogadas reverberava em sua cabeça. Adrenalina corria por suas veias enquanto seu adversário devolvia-lhe a bola.

Ele a rebateu com um golpe dado com as costas da mão. O suor escorria satisfatoriamente por suas costas, deixando molhada sua camiseta gasta da CBC. Durante os cinco minutos seguintes, houve somente os lances e o eco da bola, o cheiro de suor e o som da respiração ofegante.

— Filho da mãe. — Barlow James jogou-se contra a parede enquanto Finn acertava outra jogada. — Você está me matando.

— Droga! — Finn não se deu ao trabalho de ir até a parede. Deixou-se cair no chão do Vertical Club. Todos os músculos de seu corpo estavam doloridos. — Da próxima vez vou trazer uma arma. Será mais fácil para nós dois. — Apalpou o chão à procura de uma toalha e secou o rosto molhado. — Quando é que você vai envelhecer, droga?

O riso de Barlow reverberou nas paredes da quadra. Ele era um homem musculoso com 1,92 metro de altura, abdome reto, peito largo e ombros que pareciam blocos de concreto. Aos 63 anos, não demonstrava sinal algum de alguém que estava perdendo o ritmo. Ao atravessar a quadra em direção a Finn, tirou a faixa laranja chamativa da cabeleira prateada. Finn sempre achou que Barlow tinha o rosto de um daqueles quatro presidentes norte-americanos esculpidos no monte Rushmore. Marcado, grande e forte.

— Você está ficando mole, menino. — Barlow tirou uma garrafa de água mineral da mochila e jogou-a para Finn. A segunda ficou para ele, na qual deu goles longos e insaciáveis. — Quase ganhei de você desta vez.

— Andei praticando com os ingleses. — Quando recuperou o fôlego, continuou: — Eles não são malvados como você.

— Bom, bem-vindo aos Estados Unidos. — Barlow ofereceu a mão e ajudou Finn a se colocar em pé. Era como se estivesse segurando um urso pardo simpático. — Sabe, a maioria das pessoas acharia que o emprego em Londres era uma promoção, e até um bom estratagema.

— É uma bela cidade.

Barlow deu um suspiro.

— Vamos tomar uma ducha.

◆ ◆ ◆ ◆

*V*INTE MINUTOS depois, os dois estavam prontos para serem massageados.

— Muito bom o programa desta manhã — comentou Barlow.

— Você tem uma boa equipe e redatores maravilhosos. Dê tempo ao tempo, e você será competitivo.

— O tempo é mais curto do que costumava ser nesse negócio. Eu detestava aqueles malditos caras obcecados por números. — Mostrou os dentes ao fazer uma careta. — Agora *eu sou* um desses malditos.

— Pelo menos você é um com imaginação.

Barlow não disse nada. Finn ficou em silêncio, sabendo que havia um propósito naquele encontro informal.

— Dê-me uma opinião sobre a agência de Chicago.

— É difícil — disse Finn com cautela. — Que droga, Barlow! Você foi chefe lá por mais de dez anos, sabe com o que estamos trabalhando. Você tem uma sólida combinação de experiência e sangue novo. É um bom lugar para trabalhar.

— Os índices de audiência das notícias locais à tarde são baixos. Precisamos de uma chamada mais forte. Eu gostaria que passassem o *Programa da Angela* para as quatro para arrastar a audiência dela.

Finn deu de ombros. Ele não ignorava os índices de audiência, mas detestava a importância deles.

— Já faz anos que ela está às nove em Chicago e em grande parte do Meio-Oeste. Vai ser difícil conseguir isso.

— Mais difícil do que pensa — murmurou Barlow. — Você e Angela... ah, não há mais nada entre vocês?

Finn abriu os olhos e franziu a testa.

— Vamos ter uma conversa do tipo pai e filho, papai?

— Espertalhão. — Barlow riu, mas seu olhar era severo. Finn conhecia aquele olhar. — Fiquei imaginando se vocês dois haviam continuado de onde pararam.

— Onde paramos foi no banheiro — disse Finn, secamente. — E não voltamos.

— Hummmm. E as relações estão amigáveis ou tensas?

— Amigáveis em público. De modo realista, ela me odeia.

Barlow resmungou novamente. Era uma boa notícia, pensou, porque ele gostava do rapaz. Era uma má notícia porque isso significava que não poderia usá-lo. Tomando uma decisão, ele se virou na mesa, enrolou-se no lençol e dispensou as duas massagistas.

— Estou com um problema, Finn. Um boato desagradável que chegou aos meus ouvidos há alguns dias.

Finn levantou-se. Em outro momento, ele teria zombado do fato de dois homens adultos estarem tendo uma conversa séria enquanto estavam seminus e cheirando a ginseng.

— Você quer me contar?

— E que fique só entre nós.

— Tudo bem.

— Dizem que Angela Perkins está deixando Chicago, a CBC e a Delacort.

— Não escutei nada disso. — Pensativo, Finn tirou os cabelos do rosto. Como qualquer repórter, detestava receber a notícia de fontes secundárias, ainda que fosse apenas um boato. — Veja, está na hora de renovar o contrato, certo? Ela mesma deve ter começado esse boato para que os chefes ofereçam outro caminhão de dinheiro para ela.

— Não. O fato é que ela está quieta. Quieta mesmo. O que ouvi foi que seu agente está fazendo algum barulho, mas não está negociando pra valer. A informação veio da Starmedia. Se ela sair, Finn, o buraco vai ser grande.

— Isso é problema da divisão de entretenimento.

— O problema é nosso também. Você sabe disso.

— Droga!

— Disse bem. Eu só mencionei isso porque pensei que, se você e Angela ainda estivessem...

— Não estamos. — Finn franziu as sobrancelhas. — Vou ver o que consigo descobrir quando voltar.

— Agradeço. Agora, vamos almoçar. Vamos falar sobre as revistas de notícias.

— Não estou fazendo uma revista de notícias. — Era uma antiga discussão que continuaram com perfeita amabilidade enquanto seguiam para o vestiário.

♦ ♦ ♦ ♦

— O Havaí é perfeito — disse Deanna ao telefone.

— Que bom que você acha isso. Que tal a segunda semana de junho?

Contente com a ideia, Deanna encheu uma caneca de café. Foi com ela e o telefone sem fio até a mesa, à qual se sentou com seu laptop.

— Vou pedir essa semana de folga. Não tiro férias desde que comecei a trabalhar na estação, por isso acho que não será um problema.

— Posso dar uma passada aí? Podemos conversar sobre o assunto e ver alguns folhetos.

Ela fechou os olhos, sabendo que não podia ignorar o quadradinho insistente que piscava na tela de seu computador.

— Eu gostaria muito, mas tenho de trabalhar. Apareceu algo no último minuto que me atrasou. — Não mencionou a hora que havia passado pelejando com o discurso de Angela. — Fazer o noticiário neste fim de semana realmente me deixou amarrada. Que tal um café da manhã bem tarde no domingo?

— Lá pelas dez? Posso encontrar você no Drake. Podemos examinar os folhetos e decidir o que é mais adequado para nós.

— Perfeito. Mal posso esperar.

— Eu também.

— Lamento por esta noite.

— Nada disso. Eu também tenho trabalho para fazer. Boa-noite, Deanna.

— Boa-noite.

Marshall desligou. Estava tocando Mozart no aparelho de som, um fogo silencioso queimava na lareira e o aroma de óleo de limão e a fumaça do incenso pairavam no ar.

Depois de terminar seu conhaque, ele subiu as escadas que levavam ao seu quarto. Lá, com o som de violinos nos alto-falantes embutidos, tirou o terno feito sob medida. Por baixo, ele usava seda.

Era uma pequena mania que tinha. Apreciava coisas macias e caras. Gostava, reconhecidamente e sem vergonha, de mulheres. Sua esposa muitas vezes brincara sobre isso, lembrou ele, e até apreciava sua admiração pelo sexo oposto. Até, é claro, encontrá-lo admirando intimamente a jovem Annie Gilby.

Assustou-se ao se lembrar da esposa chegando em casa de uma viagem de negócios um dia antes. A expressão no rosto dela quando entrou no quarto e viu o marido fazendo amor com Annie de modo escandaloso e impetuoso. Foi um terrível erro. Um erro trágico. Seu argumento, perfeitamente justificado, de que a preocupação da esposa com a carreira e a falta de interesse dela pelo que acontecia no quarto tornaram-no uma presa fácil, foi ignorado.

Não importava para ela que a menina o havia seduzido completamente e de caso pensado, que havia se aproveitado das fraquezas e das frustrações dele. Houve outras mulheres, sim. Mas elas não passaram de diversões passageiras, recursos discretos para aliviá-lo sexualmente quando sua esposa estava ausente ou envolvida com projetos de decoração. E não valia a pena mencioná-las.

Ele nunca teria magoado Patricia, afirmou Marshall para si mesmo enquanto escolhia calças escuras e uma camisa. Ele a havia amado plenamente e sentia muito a falta dela.

Ele era um homem que precisava estar casado, que precisava de alguém com quem conversar, com quem compartilhar sua vida e sua casa. Uma mulher brilhante e inteligente como Patricia. É verdade que ele precisava do estímulo da beleza. Isso não era um defeito. Patricia era bonita e ambiciosa; tinha um estilo e um gosto impecáveis.

Em suma, ela era perfeita para ele, não fosse a incapacidade de entender alguns defeitos muito humanos.

Quando pegou os dois em flagrante, ela foi implacável como uma pedra. E Marshall a perdeu.

Mesmo sentindo sua falta, ele sabia que a vida continuava.

E havia encontrado outra pessoa. Deanna era bonita, ambiciosa, inteligente. Era a companhia perfeita para ele. E Marshall a queria — ele a quis desde a primeira vez que viu seu rosto na tela da televisão. Naquele momento ela era mais do que uma imagem; Deanna era uma realidade. Ele teria muito cuidado com ela.

Sexualmente, era um pouco reprimida, mas ele podia ser paciente. A ideia de afastá-la de Chicago, das pressões e distrações, fora brilhante. Uma vez relaxada e segura, ela seria dele. Até aquele momento, Marshall controlaria suas necessidades, suas frustrações.

Mas esperava que não fosse por muito mais tempo.

## Capítulo Oito
◆ ◆ ◆ ◆

— Mauí — disse Fran enquanto mastigava um pedaço de hambúrguer com queijo. — Fim de semana no Havaí. Isso não tem nada a ver com você, Deanna.

— Sério? — Deanna parou de comer e considerou as palavras da amiga. — Talvez, mas vou aproveitar cada minuto. Vamos reservar uma suíte em um hotel na praia de onde, diz o folheto, podemos ver baleias. Com binóculo — disse ela, de repente, e enfiou a mão na bolsa à procura de um bloco de papel. — Preciso comprar um.

Fran estendeu o pescoço e leu a lista cuidadosa que Deanna havia começado.

— Agora, sim, essa é nossa Deanna. Você vai comer todas as batatas fritas?

— Não. Sirva-se. — Já entretida com sua lista, Deanna empurrou o prato na direção de Fran.

— Um fim de semana no Havaí parece bem sério. — Fran mergulhou as batatas fritas no ketchup. — É?

— Talvez. — Ela deu uma olhada para cima novamente, e as bochechas vermelhas disseram muita coisa. — Eu realmente acho que pode ser. Eu me sinto à vontade com Marshall.

Fran fez uma careta.

— Meu bem, você se sente *à vontade* em um velho par de pantufas com formato de coelhinhos!

— Não estou falando em me sentir à vontade desse jeito. Consigo relaxar quando estou perto dele. Eu sei que Marshall não vai me pressionar, para que eu possa... deixar as coisas acontecerem. Quando eu me sentir bem. Posso falar com ele sobre qualquer coisa.

As palavras saíram rapidamente. Muito rapidamente, pensou Fran. Se conhecia Deanna, e ela a conhecia bem, apostaria o salário de um mês que sua melhor amiga estava fazendo um esforço para se convencer daquilo.

— Ele tem um senso incrível de justiça — continuou Deanna. — Temos tantos interesses em comum. E ele é romântico. Eu não tinha como dado conta de como é maravilhoso ter alguém para me mandar flores e preparar jantares à luz de velas.

— É porque você sempre boicotava as coisas.

— Sim. — Deanna soltou um pequeno suspiro e fechou o bloco de papel. — Vou contar para ele sobre Jamie Thomas.

Em um gesto automático de apoio, Fran estendeu o braço e pôs a mão sobre a de Deanna.

— Bom. Isso significa que você confia nele.

— Confio. — Seus olhos encheram-se de determinação. — E eu quero uma relação normal e saudável com um homem. Pelo amor de Deus, eu vou ter uma. Só vou poder ter isso quando contar para ele o que aconteceu comigo. Ele vem jantar amanhã.

Fran deixou de lado as batatas fritas para segurar as mãos de Deanna.

— Se precisar de apoio moral, é só me chamar.

— Ficarei bem. Tenho de voltar — disse ela depois de dar uma olhada para o relógio. — Tenho de dar uma notícia de última hora às oito e meia.

— Você fará o noticiário às dez também, não é? — Fran encheu a boca com a última batata frita. — Richard e eu vamos assistir aconchegados na cama. Vou garantir que ele esteja nu.

— Obrigada. — Deanna contou o dinheiro para pagar a conta. — Isso me dará belas imagens enquanto estiver lendo as notícias.

♦♦♦♦

Era quase meia-noite quando Deanna se deitou na cama. Como sempre, verificou o alarme e depois se certificou de que havia ao lado do telefone, na cabeceira, um lápis e um bloco de anotações. O aparelho tocou quando ela estendeu a mão para apagar a luz. Instintivamente, atendeu-o com uma das mãos e, com a outra, pegou o lápis.

— Reynolds.

— Você estava maravilhosa esta noite.

A agitação prazerosa a fez sorrir enquanto se acomodava com os travesseiros nas costas.

— Obrigada, Marshall.

— Eu só queria que soubesse que eu estava assistindo ao programa. É a segunda melhor coisa depois de estar com você.

— Que bom saber disso. — Era uma sensação deliciosa estar na cama com um sono gostoso e ter no ouvido a voz do homem que ela achava que poderia amar. — Fiquei pensando no Havaí o dia todo.

— Eu também. E em você. — Ele tinha em seu aparelho de televisão a imagem congelada de Deanna que havia gravado, excitando-se com a imagem e a voz dela. — Tenho uma grande dívida com Angela Perkins por ter nos unido.

— Eu também. Durma bem, Marshall.

— Dormirei. Boa-noite, Deanna.

Entusiasmada e contente, Deanna pôs o fone no gancho. Abraçando-se, ela riu e se entregou a uma fantasia. Ela e Marshall caminhando ao longo da praia enquanto o sol lançava cor à agua do mar. A brisa suave. Palavras agradáveis. A leve fisgada que sentiu no estômago lhe agradou. Normal, ela disse para si mesma. Sem dúvida, aquilo provava que ela era uma mulher normal com necessidades normais. Estava pronta para dar o próximo passo para suprir aquelas necessidades. E estava ansiosa para isso.

Alguns segundos depois de apagar a luz e se aconchegar debaixo dos cobertores, o aparelho tocou novamente. Rindo sozinha, ela atendeu ao telefone no escuro.

— Oi — murmurou ela. — Você esqueceu alguma coisa?

Só ecoava o silêncio como resposta.

— Marshall? — Sua voz sonolenta ficou intrigada. — Alô? Quem é? — Depois pouco à vontade, uma vez que o silêncio sombrio continuou. — Alô? Tem alguém aí? — O clique baixinho deu-lhe um rápido arrepio.

Número errado, disse para si mesma, enquanto desligava. Mas ela estava fria. E demorou um bom tempo para se aquecer novamente e dormir.

♦ ♦ ♦ ♦

Outra pessoa estava acordada no escuro. A luz fantasmagórica que vinha da tela da televisão era o único alívio. Deanna sorria nela, seus olhos estavam voltados para a sala e ela encarava o rosto de seu único telespectador. Sua voz, tão suave, tão meiga, tão sedutora, repetia-se várias vezes no vídeo à medida que a fita era rebobinada.

— Eu sou Deanna Reynolds. Boa-noite. Eu sou Deanna Reynolds. Boa-noite. Eu sou Deanna Reynolds. Boa-noite.

— Boa-noite. — O sussurro que respondeu à imagem foi suave e não passou de um murmúrio de prazer.

♦ ♦ ♦ ♦

Angela havia planejado meticulosamente cada detalhe. Em pé no centro de seu escritório, ela voltou lentamente ao ponto inicial. Tudo estava pronto. Havia no ar uma leve fragrância de jasmim que vinha do vaso de flores sobre a mesa, perto do sofá de dois assentos. A televisão estava desligada. A melodia suave de uma peça de Chopin tocava no aparelho de som. Beeker havia sido muito minucioso em seu relatório. Marshall Pike preferia música clássica, ambientes românticos e uma mulher com estilo. Ela usava o mesmo terninho feito sob medida que havia usado na gravação daquela manhã, mas tirara a blusa. A gola do paletó era em V, e uma adorável renda preta ressaltava o decote.

Às onze em ponto, ela respondeu à campainha sobre sua mesa.

— Sim, Cassie.

— O dr. Pike está aqui, srta. Perkins.

— Ah, bom! — Um sorriso felino formou-se em seu rosto enquanto ela se dirigia à porta do escritório. Ela gostava de homens pontuais. — Marshall. — Ela estendeu as mãos para segurar a dele, dando um passo para a frente e inclinando a cabeça para oferecer-lhe o lado do rosto. — Eu realmente lhe agradeço por arrumar um tempinho para mim hoje.

— Você disse que era importante.

— Ah, e é. Cassie, você poderia levar estas cartas ao correio? Depois já pode aproveitar e almoçar. Só vou precisar que esteja aqui uma hora. — Virando-se, Angela fez Marshall acompanhá-la para dentro de seu escritório, certificando-se de deixar a porta aberta alguns centímetros. — O que posso lhe oferecer, Marshall? Algo frio? — Ela deslizou a ponta do dedo pelo terninho. — Algo quente?

— Estou bem.

— Bem, então, vamos nos sentar. — Ela segurou a mão dele, conduzindo-o até o sofá de dois assentos. — É muito bom vê-lo novamente.

— É bom vê-la também. — Sem entender nada, ele a observou se encostar tranquilamente no sofá, a saia subindo na coxa enquanto ela cruzava as pernas.

— Você sabe como estou contente com a ajuda que tem me dado no programa, mas lhe pedi para vir aqui hoje para discutirmos algo mais pessoal.

— É?

— Você está saindo muito com Deanna.

Ele relaxou e se esforçou para não desviar os olhos do rosto dela.

— Sim, estou. Na verdade, eu estava pensando em ligar para você e agradecer-lhe por ter nos apresentado indiretamente.

— Eu gosto muito dela. Assim como tenho certeza de que você também — acrescentou ela, colocando levemente a mão sobre a coxa dele. — Toda essa energia, esse entusiasmo juvenil. Uma bela garota.

— Sim, ela é.

— E tão meiga. Saudável, de fato. — Os dedos de Angela acariciaram levemente a perna de Marshall. — Não faz seu tipo.

— Não sei o que você quer dizer.

— Você é um homem atraído pela experiência, por certa sofisticação, a não ser em um caso especial.

Tenso, ele se retraiu.

— Eu não sei do que está falando.

— Sim, você sabe. — A voz de Angela ainda era agradável, suave. Mas seus olhos ficaram afiados como duas lâminas azuis. — Veja, eu sei tudo sobre você, Marshall. Eu sei de seu deslize imprudente com uma tal de Annie Gilby, de 16 anos. E tudo sobre seu acordo prévio, eu diria "a.D.", antes de Deanna, com certa mulher que vive em Lake Shore. Na verdade, eu me propus a saber tudo o que há para saber sobre você.

— Você me seguiu? — Marshall tentou parecer indignado, mas o pânico já havia tomado conta dele. Ela poderia arruiná-lo com um simples comentário espontâneo em seu programa. — Que direito você tem de bisbilhotar minha vida pessoal?

— Nenhum. É isso que torna tudo tão excitante. E *é* excitante. — Ela brincou com o primeiro botão de seu terninho. Com os olhos de Marshall atentos ao movimento, ela deu uma olhada para o relógio antigo atrás dele. Eram onze e dez, pensou ela, com a cabeça fria, com sangue-frio. Perfeito.

— Se você acha que pode usar algum tipo de chantagem para destruir minha relação com Deanna, está enganada. — As palmas de suas mãos estavam molhadas por causa do medo e de uma terrível excitação. Ele iria resistir. Tinha de resistir. — Ela não é uma criança. Ela entenderá.

— Talvez sim ou talvez não. Mas eu entendo. — Com os olhos nos dele, Angela abriu o primeiro botão de seu terninho. — Eu entendo. Dispensei minha secretária, Marshall. — Sua voz ficou baixa, rouca. — Para poder ficar a sós com você. Por que acha que eu me dei a todo esse trabalho de descobrir coisas sobre você? — Ela abriu o segundo botão e começou a brincar com o terceiro e último.

Ele não sabia ao certo se podia falar. Quando tentou fazer isso, as palavras pareceram grãos de areia em sua garganta.

— Que tipo de jogo é esse, Angela?

— O tipo que você quiser. — Ela se lançou sobre ele, rápida como uma serpente, e agarrou o lábio inferior de Marshall com os dentes. — Eu quero você — sussurrou ela. — Eu o quero há um bom tempo. — Sentando-se em cima dele, pressionou o rosto de Marshall contra seus seios, comprimidos sob a renda preta. — Você me quer, não quer? — Sentiu-o com a boca aberta, tateando à procura de carne. Houve um momento, muito aguçado e ardente, de poder. Ela havia ganhado. — Não quer? — perguntou, segurando a cabeça de Marshall entre as mãos.

— Sim — respondeu ele, já puxando a saia dela até a cintura.

♦ ♦ ♦ ♦

Impaciente, Deanna esperava o elevador subir até o 16º andar. Ela realmente não tinha tempo para o compromisso com Angela, mas a invencível combinação de boa educação e afeto a obrigava a fazer isso. Olhou para o relógio novamente enquanto as pessoas entravam e saíam no sétimo andar.

Angela ficaria contrariada, pensou ela. E não havia como evitar isso. Deanna esperava que a dúzia de rosas que trazia consigo suavizasse sua resposta negativa à oferta de Angela.

Devia a Angela bem mais do que algumas flores, pensou ela. Muitas pessoas não viam como Angela Perkins era uma pessoa generosa ou vulnerável. Só o que viam nela era o poder, a ambição, a necessidade de perfeição. Se Angela fosse um homem, essas características teriam sido festejadas. Mas, como era uma mulher, eram consideradas defeitos.

Ao descer do elevador no 16º andar, Deanna prometeu a si mesma que seguiria o exemplo de Angela, sem se importar com as críticas.

— Olá, Simon.

— Dee. — Saiu rapidamente ao encontro dela, depois parou de repente e recuou. — Não é aniversário dela. Diga que não é, pelo amor de Deus.

— O quê? Ah! — Vendo a expressão de horror no rosto de Simon enquanto ele fitava o buquê de flores em seu braço, ela riu. — Não! Estas flores são de agradecimento.

Ele suspirou, pressionando os dedos nos olhos.

— Graças a Deus! Angela me mataria se eu esquecesse. Ela já estava dando patadas em todo mundo esta manhã por causa do atraso do voo ontem à noite.

O sorriso simpático de Deanna desapareceu.

— Tenho certeza de que ela só estava cansada.

Simon revirou os olhos.

— Tudo bem, tudo bem. E quem não estaria? Eu já fico atordoado quando estou em um metrô elevado. — Para demonstrar sua total empatia pelas mudanças de humor de sua chefe, ele aspirou profundamente o perfume das flores. — Bom, eu acho que essas flores vão melhorar o humor dela.

— Espero que sim. — Deanna atravessou o corredor, imaginando se Angela levaria Simon para Nova York. Se não levaria Lew... quantos de sua equipe seriam cortados? Simon, o eterno solteirão, podia ser um pouco agitado, mas era leal.

A pontada de culpa por saber, e Simon não, de que a carreira dele estava por um fio fez Deanna se retrair.

Ela viu que a recepção estava vazia. Intrigada, deu uma olhada em seu relógio outra vez. Cassie provavelmente havia saído para resolver alguma coisa. Encolhendo os ombros, aproximou-se da porta de Angela.

A primeira coisa que ouviu foi a música suave e agradável. O fato de a porta estar aberta alguns centímetros era raro. Deanna sabia que Angela era obcecada por mantê-la bem fechada, estivesse ou não lá dentro. Dando de ombros, ela se aproximou e bateu de leve.

Ouviu então outros sons, não tão suaves nem agradáveis quanto a música. Bateu na porta novamente, abrindo-a mais um pouco.

— Angela?

O nome ficou engasgado em sua garganta quando ela viu os dois corpos atracados no sofá. Ela teria recuado no mesmo instante, com as bochechas ardendo de vergonha, mas reconheceu o homem, e o calor desapareceu com o choque frio que ela tomou.

As mãos de Marshall estavam nos seios de Angela, seu rosto enterrado no vale entre eles. Enquanto Deanna observava, aquelas mãos, as que ela admirava por serem elegantes, desciam pela estilosa saia de linho.

E, enquanto ele se entretinha com isso, Angela virou a cabeça devagar, mesmo com o corpo arqueando-se para a frente. Seus olhos encontraram-se com os de Deanna.

Mesmo em seu estado de choque, Deanna conseguiu ver o sorriso, o prazer discreto antes que viesse o drama.

— Oh, meu Deus! — Angela exclamou contra o ombro de Marshall. — Deanna! — Sua voz revelou o horror que ela não conseguia levar aos seus olhos.

Marshall virou a cabeça. Seus olhos, sombrios e sem brilho, fixaram-se nos de Deanna. Todos os movimentos ficaram terrivelmente paralisados, como se um controle os tivesse congelado na tela de uma televisão. Deanna rompeu a inércia da cena com um grito sufocado. Virou-se e correu, pisando nas rosas que havia deixado cair aos seus pés.

Estava ofegante quando chegou ao corredor. Sentia dor, uma terrível dor que lhe apertava o peito. Pressionou várias vezes o botão do elevador para descer. Agitada, virou-se e correu para as escadas. Não podia ficar parada, não podia pensar. Tropeçando, desceu os degraus e, por instinto, não caiu. Sabendo apenas que tinha de fugir dali, mergulhou de cabeça em um andar após o outro, os soluços ecoando no vão que ficava para trás.

No térreo, foi cegamente em direção à porta. Empurrou-a, chorando, até encontrar a maçaneta. Ao passar por ela, deparou-se com Finn.

— Ei! — O tom divertido surgiu e desapareceu em um piscar de olhos. No momento em que ele viu o rosto dela, seu riso se foi. Deanna estava pálida como uma folha de papel, os olhos perdidos e molhados. — Você se machucou? — Ele a segurou nos ombros, levando-a para a luz do sol lá fora. — O que aconteceu?

— Solte-me. — Ela se contorceu, empurrando-se contra ele. — Que droga! Deixe-me em paz.

— Não acho que seja uma boa ideia. — Instintivamente, pôs os braços em torno dela. — Tudo bem, querida. Só vou abraçar você, e você não poderá fugir.

Ele a embalou, acariciando os cabelos dela enquanto ela chorava com o rosto enterrado em seu ombro. Deanna não retribuiu o abraço, mas deixou todo o choque e a dor transbordarem com as lágrimas. A pressão revolta em seu peito aliviou-se com elas, como um inchaço vai diminuindo com água fria. Quando percebeu que estava se acalmando, Finn afrouxou o abraço. Com os braços envolvendo os ombros de Deanna, ele atravessou o estacionamento com ela até um muro de pedras baixo.

— Vamos nos sentar. — Ele tirou um lenço do bolso e o pôs nas mãos dela. Embora detestasse ver uma mulher chorando, fugir de Deanna naquele momento iria marcá-lo como o pior tipo de covarde. — Você pode se recompor e contar tudo para o tio Finn.

— Vá para o inferno — murmurou ela e assoou o nariz.

— É um bom começo. — Suavemente, ele tirou os cabelos de Deanna das bochechas molhadas. — O que aconteceu?

Ela desviou os olhos dele. Havia no olhar de Finn muita preocupação, muita disposição para entendê-la.

— Acabei de descobrir que sou uma idiota. Que não tenho capacidade de julgar as pessoas e que não posso confiar em ninguém.

— Isso parece o currículo de um âncora de telejornais. — Vendo que Deanna não sorriu, ele segurou a mão dela. — Não tenho uísque aqui comigo e parei de fumar no ano passado. O melhor que posso lhe oferecer é meu ombro.

— Parece que já o usei.

— Tenho outro.

Em vez de recostar a cabeça nele, Deanna se sentou mais ereta e apertou os olhos por um momento. Talvez ela fosse uma idiota, mas ainda tinha orgulho.

— Acabei de surpreender uma mulher que eu considerava minha amiga com um homem que eu considerava meu namorado.

— Isso é coisa séria. — E não lhe ocorreu nada inteligente para amenizar o ocorrido. — O psicólogo?

— Marshall, sim. — Os lábios de Deanna tremeram. Com um esforço, ela os firmou. As lágrimas que havia derramado não a envergonhavam, mas tinham acabado. Ela queria que continuasse assim.

— E Angela. No escritório dela.

Depois de murmurar um palavrão, ele ergueu os olhos para fitar as janelas do 16º andar.

— E não existe a possibilidade de que tenha interpretado mal a situação?

A risada de Deanna foi seca.

— Sou uma observadora experiente. Quando vejo duas pessoas, uma delas seminua, se apalpando, sei o que estão fazendo. Não preciso de confirmação.

— Eu acho que não. — Ele ficou em silêncio por um instante. A brisa atravessava sussurrando a grama atrás deles e agitava o canteiro de tulipas que formavam a palavra "CBC" com um amarelo radiante. — Eu poderia arrumar uma equipe — considerou Finn —, subir ao 16º andar com uma câmera, luzes e um microfone e transformar a vida dele em um inferno.

Dessa vez, a risada de Deanna foi menos forçada.

— E entrevistá-lo na cena do crime? É uma bela proposta.

— Não, na verdade, eu faria com prazer. — Quanto mais pensava nisso, mais ele acreditava que era a solução perfeita. — Dr. Pike, como respeitado conselheiro familiar, como você explica ser pego com as calças na mão em um local de trabalho antes do meio-dia? Foi uma visita profissional? Uma nova forma de terapia que você gostaria de compartilhar com o público?

— As calças dele não estavam na mão... ainda — disse ela com um suspiro. — Eu os interrompi. E, embora sua proposta seja tentadora, eu mesma gostaria de cuidar dessa situação. — Ela pôs o lenço usado novamente na mão de Finn. — Droga! Eles me fizeram de boba. — Levantando-se subitamente do muro, ela se abraçou firmemente. — Angela planejou isso. Não sei por quê, nem sei como, mas foi um plano dela. Eu vi isso em seus olhos.

Aquela notícia não o surpreendeu. Nada que dizia respeito a Angela o surpreendia.

— Você a irritou nos últimos dias?

— Não. — Ela levantou a mão para tirar os cabelos do rosto e, então, parou. Nova York, pensou, e quase riu novamente. — Talvez sim — respondeu baixinho. — E essa é uma forma distorcida de vingança pelo que ela considera uma ingratidão. — Furiosa, Deanna virou-se novamente para ele. — Ela sabia o que eu sentia por Marshall e usou esse sentimento. E em que momento! Faltando menos de uma hora para eu ter de apresentar o programa. — Ela olhou para o relógio e, em seguida, cobriu o rosto com as mãos. — Oh, meu Deus! Tenho só vinte minutos.

— Calma! Vou até lá para dizer a Benny que você está doente. Eles vão arrumar alguém para substituí-la.

Por um momento, ela se permitiu considerar a oferta de Finn. Então, lembrou-se do sorriso astuto e satisfeito de Angela.

— Não! Ela ia adorar que isso acontecesse. Eu posso fazer meu trabalho.

Finn examinou-a. O rosto de Deanna estava manchado de lágrimas, e os olhos, inchados e vermelhos, mas ela estava decidida.

— Vocês do Kansas são durões — disse ele com aprovação.

Ela ergueu mais um pouco o queixo.

— É isso mesmo.

— Vamos dar um jeito em sua maquiagem.

Ela não disse nada até atravessarem o estacionamento e passarem pela porta.

— Obrigada.

— Por nada. Precisa de um colírio?

Ela fez uma careta quando começaram a subir as escadas.

— Está tão ruim assim?

— Ah, mais do que você imagina.

Finn manteve uma conversa trivial com Deanna enquanto a acompanhava até a sala de maquiagem. Trouxe-lhe gelo para os olhos, água para a garganta e, depois, ficou por ali para conversar enquanto ela cobria com cosméticos o pior do dano. Mas ele ficou pensando, e seus pensamentos não eram nada triviais.

— Está quase bom — comentou ele. — Tente um pouco mais de blush.

Ele estava certo. Deanna passou o pincel sobre a bochecha. E viu o reflexo de Marshall no espelho. Sua mão tremeu antes de afastar o pincel.

— Deanna, eu estava procurando você.

— Oh? — Sentindo Finn ao seu lado como um leopardo feroz prestes a saltar sobre uma presa, ela pôs a mão sobre o braço dele. Surpresa, percebeu que ele atacaria Marshall ao menor sinal que recebesse dela. A cena não era tão desinteressante quanto Deanna imaginava. — Estou bem aqui — disse ela, friamente. — Tenho um programa para fazer.

— Eu sei. Eu... — Seus olhos meigos, castanhos e suplicantes estavam grudados nos dela. — Vou esperar.

— Não é preciso. — Estranho, pensou Deanna. Ela se sentia poderosa. Invencível. Não parecia haver relação entre a mulher que ela era naquele momento e a que saíra correndo aos prantos do escritório de Angela. — Tenho alguns minutos. — Calmamente, Deanna se encostou na bancada e sorriu para Finn. Havia pequenas veias de sangue em seus olhos que não tinham nada a ver com lágrimas. — Você se importa de deixar-nos a sós?

— Claro. — Ele estendeu a mão e levantou mais um pouquinho o queixo dela com a ponta dos dedos. — Você está ótima, Kansas. — E, dando uma última encarada em Marshall, ele saiu.

— Você precisava contar para ele um assunto particular nosso?

Deanna interrompeu-o com um olhar.

— Você realmente tem a ousadia de me criticar em um momento como este?

— Não. — Os ombros de Marshall caíram. — Não, é claro que não. Você está certa. É que, para mim, essa situação já é difícil e constrangedora o suficiente sem que o ocorrido seja espalhado pela sala de redação.

— Finn tem coisas mais interessantes para discutir do que sua vida sexual, Marshall. Eu lhe garanto. Agora, se você tiver alguma coisa para dizer, é melhor falar logo. Eu só tenho alguns minutos.

— Deanna. — Ele deu um passo na direção dela e teria estendido a mão para tocá-la, mas o brilho em seus olhos foi um aviso para ele. — Eu não tenho desculpa para o que aconteceu, ou quase aconteceu. Mas eu quero que você saiba que não há nada entre mim e Angela. Foi um impulso — continuou ele, falando rapidamente ao perceber que Deanna permanecia em silêncio. — Puramente físico e sem importância. Não teve nada a ver com o que eu sinto por você.

— Tenho certeza de que não — disse ela depois de um momento. — E eu acredito em você. Eu acredito que foi sexo impulsivo e sem importância.

Marshall sentiu-se aliviado. Não a havia perdido. Seus olhos brilharam ao se aproximar dela.

— Eu sabia que você entenderia. No minuto em que a vi, eu soube que você era uma mulher generosa o suficiente para me aceitar, para me entender. É por isso que eu soube que fomos feitos um para o outro.

Dura como uma pedra, Deanna ficou olhando para ele.

— Tire as mãos de mim — disse ela, calmamente. — Agora.

— Deanna. — Ao apertar um pouco mais as mãos de Deanna, ela reagiu com uma expressão de pânico, uma rápida e feia lembrança a perturbou, e o empurrou.

— Eu disse agora. — Livre, ela deu um passo para trás e soltou um suspiro profundo e demorado. — Eu disse que acredito em você, Marshall, e é verdade. O que fez com Angela não tem nada a ver com seus sentimentos por mim. No entanto, teve tudo a ver com meus sentimentos por você. Eu confiei em você, e fui enganada. Isso torna impossível que nos separemos como amigos. Por isso, vamos só nos afastar.

— Você está magoada agora. — Um músculo contraiu-se em sua bochecha. — Por isso não está sendo sensata. — Foi a mesma coisa com Patricia, pensou ele. Tão parecido com o que aconteceu com Patricia.

— Sim, eu estou magoada — concordou ela. — Mas estou sendo muito sensata. — O traço de um sorriso, tão insultante quanto uma bofetada, formou-se ao redor de sua boca. — Criei o hábito de ser sensata. Não estou lhe dizendo todos os insultos que me ocorrem.

— Para você, isso foi culpa minha. Uma fraqueza. — Confiante em suas habilidades como mediador, ele mudou de atitude. — O que você ainda não conseguiu ver é sua parte no que aconteceu. Sua responsabilidade. Tenho certeza de que você concordará comigo que nenhum relacionamento bem-sucedido é resultado dos esforços de apenas uma pessoa. Em todas essas semanas em que estivemos juntos, fui paciente, esperando que você deixasse que nosso relacionamento avançasse para a fase natural e muito humana do prazer físico.

Ela não imaginou que ele pudesse chocá-la novamente. Mas estava errada.

— Está dizendo que, porque não fui para a cama com você, eu o obriguei a recorrer a Angela?

— Você não está sendo razoável, Deanna — disse ele, pacientemente. — Eu respeitei seus desejos, sua necessidade de avançar aos poucos. Ao mesmo tempo, é necessário que eu satisfaça minhas próprias necessidades. Angela, sem dúvida, foi um erro...

Lentamente, ela fez que sim com a cabeça.

— Entendo. Que bom que esclarecemos isso, Marshall, antes de nosso relacionamento ter avançado. Agora, com muita sensatez, vou pedir que você vá para o inferno.

Ela se dirigiu para a porta, os olhos começando a embaçar quando ele bloqueou a porta.

— A conversa não acabou, Deanna.

— Para mim, acabou, e é só isso que importa. Nós dois cometemos um erro, Marshall, um grande erro. Agora saia da minha frente e fique longe antes que eu cometa outro erro e envergonhe a nós dois arrancando a pele da sua cara.

Com firmeza, ele deu um passo para o lado.

— Estarei pronto para discutir isso quando você se acalmar.

— Ah, eu estou calma — resmungou ela enquanto se dirigia para o estúdio. — Estou muito calma, seu desgraçado.

Passou empurrando a porta do estúdio, atravessou o set a passos largos e ocupou seu lugar como âncora atrás da mesa.

Finn observou-a durante o primeiro bloco. Uma vez satisfeito por ela estar sob controle, ele saiu de mansinho e foi até o elevador.

♦♦♦♦

Comemorando com uma taça de champanhe, Angela assistia ao noticiário em seu escritório. Ela não dava a mínima para as palavras ou imagens, mas o que a interessava, e até fascinava, era Deanna. A moça parecia fria e doce como um milk-shake, pensou Angela. Exceto os olhos. Angela teria ficado amargamente frustrada se não tivesse visto a fúria reprimida no olhar fixo de Deanna.

— Foi um tapa na cara — murmurou ela, satisfeita.

Eu ganhei, pensou Angela novamente, mas não pôde evitar uma ponta de admiração por Deanna.

Aconchegada na cadeira de couro atrás de sua mesa, ela bebia o champanhe e sorria, e, por fim, levantou a taça para fazer um brinde silencioso a Deanna.

— Ela tem estilo, não tem? — perguntou Finn à porta.

Angela não se deixou afetar. Continuou a beber e observar a tela.

— Com certeza. Pode ir longe com o professor certo.

— Esse é o papel que você está batalhando para ter aqui? — Finn atravessou a sala e deu a volta na mesa para parar atrás da cadeira de Angela. — Você vai ensinar a ela seu jeito de fazer as coisas, Angela?

— Meu jeito funciona. Dee seria a primeira a lhe dizer como tenho sido generosa com ela.

— Ela assusta você, não é? — Finn pôs as mãos nos ombros de Angela, segurando-a com firmeza para que os dois vissem a imagem de Deanna.

— Por que ela me assustaria?

— Porque ela tem mais do que estilo. Isso você também tem de sobra. Ela tem inteligência, assim como você. E coragem, e energia. Mas Deanna está acima de você, Angela, porque ela tem classe. Uma classe que é inerente a ela. — Fincou os dedos nos ombros de Angela quando ela começou a se mexer. Ele não sabia até que ponto havia tocado na ferida. — Você nunca terá isso. Você pode usar suas pérolas e suas roupas caríssimas; isso não significa droga nenhuma, porque você não pode vestir classe. Não pode comprá-la nem fingir tê-la. — Ele girou a cadeira de Angela, debruçando-se sobre ela para que ficassem frente a frente. — E você nunca vai ter classe. Por isso ela assusta muito você, e por isso teve de encontrar um jeito de mostrar para ela quem é que mandava.

— Ela foi correndo contar para você, Finn? — Angela estava alterada, muito mais do que queria admitir, mas ergueu sua taça e bebeu delicadamente, ainda que a bebida agora parecesse mais um suporte. — Ela estava chocada e arrasada, chorando para ser consolada?

— Você é uma puta, Angela.

— Você sempre gostou disso em mim. — Seus olhos riram por cima da borda da taça. Então, ela deu de ombros. — Eu sinto muito por tê-la ferido assim. Não há como negar que Marshall não era o homem certo para Deanna, mas eu sei que ela gostava muito dele. A verdade, porém, é que ele era atraído por mim, e eu, por ele. — Uma vez que queria acreditar em sua desculpa, ela acreditou. Havia um tom de sinceridade em sua voz. — As coisas saíram do controle, e a culpa é toda minha. Foi sem pensar.

— Vá se danar! Até parece que foi. Você não respira sem pensar.

Ela sorriu novamente, erguendo os olhos.

— Não precisa ficar com ciúmes, Finn.

— Você é patética. Pensou que essa jogada fosse derrubá-la?

— Se ela o amasse, sim. — Franzindo os lábios, Angela examinou as unhas. — Sendo assim, eu fiz um favor para ela.

Ele riu.

— Talvez sim. E você, com certeza, fez um favor para mim também. — Ele deu as costas para ela e sorriu. — Eu a quero, e você simplesmente liberou o caminho.

Ele não precisou se esquivar da taça que ela arremessou. O objeto bateu na janela a quinze centímetros de sua cabeça. O cristal despedaçou-se. Satisfeito, Finn pôs as mãos nos bolsos.

— Sua pontaria ainda é péssima.

Não houve risada, nem sinal algum do arrependimento que ela havia se convencido de que sentia. Só havia raiva.

— Acha que ela vai querer você depois de ouvir o que posso contar para ela?

— Acha que ela vai ouvir alguma coisa que você diga depois desse seu golpe? — Havia um humor indiferente em seus olhos. — Você errou feio o alvo dessa vez. Ela não virá choramingando para você. Ela vai resistir. E vai melhorar. E você vai começar a vigiar seus passos.

— Você acha que eu estou preocupada com uma mulherzinha que lê notícias? — perguntou ela. — Basta fazer uma ligação, e pronto! Ela se foi. Simples assim. — Angela estalou os dedos. — Quem você pensa que está tirando esta estação do buraco nos últimos dois anos? E para onde você acha que ela vai quando eu sair daqui?

— Então você *está* saindo. — Ele fez que sim com a cabeça, surpreso.

— Bom, parabéns e *bon voyage*.

— Isso mesmo. Quando começar a nova temporada eu estarei em Nova York, e meu programa será produzido por minha própria empresa. As filiais da CBC virão se arrastando atrás de mim para pagar o preço que eu quiser para levar ao ar meu programa. Em dois anos serei a mulher mais poderosa da televisão.

— Você talvez faça sucesso — concordou ele. — Por um tempo.

— Eu ainda estarei no topo quando você estiver correndo atrás de um espaço de dois minutos nos noticiários de última hora. — Angela tremia sem conseguir disfarçar sua insegurança. — As pessoas me querem. Elas me admiram. Elas me respeitam.

— Eu era uma delas.

Finn e Angela viraram-se para a porta, onde estava Deanna, pálida debaixo da camada de maquiagem para a televisão. Ela notou, sem surpresa, que Angela havia pegado a maior parte das rosas e as colocado em um lugar de destaque em sua mesa.

— Deanna. — Com lágrimas nos olhos, Angela começou a atravessar a sala. — Eu não sei como posso me desculpar.

— Por favor, não faça isso. Eu acho que, como somos só nós três aqui, podemos ser honestos. Eu sei que você planejou todo o episódio, que armou para que eu entrasse naquele momento.

— Como você pode dizer uma coisa dessas?

— Eu vi sua cara. — Sua voz falhou, mas ela se acalmou. Não perderia o controle. — Eu vi sua cara — repetiu. — Eu só não sei ao certo se era porque você queria provar que eu estava errada em relação a Marshall ou se era porque eu não quis aceitar sua oferta. Talvez tenha sido uma combinação das duas coisas.

Sentindo-se agredida, a voz de Angela tremeu.

— Você deveria me conhecer melhor.

— Sim, eu deveria tê-la conhecido melhor. Mas eu queria acreditar em você. Queria me sentir lisonjeada com sua amizade, com a ideia de que via alguma coisa em mim. Por isso não fui além da superfície.

— Então... — Piscando os olhos por causa das lágrimas, Angela afastou-se. — Você vai jogar fora nossa amizade por causa de um homem.

— Não. Eu a estou jogando fora por mim. Eu queria que você soubesse disso.

— Eu lhe dei meu tempo, minha ajuda, meu afeto. — Dando voltas, Angela atacou. — Ninguém me dispensa.

— Então eu acho que sou a primeira. Boa sorte em Nova York. — Você se saiu bem, disse Deanna para si mesma enquanto saía. Você se saiu muito bem.

— Não esqueça de vigiar seus passos — disse Finn enquanto fechava tranquilamente a porta.

# Capítulo Nove
••••

ANGELA TROCA A CIDADE DO VENTO PELA BIG APPLE
RAINHA DOS PROGRAMAS DE ENTREVISTA REINA EM NOVA YORK
CONTRATO MULTIMILIONÁRIO PARA A LOURA
FAVORITA DE CHICAGO

As manchetes figuravam nos noticiários. Até os mais sérios como o *Chicago Tribune*, *The New York Times* e *The Washington Post* deram destaque ao assunto. Durante um dia ensolarado de junho, as notícias sobre o contrato sem precedentes de Angela ofuscaram o cenário tumultuado da economia e os conflitos no Oriente Médio.

Ela estava no mundo a que pertencia.

Com a elegância de uma rainha, ela concedeu entrevistas, recebeu uma equipe da revista *People* em sua casa, conversou com Liz Smith pelo telefone. Foi citada na *Variety* e apareceu na *McCall's*.

Finalmente, à custa de muito trabalho, uma ambição cega e coragem, Angela alcançou o que sempre havia desejado: ter a atenção de todos.

Ela foi astuta o suficiente para expressar somente elogios para a CBC, Delacort e Chicago. Até se emocionou, derramando algumas lágrimas no *Entertainment Tonight*.

E seu serviço de clipagem recolheu cada palavra, cada centímetro impresso que girava em torno dela.

Então, em meio ao tumulto, Angela deu seu golpe de misericórdia: usaria as seis últimas semanas de seu contrato como férias.

— Ela sabe ferrar com tudo, não sabe? — Fran enrolou duas meias diferentes e jogou-as em um cesto de roupa suja.

— Isso não é o pior — disse Deanna enquanto andava pela sala pequena do apartamento de Fran no centro da cidade. — Metade da equipe dela recebeu aviso prévio. A outra metade tem a opção de se mudar para Nova York ou procurar outro emprego. — Ela assobiou por entre os dentes. — E não há muito trabalho por aí.

— É óbvio que você não lê os jornais. O governo diz que não estamos em recessão. Isso está só em nossa cabeça.

Descontente, Deanna pegou um livro de nomes para bebês e começou a batê-lo na palma da mão enquanto andava pela sala. — Vi a cara de Lew McNeil quando saiu do prédio ontem. Meu Deus, Fran, ele estava com Angela há quase seis anos, e ela o mandou embora sem sequer pensar.

Fran escolheu outro par de meias, uma azul-marinho e a outra branca. Bem parecidas, concluiu ela, e as dobrou. O calor fazia a camiseta roxa sem mangas grudar em sua pele.

— Sinto muito, Dee, por todos eles. Quem trabalha na televisão sabe que o jogo normalmente é sujo. Mas eu estou mais preocupada com você. Marshall ainda está ligando?

— Ele parou de deixar mensagens em minha secretária eletrônica. — Ela deu de ombros. — Acho que finalmente percebeu que eu não retornaria as ligações. Mas ainda manda flores. — Com uma risada amarga, ela jogou o livro que segurava na mesinha de centro. — Você acredita? Ele realmente acha que, se me cobrir de flores, vou esquecer tudo.

— Quer falar mal dos homens? Richard está jogando golfe, por isso não pode se ofender.

— Não, obrigada. — Pela primeira vez, ela se concentrou na amiga. — Fran, você acabou de dobrar uma meia cinza com uma azul.

— Eu sei. Isso agita um pouco a casa de manhã. Tenho de lhe contar uma coisa, Dee. Richard está ficando muito sério. Sabe, jogos de golfe aos sábados, ternos com colete. A casa no bairro chique que estamos comprando. Meu Deus, éramos tão rebeldes. Agora somos tão... — Ela estremeceu e abaixou a voz. — Normais.

Rindo, Deanna sentou-se de pernas cruzadas no chão. — Só vou acreditar nisso quando vocês comprarem um Volvo e uma máquina de café expresso.

— Eu quase comprei um daqueles adesivos de "Bebê a bordo" outro dia. Recobrei o juízo a tempo.

— Então está tudo bem com você. Eu nem perguntei como está se sentindo.

— Maravilhosa, de verdade. — Fran ajeitou um grampo solto em seu coque desgrenhado. — No trabalho, todas as mulheres que tiveram filhos olham para mim com certo desdém e inveja. Todas têm histórias horrorosas de gravidez: enjoos matinais, desmaios, retenção de líquidos. E eu me sinto como Rocky. — Levantou um braço, flexionou o bíceps, e um pequeno muque, cheio de sardas, surgiu. — Podendo correr quilômetros sem suar. — Com os lábios franzidos, ela ergueu uma meia com desenhos de losangos coloridos e uma meia branca. — O que você acha?

— Por que ser discreto? — Durante os próximos minutos, elas dobraram as roupas em silêncio. — Fran, eu estava pensando...

— E eu imaginando quando você acharia tempo para isso. Eu praticamente consigo ver a ideia saltitando em sua cabeça.

— Talvez seja impraticável — pensou Deanna. — Droga! Talvez seja impossível. Depois que eu lhe contar, quero que você seja totalmente sincera comigo.

— Tudo bem. — Fran empurrou o cesto de roupa suja com um pé descalço. — Diga.

— Delacort, a antiga empresa onde Angela trabalhava, vai ficar com um grande buraco na programação e na receita. Eu tenho certeza de que eles poderão cobri-lo de forma bastante adequada, mas... Você sabia que o diretor-executivo da Delacort foi o segundo marido de Angela?

— Claro. Loren Bach. — Além das terríveis histórias de mistério esporádicas, a leitura favorita de Fran eram as revistas de fofocas, e ela não se envergonhava disso. Se alguém quisesse saber qual celebridade estava fazendo o quê, com quem e onde, Fran era a pessoa certa para responder. — Eles começaram a sair logo depois que ela largou o primeiro marido, o magnata do ramo imobiliário. De qualquer maneira, Loren Bach investiu muito dinheiro e força em nossa menina. Ele a transformou em uma estrela.

— E, embora houvesse alguns rumores e notas nas colunas de fofocas afirmando o contrário, ao que parece, eles se separaram de forma amigável. — Isso era o que Deanna havia lido. — Conhecendo Angela como a conheço agora, eu realmente duvido.

Fran levantou as sobrancelhas. Adorava fofocas, mas adorava ainda mais as fofocas desprezíveis.

— Dizem que o acordo com ela lhe custou dois milhões de dólares, além da casa e dos móveis, por isso calculo uns quatro milhões. Eu não acho que tenha restado a Bach muito afeto por nossa heroína.

— Exatamente. E Bach tem um relacionamento de longa data com Barlow James, presidente da divisão de notícias da CBC. — Deanna esfregou as mãos nervosas nos joelhos. — E o sr. James gosta do meu trabalho.

Fran levantou a cabeça, os olhos brilhantes como os de um pássaro.

— E?

— E eu tenho um dinheiro guardado e também alguns contatos. — A ideia fez seu coração palpitar tanto que apertou a mão contra o peito para tentar desacelerá-lo. Deanna queria muito aquilo, talvez demais. O suficiente, percebeu ela, para saltar vários passos do plano que havia cuidadosamente traçado para sua carreira. — Eu quero alugar um estúdio, gravar uma fita. Eu quero mostrá-la para Loren Bach.

— Meu Deus! — De olhos arregalados, Fran encostou-se nas almofadas do sofá. — É você quem está falando?

— Eu sei que parece loucura, mas pensei muito. Bach tirou Angela de um programinha local e a transformou em um sucesso nacional. Ele poderia fazer isso de novo. Minha esperança é que ele queira fazer isso de novo, não só por sua empresa, mas por uma questão pessoal. Posso reunir uma série de clipes do "Canto da Deanna" e minhas matérias. Eu acho que consigo o apoio de Barlow James. E se eu tivesse um piloto, algo simples e agradável, talvez tivesse uma chance. — Ela se levantou novamente, empolgada demais para ficar sentada. — O momento é perfeito. A empresa ainda está se recuperando do prejuízo causado pela saída de Angela, e eles não prepararam um sucessor. Se eu conseguir convencê-los a me darem uma chance em um programa local, um punhado de mercados no Meio-Oeste, eu sei que poderia dar certo.

Fran suspirou, batendo os dedos na barriga esticada.

— É arriscado, mas eu amei! — Deixando a cabeça cair para trás, ela riu para o teto. — É tão arriscado que pode dar certo.

— Farei com que dê certo. — Deanna agachou-se na frente de Fran e segurou as mãos dela. — Especialmente se eu tiver uma produtora experiente.

— Pode contar comigo. Mas e o custo do estúdio, os técnicos e até mesmo uma pequena equipe de produção? É muita coisa em risco.

— Estou disposta a arriscar.

— Richard e eu temos algumas economias.

— Não. — Comovida e agradecida, Deanna fez que não com a cabeça. — De jeito nenhum. Não com meu afilhado a caminho. Aceito sua inteligência, seu apoio e seu tempo, mas não seu dinheiro. — Depois de dar uns tapinhas na barriga de Fran, ela se levantou novamente. — Acredite, os três primeiros são mais importantes.

— Tudo bem. Então, qual é seu formato, seu tema e seu público-alvo?

— Eu quero algo simples, acolhedor. Nada voltado para discussões. Quero fazer o que faço melhor, Fran: conversar com as pessoas. Conseguir que falem comigo. Levamos algumas cadeiras grandes e confortáveis. Deus sabe que preciso de móveis novos mesmo. Quero que seja um ambiente íntimo e amigável.

— Divertido — disse Fran. — Se você não quiser lágrimas nem angústia, prefira algo divertido. Algo com o que o público possa se envolver.

Deanna mexeu na própria orelha.

— Pensei em chamar alguns dos convidados que recebi no "Canto da Deanna". Algo do tipo "A mulher nas artes".

— Não é ruim, mas é monótono. E é idealista. Não acho que você queira gente-cabeça para uma *demo*, principalmente o pessoal das artes. — Fran pensou nas possibilidades. — Fizemos um quadro chamado "transformação" no *Papo de Mulher* no ano passado. Foi um sucesso.

— Você quer dizer algo do tipo "o antes e o depois"?

— Sim. Maquiagem, cabelo. É divertido. É gratificante. Mas você sabe do que eu gostaria? — Ela encolheu as pernas e inclinou-se para a frente. — Algo como um programa de moda. Quais são as novidades para o verão? O que está em alta? O que está na moda agora? Entramos em contato com Marshall Field's. Eles vêm para mostrar os estilos do verão: modelos para usar no trabalho, modelos para a noite, modelos informais.

Com os olhos meio fechados, Deanna tentou visualizar o programa.

— Incluindo sapatos e acessórios, com um coordenador de moda. Aí escolhemos mulheres da plateia.

— Exatamente. Mulheres de verdade, não corpos perfeitos.

Empolgando-se com a ideia, Deanna pôs a mão em sua bolsa e tirou um bloco de anotações.

— Teremos de escolhê-las antes. Assim o coordenador de moda terá tempo para encontrar o *look* e o figurino certos.

— Depois elas ganham um vale de cem dólares para gastar na loja de departamentos.

— Como parecer ter um milhão com apenas cem dólares ou menos.

— Ah, gostei! — instigou Fran. — Eu gostei mesmo!

— Preciso ir para casa — disse Deanna colocando-se em pé. — Tenho de fazer algumas ligações. Não podemos perder tempo.

— Querida, nunca vi você perder tempo.

♦ ♦ ♦ ♦

Deanna precisava trabalhar dezoito horas por dia, da maior parte de suas economias e de uma dose excessiva de frustração. Uma vez que só conseguiu uma semana livre das responsabilidades na CBC, ela não dormiu. Acordada à base de café e ambição, levou o projeto adiante. Reuniões com as pessoas encarregadas pela promoção da Marshall Field's, ligações para representantes de vendas das empresas, horas à procura dos acessórios adequados.

O primeiro programa *A Hora de Deanna* precisava ser produzido com pouco dinheiro, mas ela não queria que ele desse essa impressão. Deanna supervisionou cada passo e cada etapa. Perdendo ou ganhando, ela estava decidida que ele tivesse sua marca.

Ela barganhou. Um jogo de cadeiras pelo nome da loja nos créditos no final do programa. Ela prometeu. Trabalhar algumas horas por uma posição de tempo integral se o piloto fosse escolhido. Ela implorou e tomou emprestado. Cinquenta cadeiras dobráveis de um grupo local de mulheres. Arranjos de flores, equipamentos, pessoas.

Na manhã da gravação, o pequeno estúdio que ela havia alugado estava um caos. Os técnicos de iluminação gritavam ordens e sugestões enquanto faziam ajustes de última hora. As modelos apertavam-se em um camarim minúsculo, disputando um espaço para se vestirem. Deu curto-circuito no microfone de Deanna, e a florista entregou uma coroa de flores para um enterro, em vez de cestas com flores do verão.

— "Em memória de Milo." — Deanna leu o cartão e soltou uma risada rápida e histérica. — Ah, meu Deus, o que mais falta acontecer?

— Vamos dar um jeito nisso. — Firme, e talvez frenética, no controle da situação, Fran tentou animá-la. — Já mandei Vinnie, o sobrinho de Richard, buscar as cestas. Tiramos as flores da coroa e as colocamos nas cestas. Vai ficar ótimo — disse ela, desesperada. — Um arranjo natural.

— Com certeza. Temos menos de uma hora. — Ela se assustou ao ouvir o barulho feito por uma cadeira dobrável ao cair. — Se ninguém aparecer na plateia, vamos parecer um bando de idiotas.

— As pessoas vão aparecer. — Fran atacou os gladíolos. Seus cabelos chamavam a atenção pelos cachos, como se formassem uma auréola elétrica. — E vai dar tudo certo. Cá entre nós, fizemos contato com todas as organizações de mulheres do condado de Cook. Todos os cinquenta ingressos estão reservados. Poderíamos ter conseguido o dobro se tivéssemos um estúdio maior. Não se preocupe.

— Você está preocupada.

— Esse é o trabalho do produtor. Vá trocar de roupa e arrumar o cabelo. Finja ser uma estrela.

— Oh, srta. Reynolds? Deanna? — A consultora de moda, uma mulher pequena e alegre com um sorriso permanente no rosto, acenou dos bastidores.

— Eu quero matá-la — disse Deanna em voz baixa. — Eu quero mesmo.

— Continue na fila — sugeriu Fran. — Se ela mudar de ideia de novo quanto à ordem da programação, eu dou o primeiro tiro.

— Oh, Deanna?

— Sim, Karyn. — Deanna pôs um sorriso no rosto e virou-se. — Em que posso ajudá-la?

— Estou com um probleminha aqui? A bermuda alaranjada?

— Sim? — Deanna rangeu os dentes. Por que a mulher tinha de transformar cada afirmação em uma pergunta?

— Não serviu para Monica. Eu não sei em que estava pensando. Você acha que alguém poderia dar uma corrida à loja e pegar o mesmo figurino na cor berinjela?

Antes que Deanna pudesse abrir a boca, Fran adiantou-se.

— Vou lhe dizer o que fazer, Karyn. Por que você não liga para a loja e pede para alguém dar uma corrida até aqui com a roupa?

— Oh! — exclamou Karyn, piscando os olhos. — Eu acho que posso, não posso? Meu Deus! É melhor correr. Já está quase na hora do programa.

— De quem foi a ideia de fazer um programa de moda?

Fran voltou a desmantelar a coroa de flores.

— Deve ter sido sua. Eu nunca teria pensado em algo tão complicado. Vá se arrumar. Você não vai conseguir muita atenção quando começar a falar de moda se estiver de moletom e bobes no cabelo.

— Está certo. Se o programa for um fiasco, que eu esteja pelo menos bem-arrumada.

O camarim de Deanna era do tamanho de um cubículo, mas ostentava uma pia, um banheiro e um espelho. Ela sorriu quando viu a grande estrela dourada que Fran havia colocado em sua porta.

Talvez fosse apenas um símbolo, pensou ela enquanto passava a ponta do dedo na folha metálica, mas era seu símbolo. Agora ela teria de ganhá-lo.

Mesmo que tudo desabasse, ela teria três semanas de lembranças incríveis. A correria e a emoção de organizar o programa, a fascinação e a tensão de cuidar de todos os detalhes. E saber com toda a certeza que era exatamente isso que queria fazer com sua vida. Além disso, surpreendentemente, estava o fato de muitas pessoas acreditarem que ela era capaz.

Deanna recebeu dicas do produtor da CBC e conselhos de Benny e de vários outros da equipe de produção. Joe concordara em dirigir os cinegrafistas e convencera alguns de seus colegas a ajudarem com o som e a iluminação. Jeff Hyatt havia se responsabilizado pela montagem e pela parte gráfica.

Naquele momento, Deanna faria por merecer a fé que depositavam nela — ou estragaria tudo.

Ela estava colocando os brincos e fazendo um discurso de estímulo para si mesma quando ouviu batidas na porta.

— Não me diga — gritou ela — que o berinjela também não serviu e teremos de correr atrás de um tomate.

— Desculpe. — Finn empurrou a porta para abri-la. — Eu não trouxe nenhuma comida.

— Oh. — Ela deixou cair a tarraxinha do brinco e praguejou. — Eu pensei que você estivesse em Moscou.

— Eu estava. — Ele se encostou no batente da porta enquanto ela tentava achar a pecinha de ouro. — E veja o que acontece quando fico fora algumas semanas. Você é o assunto número um entre as fofocas da sala de redação.

— Perfeito! — Sentiu um nó no estômago enquanto tentava colocar o brinco. — Eu devia estar louca quando pensei em começar isso.

— Eu acho que você estava pensando com clareza. — Deanna estava maravilhosa, percebeu ele. Nervosa, mas agitada e pronta. — Você viu uma porta aberta e concluiu que poderia ser a primeira a passar por ela.

— Parece uma janela aberta. No último andar.

— Só me faça o favor de cair em pé. E qual é o tema do programa?

— É um programa de moda com a participação do público.

Finn sorriu, e covinhas se formaram em seu rosto.

— Um programa de moda? Esse tipo de coisa sem conteúdo, com todo o seu conhecimento como repórter?

— Notícia não tem nada a ver aqui. — Ela lhe deu uma cotovelada quando passou por ele. — É entretenimento. Assim espero. Você não tem nenhuma guerra ou algo assim para cobrir?

— Não no momento. Pensei em ficar por aqui por um tempo. Daí eu poderia voltar à sala de redação com um furo jornalístico. Diga-me uma coisa. — Ele pôs uma das mãos no ombro de Deanna para acalmá-la. — Está fazendo isso por você ou para irritar Angela?

— As duas coisas — disse ela, apertando o estômago com a mão fechada para tentar silenciá-lo. — Mas por mim, em primeiro lugar.

— Tudo bem. — Podia sentir a energia e o nervosismo vibrando contra a palma de sua mão. Queria saber como seria dar uns tapinhas no corpo dela quando eles estivessem sozinhos. — E qual é o próximo passo?

Ela olhou para ele com o canto do olho e hesitou.

— Extraoficialmente?

— Extraoficialmente — concordou ele.

— Uma reunião com Barlow James. E, se conseguir o respaldo dele, vou procurar Bach.

— Então você não pretende ficar fora do alto escalão?

— Não por muito tempo. — Ela deu um suspiro longo. — Um minuto atrás eu tinha certeza de que teria um troço. — Ela jogou os cabelos para trás. — Agora estou me sentindo bem. Muito bem.

— Dee! — Com o fone de ouvido, Fran atravessou correndo o corredor estreito. — A casa está cheia. — Agarrou a mão de Deanna e a apertou. — Não tem um assento vazio. As três mulheres que escolhemos da Sociedade Histórica do condado de Cook estão enlouquecidas. Mal podem esperar para começar.

— Então não vamos esperar.

— Certo. — Fran parecia cansada. — Certo — disse ela, novamente. — Podemos começar quando você estiver pronta.

Deanna deixou que Fran animasse o público, ficando afastada do estúdio e ouvindo as risadas e os aplausos. O nervosismo havia passado. Em seu lugar surgira uma explosão de energia tão grande que ela mal podia ficar parada. Impulsionada por ela, Deanna fez sua entrada e acomodou-se na cadeira sob as luzes, em frente à câmera.

Ouviu-se o tema musical, cortesia de Vinnie, sobrinho de Richard e aspirante a músico. Fora do alcance da câmera, Fran fez sinal para que o público aplaudisse. A luz vermelha acendeu.

— Bom-dia, eu sou Deanna Reynolds.

Ela sabia que fora do estúdio havia um caos: confusão nas trocas de roupas, ordens dadas aos gritos, pequenas e inevitáveis falhas. Contudo, sentia-se em pleno controle da situação, conversando amigavelmente com a atrevida e detestável Karyn e depois andando no meio do público à procura de comentários enquanto as modelos desfilavam seus figurinos.

Deanna quase podia se esquecer de que era um passo em sua carreira, e não uma brincadeira, enquanto ria com alguém do público por causa de um short minúsculo de poá.

Ela parece uma mulher entretendo amigas, pensou Finn enquanto perambulava nos bastidores. Era um ponto de vista interessante, porque não era de fato um ponto de vista. Como jornalista rígido, com um desdém natural pelo que não tinha valor, ele não podia dizer que estava particularmente interessado no assunto. Mas, gostos à parte, a plateia estava encantada. Dava vivas e aplaudia, gritava surpresa e impaciente e depois equilibrava suas exclamações com gemidos divertidos quando via um figurino que não agradava.

E, sobretudo, os espectadores tinham simpatia por Deanna. E ela por eles, no modo como passava o braço ao redor de alguém do público, fazia contato visual ou recuava para deixar que seus convidados fossem o centro das atenções.

Ela passou pela porta, concluiu Finn, e sorriu sozinho. Saiu de mansinho, pensando que não lhe custaria nada telefonar para Barlow James e abrir um pouco mais aquela porta.

♦ ♦ ♦ ♦

ANGELA ANDAVA de um lado para o outro da sala imponente de sua nova cobertura. Seus saltos estalavam no assoalho de madeira, ficavam abafados no tapete e voltavam a estalar no piso de cerâmica enquanto ela saía de um lugar ventilado junto à janela e seguia em direção a um móvel brilhante. Enquanto andava, dava tragadas rápidas e nervosas no cigarro, tentando se acalmar, lutando por controle.

— Tudo bem, Lew. — Mais calma, ela parou ao lado de uma mesa, batendo o cigarro em um cinzeiro de cristal para apagá-lo e estragando o perfume das rosas com a fumaça. — Diga-me por que você acha que eu estaria interessada em uma fitinha caseira de uma jornalista de segunda classe?

Lew mexeu-se pouco à vontade no sofá de veludo.

— Eu achei que você gostaria de saber. — Ouviu o tom de lamento na própria voz e baixou os olhos. Detestava o que estava fazendo: arrastando-se por migalhas. Mas tinha dois filhos na faculdade, uma hipoteca cara e a ameaça de ficar desempregado pairando sobre ele. — Ela alugou um estúdio, contratou técnicos, pediu favores. Conseguiu alguns dias fora da sala de redação e criou um programa de cinquenta minutos, além de uma fita com algumas de suas matérias antigas. — Lew tentava ignorar a úlcera queimando em seu estômago. — Ouvi dizer que o programa foi muito bom.

— Muito bom? — A expressão de desprezo de Angela foi tão afiada quanto um bisturi. — Por que eu teria algum interesse em algo "muito bom"? Por que eu teria algum interesse em alguém? Os amadores tentam entrar no mercado o tempo todo. Eles não me preocupam.

— Eu sei. Eu quero dizer que estão comentando por aí que vocês duas discutiram.

— Ah, é? — Ela sorriu, friamente. — Você veio de avião lá de Chicago para me deixar a par das últimas fofocas da CBC, Lew? Não que eu não seja grata por isso, mas parece um gesto um pouco exagerado.

— Eu pensei que... — Ele suspirou com firmeza e passou uma das mãos pelos cabelos ralos. — Eu sei que você ofereceu meu cargo a Deanna, Angela.

— Sério? Foi ela quem lhe disse isso?

— Não. — O pouco de orgulho que lhe havia restado veio à tona. Fitou diretamente os olhos de Angela. — Mas a informação vazou. Assim como vazou que ela recusou sua oferta. — Ele viu o brilho familiar nos olhos dela.

— E eu sei — continuou ele, apressado —, depois de trabalhar com você durante tantos anos, que você não gostaria de vê-la se beneficiando com sua generosidade.

— Como ela poderia se beneficiar?

— Transformando isso em uma questão de lealdade ao canal. Ao apelar para Barlow James.

Ele tinha o interesse de Angela naquele momento. Para disfarçá-lo, ela se virou, abriu uma caixa esmaltada e tirou um cigarro de dentro dela. Seus olhos voltaram-se para o bar, onde o champanhe sempre estava gelado. Assustada com o desejo profundo de dar um pequeno gole, ela molhou os lábios e desviou os olhos novamente.

— Por que Barlow se envolveria?

— Porque gosta do trabalho dela. Ele ligou várias vezes para o canal para dizer isso. E quando visitou o escritório de Chicago na semana passada, ele arrumou tempo para se reunir com ela.

Angela apertou o isqueiro para acender o cigarro.

— Dizem que ele deu uma olhada na fita. E gostou.

— Então ele quer bajular uma de suas jovens repórteres? — Angela jogou a cabeça para trás, mas sua garganta se fechou com a fumaça. Só um gole, pensou ela. Um gole gelado e espumante.

— Ela enviou a fita para Loren Bach.

Muito devagar, Angela abaixou o cigarro e deixou-o queimar no cinzeiro.

— Ora, ora! Aquela filha da puta — disse ela, baixinho. — Deanna acha mesmo que pode competir comigo?

— Não sei se ela sonha tão alto assim. Mas... — Ele deixou essa ideia ferver. — Eu sei que algumas das filiais do Meio-Oeste estão preocupadas com o custo de seu novo programa, Angela. Talvez estejam a fim de usar algo mais barato e mais próximo à emissora.

— Então que façam isso. Vou acabar com tudo o que eles levantarem contra mim. — Dando uma risada curta e aguda, ela se aproximou a passos largos da janela para examinar a vista de Nova York. Tinha tudo o que queria. Tudo o que precisava. Finalmente, era a rainha contemplando seus súditos de uma torre alta e invencível. Ninguém poderia atingi-la nesse momento. Muito menos Deanna. — Eu estou aqui em cima, Lew, e vou continuar aqui. Custe o que custar.

— Posso usar as pessoas influentes que conheço, descobrir qual será a decisão de Loren Bach.

— Ótimo, Lew — murmurou ela, encarando a copa das árvores do Central Park. — Faça isso.

— Mas eu quero meu trabalho de volta. — A voz de Lew tremeu de emoção e de ódio de si mesmo. — Tenho 54 anos, Angela. Em minha idade, e do modo como as coisas estão no mercado, não posso me dar ao luxo de enviar currículos. Quero um contrato sólido de dois anos. Até lá, meus dois filhos já terão terminado a faculdade. Posso vender minha casa em Chicago. Barbara e eu podemos comprar uma casa menor por aqui. Não precisamos de espaço agora. Eu só preciso de dois anos para garantir que terei algo a que recorrer no futuro. Não estou pedindo muito.

— É claro que você pensou em tudo isso. — Angela sentou-se junto à janela, ergueu os braços e os apoiou na almofada estampada de flores. Sua garganta abriu-se novamente, sem o gole do champanhe. Aquilo lhe agradou. Ela não precisava de uma bebida quando tinha o gosto do poder.

— Fiz um bom trabalho para você — lembrou a ela. — Eu ainda posso fazer um bom trabalho. Além disso, tenho muitos contatos em Chicago. Pessoas que me passarão informações confidenciais, se for preciso.

— Não acho que será preciso, mas... — Angela sorriu para si mesma ao considerar a ideia. — Não gosto de ignorar possibilidades. E eu sempre recompenso a lealdade. — Ela o examinou. Um pau-mandado, concluiu. Alguém que trabalharia incansavelmente e que tinha medo o bastante a ponto de abrir mão da ética em prol da necessidade. — Vou lhe dizer uma coisa, Lew. Não posso lhe oferecer o cargo de produtor-executivo. Ele já está ocupado. — Ela o viu ficar pálido. — Assistente de produção. Eu sei que, tecnicamente, é um rebaixamento, mas não precisamos considerá-lo assim.

Angela sorriu para reforçar suas palavras. Com a facilidade de uma criança, ela se esqueceu de sua antiga aversão a ele e de sua própria traição. Naquele momento, mais uma vez, eles eram colegas de equipe.

— Eu sempre contei com você, e fico feliz em poder continuar a contar. A redução no salário é insignificante, e estamos em Nova York. Isso já compensa muita coisa, não? — Ela sorriu radiante para ele, satisfeita com sua própria generosidade. — E para mostrar o quanto valorizo você, eu o quero ao meu lado no primeiro especial. Pediremos ao departamento jurídico que prepare o contrato e oficialize a contratação. Enquanto isso... — Ela se levantou e atravessou a sala para segurar a mão dele nas suas em um gesto afetuoso de velhos amigos. — Volte para Chicago e resolva suas coisas lá. Vou pedir ao meu corretor de imóveis que procure um lugar pequeno e aconchegante para você e Barbara. Talvez em Brooklyn Heights. — Ela se colocou na ponta dos pés para beijá-lo no rosto. — E mantenha os ouvidos bem abertos, certo, querido?

— Claro, Angela — disse ele, sem entusiasmo. — O que você quiser.

## Capítulo Dez
♦ ♦ ♦ ♦

O ESCRITÓRIO DE Loren Bach ficava no alto da torre prateada e imponente que servia de base para a Delacort em Chicago. Suas paredes de vidro ofereciam uma vista que ia além das ruas principais retratadas no tabuleiro do Banco Imobiliário. Em um dia claro, ele podia ver as planícies de Michigan. Loren gostava de dizer que podia vigiar centenas de canais que transmitiam a programação da Delacort e milhares de casas que assistiam a ela.

O conjunto de salas do escritório refletia sua personalidade. A área principal era um espaço moderno, com traços masculinos, projetado para o trabalho sério. As paredes verde-escuras e os acabamentos de nogueira agradavam aos olhos, um painel sóbrio para os móveis lustrosos e modernos e para as telas de televisão embutidas. Ele sabia que às vezes era preciso entreter, como também fazer negócios, em um escritório. Como concessão e comodidade, havia um sofá semicircular de couro vermelho-escuro, um par de cadeiras cromadas e acolchoadas e uma mesa ampla de vidro fumê. O conteúdo de um refrigerador bem abastecido atendia ao seu vício em Coca-Cola.

Uma de suas paredes estava repleta de fotografias dele com celebridades. Estrelas cujos seriados cômicos e dramas haviam passado a ser transmitidos por vários canais, políticos concorrendo a algum cargo, figurões das redes de comunicação. A única ausência notável era a de Angela Perkins.

Anexo ao escritório havia um banheiro em branco e preto, que incluía jacuzzi e sauna. Mais adiante ficava uma sala menor com uma cama hollywoodiana, uma televisão de tela grande e um armário. Sem nunca ter perdido o hábito dos anos em que havia sido mais pobre, Loren continuava a trabalhar até tarde, muitas vezes tirando um cochilo de algumas horas e trocando de roupa ali mesmo no escritório.

Mas seu santuário também fazia parte do espaço. Estava cheio de jogos eletrônicos coloridos nos quais ele podia salvar mundos ou donzelas em perigo, fliperamas que exibiam luzes e sons, e uma máquina de Coca-Cola.

Todas as manhãs, ele se permitia brincar por uma hora com as campainhas e assobios dos jogos, e muitas vezes desafiava os executivos da rede a fazerem mais pontos do que ele. Ninguém conseguia derrotá-lo.

Loren Bach era um mago dos vídeos, e esse caso de amor havia começado na infância, nas pistas de boliche que pertenciam ao seu pai. Loren nunca teve interesse algum nos pinos usados no jogo de boliche, mas sim no negócio em si e no brilho da bola prateada.

Em seus vinte e poucos anos, com o diploma do MIT ainda fresco, ele expandiu o negócio da família trazendo fliperamas para as pistas. Então, começou a se interessar pelo rei dos vídeos: a televisão.

Trinta anos mais tarde, seu trabalho era seu jogo, e seu jogo era seu trabalho.

Embora tivesse permitido alguns toques decorativos na área do escritório — uma escultura de Zorach, uma colagem de Gris —, o núcleo da sala era a mesa. Era mais um console do que uma mesa tradicional. Foi o próprio Loren que a projetou. Ele gostava da fantasia de estar sentado em uma cabine, controlando destinos.

Simples e funcional, havia na base do console dezenas de compartimentos no lugar de gavetas. A superfície de trabalho era ampla e curva, de modo que, quando Loren se sentava atrás dele, ficava cercado de telefones, teclados e monitores.

Como *hacker* experiente, Loren podia reunir qualquer informação que quisesse com habilidade e rapidez, desde índices de publicidade para qualquer um dos programas da Delacort — ou de suas concorrentes — até a cotação do dia do dólar para iene.

Como hobby, projetou e programou jogos de computador para uma subsidiária de sua rede.

Aos 52 anos de idade, tinha o aspecto tranquilo de um monge, com um rosto alongado e magro e um corpo franzino. Sua mente era tão afiada quanto um bisturi.

Sentado atrás de sua mesa, apertou um botão no controle remoto. Uma das quatro telas de televisão clareou. Com a expressão calma e pensativa, deu um gole em uma garrafinha de Coca-Cola e começou a assistir ao vídeo de Deanna Reynolds.

Ele teria visto a fita mesmo que Barlow James não tivesse telefonado para ele — Loren dava pelo menos uma olhada superficial em qualquer coisa que passasse por sua mesa —, mas talvez não tivesse tempo livre para isso com tanta rapidez sem a recomendação de Barlow.

— Atraente — disse ele para seu minigravador com uma voz tão suave e tranquila como a neve da manhã. — Boa voz. Excelente presença diante da câmera. Energia e entusiasmo. Sensual, mas não perigosa. Relaciona-se bem com o público. As perguntas do script não parecem forçadas. Quem escreveu para ela? Vamos descobrir. A produção precisa melhorar, principalmente a iluminação.

Ele assistiu aos cinquenta minutos de programa, voltando a fita de vez em quando, congelando a imagem e, ao mesmo tempo, fazendo seus rápidos comentários para o gravador.

Deu outro gole longo na garrafa de Coca-Cola e sorriu. Havia transformado Angela, uma celebridade local, em um fenômeno nacional.

E podia fazer isso novamente.

Com uma das mãos, congelou o rosto de Deanna na tela; com a outra, apertou um botão do interfone.

— Shelly, entre em contato com Deanna Reynolds da CBC, divisão de notícias de Chicago. Marque uma reunião com ela. Eu gostaria de vê-la aqui o mais rápido possível.

♦♦♦♦

Deanna estava acostumada a preocupar-se com sua aparência. Trabalhar em frente às câmeras significava que parte do trabalho tinha a ver com parecer bem. Ela muitas vezes descartava um belo terninho que lhe agradava porque o corte ou a cor não eram muito bons para a televisão.

Contudo, não conseguia se lembrar de ter se preocupado tanto com a imagem que projetava como no momento que se preparava para ir ao encontro de Loren Bach.

Continuou a procurar motivos para estar ali enquanto esperava na recepção do lado de fora do escritório de Loren.

O terninho azul-marinho que ela havia escolhido era muito sério. Deixar os cabelos soltos fora incoerente. Deveria ter colocado joias mais ousadas. Ou não deveria estar usando joia alguma.

De alguma maneira, concentrar-se em roupas e penteados ajudava. Hábitos de Barbies, reconheceu Deanna. Mas significava que ela não estava obcecada com o que esta reunião poderia significar para seu futuro.

Tudo, pensou quando sentiu um frio no estômago. Ou nada.

— O sr. Bach irá vê-la agora.

Deanna só fez um sinal de sim com a cabeça. Sentiu a garganta apertada. Tinha medo de que qualquer palavra que lutasse para sair soasse como um guincho.

Passou pelas portas que a recepcionista abriu e entrou no escritório de Loren.

Atrás da mesa estava um homem muito magro e de ombros caídos, com um rosto que fez Deanna pensar em um apóstolo. Ela o havia visto em fotografias e clipes na televisão, e achava que, de algum modo, ele fosse mais corpulento. Tonta, pensou ela. De todas as pessoas, Deanna sabia muito bem como a imagem de uma pessoa na tela podia ser diferente do que realmente era.

— Srta. Reynolds. — Ele se levantou, estendendo a mão sobre o material plástico curvo que imitava o vidro. — É um prazer conhecê-la.

— Obrigada. — O aperto de mão de Loren foi firme, amigável e rápido. — Agradeço por ter arrumado tempo para me receber.

— O tempo é meu negócio. Aceita uma Coca-Cola?

— Eu... — começou ela enquanto ele já estava atravessando a sala em direção a um refrigerador embutido na parede. — Aceito, obrigada.

— Sua fita é interessante. — De costas para ela, Loren abriu duas garrafas. — Um pouco simples em alguns aspectos da produção, mas interessante.

*Interessante?* O que isso significava? Sorrindo de modo tenso, Deanna aceitou a garrafa que ele lhe entregava.

— Que bom que o senhor pense assim. Não tivemos muito tempo para montar o programa.

— Você não achou que fosse necessário usar mais tempo?

— Não. Não acho que eu tivesse tempo.

— Entendo. — Loren sentou-se atrás de sua mesa novamente e deu um gole demorado na garrafa. Suas mãos eram brancas e pareciam aranhas, os dedos finos e compridos raramente paravam de se mexer. — Por que não?

Deanna resolveu acompanhá-lo e bebeu.

— Porque há muitas pessoas que gostariam de ocupar a janela que o *Programa da Angela* deixou, pelo menos no aspecto local. Achei importante sair logo na frente.

Ele estava mais interessado em saber como ela estaria na reta final.

— O que você gostaria de fazer com o programa *A Hora de Deanna*?

— Entreter e informar. — Muito loquaz, pensou ela de imediato. Vá com calma, Dee, advertiu-se. Sinceridade é bom, mas pense um pouco. — Sr. Bach, eu sempre quis trabalhar na televisão, desde pequena. Já que não sou atriz, eu me concentrei no jornalismo. Sou uma boa repórter. Mas, nos últimos dois anos, percebi que apresentar notícias não é algo que, de fato, satisfaz minhas ambições. Eu gosto de conversar com as pessoas. Eu gosto de ouvi-las, e faço bem as duas coisas.

— É preciso mais do que saber conversar para realizar um programa de uma hora.

— É preciso saber como a televisão funciona, como ela se faz comunicar. Como pode ser íntima e poderosa. E fazer a pessoa se esquecer, enquanto a luz vermelha estiver acesa, de que ela está falando com outra pessoa além de mim. Esse é meu ponto forte. — Deanna se mexeu, o corpo movendo-se para a frente. — Fiz alguns trabalhos de verão em um canal local de Topeka enquanto estava no ensino médio e depois mais quatro anos em um canal de New Haven durante a faculdade. Trabalhei como redatora de notícias em Kansas City antes de meu primeiro trabalho na frente das câmeras. Tecnicamente, faz dez anos que trabalho na televisão.

— Eu sei disso. — Ele estava a par de cada detalhe da vida profissional de Deanna, mas preferia ter suas próprias impressões, frente a frente. Gostou do fato de vê-la manter os olhos e a voz bem equilibrados. Lembrou-se de sua primeira reunião com Angela. Todos aqueles apelos sexuais, aquela energia maníaca, aquela feminilidade irresistível. Deanna Reynolds era um caso totalmente diferente.

Não mais fraca, pensou ele. Sem dúvida, não menos forte. Simplesmente... diferente.

— Diga-me: Além dos programas de moda, que tipo de temas você pretende abordar?

— Eu gostaria de me concentrar em questões pessoais, e não em manchetes de primeira página. E eu gostaria de evitar programas de comoção.

— Nada de lésbicas ruivas e seus amantes?

Ela relaxou o suficiente para sorrir.

— Não. Vou deixá-los para os outros. Minha ideia é equilibrar programas como o da fita com alguns mais sérios, mas lhes dar um caráter muito pessoal, envolvendo o público que está no estúdio e o que está em casa. Temas como famílias adotivas, assédio sexual no local de trabalho, o modo como homens e mulheres lidam com a possibilidade de namoro na meia-idade. Questões que se concentram no que o público médio talvez esteja experimentando.

— E você se vê como porta-voz do público médio?

Deanna sorriu novamente. Nesse ponto, pelo menos, poderia se mostrar confiante.

— Eu *faço parte* desse público. É claro que assisto a um especial da PBS, mas fico mais do que feliz de ir tomar alguma coisa com meus amigos no *Cheers*. Tomo minha primeira xícara de café de manhã com o *Chicago Tribune* e Kirk Brooks no *Hora de Despertar*. E, se eu não tiver uma matéria para fazer antes da hora, vou para a cama com o programa *The Tonight Show*, a menos que Arsenio esteja melhor naquela noite. — Agora ela deu um sorriso largo e um gole na Coca-Cola novamente. — E não tenho vergonha disso.

Loren riu e depois terminou sua Coca-Cola. Ela quase descreveu o que ele também via.

— Ouvi dizer que você trabalhava para Angela.

— Não trabalhei exatamente. Não era um trabalho tão estruturado ou formal assim. Nunca estive em sua folha de pagamento. Foi mais um... aprendizado. — Deanna escondeu a emoção de sua voz. — Aprendi muito.

— Imagino que sim. — Depois de um momento, Loren juntou as mãos. — Não é nenhum segredo que a Delacort está chateada com a perda do programa de Angela. E qualquer pessoa da área sabe que não desejamos que ela se dê bem. — Seus olhos estavam escuros como pedras ônix em contraste com sua pele byroniana pálida. Sim, um apóstolo, pensou Deanna novamente, mas não do tipo que teria ido feliz até os leões romanos. — No entanto — continuou ele —, considerando seu histórico profissional, ela provavelmente continuará a dominar o mercado. Não estamos preparados para competir de igual para igual com ela em um nível nacional com outro programa no formato de entrevistas.

— Vocês vão usar uma tática diferente — disse Deanna, fazendo Loren parar e levantar a sobrancelha. — Tentar batê-la com programas de jogos, reprises de grande audiência, novelas, dependendo do perfil demográfico.

— Essa seria uma ideia. Pensei em testar um programa de entrevistas em um punhado de afiliadas da CBC.

— Eu só preciso de um punhado — disse ela calmamente, mas segurou a garrafa de refrigerante com as mãos para mantê-la firme. Ou vai ou racha, decidiu ela. — Para começar.

Talvez fosse pessoal, pensou Loren. Mas e daí? Se pudesse usar Deanna Reynolds para arrancar uma pequena parcela da audiência de Angela, ele poderia bancar os custos. Se o projeto falhasse, ele iria cancelá-lo e considerá-lo uma experiência. Mas, se ele pudesse fazê-lo funcionar, se pudesse fazer Deanna dar certo, a satisfação teria muito mais valor que a receita publicitária.

— Você tem um agente, srta. Reynolds?

— Não.

— Arrume um. — Os olhos escuros e meigos de Loren aguçaram. — Eu gostaria de dar-lhe boas-vindas à Delacort.

♦ ♦ ♦ ♦

— Repita — insistiu Fran.

— Um contrato de seis meses. — Por mais que dissesse isso em voz alta, as palavras ecoavam com alegria nos ouvidos de Deanna. — Vamos gravar bem aqui, na CBC, um programa por dia, cinco dias da semana.

Ainda pasma mesmo depois de duas semanas de negociação, Deanna andava de um lado para o outro no escritório de Angela. Tudo o que restava eram as paredes e o tapete em tons pastel e a vista de aço de Chicago.

— Segundo a CBC, poderei usar este escritório e outros dois até o fim do acordo, durante o período de experiência. Seremos transmitidos por dez afiliadas no Meio-Oeste, ao vivo em Chicago, Dayton e Indianápolis. Temos seis semanas para preparar tudo antes da estreia em agosto.

— Você realmente está se saindo bem.

Com um meio sorriso, Deanna virou-se. Ela não estava sorrindo como Fran, mas seus olhos brilhavam.

— Eu realmente estou me saindo bem. — Respirou fundo, agradecida por não restar nenhum perfume de Angela no ar. — Meu agente disse que o que eles estão me pagando é um tapa na cara. — Nesse momento ela sorriu. — Eu lhe disse para dar o outro lado do rosto.

— Um agente. — Fran fez que não com a cabeça, fazendo os brincos balançarem. — Você tem um agente.

Deanna virou-se para a janela e sorriu para Chicago. Havia escolhido uma pequena firma local que pudesse se concentrar em suas necessidades e objetivos.

— Eu tenho um agente — concordou ela. — E uma estação, pelo menos por seis meses. Espero conseguir um produtor.

— Querida, você sabe...

— Antes de você dizer qualquer coisa, deixe-me terminar. — Deanna deu as costas para a janela. Atrás dela, os prédios e as torres da cidade elevavam-se na direção do céu cinzento e sombrio. — É um risco, Fran, um grande risco. Se as coisas não derem certo, estaremos no olho da rua por alguns meses. Você tem um emprego estável no *Papo de Mulher* e está com um bebê a caminho. Não quero que arrisque isso por causa de nossa amizade.

— Tudo bem, não vou fazer isso. — Fran encolheu os ombros e, uma vez que não havia onde se sentar, acomodou-se no chão, agradecendo pela cinta elástica na barriga cada vez maior. — Farei por ego. Fran Myers, produtora-executiva. Gostei! — Ela abraçou os joelhos. — Quando começamos?

— Ontem. — Rindo, Deanna sentou-se ao lado de Fran e passou um braço sobre os ombros dela. — Precisamos de uma equipe. Talvez eu consiga trazer de volta alguns funcionários de Angela que receberam aviso prévio ou não quiseram se mudar para Nova York. Precisamos de histórias e de pessoas para investigá-las. A verba que tenho para trabalhar é curta, por isso teremos de fazer um programa simples. — Olhou para as paredes peladas em tons pastel. — No próximo contrato, será muito maior.

— As primeiras coisas de que você precisa são um par de cadeiras, uma mesa e um telefone. Como produtora, vou ver o que posso pedir, tomar emprestado ou furtar. — Pôs-se em pé. — Mas, primeiro, preciso pedir minha demissão.

Deanna segurou a mão de Fran.

— Você tem certeza?

— Claro. Já discuti a possibilidade com Richard. Pensamos assim: se as coisas não derem certo em seis meses, eu teria de pedir licença-maternidade de qualquer forma. — Ela deu alguns tapinhas na barriga e sorriu. — Eu ligo para você. — Parou à porta. — Ah, mais uma coisa. Vamos pintar estas malditas paredes.

Sozinha, Deanna encostou os joelhos no peito e abaixou a cabeça. Tudo estava acontecendo tão depressa. Todas as reuniões, as negociações, a papelada. Ela não se importava com as longas horas; elas a motivavam. E a descoberta de uma ambição trouxe junto uma dose de energia que era tudo, menos maníaca. Contudo, por trás do entusiasmo havia uma sensação de pavor.

Tudo estava caminhando na direção certa. Uma vez adaptada ao novo ritmo, ela se orientaria. E, se falhasse, simplesmente retrocederia alguns passos e começaria novamente.

Mas ela não se arrependeria.

— Srta. Reynolds?

Com o pensamento longe, Deanna ergueu os olhos e viu a secretária de Angela à porta.

— Cassie. — Com um sorriso triste, ela deu uma olhada para os lados. — As coisas estão um pouco diferentes por aqui.

— Sim. — O sorriso de Cassie aparecia e desaparecia. — Eu só estava tirando algumas coisas da recepção. Achei que deveria avisá-la.

— Tudo bem. Só será oficialmente meu território na semana que vem. — Ela se levantou e alisou a saia. — Ouvi dizer que você decidiu não se mudar para Nova York.

— Minha família está aqui. E eu acho que sou do Meio-Oeste dos pés à cabeça.

— É difícil. — Deanna examinou-a, os cachos curtos e arrumados, os olhos tristes. — Você já arrumou outro trabalho?

— Ainda não, mas tenho algumas entrevistas marcadas. A srta. Perkins fez a notificação e, uma semana depois, se foi. Eu ainda não me acostumei com isso.

— Tenho certeza de que você não é a única.

— Vou deixá-la trabalhar. Eu tinha umas plantas para levar para casa. Boa sorte com seu novo programa.

— Obrigada, Cassie. — Deanna deu um passo para a frente e hesitou. — Posso lhe fazer uma pergunta?

— Claro.

— Você trabalhou para Angela por quatro anos, certo?

— Faria quatro anos em setembro. Comecei como secretária-assistente assim que saí da faculdade de comércio.

— De vez em quando chegavam à sala de redação reclamações feitas pela equipe de Angela. Algumas queixas, algumas fofocas. Não me lembro de ter ouvido nada vindo de você. Eu me perguntava por quê.

— Eu trabalhava para ela — respondeu Cassie, simplesmente. — Não faço fofoca sobre as pessoas para quem trabalho.

Deanna levantou uma sobrancelha e manteve o olhar firme.

— Você não trabalha mais para ela.

— Não. — A voz de Cassie acalmou-se. — Srta. Reynolds, eu sei que vocês duas tiveram... uma desavença antes da partida dela. E eu entendo que a senhorita sinta certa hostilidade. Mas eu preferiria que não me arrastasse para uma discussão sobre a srta. Perkins, nem como pessoa nem como profissional.

— Lealdade ou discrição?

— Pelas duas coisas — respondeu Cassie, firmemente.

— Bom. Você sabe que vou fazer um tipo parecido de programa. E pode não repetir fofocas, mas é claro que não pode evitar ouvi-las por aí, por isso você sabe que meu contrato é de curto prazo. Talvez eu não passe dos primeiros seis meses nem das dez afiliadas.

Cassie relaxou um pouco.

— Tenho alguns amigos lá embaixo. As pesquisas na sala de redação estão três a um em seu favor.

— Que bom saber, mas eu imagino que seja uma questão de lealdade também. Preciso de uma secretária, Cassie. Eu gostaria de contratar alguém que entenda esse tipo de lealdade, alguém que saiba ser discreta e eficiente.

A expressão de Cassie passou de um interesse educado para uma de surpresa.

— A senhorita está me oferecendo um emprego?

— Eu tenho certeza de que não poderei lhe pagar o mesmo que Angela, a menos, não, droga, *até* que possamos fazer esse negócio decolar. E você provavelmente terá de dedicar muitas horas entediantes no início, mas o trabalho é seu, se quiser. Espero que você pense no assunto.

— A senhorita nem sabe se participei do que ela fez. Se eu a ajudei a armar tudo.

— Não, não sei — disse Deanna, calmamente. — Não preciso saber. E eu acho que, se trabalharmos juntas ou não, você deve me chamar de Deanna. Não tenho a intenção de dirigir uma organização menos eficiente que a de Angela, mas espero dirigir uma mais pessoal.

— Não preciso pensar no assunto. Aceito o emprego.

— Ótimo. — Deanna estendeu a mão. — Começaremos segunda-feira, pela manhã. Espero conseguir uma mesa para você até lá. Sua primeira tarefa será fazer uma lista das pessoas que Angela despediu e sugerir quem da lista podemos aproveitar.

— Simon Grimsley seria o primeiro da lista. E Margaret Wilson, do departamento de pesquisa. E Denny Sprite, assistente da gerência de produção.

— Eu tenho o número de Simon — murmurou Deanna, pegando a caderneta de endereços para anotar os outros nomes.

— Eu posso lhe dar os outros.

Quando viu Cassie pegar um livro grosso e abri-lo, Deanna riu.

— Vamos nos dar bem, Cassie. Vamos nos dar muito bem.

♦ ♦ ♦ ♦

Era difícil para Deanna acreditar que estava deixando a sala de redação para trás, sobretudo porque estava na sala de edição revendo uma fita.

— Quanto tempo agora? — perguntou ela.

Jeff Hyatt, na cadeira de editor, deu uma olhada para o relógio digital no console.

— Um minuto e cinquenta e cinco.

— Droga! Ainda está longe. Precisamos cortar outros dez segundos. Passe de novo, Jeff.

Ela se inclinou para a frente na cadeira giratória, como um corredor na linha de partida, e esperou até que ele ajustasse o vídeo. A matéria sobre uma adolescente desaparecida se reencontrando com os pais tinha de caber no tempo estipulado. Intelectualmente, Deanna sabia disso. Emocionalmente, ela não queria cortar nem um segundo.

— Aqui. — Jeff bateu no monitor com um dedo objetivo e competente. — Esta parte em que eles andam pelo quintal... Podemos cortá-la.

— Mas ela mostra a emoção do reencontro. O modo como seus pais a colocam no meio deles, de braços dados.

— Não é notícia. — Ele ajeitou os óculos e sorriu como se estivesse se desculpando. — Mas a cena é bonita.

— Bonita — sussurrou ela.

— De qualquer forma, você conseguiu captar o lance do reencontro na parte da entrevista. Quando todos eles estão sentados no sofá.

— É um bom filme — murmurou Deanna.

— Você só precisa de um arco-íris formando uma moldura sobre eles.

Deanna virou-se ao ouvir a voz de Finn e franziu a testa.

— Eu não tinha nenhum à mão.

A despeito do visível incômodo de Deanna, ele se aproximou, colocou as mãos nos ombros dela e terminou de ver o vídeo.

— Tem mais impacto sem essa parte, Deanna. Você suaviza a entrevista e a emoção que pretende passar ao deixar que eles deem uma volta juntos. Além disso, é uma notícia, não um filme da semana.

Finn tinha razão, mas isso só dificultava ainda mais que ela o aceitasse.

— Tire essa parte, Jeff.

Enquanto ele passava a fita, editando e marcando o tempo, ela se sentou com os braços cruzados. Seria uma das últimas matérias que ela faria para o noticiário da CBC. Era uma questão de ego, como também de orgulho, que a fazia querer que fosse perfeita.

— Preciso gravar a narração — disse ela com um olhar expressivo para Finn.

— Finja que não estou aqui — sugeriu ele.

Quando Jeff estava pronto, Deanna esperou um instante para estudar o script. Com um cronômetro na mão, ela fez que sim com a cabeça e começou a ler.

— O pior pesadelo de um pai ou mãe acabou nesta manhã, quando Ruthanne Thompson, uma adolescente de 16 anos desaparecida havia oito dias, voltou para a casa de sua família, em Dayton...

Nos minutos que se seguiram, esqueceu-se de Finn enquanto ela e Jeff trabalhavam para aperfeiçoar a matéria. Por fim, satisfeita, murmurou um "obrigada" para o editor e se levantou.

— Boa matéria — comentou Finn enquanto saía com ela da sala de edição. — Concisa, firme e comovente.

— Comovente? — Ela parou para dar uma olhada para ele. — Eu não achava que isso contava para você.

— Se for notícia, conta, sim. Ouvi dizer que você estará no andar superior na semana que vem.

— Isso mesmo. — Ela se virou para entrar na sala de redação.

— Parabéns.

— Obrigada. Se você puder guardar segredo até o primeiro programa...

— Tenho a sensação de que você terá sucesso.

— Engraçado, eu também. Aqui. — Ela deu um tapa na própria cabeça. — É a minha barriga que duvida.

— Talvez você só esteja com fome. — Despreocupado, ele enrolou uma mecha dos cabelos de Deanna em um dedo. — Que tal um jantar?

— Jantar?

— Você estará livre às seis. Eu já vi. Eu estou livre até as oito da manhã, quando tenho de pegar um avião para o Kuwait.

— Kuwait? O que há lá?

— Rumores. — Ele puxou um pouquinho os cabelos dela. — Sempre rumores. E aí? Que tal sair comigo, Kansas? Espaguete, vinho tinto, conversar um pouco.

— Eu meio que desisti de sair por um tempo.

— Você vai deixar aquele psicólogo controlar sua vida?

— Não tem nada a ver com Marshall — disse Deanna, friamente. Mas, sem dúvida, tinha a ver, sim. E, por causa disso, ela mudou rapidamente de assunto. — Olha só, eu gosto de comer e gosto de comida italiana. Por que não chamamos isso simplesmente de jantar?

— Não vou discutir semântica. Por que eu não pego você às sete? Você terá tempo para ir para casa e trocar de roupa. O lugar que tenho em mente é informal.

♦ ♦ ♦ ♦

Deanna estava contente por ter confiado nele. Ficara tentada a se produzir um pouco mais, porém decidira usar uma blusa larga e calças que caíam bem para o calor úmido do meio do verão. Conforto parecia ser a ordem da noite.

O lugar que Finn havia escolhido era um restaurante pequeno e enfumaçado que cheirava a alho e pão torrado. Havia queimaduras de cigarro nas toalhas de mesa xadrezes e lascas nos assentos de madeira que puxavam fios de meias-calças.

Uma vela curta saía da boca da garrafa de Chianti obrigatória. Finn empurrou-a para o lado enquanto os dois se sentavam nos lugares reservados.

— Confie em mim. É melhor do que parece.

— Parece ótimo. — O lugar era agradável. Uma mulher não precisava estar de guarda em um restaurante que parecia uma cozinha familiar.

Finn podia vê-la relaxando pouco a pouco. Talvez por isso a tivesse levado ali, pensou ele: a um lugar onde não havia *maître* nem carta de vinhos com capa de couro.

— Lambrusco está bom para você? — perguntou ele enquanto uma garçonete de camiseta se aproximou da mesa.

— Está ótimo.

— Traga-nos uma garrafa, Janey, e a entrada.

— Certo, Finn.

Distraída, Deanna apoiou o queixo na mão.

— Você vem sempre aqui?

— Uma vez por semana quando estou na cidade. A lasanha deles é quase tão boa quanto a minha.

— Você cozinha?

— Quando a pessoa se cansa de comer em restaurantes, ela aprende a cozinhar. — Seus lábios curvaram-se um pouco quando ele estendeu a mão na mesa para brincar com os dedos dela. — Pensei em cozinhar para você hoje à noite, mas achei que você não toparia.

— Ah, por quê? — Ela pôs as mãos fora do alcance dele.

— Porque cozinhar para uma mulher, se o homem faz a coisa certa, é uma arma de sedução infalível, e está claro que você gosta de ir com cautela, dando um passo de cada vez. — Ele inclinou a cabeça quando a garçonete voltou com a garrafa e encheu as taças. — Não tenho razão?

— Eu acho que tem.

Ele se inclinou para a frente, levantando sua taça.

— Então, um brinde ao primeiro passo.

— Não sei ao certo a que estou brindando.

Observando-a com os olhos escuros e firmes, ele estendeu a mão e passou o polegar no rosto dela.

— Sim, você sabe.

O coração de Deanna palpitou. Perturbada consigo mesma, ela suspirou lentamente.

— Finn, eu gostaria de deixar claro que não estou interessada em me envolver com ninguém. Tenho de concentrar todas as minhas energias, todas as minhas emoções, em fazer o programa dar certo.

— Para mim, você parece uma mulher com emoção suficiente. — Ele deu um gole no vinho, examinando-a por sobre a borda da taça. — Por que não esperamos para ver o que acontece?

A garçonete colocou o prato com a entrada na mesa.

— Prontos para fazer o pedido?

— Eu estou pronto. — Finn sorriu novamente. — E você?

Confusa, Deanna pegou o cardápio plastificado. Estranho, pensou ela, pois não conseguia compreender nada do que estava escrito ali. Parecia estar escrito em grego.

— Vou experimentar o espaguete.

— Dois espaguetes.

— Muito bem. — A garçonete piscou para Finn. — Os White Sox estão ganhando por dois no terceiro tempo.

— White Sox? — Deanna arqueou uma sobrancelha quando a garçonete se afastou. — Você é fã dos White Sox?

— Sim. Você gosta de beisebol?

— Eu jogava na primeira base na Little League. Marquei muitos pontos na minha melhor temporada.

— Sério? — Impressionado e satisfeito, ele bateu com o polegar no peito. — Joguei na defensiva entre a segunda e a terceira bases. Representei o estado durante o ensino médio.

Com um cuidado premeditado, ela pegou uma azeitona.

— E você gosta dos Sox. Uma pena!

— Por quê?

— Como somos da mesma profissão, vou ignorar isso. Mas, se sairmos de novo, vou usar o boné dos Cubs.

— Cubs. — Ele fechou os olhos e gemeu. — E eu que estava começando a me apaixonar por você. Deanna, achei que você fosse uma mulher prática.

— O dia deles está chegando.

— É, está certo. No próximo milênio. Vou lhe dizer uma coisa. Quando eu voltar para a cidade, vamos ver um jogo.

Deanna estreitou os olhos.

— No Comiskey ou no Wrigley?

— Decidiremos no cara ou coroa.

— Combinado. — Ela beliscou uma pimenta, saboreando a mordida. — Eu ainda estou irritada com o fato de eles estarem colocando luzes no Wrigley.

— Eles já deveriam ter feito isso há anos.

— Era tradição.

— Era emoção — corrigiu ele. — E, se você põe emoção contra vendas de ingressos, as vendas sempre ganham.

— Cínico. — Deanna parou de sorrir de repente. — Talvez eu pudesse levar as esposas dos jogadores de beisebol ao programa. Dos Cubs e dos Sox. Eu teria o interesse dos telespectadores no mesmo instante, as pessoas tomando partido. Deus sabe que você só precisa falar de esportes ou política nesta cidade para causar alvoroço nas pessoas. E poderíamos falar sobre o que é estar casada com alguém que fica fora de casa semanas seguidas durante uma temporada. Como elas lidam com fracassos, lesões, tietes no beisebol.

— Ei! — Finn estalou os dedos diante dos rosto dela e a fez piscar.

— Ah, desculpe.

— Não tem problema. Ver você pensar é um aprendizado. — Também era, para surpresa de Finn, excitante. Fazia ele imaginar, e criar expectativas, se ela se concentraria com o mesmo entusiasmo em sexo. — E é uma boa ideia.

O sorriso de Deanna foi se abrindo até iluminar seu rosto.

— Seria um belo pontapé inicial, não?

— Sim, mas você está misturando as metáforas esportivas.

— Vou adorar isso. — Com a taça de vinho na mão, ela se encostou no assento. — Eu realmente vou adorar isso. Todo o processo é fascinante.

— E as notícias não eram?

— Eram, mas isso é mais... eu não sei. Pessoal e emocionante. É uma aventura. É assim que você se sente quando viaja para um país após outro?

— Na maioria das vezes. Lugares diferentes, pessoas diferentes, histórias diferentes. É difícil cair na rotina.

— Não dá para imaginar você se preocupando com isso.

— Acontece. Você fica acomodado, perde o tato.

Acomodado? Em zonas de guerra, áreas de desastres, reuniões de cúpula internacionais? Ela não conseguia imaginar como.

— Foi por isso que você não ficou em Londres?

— Em parte. Quando deixo de me sentir um estrangeiro, eu sei que é hora de voltar para casa. Você já esteve em Londres?

— Não. Como é?

Era fácil contar para ela, fácil para ela ouvir. Eles conversaram enquanto comiam massa e bebiam vinho tinto, enquanto tomavam cappuccino e comiam *cannoli*, até a vela na garrafa ao lado deles começar a derreter e a jukebox ficar em silêncio. Foi a falta de barulho que fez Deanna olhar para os lados. O restaurante estava quase vazio.

— Está tarde — disse ela, surpresa quando olhou para seu relógio. — Você tem de pegar um avião em menos de oito horas.

— Eu cuidarei disso. — Mas ele deslizou para ficar de pé enquanto ela se levantava.

— Você tinha razão sobre a comida. Estava deliciosa. — Mas seu sorriso desapareceu quando Finn pôs a mão em sua nuca. Ele a manteve ali, com os olhos nos dela enquanto diminuía a distância entre eles.

O beijo foi lento, calculado e devastador. Ela havia esperado um ataque mais agressivo de um homem cujos olhos podiam abrir um buraco em seu cérebro. Talvez tenha sido por isso que o beijo gentil, lento e romântico a desarmou por completo.

Deanna pôs a mão no ombro de Finn, mas, em vez de afastá-lo, como era sua intenção, seus dedos cravaram nele. Ela permaneceu assim. Seu coração deu um salto longo e ininterrupto antes de bater com força nas costelas.

Quando sua boca cedeu à dele, ele intensificou o beijo. Seguiu lentamente, enquanto provocava uma resposta de Deanna, até que a mão dela deslizou do ombro para agarrar sua cintura.

Dezenas de pensamentos tentaram passar pela mente de Deanna, mas desapareceram, pois havia ali calor, prazer e a inegável promessa, ou ameaça, de muito mais.

E mais era o que ele queria. Com muito mais desespero do que havia imaginado. Ele pretendia que o beijo fosse simples, mas ele tirara seu chão. Finn afastou-a. O som baixinho e confuso que ela fez quando abriu os olhos fez com que ele cerrasse os dentes diante de uma dor rápida e violenta.

Era importante manter-se firme, embora naquele momento ela não pudesse dizer por quê. O instinto por si só levou-a a recuar um pouquinho.

— O que foi?

— Além das razões óbvias? — Ele provavelmente se distraiu com a pergunta. — Pensei que, se resolvêssemos essa parte aqui, você não ficaria pensando no que poderia ou deveria acontecer quando eu a levasse para casa.

— Entendi. — Percebendo que sua bolsa havia caído no chão, ela se inclinou para pegá-la. — Não planejo cada aspecto de minha vida como se fosse um artigo de uma revista.

— É claro que você faz isso. — Ele passou um dedo pelo rosto dela. Estava quente e corado e o fazia desejar outra mostra. — Mas tudo bem para mim. Considero isso uma introdução. Teremos o restante do texto quando eu voltar.

## Capítulo Onze
♦ ♦ ♦ ♦

Quase no final de julho, Deanna já tinha o que poderia se chamar de uma equipe de trabalho. Além de Fran e Simon, havia uma pessoa para investigar os fatos e uma para agendar os contatos, supervisionadas por Cassie. Eles ainda precisavam urgentemente de corpos e cérebros — e uma verba para pagá-los.

A parte técnica estava sólida. Em uma das intermináveis reuniões das quais Deanna participou, houve consenso de que o Studio B estaria bem preparado em termos de funcionários e cuidadosamente iluminado. Os valores da produção seriam excelentes.

Ela só precisava dar-lhes algo para produzir.

Colocou provisoriamente duas mesas no antigo escritório de Angela. Uma para ela e outra para Fran: elas dividiam o trabalho e cogitavam ideias.

— Temos público para os oito primeiros programas — disse Fran enquanto andava de forma compassada pelo escritório com uma prancheta na mão. — Cassie está cuidando das viagens e alojamento. Ela está fazendo um bom trabalho, Dee, mas está absurdamente sobrecarregada.

— Eu sei. — Deanna esfregou os olhos arenosos e esforçou-se para relaxar. — Precisamos de um produtor assistente e mais uma pessoa que faça pesquisas. E de um auxiliar de escritório. Se conseguirmos os doze primeiros programas em nosso currículo, talvez consigamos ter sucesso.

— E, por enquanto, você não está dormindo o suficiente.

— Mesmo que tivesse tempo, eu não conseguiria. — Ela estendeu a mão para atender o telefone que estava tocando. — Estou sempre com frio na barriga, e minha mente não para. Reynolds — disse ao telefone. — Não, não esqueci. — Olhou para o relógio. — Tenho uma hora. — Suspirou enquanto ouvia. — Tudo bem, peça que subam o guarda-roupa. Vou escolher o que cair bem e descer para fazer a maquiagem em trinta minutos. Obrigada.

— Sessão de fotos? — lembrou Fran.

— E as promoções. Não posso acusar a Delacort de não investir na publicidade. Mas, droga, não tenho tempo. Precisamos de uma reunião de equipe e ainda temos de examinar aquelas respostas das oitocentas pesquisas.

— Vou marcá-la para as quatro. — Fran sorriu. — Espere até ler parte do material das pesquisas. A ideia de Margaret ao explicar por que os ex-maridos deveriam levar um tiro como se fossem cachorros é divertidíssima.

O sorriso de Deanna ficou forçado.

— Nós amenizamos isso, não?

— Sim. Ficou assim: "Por que seu ex-marido é seu ex". Bem suave, mas as respostas não foram. Temos de tudo, desde casos graves de abuso a sujeitos que limpavam partes do motor na pia da cozinha. Precisaremos de um especialista. Pensei em um advogado, em vez de um conselheiro. Advogados especializados em divórcio têm histórias ótimas, e Richard tem muitos contatos.

— Tudo bem, mas... — Ela parou quando empurraram uma arara de roupas pela porta. — Vamos, Fran, me ajude a escolher uma roupa. — Uma cabeça apareceu no meio dos terninhos e vestidos. — Oi, Jeff. Colocaram você como menino de recados?

— Eu queria uma chance de subir e ver como andam as coisas. — Com um sorriso tímido, ele olhou para os lados. — Estamos torcendo por você lá embaixo.

— Obrigada. Como estão todos na redação? Faz dias que não tenho uma chance de passar por lá.

— Muito bem. O calor faz os malucos saírem, sabe? Estão aparecendo muitas histórias interessantes. — Matando o tempo, ele balançou a arara de roupas quando Deanna começou a examinar o guarda-roupa. — Deanna, eu estava pensando se você, sabe, tem uma vaga por aqui. Se não precisa de alguém para resolver coisas pendentes, atender ao telefone. Você sabe.

Com a mão em um blazer vermelho, Deanna parou.

— Você está brincando?

— Eu sei que você tem pessoas com experiência. Mas eu sempre quis fazer esse tipo de programa de televisão. Eu só pensei... você sabe.

— Quando pode começar?

Ele pareceu surpreso.

— Eu...

— Estou falando sério. Estamos desesperados. Precisamos de alguém que possa fazer um pouco de tudo. Eu sei que você pode por causa de seu trabalho lá embaixo. E sua experiência na edição de vídeos seria inestimável. O salário é ruim e a carga horária é triste. Mas, se quiser uma chance como produtor assistente, com créditos na tela e todo o café que puder beber, está contratado.

— Vou pedir aviso prévio — disse Jeff com um sorriso de um lado a outro do rosto. — Talvez eu tenha de trabalhar mais uma ou duas semanas, mas posso usar todas as minhas horas extras com você.

— Meu Deus, Fran, encontramos um herói. — Deanna segurou-o pelos ombros e beijou-lhe na bochecha. — Bem-vindo ao hospício, Jeff. Peça para Cassie lhe arrumar uma camisa de força.

— Tudo bem. — Vermelho e rindo, ele se retirou da sala. — Tudo bem. Ótimo.

Fran tirou um terninho cor de ameixa da arara e segurou-o diante de Deanna.

— Pau para toda a obra.

— Um dos melhores. Jeff pode resolver uma pilha de papelada como um castor cortando uma árvore. Ele tem tudo isso na cabeça. Pergunte para ele qual foi o melhor filme em 1956, e ele lhe dirá. Qual foi a principal notícia às dez da manhã da terça-feira passada, e ele lhe dirá. Eu gosto do vermelho.

— Para as promoções — concordou Fran. — Não para as fotos. O que ele faz lá embaixo?

— Ele é assistente editorial. Ele também escreve um pouco. — Ela tirou da arara um vestido amarelo radiante com mangas turquesa e botões fúcsia redondos. — Ele é bom. E de confiança.

— Contanto que ele trabalhe muito e cobre pouco...

— Isso vai mudar. — Seus olhos apagaram-se quando viu à sua frente o próximo figurino que Fran havia escolhido para ela. — Eu sei o quanto todos estão investindo nisso. Vou fazer dar certo.

♦ ♦ ♦ ♦

Para aumentar as oportunidades deles, Deanna deu entrevistas — impressas e transmitidas por rádio e televisão. Apareceu em um bloco do *Noticiário do Meio-dia* e foi entrevistada por Roger. Tirou dois dias para visitar todas as afiliadas às quais pôde ir de carro e fez contato por telefone com as restantes.

Supervisionou pessoalmente todos os detalhes de seu cenário, estudou cuidadosamente recortes de jornais para obter ideias para o programa e passou horas revisando respostas para os anúncios que pediam temas e nomes de convidados.

Isso a deixava com pouco tempo para a vida social. E, sem dúvida, dava-lhe uma boa desculpa para evitar Finn. Ela falava sério quando lhe disse que não queria se envolver com ninguém. Ela não podia se dar a esse luxo, decidiu. Em termos emocionais e profissionais. Como poderia confiar em seu próprio julgamento quando se viu tão disposta a acreditar em Marshall?

Mas não era fácil evitar Finn Riley. Sem avisar, ele aparecia no escritório de Deanna e passava no apartamento dela. Muitas vezes levava pizza ou embalagens brancas de papelão cheias de comida chinesa. Era difícil discutir quando ele comentava que ela precisava comer em algum momento. Em um momento de fraqueza, Deanna aceitou ir ao cinema com ele. E se viu tão encantada e tão inquieta quanto antes.

— Loren Bach na linha um — disse-lhe Cassie.

Ainda não eram nove horas, mas Deanna já estava sentada à sua mesa.

— Bom-dia, Loren.

— Contagem regressiva, cinco dias — disse ele, entusiasmado. — Como você está?

— Com calos nas mãos. A publicidade criou muito interesse local. Não acho que teremos problema para encher o estúdio.

— Você está despertando interesse na costa leste também. Há um artigo interessante no *National Enquirer* sobre "A Malvada" dos programas de entrevistas. Adivinhe quem está fazendo o papel de Margo Channing?

— Oh, droga! Falam mal de mim?

— Vou enviar-lhe o artigo por fax. Eles escreveram seu nome corretamente, Eve, opa, Deanna. — Loren riu e se divertiu com seu próprio humor. — Como alguém que conhece bem nossa heroína, posso dizer que Angela deixou vazar uma coisinha. Dá a impressão de que ela pegou você na rua, fez o papel da irmã mais velha e mentora e, depois, foi apunhalada pelas costas por ter sido generosa.

— Pelo menos eles não disseram que fui jogada de uma nave espacial no jardim da casa dela.

— Talvez da próxima vez. Enquanto isso, você está na imprensa em todo o país. E, quer ela saiba ou não, ela associou seu nome ao dela de tal modo que despertará a curiosidade das pessoas. Acho que podemos aproveitar um pouco disso. Uma citação na *Entertainment Weekly*, talvez outra crítica na *Variety*.

— Ótimo, eu acho.

— Deanna, você pode atacar os tabloides sensacionalistas quando for poderosa. Por enquanto, pense neles como imprensa livre.

— Cortesia de Angela.

— Dizem que ela está negociando um contrato para escrever sua autobiografia. Um capítulo poderia ser dedicado a você.

— Agora fiquei animada. — Sua cadeira rangeu quando ela se inclinou para trás, fazendo-a se lembrar de que havia se esquecido de colocar óleo nas molas. Isso a fez se inclinar para a frente novamente e acrescentar a tarefa à sua lista cada vez maior no canto da mesa. — Espero que você não se importe que eu me concentre no sucesso de meu programa. Depois eu me preocupo com a questão de recompensar Angela por sua generosidade.

— Deanna, faça o programa dar certo, e isso já será pagamento suficiente. Agora, vamos falar de negócios.

Vinte minutos depois, com uma dor de cabeça começando a incomodar na parte de trás de seus olhos, Deanna desligou o telefone. O que a fez pensar que era boa com detalhes? O que a fez pensar que queria a responsabilidade de conduzir um programa de entrevistas?

— Deanna? — Cassie entrou com uma bandeja. — Pensei que você gostaria de um cafezinho.

— Você leu meu pensamento. — Deanna pôs de lado a papelada para dar espaço ao bule. — Você tem tempo para tomar uma xícara? Talvez seja melhor tomarmos várias xícaras antes de sermos arrastadas pela agenda do dia.

— Eu trouxe duas xícaras. — Ela encheu as xícaras antes de se sentar. — Você quer repassar sua agenda para hoje?

— Acho que não. — O primeiro gole do café preto quente injetou cafeína em sua corrente sanguínea. — Está escrita em minha testa. Já organizamos um almoço para as esposas dos jogadores de beisebol depois do programa?

— Simon e Fran serão os anfitriões. As reservas estão confirmadas. E Jeff achou que seria de bom-tom colocar rosas no camarim para a chegada delas. Eu gostaria que você desse uma olhada.

— Ah! O bom e velho Jeff! Uma ideia muito fina. Vamos colocar um cartão em cada ramalhete com um agradecimento pessoal da equipe. — Depois de outro gole de café, ela pressionou a mão na barriga agitada. — Meu Deus, Cassie, estou morrendo de medo. — Colocando a xícara de lado, ela respirou fundo e calmamente, e inclinou-se para a frente. — Eu quero lhe fazer uma pergunta e realmente quero que você seja muito sincera, tudo bem? Nada de poupar sentimentos, nada de conversa fiada para me incentivar.

— Está bem. — Cassie pôs seu bloco de anotações no colo. — Pode falar.

— Você trabalhou para Angela por um bom tempo. Provavelmente sabe os detalhes desse tipo de programa tanto quanto qualquer produtor ou diretor. Imagino que tenha uma opinião sobre o motivo do sucesso do programa de Angela. E eu quero saber, com toda a franqueza do mundo, se você acredita que temos chance nisso.

— Você quer saber se podemos tornar o programa *A Hora de Deanna* competitivo?

— Não é bem isso — respondeu Deanna, fazendo que não com a cabeça. — Se conseguimos passar dos seis primeiros programas sem que riam de nós e nos tirem do negócio.

— Isso é fácil. Depois da semana que vem, as pessoas vão falar muito sobre seu programa. E outras pessoas vão assistir ao programa para ver do que se trata. Elas vão gostar, porque vão gostar de você. — Ela riu da expressão de Deanna. — Não estou dizendo isso para bajular você. A questão é que o telespectador médio não verá nem apreciará o trabalho que deu para que tudo fosse perfeito e corresse bem. Ele não saberá das muitas horas nem do suor. Mas, sabe, assim você trabalhará com mais afinco. Quanto mais se esforçar, mais os outros também se esforçarão, porque você faz algo que Angela não fazia. Algo que eu acho que ela simplesmente não podia fazer: você faz com que nos sintamos importantes. Isso faz toda a diferença. Talvez não vá colocá-la no topo dos índices de audiência neste exato momento, mas a coloca no topo para nós. É isso que importa.

— Isso importa muito — disse Deanna depois de um instante. — Obrigada.

— Daqui a alguns meses, quando o programa for um sucesso e o orçamento aumentar, vou voltar aqui. É aí que vou bajular você. — Ela sorriu.

— E lhe pedir um aumento.

— Se o maldito orçamento aumentar, todos terão um aumento — disse Deanna com entusiasmo. — Enquanto isso, preciso ver os vídeos promocionais para as afiliadas.

— Você precisa de um gerente de propaganda.

— E um gerente de produção, e um diretor de publicidade, um diretor permanente e alguns assistentes de produção. Até esse bendito dia, vou ter de realizar essas funções também. Os jornais já chegaram?

— Eu os entreguei a Margaret. Ela vai examiná-los à procura de ideias e fará recortes.

— Ótimo. Tente trazer os recortes para mim antes do almoço. Vamos precisar de algo realmente interessante para a segunda semana de setembro. Bach acabou de me dizer que vamos competir com um novo programa de jogos em três cidades durante a semana de estreia.

— Certo. Ah, seu horário com o capitão Queeg às três horas foi remarcado para as três e meia.

— O capitão... ah, Ryce. — Sem se dar ao trabalho de esconder o sorriso, Deanna anotou o encontro em sua agenda. — Eu já sei que ele é um pouco excêntrico, Cassie.

— E autoritário.

— E autoritário — concordou Deanna. — Mas é um bom diretor. Temos sorte em tê-lo nas primeiras semanas.

— Se você acha isso... — Ela começou a andar em direção à porta, depois hesitou e se virou. — Deanna, não sei se devo mencionar uma coisa, mas acho que seria bom começar a filtrar suas ligações.

— O quê?

— O dr. Pike. Ele ligou quando você estava com o sr. Bach ao telefone.

Pensativa, Deanna pôs sua caneta de lado.

— Se ele voltar a ligar, passe a ligação para mim. Vou cuidar disso.

— Tudo bem. Opa! — Ela sorriu e deu um passo para trás para não bater de frente com Finn. — Bom-dia, sr. Riley.

— Olá, Cassie. Preciso de um minuto com a chefe.

— Ela é toda sua. — Cassie fechou a porta ao sair.

— Finn, me desculpe, mas estou com trabalho até o pescoço. — Mas ela não foi rápida o bastante para evitar o beijo quando ele deu a volta na mesa. Não sabia ao certo se queria evitá-lo.

— Eu sei. Eu também só tenho um minuto.

— O que foi? — Ela podia ver a euforia nos olhos dele, senti-la no ar ao redor dele. — É importante.

— Estou a caminho do aeroporto. O Iraque acaba de invadir o Kuwait.

— O quê? — Sua adrenalina como repórter a fez se levantar de um salto. — Oh, meu Deus!

— Foi um ataque-relâmpago com tanques de guerra, auxiliado por helicópteros. Tenho alguns contatos em Green Ramp, na Carolina do Norte, alguns caras que conheci durante o combate no aeroporto de Tocumen, no Panamá, há alguns meses. É provável que façamos pressão diplomática e econômica a princípio, mas há uma boa chance de enviarmos tropas. Se meus instintos valem alguma coisa, a coisa vai ser feia.

— Há revoltas lá o tempo todo. — Fragilizada, ela se sentou no braço de sua cadeira.

— É a terra, Kansas. E o petróleo, e a honra. — Ele a pôs em pé e, com a mão, tirou os cabelos do rosto dela. Queria, precisava, admitiu ele, dar uma longa olhada nela. Uma longa e boa olhada. — Talvez eu desapareça por um tempo, principalmente se enviarmos tropas.

Deanna estava pálida, esforçando-se para ficar calma.

— Eles acham que esse povo tem capacidade nuclear, não acham? E, sem dúvida, acesso a armas químicas.

Covinhas apareceram de forma precipitada.

— Preocupada comigo?

— Eu só estava imaginando se você levaria uma máscara de gás e uma equipe de cinegrafistas também. — Sentindo-se uma idiota, ela recuou. — Vou ficar de olho em suas notícias.

— Faça isso. Lamento por perder sua estreia.

— Tudo bem. — Ela conseguiu dar um sorriso. — Vou lhe enviar uma fita.

— Sabe — disse ele, brincando com uma mecha dos cabelos dela. — Tecnicamente, vou para a guerra, e sabe-se lá o que o amanhã pode trazer. — Ele sorriu para os olhos escuros e sérios de Deanna. — Não acho que posso convencê-la a trancar aquela porta e se despedir de mim de um modo memorável.

Deanna tinha medo de que ele pudesse.

— Não sou fã de ditos antigos. Além disso, todos sabem que Finn Riley sempre volta para contar a história.

— Valeu a tentativa. — Mas ele passou os braços em torno da cintura dela. — Pelo menos me dê alguma coisa para levar para o deserto comigo. Ouvi dizer que faz muito frio à noite.

Havia uma parte de Deanna que tinha medo. E outra que tinha desejo. Ouvindo as duas, ela pôs os braços em torno do pescoço de Finn.

— Tudo bem, Riley. Lembre-se disso.

Pela primeira vez, ela pressionou os lábios contra os dele sem hesitação. Houve algo mais do que a emoção rápida e familiar quando sua boca se abriu para a dele, mais do que a dor lenta e tormentosa que ela tanto tentava negar. Havia necessidade, sim, de provar, absorver e, curiosamente, consolar.

Quando o beijo se intensificou, ela se permitiu esquecer todas as outras coisas e simplesmente sentir.

Podia sentir o cheiro de Finn — suor leve e limpo com perfume de sabonete. Os cabelos dele eram macios e cheios, e pareciam convidar seus dedos a revirá-los e agarrá-los. Quando a boca de Finn tornou-se menos paciente, quando Deanna ouviu seu gemido discreto de prazer, ela respondeu sem fazer caso, enrolando sua língua na dele e mordendo os lábios para dar a excitação sombria de dor ao prazer.

Ela achou que ele tivesse tremido, mas não mais conseguiu achar a vontade de aliviar.

— Deanna. — Desesperadamente, ele pôs a boca no rosto de Deanna e percorreu a garganta dela, onde pôde sentir as batidas do coração de Deanna. — De novo.

Os lábios de Finn apertaram os dela, absorvendo o sabor, o calor. Agitado, ele recuou o suficiente para apoiar a testa na dela, para segurá-la mais um instante no qual ele se sentia tão estranhamente centrado, tão curiosamente certo.

— Que droga! — suspirou ele. — Vou sentir sua falta.

— Isso não deveria ter acontecido.

— Tarde demais. — Ele levantou a cabeça e roçou os lábios na testa de Deanna. — Vou ligar para você quando puder. — Assim que disse essas palavras, Finn percebeu que nunca havia feito essa promessa antes. Era o tipo de compromisso tácito que o fazia recuar e pôr as mãos nos bolsos de forma segura. — Boa sorte na semana que vem.

— Obrigada. — Ela deu um passo para trás para que ambos pudessem medir um ao outro como dois boxeadores depois de um round difícil no ringue. — Eu sei que é inútil dizer, mas tenha cuidado.

— Vou me comportar. — Seu riso foi rápido e impulsivo. — Isso é mais importante. — Foi até a porta e então parou com a mão na maçaneta.

— Olha só, Deanna, se aquele psicólogo idiota telefonar de novo...

— Você estava escutando atrás da porta.

— Claro que eu estava. Eu sou repórter. De qualquer modo, se ele telefonar de novo, ponha-o para correr, certo? Não quero ter de matá-lo.

Ela sorriu, mas o sorriso desapareceu rapidamente. Algo nos olhos de Finn revelava que ele estava falando sério.

— É um absurdo você dizer isso. Acontece que não estou interessada em Marshall, mas...

— Sorte dele. — Ele tocou a sobrancelha com um dedo em sinal de continência. — Fique ligada, Kansas. Eu voltarei.

— Idiota arrogante — resmungou Deanna. Quando seus olhos começaram a arder, ela se virou para fitar Chicago lá fora. Talvez houvesse uma guerra do outro lado do mundo, pensou enquanto caía a primeira lágrima. E um programa a ser feito ali.

Então, que droga era aquela de se apaixonar?

♦ ♦ ♦ ♦

— Tudo bem, Dee, já estamos quase prontos. — Fran entrou novamente no camarim. — O público encheu o estúdio.

— Ótimo. — Deanna continuou a olhar obcecadamente para o espelho enquanto Marcie fazia os últimos retoques em seus cabelos. — Ótimo.

— As pessoas estão usando bonés dos Cubs e camisetas dos White Sox. Algumas até trouxeram bandeiras e as estão agitando. Vou lhe dizer uma coisa: elas estão entusiasmadas.

— Ótimo.

Sorrindo para si mesma, Fran olhou para sua prancheta.

— Todas as seis esposas estão no camarim. São muito simpáticas. Simon está lá agora, revisando o passo a passo com elas.

— Já passei por lá para me apresentar. — Sua voz era monótona. Deanna podia sentir a náusea vindo como uma onda. — Oh, meu Deus, Fran! Eu acho que vou vomitar.

— Não, não vai. Você não tem tempo para isso. Marcie, o cabelo dela está maravilhoso. Talvez você possa me dar umas dicas para o meu mais tarde. Vamos, campeã. — Fran deu-lhe um puxão que a arrancou da cadeira. — Você precisa sair e fazer um discurso estimulante para o público, trazê-lo para seu lado.

— Eu deveria ter colocado o terninho azul-marinho — disse Deanna enquanto Fran a arrastava. — As cores laranja e kiwi são muito fortes.

— Está lindo, radiante e jovem. A combinação certa. Você está na última moda, mas não exagerada; está simpática, mas não simples. Veja agora. — Formando uma pequena ilha com ar de intimidade em meio ao caos dos bastidores, Fran pôs as mãos nos ombros de Deanna. — É por isso que todos nós vínhamos batalhando nos últimos meses, e é isso que você vinha almejando há anos. Agora, vá lá e faça essas pessoas amarem você.

— Não paro de pensar em tudo isso. E se houver uma briga? Você sabe como os fãs dos Sox e dos Cubs podem ser violentos. E se eu ficar sem perguntas? Ou se eu não puder controlar a multidão? E se alguém me perguntar por que estou fazendo um programa idiota sobre beisebol quando estamos enviando tropas para o Oriente Médio?

— Primeiro, ninguém vai brigar porque todos vão se divertir muito. Segundo, você nunca fica sem perguntas e você pode controlar qualquer multidão. E, por fim, está fazendo este programa sobre beisebol porque as pessoas precisam de entretenimento, principalmente durante tempos como estes. Agora se mexa, Reynolds, e vá fazer seu trabalho.

— Certo. — Ela respirou fundo. — Você tem certeza de que estou bem?

— Vá.

— Estou indo.

— Deanna.

Ela se virou, surpresa, e então se irritou ao ver Marshall a meio metro de distância. O tom ríspido de Fran fez com que ela desse um passo para a frente.

— O que você está fazendo aqui?

O sorriso de Marshall foi tranquilo, mas seus olhos revelavam tristeza.

— Eu queria lhe desejar sorte. Pessoalmente. — Ele lhe estendeu um buquê de rosas claras. — Tenho muito orgulho de você.

Ela não pegou as flores, mas continuou a olhar para ele no mesmo nível.

— Aceitarei os votos de sorte. Seu orgulho é por sua conta. Agora, lamento, mas somente as pessoas da equipe podem entrar aqui.

Muito devagar, ele abaixou as flores.

— Eu não sabia que você podia ser tão cruel.

— Parece que nós dois nos enganamos. Tenho um programa para fazer, Marshall, mas arrumarei um tempinho para lhe dizer mais uma vez que não tenho vontade de recomeçar nenhum tipo de relacionamento com você. Simon? — Ela gritou sem tirar os olhos dos de Marshall. — Mostre a saída para o dr. Pike. Parece que ele veio parar no lugar errado.

— Eu sei o caminho — disse ele com os dentes cerrados. Deixou as rosas caírem no chão, fazendo-a se lembrar de que ela também havia deixado cair um buquê semelhante. O perfume das rosas fez o estômago de Deanna revirar. — Nem sempre serei rejeitado com tanta facilidade.

Saiu altivo, com Simon, nervosamente, seguindo-o como um cão. Deanna permitiu-se respirar demorada e calmamente.

— Sujeitinho desagradável — resmungou Fran, levantando a mão automaticamente para aliviar a tensão nos ombros de Deanna. — Canalha. Aparecer aqui assim antes de um programa ao vivo. Você vai ficar bem?

— Vou ficar bem. — Sacudiu-se para afastar a fúria. Muita coisa aconteceria na próxima hora para ela se entregar a esse sentimento. — Eu estou bem. — Saiu, pegando o microfone de mão que Jeff lhe entregou quando ela passou.

Jeff abriu um sorriso largo enquanto a observava.

— Boa sorte, Deanna.

Ela endireitou os ombros.

— Vou ter toda a sorte do mundo. — Entrou no estúdio e sorriu para o mar de rostos. — Olá, pessoal, e obrigada pela presença. Eu sou Deanna. Em cinco minutos começaremos este programa. Espero que vocês me ajudem. É meu primeiro dia neste trabalho.

♦ ♦ ♦ ♦

— *Ponha* a maldita fita. — Em seu imponente escritório em Nova York, Angela apagou um cigarro e imediatamente acendeu outro.

— Eu me arrisquei para conseguir uma cópia disto — disse-lhe Lew enquanto colocava a fita no videocassete.

— Você já me disse, você já me disse. — E ela estava cansada de ouvir isso. E também com medo do que poderia ver no monitor nos próximos minutos. — Coloque logo, droga.

Ele apertou o botão para rodar a fita e deu um passo para trás. Estreitando os olhos, Angela ouviu a música de introdução. Muito pesada, pensou com um sorriso malicioso. O telespectador médio não gostaria dela. A panorâmica do público exibia pessoas com bonés de beisebol, aplaudindo e agitando bandeiras. Classe média, concluiu ela, e encostou-se confortavelmente em seu assento.

No final, tudo ficaria bem, garantiu para si mesma.

— Bem-vindo ao programa *A Hora de Deanna*. A câmera deu um close no rosto de Deanna. O sorriso lento e afetuoso, o vestígio de nervosismo nos olhos. — Nossas convidadas de hoje, aqui em Chicago, são seis mulheres que sabem tudo o que há para saber sobre beisebol, e não apenas sobre jogadas e jogadores do Texas.

Ela está nervosa, pensou Angela, satisfeita. Terá sorte se conseguir chegar aos comerciais. Esperando a humilhação, Angela se permitiu sentir pena de Deanna. Afinal, pensou com um suspiro suave e solidário, quem melhor do que ela mesma para saber como era enfrentar aquele olho de vidro sem dó nem piedade?

Deanna havia assumido algo acima de suas forças de forma precoce, percebeu Angela. Embora difícil, seria uma boa lição. E, quando ela fracassasse, o que certamente aconteceria, e viesse bater à sua porta procurando ajuda, Angela decidiu que seria generosa o suficiente, perdoando-a a ponto de lhe dar uma segunda chance.

Mas Deanna conseguiu chegar aos comerciais, entrando no intervalo ao som de aplausos. Depois dos primeiros quinze minutos, o gosto delicioso de uma simpatia maliciosa ficou amargo em sua garganta.

Ela assistiu ao programa até os créditos finais, sem dizer uma palavra.

— Desligue — falou rispidamente e então se levantou para ir ao bar. Em vez de sua habitual água mineral, Angela encheu uma taça de champanhe. — Não é nada — disse ela, em parte para si mesma. — Um programa medíocre com apelo a um grupo demográfico muito pequeno.

— A resposta das afiliadas foi sólida. — De costas para Angela, Lew ejetou a fita.

— Um punhado de canais no meio do deserto do Meio-Oeste? — Ela bebeu rapidamente, os lábios apertando-se no gole. — Você acha que isso me preocupa? Acha que ela poderia fazer isso em Nova York? É o que funciona aqui que importa. Você sabe qual foi minha audiência na semana passada?

— Sim. — Lew pôs a fita de lado e começou a observar as regras do jogo. — Você não tem com o que se preocupar, Angela. Você é a melhor, e todos sabem disso.

— É claro que sou a melhor. E quando meu primeiro especial em horário nobre atingir níveis altos de audiência durante as pesquisas de novembro, começarei a ter o respeito que mereço. — Com uma careta, esvaziou a taça de champanhe. Já não tinha mais o gosto de celebração, mas servia para derreter todos os pequenos sintomas de medo. — Já tenho dinheiro. — Ela se virou, mais firme. Podia ser generosa, não? — Deixemos que Deanna tenha seu momento de fama, por que não? Ela não vai durar. Deixe a fita, Lew. — Angela voltou para sua mesa, acomodou-se e sorriu. — E peça para minha secretária vir aqui. Tenho um serviço para ela.

Sozinha, Angela girava em sua cadeira para examinar a vista de seu novo lar. Nova York faria mais do que transformá-la em uma estrela, pensou ela. A cidade iria dar-lhe um império.

— Sim, srta. Perkins.

— Cassie... droga, Lorraine. — Girando, ela olhou furiosamente para sua nova secretária. Detestava treinar novos funcionários, ter de lembrar o nome e o rosto deles. Todos sempre esperavam muito dela. — Coloque-me em contato com Beeker no telefone. Se não conseguir falar com ele, deixe uma mensagem na secretária eletrônica. Quero que ele retorne a ligação o mais rápido possível.

— Sim, senhora.

— É só. — Angela deu uma olhada para o champanhe e depois fez que não com a cabeça. Ah, não, ela não cairia nessa armadilha. Não era igual à sua mãe. Não precisava de uma bebida alcoólica para passar o dia. Nunca precisou. Ela precisava de ação. Uma vez que atiçasse Beeker a investigar a fundo a fim de encontrar algo podre sobre Deanna Reynolds, ela teria toda a ação que quisesse.

# Segunda Parte

♦ ♦ ♦ ♦

*"Toda fama é perigosa."*
— Thomas Fuller

## Capítulo Doze
♦ ♦ ♦ ♦

— Movendo-se debaixo de um sol escaldante, inimigo das chuvas, da vida vegetal e dos seres humanos, estão as areias escaldantes do deserto da Arábia Saudita. — Finn fazia o possível para não estreitar os olhos para a câmera enquanto aquele sol impiedoso batia nele. Ele usava uma camiseta verde-oliva, calças cáqui e um chapéu de tecido desbotado. — As tempestades de areia, o calor implacável e as miragens são comuns neste ambiente hostil. A este mundo vieram as forças dos Estados Unidos para traçar sua linha na areia.

"Faz três meses que os primeiros homens e mulheres das forças armadas norte-americanas estão posicionados para a operação Escudo do Deserto. Com a eficiência e ingenuidade dos ianques, esses soldados estão se adaptando ao seu novo ambiente ou, em alguns casos, adaptando o ambiente a eles. Uma caixa de madeira, um forro de poliestireno e o ventilador de um aparelho de ar-condicionado. — Finn pôs a mão em um engradado. — E alguns soldados habilidosos fizeram um refrigerador provisório para ajudar a combater o calor de quase 50ºC. E com um tédio que é um inimigo tão astuto quanto o clima, soldados que não estão de serviço passam o tempo lendo a correspondência que recebem de casa, negociando os poucos e estimados jornais que passam pelos censores e organizando corridas de lagartos. Mas os serviços de correio são lentos e os dias são longos. Enquanto são feitos desfiles e piqueniques em nosso país para comemorar o Dia dos Veteranos, os homens e as mulheres do Escudo do Deserto trabalham e esperam.

"Para a CBC, Finn Riley, na Arábia Saudita."

Quando a luz vermelha se apagou, Finn tirou os óculos de sol presos em um dos passadores no cós da calça e os colocou. Atrás dele estavam um F-15C Eagle e homens e mulheres com uniformes de camuflagem.

— Uma salada de batata e uma banda de música iam bem para mim, Curt. E para você?

Seu cinegrafista, cuja pele cor de jambo reluzia como mármore polido com sua camada de suor e protetor solar, virou os olhos.

— A limonada que minha mãe sabe fazer. Uns litros dela.

— Cerveja gelada.

— Sorvete de pêssego... e um beijo lento e demorado de Whitney Houston.

— Pare, você está me matando. — Finn deu um bom gole da água na garrafa. Tinha um gosto metálico e estava quente, mas limpou a areia fina de sua garganta. — Vamos ver o que eles vão nos deixar fotografar e tentar algumas entrevistas.

— Eles não vão nos dar muita coisa — resmungou Curt.

— Faremos o que for possível.

Horas mais tarde, no conforto relativo de um hotel saudita, Finn despiu-se. O banho lavou as camadas de areia, suor e sujeira de dois dias e noites no deserto. Teve um doce e quase romântico desejo de sentir o gosto forte e espumoso de uma cerveja. Contentou-se com o suco de laranja e esticou-se tranquilamente na cama, nu e exausto. Com os olhos fechados, tateou à procura do telefone para começar o processo complicado e muitas vezes frustrante de ligar para os Estados Unidos.

♦ ♦ ♦ ♦

O TELEFONE DESPERTOU Deanna de um sono profundo. A primeira coisa confusa em que ela pensou foi que era um número errado outra vez, provavelmente o mesmo idiota que a havia tirado mais cedo de um banho delicioso só para desligar o telefone sem se desculpar. Já irritada, ela tirou o fone do gancho.

— Reynolds.

— Aí deve ser... o quê? Cinco e meia da manhã? — Finn manteve os olhos fechados e sorriu ao ouvir a voz rouca de Deanna. — Desculpe.

— Finn? — Espantando o sono, Deanna levantou-se da cama e acendeu a luz. — Onde você está?

— Desfrutando da hospitalidade de nossos anfitriões sauditas. Você chupou melancia hoje?

— O quê?

— Melancia. O sol está de matar aqui, especialmente por volta das dez. Foi aí que comecei a ter essa fantasia com melancia. Curt começou e aí a equipe começou a se torturar. Raspadinhas de gelo, um copo de uísque com açúcar, gelo e folhas de hortelã, frango frito frio.

— Finn — disse Deanna devagar. — Você está bem?

— Apenas cansado. — Ele esfregou a mão no rosto para se recompor. — Passamos alguns dias no deserto. A comida é muito ruim, o calor é pior e as malditas moscas... Não quero pensar nas moscas. Estou acordado há quase trinta horas, Kansas. Estou um pouco atordoado.

— Você deveria dormir um pouco.

— Converse comigo.

— Vi algumas de suas reportagens — começou ela. — A dos reféns a quem Hussein chama de "convidados" foi fascinante. E a da base aérea na Arábia Saudita também.

— Não. Diga o que você está fazendo.

— Fizemos um programa hoje sobre compradores compulsivos. Um dos convidados fica acordado toda a noite assistindo a um dos canais de compras e adquirindo tudo o que vê na tela. Por fim, sua esposa cancelou o serviço de TV a cabo quando ele encomendou uma dúzia de coleiras antipulgas. Eles não têm cachorro.

Isso fez Finn rir, como ela esperava.

— Recebi a gravação que você enviou. Passou de mão em mão no começo, por isso demorou para chegar. A equipe e eu assistimos. Você estava ótima.

— Eu me senti bem. Outros dois canais de Indiana vão transmitir o programa. À noitinha. Vamos competir com uma novela famosa, mas quem sabe!

— Agora me diga que está sentindo minha falta.

Ela não respondeu de imediato e se viu enrolando o fio telefônico na mão.

— Eu acho que estou. De vez em quando.

— E agora?

— Estou.

— Quando eu voltar, eu quero que você vá comigo à minha cabana.

— Finn...

— Eu quero ensiná-la a pescar.

— Oh! — Um sorriso abriu-se em seus lábios. — Sério?

— Eu não acho que deveria levar a sério uma mulher que não consegue diferenciar uma ponta da vara da outra. Lembre-se disso. Farei contato.

— Está certo. Finn?

— Hmmm?

Ela podia ver que ele estava quase dormindo.

— Eu, ah, lhe enviarei outra fita.

— Tudo bem. Até mais.

Finn conseguiu pôr o telefone no gancho antes de começar a roncar.

♦♦♦♦

𝒜s REPORTAGENS continuaram a chegar. A intensificação das hostilidades, as negociações para a libertação dos reféns que, segundo o temor de muitos, seriam usados como escudos humanos. A reunião de cúpula em Paris e a visita do presidente às tropas norte-americanas por ocasião do dia de Ação de Graças. Quase no fim de novembro, as Nações Unidas votaram a resolução 678. O uso da força para expulsar o Iraque do Kuwait foi aprovado, e o prazo dado a Saddam foi 15 de janeiro.

Os civis nos Estados Unidos começaram a usar fitas amarelas na ponta da antena dos carros e no corrimão das varandas. Era um misto de azevinhos e heras, uma vez que os Estados Unidos se preparavam para o Natal e para a guerra.

— Este artigo sobre brinquedos não só mostrará o que é interessante para as crianças no Natal, mas também o que é seguro. — Erguendo os olhos voltados para suas notas, Deanna estreitou-os ao olhar para Fran. — Você está bem?

— Claro. — Com uma careta, Fran mexeu-se com sua barriga agora considerável. — Para alguém com a sensação de ter um caminhãozinho sentado em sua bexiga, eu estou ótima.

— Você deveria ir para casa, pôr os pés para cima. O bebê está para chegar em menos de dois meses.

— Eu ficaria louca em casa. Além disso, é você que deve estar exausta depois de passar a metade da noite em um jantar dançante de caridade.

— Faz parte do trabalho — disse Deanna, distraída. — E, como mostrou Loren, fiz vários contatos e apareci na imprensa.

— Mmm. E quase cinco horas de sono. — Fran mexia em um coelho de brinquedo que movia as orelhas e chiava quando ela apertava sua barriga. — Você acha que o Big Ed gostaria deste?

Com a sobrancelha erguida, Deanna examinou a barriga de Fran, onde o Big Ed, como o bebê era chamado, parecia crescer com uma rapidez surpreendente.

— Você já tem duas dúzias de bichos de pelúcia no quartinho do bebê.

— Você começou com aquele ursinho de pelúcia de meio metro. — Deixando o coelhinho de lado, Fran escolheu, entre os brinquedos espalhados pelo chão do escritório, um boneco com uniforme de guerra ao estilo Falcon. — Por que eles sempre querem brincar com soldados?

— Essa é uma das perguntas que faremos ao nosso especialista. Teve notícias de Dave?

Fran tentou não se preocupar com seu quase irmão, um oficial da Guarda Nacional que estava no Golfo.

— Sim. Ele recebeu a caixa que enviamos. As revistas em quadrinhos fizeram sucesso. Nossa! — Com um som entre uma arfada e uma risada, ela apertou a mão no estômago. — O Big Ed acabou de pedir uma pelo correio.

— Richard vai mesmo comprar um capacete dos Bears para o bebê?

— Já comprou. O que me faz lembrar que não posso esquecer de colocarmos a questão da formação do gênero neste bloco. Como a sociedade e os pais dão continuidade a estereótipos ao comprarem esse tipo de brinquedo para os filhos — fez sinal para o soldado — e este tipo de brinquedo para as filhas — disse ela cutucando um fogãozinho com os pés.

— Sapatilhas para as meninas e chuteiras para os meninos.

— O que leva as meninas a balançarem pompons nas laterais do campo enquanto os meninos marcam gols.

— O que — continuou Deanna — leva os homens a tomarem decisões corporativas enquanto as mulheres servem café.

— Deus do céu, vou estragar esta criança? — Fran levantou-se da cadeira. O fato de andar como uma pata a deixava nervosa, movendo-se de forma engraçada e graciosa. — Eu não deveria ter feito isso. Deveríamos ter praticado com um cachorrinho primeiro. Vou ser responsável por outro ser humano e nem comecei a fazer uma poupança para ele.

Ao longo das últimas semanas, Deanna havia se acostumado com os ataques de nervos de Fran. Ela se encostava na cadeira e sorria.

— São os hormônios de novo?

— Com certeza. Vou procurar Simon e ver como foram os índices de audiência da semana passada, e fingir que sou um ser humano normal e em perfeito juízo.

— Depois vá para casa — insistiu Deanna. — Coma um pacote de bolachas e veja um filme antigo na TV a cabo.

— Está bem. Vou pedir para Jeff vir pegar os brinquedos e levá-los para o estúdio.

Sozinha, Deanna reclinou o corpo e fechou os olhos. Não era só Fran que estava irritada nesses dias. Toda a equipe estava nervosa. Em seis semanas, a Delacort renovaria o contrato com o programa *A Hora de Deanna* ou todos eles estariam desempregados.

Os índices de audiência aumentavam lentamente, mas isso era suficiente? Ela sabia que estava investindo no programa tudo o que tinha, e tudo o que podia aproveitar das relações públicas e eventos da imprensa com os quais Loren insistia. Mas isso bastaria?

O período de experiência estava quase no fim, e se a Delacort decidisse encerrar o contrato com eles...

Inquieta, ela se levantou e se virou de frente para a janela. Ficou imaginando se Angela já havia parado ali, preocupada, agoniada com algo tão básico como um único ponto de audiência. Ela havia sentido sobre os ombros o peso da responsabilidade pelo programa, pela equipe, pelos anunciantes? Por isso ela se tornou uma mulher tão difícil?

Deanna girou os ombros tensos. Se o programa fosse cortado, não só seria o fim de sua carreira, pensou ela. Outras seis pessoas haviam investido seu tempo e energia e, sim, seu ego. Outras seis pessoas que tinham famílias, hipotecas, prestações de carro, contas com o dentista.

— Deanna?

— Sim, Jeff. Precisamos levar esses brinquedos lá para baixo... — Ficou muda ao se virar e ver um abeto de plástico com mais de dois metros de altura. — De onde você tirou isso?

— Eu, ah, o liberei do almoxarifado. — Jeff saiu de detrás da árvore. Seu rosto estava corado por causa do nervosismo e do esforço. Seus óculos escorregaram lentamente para a ponta de seu nariz. Sua criancice encantava. — Achei que você pudesse gostar.

Rindo, ela examinou a árvore. Era muito patética com seus galhos de plástico tortos e a cor verde berrante que não a faria se passar por natural de modo algum. Ela olhou para Jeff, que estava com um sorriso largo no rosto, e riu novamente.

— É exatamente o que eu preciso. Vamos colocá-la em frente à janela.

— Ela parecia um pouco solitária lá embaixo. — Jeff colocou-a com cuidado no centro da ampla vidraça. — Pensei que com alguns enfeites...

— Ótimo.

Ele deu de ombros.

— Tem coisa neste prédio que ninguém usa ou vê há anos. Com algumas luzes, algumas bolas, ela vai ficar linda.

— E muitas fitas amarelas — disse Deanna, pensando em Finn. — Obrigada, Jeff.

— Tudo vai ficar bem, Deanna. — Ele pôs a mão no ombro dela e o apertou rápida e timidamente. — Não se preocupe tanto.

— Você tem razão. — Ela pressionou a mão em cima da dele. — Toda a razão. Vamos chamar o restante da equipe aqui e decorar essa árvore.

♦ ♦ ♦ ♦

Deanna trabalhou durante as férias com a árvore de plástico reluzindo atrás dela. Ao conciliar compromissos e trabalhar dezoito horas diárias durante três dias, arrumou tempo para fazer uma viagem frenética de 24 horas à sua casa para passar o Natal. Voltou no último avião para o frio terrível de Chicago no primeiro dia útil depois do feriado.

Sobrecarregada com a bagagem, os presentes e as latas de biscoitos que havia trazido de Topeka, ela destrancou a porta de seu apartamento. A primeira coisa que viu foi o envelope branco sobre o capacho do lado de dentro do apartamento. Ansiosa, deixou as bolsas de lado. Não lhe causou surpresa encontrar uma única folha de papel dentro do envelope nem ver as palavras vermelhas em negrito.

Feliz Natal, Deanna.
Adoro ver você todos os dias.
Adoro ver você.
Eu amo você.

Estranho, pensou ela, mas inofensivo, considerando algumas das cartas esquisitas que vinha recebendo desde agosto. Pôs o bilhete no bolso e mal havia virado a chave na fechadura quando ouviu uma batida do outro lado da porta. Tirou o gorro de lã com uma das mãos e abriu a porta com a outra.

— Marshall.

Ele tinha o casaco da Burberry bem-dobrado sobre o braço.

— Deanna, isso já não foi longe demais? Você não retorna nenhuma de minhas ligações.

— Não há nada que conversar. Marshall, faz um minuto que cheguei à cidade. Eu estou cansada, com fome e não estou a fim de ter uma discussão civilizada.

— Se eu pude engolir meu orgulho a ponto de vir aqui, o mínimo que você poderia fazer era me convidar para entrar.

— Seu orgulho? — Deanna percebeu que estava ficando irritada. Um mau sinal, sabia ela, quando apenas algumas palavras haviam sido trocadas. — Tudo bem. Entre.

Ele deu uma olhada para as bolsas de Deanna ao passar pela porta.

— Foi passar o Natal em sua casa?

— Isso.

Ele pôs o casaco no encosto de uma cadeira.

— E sua família está bem?

— Muito bem, Marshall, e eu não estou a fim de conversa fiada. Se você tem alguma coisa para dizer, diga.

— Não acho que seja algo que possamos resolver antes de nos sentarmos e conversarmos. — Ele fez sinal para o sofá. — Por favor.

Ela tirou o casaco e, em vez de se sentar no sofá, pegou uma cadeira. Juntou as mãos sobre o colo e esperou.

— O fato de você ainda estar nervosa comigo prova que existe um investimento emocional entre nós. — Ele se sentou, apoiando as mãos nos joelhos. — Percebi que a tentativa de resolver as coisas logo depois do incidente foi um erro.

— Incidente? É assim que estamos chamando o que aconteceu?

— Porque — continuou ele, calmamente — as emoções dos dois lados estavam à flor da pele, dificultando concessões e a expressão de sentimentos de forma construtiva.

— Eu raramente desabafo de forma construtiva. — Ela sorriu nesse momento, mas seus olhos estavam furiosos. — Não acho que nos conhecemos bem o suficiente para você perceber que, sob certas circunstâncias, tenho um temperamento terrível.

— Entendo. — Ele estava contente, muito contente porque eles estavam se comunicando novamente. — Olhe, Deanna, eu acho que parte de nossas dificuldades resultou do fato de não nos conhecermos tão bem quanto deveríamos. Dividimos a culpa nesse sentido, mas é uma inclinação muito humana e muito natural mostrarmos apenas nosso melhor lado quando estamos desenvolvendo um relacionamento.

Ela teve de respirar fundo, teve de se policiar para permanecer sentada quando o que queria fazer era se levantar de um salto e dar-lhe alguns tapas.

— Você quer dividir a culpa por isso, tudo bem, principalmente porque não tenho intenção alguma de seguir adiante com você.

— Deanna. Se você for sincera, reconhecerá que estávamos criando algo especial entre nós. — Como um bom terapeuta, manteve os olhos fixos nos dela, sua voz meiga e suave. — Uma mistura de intelectos, de gostos.

— Ah, eu acho que nossa mistura de intelectos e de gostos acabou quando entrei naquele escritório e peguei você e Angela agarrados um ao outro. Diga-me, Marshall, você estava com os folhetos da viagem que estávamos pensando em fazer para o Havaí no bolso da jaqueta naquela hora?

Marshall ficou vermelho.

— Já pedi desculpas várias vezes por aquele deslize.

— Agora é um deslize. Antes era um incidente. Deixe-me dizer que termo uso para isso, Marshall. Eu o chamo de traição, a traição de duas pessoas que eu admirava e considerava. Intencional por parte de Angela e patética de sua parte.

O músculo na mandíbula de Marshall começou a se contrair.

— Você e eu não estávamos totalmente comprometidos um com o outro, nem no sentido sexual nem no emocional.

— Está me dizendo que, se eu tivesse ido para a cama com você, isso não teria acontecido? Não estou acreditando. — Ela se pôs em pé. — Não vou dividir a culpa por isso, colega. Foi você que pensou com a cabeça de baixo. Então, siga meu conselho, doutor, e saia de minha casa. Eu quero que fique longe de mim. Não quero você aqui batendo em minha porta. Eu não quero ouvir sua voz pelo telefone. E não quero receber mais nenhuma ligação sua no meio da noite na qual você nem sequer tem a coragem de falar.

Ele se levantou de forma tensa.

— Eu não sei do que você está falando.

— Não sabe? — O rosto de Deanna estava ardendo.

— Eu só sei que quero acertar as coisas com você. Não fechei os olhos durante esses meses, desde que você me cortou de sua vida, Deanna. Eu sei que você é a única mulher que pode me fazer feliz.

— Então você corre o sério risco de ser infeliz. Não estou disponível nem interessada.

— Há outra pessoa. — Ele deu um passo para a frente, agarrando os antebraços de Deanna antes que ela pudesse se afastar. — Você é capaz de falar de traição quando, com tanta indiferença e com tanta facilidade, me troca por outro?

— Sim, há outra pessoa, Marshall. Essa pessoa sou eu. Agora tire as mãos de mim.

— Deixe-me lembrá-la do que tínhamos — murmurou ele, puxando-a para si. — Deixe-me mostrar como poderia ter sido.

O velho medo voltou, fazendo-a tremer enquanto lutava para sair das garras de Marshall. Esforçando-se para respirar, ela se agarrou à cadeira. Encurralada, foi cruel.

— Você sabe qual seria um tema interessante para meu programa, Marshall? Que tal isto? Respeitados conselheiros familiares que assediam mulheres com quem saíram e seduzem meninas menores de idade. — Ela se abraçou com força quando ele perdeu a cor. — Sim, eu sei de tudo. Uma menina, Marshall? Você consegue imaginar como isso me revolta? A mulher com quem você estava saindo enquanto supostamente estávamos desenvolvendo nossa relação é pouca coisa comparada com isso. Angela enviou-me um pequeno pacote antes de ir para Nova York.

Gotas de suor frio apareceram na testa de Marshall.

— Você não tem o direito de expor minha vida pessoal.

— E não tenho intenção de fazer isso. A menos que você continue a me assediar. E se você continuar... — Ela abrandou a voz.

— Eu esperava de você algo melhor do que ameaça, Deanna.

— Bem, parece que você se enganou de novo. — Ela se dirigiu para a porta e abriu-a com força. — Agora, saia.

Abalado, ele pegou o casaco.

— Você me deve a cortesia de me dar as informações que tem.

— Eu não devo nada. E se você não sair por esta porta em cinco segundos, vou gritar tão alto que o telhado deste prédio vai balançar e fazer os vizinhos virem correndo.

— Você está cometendo um erro — disse ele enquanto ia para a porta. — Um grande erro.

— Boas férias — disse ela e, então, bateu a porta e a trancou com o ferrolho.

♦ ♦ ♦ ♦

— Ótimo programa, Deanna. — Marcie secava os olhos quando Deanna voltou para o camarim. — Foi maravilhoso reunir todas aquelas famílias de soldados que estão no Golfo. E aqueles vídeos feitos lá.

— Obrigada, Marcie. — Deanna aproximou-se do espelho iluminado e tirou os brincos. — Sabe, Marcie, é véspera de Ano-Novo.

— Estou sabendo.

— É aquele momento de dar adeus ao velho e saudar o novo. — Passando a mão nos cabelos, Deanna virou-se para o espelho, examinando de forma crítica seu perfil esquerdo, o direito e depois o rosto todo. — E, Marcie, minha amiga, estou me sentindo impulsiva.

— Ah, é? — Marcie parou de organizar o estojo de maquiagem para Bobby Marks. — Em que sentido? Para sair por aí e pegar homens estranhos em bares baratos?

— Eu não disse que estava louca. Eu disse que estava impulsiva. Quanto tempo você tem antes de Bobby chegar?

— Uns vinte minutos.

— Acho que dá. — Deanna girou a cadeira giratória, afastando-a do espelho. — Quero uma transformação.

Marcie quase se entregou ao desejo de esfregar as mãos.

— Você está falando sério?

— Muito sério. Tive uma cena desagradável com um ex-namorado há alguns dias. Não sei se terei um emprego, muito menos uma carreira, no mês que vem. É possível que eu esteja me apaixonando por um homem que passa mais tempo fora do que dentro do país e, em duas semanas, talvez estejamos em guerra. Hoje à noite, véspera de Ano-Novo, não estarei com o homem por quem eu acho que estou me apaixonando, mas em uma festa cheia de gente que não conheço bem, porque isso agora faz parte de meu trabalho. Por isso estou me sentindo impulsiva, Marcie, impulsiva o suficiente para fazer algo drástico.

Marcie prendeu o avental que batia no joelho em volta do pescoço de Deanna.

— Talvez seja melhor você definir "drástico" antes de eu começar.

— Não. — Deanna respirou fundo e soltou o ar lentamente. — Eu não quero saber. Surpreenda-me.

— Entendi. — Marcie pegou o spray e molhou os cabelos de Deanna. — Sabe, já faz semanas que quero fazer isso.

— Sua chance é agora. Transforme-me em uma nova mulher.

Deanna começou a sentir um frio na barriga enquanto Marcie cortava seus cabelos. E cortava. Com o coração apertado, Deanna via os cachos de cabelos escuros caírem aos seus pés no chão ladrilhado.

— Você sabe o que está fazendo, não sabe?

— Confie em mim — disse-lhe Marcie enquanto cortava mais um pouco. — Você vai ficar maravilhosa. Diferente.

— Ah, diferente? — Desconfiada, Deanna tentou se virar de frente para o espelho.

— Nada de espiar. — Marcie pôs com firmeza uma das mãos no ombro dela. — É como entrar em uma piscina gelada — explicou. — Se você tentar se molhar aos poucos, a experiência é triste e terrível. E, às vezes, você perde a coragem e acaba saindo antes de chegar ao fundo. Se entrar de uma vez, sente aquele choque no início e depois gosta de estar lá dentro. — Ela apertou os lábios enquanto manuseava a tesoura. — Sabe, talvez seja mais como perder a virgindade.

— Meu Deus!

Marcie ergueu os olhos e sorriu para o chef titular dos programas culinários da CBC.

— Oi, Bobby. Estou quase acabando aqui.

— Meu Deus! — repetiu ele e se aproximou para encarar Deanna. — O que você fez, Dee?

— Eu queria uma transformação. — Sua voz era fraca enquanto ela levava uma das mãos aos cabelos. Marcie afastou-a.

— Uma piscina gelada — disse ela, ameaçadoramente.

— Está certo, é uma transformação. — Bobby deu um passo para trás e fez que não com a cabeça. — Ei, posso ficar com um pouco deste cabelo? — Inclinando-se, pegou um punhado. — Posso mandar fazer uma peruca com ele. Meu Deus! Eu poderia ter meia dúzia.

— Deus do céu, o que eu fiz? — Deanna apertou bem os olhos.

— Dee? Por que você está demorando? Precisamos... oh, meu Deus! — Fran parou à porta com uma das mãos cobrindo a boca aberta e a outra na barriga.

— Fran. — Desesperada, Deanna estendeu a mão. — Fran. Fran, acho que tive um colapso nervoso. É véspera de Ano-Novo — balbuciou. — Bobby fará perucas. Eu acho que toda a minha vida está passando diante de meus olhos.

— Você cortou o cabelo — conseguiu falar Fran depois de um minuto. — Cortou mesmo.

— Mas vai crescer, certo? — Deanna apanhou uma mecha de cabelos que havia caído em seu avental. — Certo?

— Daqui a cinco ou dez anos — previu Bobby com entusiasmo e pôs algumas das mechas tosadas de Deanna no alto da careca. — Não rápido o bastante para cumprir a cláusula que imagino que você tenha em seu contrato restringindo mudanças na aparência.

— Meu Deus! — O rosto já pálido de Deanna ficou branco como cera. — Eu esqueci. Eu nem pensei nisso. Fiquei um pouco louca.

— Não se esqueça de falar para seu advogado usar essa desculpa com a Delacort — sugeriu Bobby.

— Eles vão adorar — disse Marcie, fechando a cara. — Ela mesma verá daqui a um minuto. — Marcie afofou e penteou os cabelos de Deanna. Insatisfeita, pôs um pouquinho de gel e depois o modelou com a concentração de quem talha diamantes. — Agora respire fundo e prenda o ar — avisou Marcie, abrindo o avental. — E só diga alguma coisa depois de dar uma boa olhada.

Ninguém falou enquanto Marcie virava Deanna lentamente de frente para o espelho. Deanna olhou para sua imagem, os lábios abertos de espanto, os olhos arregalados. No lugar da cabeleira longa havia um cabelo brilhoso e curto com uma bela franja. Deslumbrada, ela viu a mulher no espelho levantar uma das mãos e tocar a ponta dos cabelos na nuca.

— Acompanha o formato de seu rosto — disse Marcie, nervosa, uma vez que Deanna só continuou com os olhos fixos no espelho. — E ressalta seus olhos e sobrancelhas. Você tem essas sobrancelhas escuras com esse maravilhoso arco natural. Seus olhos têm um pouco de força e a forma de amêndoas, mas se perdiam com todo aquele cabelo.

— Eu... — Deanna soltou um suspiro e voltou a respirar. — Amei.

— Gostou? — Dobrando os joelhos em sinal de alívio, Marcie se jogou no chão ao lado da cadeira de Deanna. — Mesmo?

Deanna observava seu próprio sorriso surgir.

— Amei. Você faz ideia de quantas horas por semana tenho de dedicar aos meus cabelos? Por que não pensei nisso antes? — Ela apanhou um espelho de mão para ver a parte de trás. — Isso vai me poupar quase oito horas por semana, um dia inteiro de trabalho. — Pegou os brincos que havia tirado e os colocou nas orelhas. — O que você acha? — perguntou a Fran.

— Deixando de lado suas prioridades quanto a poupar tempo, você está incrível. A garota estilosa.

— Bobby?

— Está sensual. A mistura de uma amazona e uma fada. E tenho certeza de que a Delacort não se importará em gravar novamente todos os vídeos promocionais.

— Oh, meu Deus! — Quando se deu conta disso, Deanna virou-se para Fran. — Oh, meu Deus!

— Não se preocupe. Loren ficará deslumbrado com você hoje à noite. Depois nos preocupamos com o próximo programa.

— Melancolia após as festas?

— Com certeza. — Pensando freneticamente, Fran mordia a boca. — Ah, algo tão simples e fútil como um novo corte de cabelo pode lhe dar aquela levantada rápida depois do fim da festa.

— Eu acredito — concluiu Bobby. — Agora, se as senhoras não se importarem, preciso fazer minha maquiagem. Tenho uma truta para preparar.

♦ ♦ ♦ ♦

Às primeiras luzes do novo ano, com um vídeo do programa *A Hora de Deanna* passando na televisão, uma figura solitária perambulava por uma sala escura e pequena. Sobre a mesa onde reluziam fotos emolduradas de Deanna havia um novo tesouro: um cacho largo de cabelos escuros enrolados em um cordão dourado.

Era suave ao toque como a seda. Depois de uma última carícia, os dedos se afastaram para pegar o telefone. Discavam um número lentamente, para que a alegria pudesse se prolongar. Instantes depois, a voz de Deanna surgiu do outro lado da linha, sonolenta, um pouco apreensiva, trazendo com ela uma sensação maravilhosa de prazer que durou até muito tempo depois de o telefone ser desligado.

# Capítulo Treze
♦ ♦ ♦ ♦

Passava das duas da manhã em Bagdá quando Finn revisava suas anotações para a transmissão ao vivo das *Notícias da Tarde* da CBC. Ele se sentou na única cadeira que não estava tomada por pilhas de fitas ou cabos, alisando uma camisa nova enquanto sua mente transformava ideias e observações em uma reportagem.

Desligou-se do que acontecia à sua volta: os barulhos dos preparativos, o cheiro de comida fria e as conversas.

Sua equipe estava espalhada pela suíte, checando equipamentos e contando piadas. O senso de humor, principalmente se fosse negro, ajudava a aliviar a tensão. Nos últimos dois dias, eles haviam estocado comida e garrafas de água.

Era 16 de janeiro.

— Talvez devêssemos amarrar alguns lençóis — sugeriu Curt. — Pendurá-los do lado de fora da janela como uma grande bandeira branca.

— Não. Vamos colocar meu boné dos Bears. — O engenheiro bateu de leve com um dedo na aba do boné. — Que macho norte-americano vai bombardear um fã de futebol?

— Ouvi dizer que o Pentágono ordenou que atacassem os hotéis primeiro. — Finn tirou os olhos de suas anotações e deu risada. — Você sabe o quanto Cheney está farto da imprensa. — Finn pegou o telefone que o conectava com Chicago e ouviu a conversa que acontecia na mesa de notícias durante os comerciais. — Ei, Martin. Como os Bulls se saíram na noite passada? — Enquanto falava, ele se movia em frente da janela para que Curt pudesse fazer um teste de vídeo dele em contraste com o céu noturno. — Sim, tudo tranquilo por aqui. Nervos à flor da pele, e o sentimento antiamericano também.

Quando o diretor apareceu, Finn fez que sim com a cabeça. — Entendido. Eles vão começar a transmissão — disse ele a Curt enquanto saía para a sacada. — Vamos entrar no próximo bloco. Em quatro minutos.

— Traga as luzes — pediu Curt. — Tenho uma sombra ruim aqui.

Antes que alguém pudesse se mover, houve um estrondo ao longe.

— Que diabo foi isso? — O engenheiro ficou pálido e engoliu o chiclete que estava mascando. — Trovão? Foi um trovão?

— Ah, meu Deus! — Finn virou-se a tempo de ver o brilho de projéteis luminosos que atravessavam o céu noturno. — Martin. Você ainda está aí? Haversham? — Ligou para o diretor enquanto Curt voltava a câmera para o céu. — Temos explosões aqui. O ataque aéreo começou. Sim, tenho certeza. Coloque-me no ar, pelo amor de Deus. Coloque-me no ar, droga!

Ele ouviu os palavrões e gritos da sala de controle de Chicago e depois nada mais senão zumbidos estáticos.

— Perdemos o sinal. Droga! — Friamente, observou o espetáculo violento de luzes. Não lhe ocorreu no momento que uma daquelas luzes mortais poderia acertar o prédio. Tudo o que passava em sua cabeça era transmitir a história. — Continue gravando essa fita.

— Você não precisa dizer isso duas vezes. — Curt estava quase pendurado na grade. — Veja isso! — gritou com a voz firme, cheia de nervosismo e ansiedade. Sirenes no céu soavam mais alto que o estrondo das bombas. — Conseguimos um assento na primeira fila.

Frustrado, Finn tirou seu microfone para registrar os sons da batalha. — Coloque Chicago na linha de novo.

— Estou tentando. — O engenheiro mexia nos controles com as mãos trêmulas. — Estou tentando, droga!

Estreitando os olhos, Finn aproximou-se da grade da sacada e depois olhou para a câmera. Se não pudessem fazer a transmissão ao vivo, pelo menos teriam a gravação em vídeo.

— O céu noturno de Bagdá estourou às duas e trinta e cinco desta madrugada. Havia clarões e fogos de artilharia antiaérea. De vez em quando, surgem chamas no horizonte. — Ao virar-se, ele viu com pavor e uma incredulidade inerte o rasto de um projétil luminoso que vinha na altura dos olhos deles. A beleza fatal e misteriosa do projétil fez seu sangue bombear. Que visão! — Oh, meu Deus, você viu aquilo? Você registrou?

Ouviu o engenheiro praguejar algo em voz baixa quando o edifício estremeceu. Finn tirou os cabelos do rosto e gritou no microfone. — A cidade está sofrendo ataques aéreos. A espera acabou. Os ataques começaram.

Ele se virou novamente para o engenheiro.

— Algum sucesso aí?

— Não. — Mesmo estando sem cor, ele conseguiu dar um sorriso incerto. — Eu acho que nossos simpáticos anfitriões vão aparecer daqui a pouco para nos tirar daqui.

Nesse momento, Finn sorriu, um brilho rápido e indiferente, tão mortal quanto as balas das armas de fogo.

— Eles vão ter de nos achar primeiro.

◆ ◆ ◆ ◆

Enquanto Finn gravava sua reportagem de guerra, Deanna estava sentada, anestesiada pelo tédio, durante outro jantar interminável. As melodias de uma música monótona no piano atravessavam o salão de baile do hotel em Indianápolis. Além das conversas depois do jantar, do vinho comum e do frango pegajoso, ela só conseguia pensar na longa viagem de volta para Chicago.

Pelo menos, pensou ela de forma egoísta, não estaria sofrendo sozinha. Havia arrastado Jeff Hyatt com ela.

— Não está tão ruim assim — murmurou ele ao engolir um pedaço do frango. — Se você colocar bastante sal...

Ela lhe deu uma olhada quase tão insípida quanto a carne.

— É isso que eu adoro em você, Jeff. Sempre otimista. Vamos ver se vai conseguir sorrir quando souber que, depois de não termos comido isso, o gerente da estação, o chefe de vendas e dois de nossos anunciantes vão fazer um discurso.

Ele pensou por um instante e preferiu beber água ao vinho.

— Bom, poderia ser pior.

— Estou esperando.

— Poderíamos ficar presos aqui por causa da neve.

Ela estremeceu.

— Por favor, nem brinque com isso.

— Eu gosto dessas viagens, de verdade. — Com a cabeça abaixada, ele deu uma olhada para ela e depois novamente para o prato. — Percorrer a estação, conhecer todo mundo, ver as pessoas estendendo o tapete vermelho para você...

— Eu gosto dessa parte também. Passar tempo em uma das afiliadas e ver todo esse entusiasmo pelo programa. E a maioria das pessoas é ótima. — Ela suspirou e brincou com o bloco de arroz ao lado do frango em seu prato. Só estava cansada, pensou ela. Sempre teve ânimo de sobra, mas, naquele momento, parecia que sua energia estava acabando. Todas aquelas exigências sobre o seu tempo, sua cabeça, seu corpo...

Ela havia descoberto que celebridade não era só glamour e limusines. Para todo privilégio havia um preço. Para todo rico e famoso com quem ela se deparasse havia meia dúzia de jantares de negócios ou reuniões até de madrugada. Para toda capa de revista, planos sociais cancelados. Conduzir um programa diário não significava simplesmente ter uma boa presença diante das câmeras e talento para fazer entrevistas. Significava estar à disposição 24 horas por dia.

Você conseguiu o que queria, Dee, lembrou a si mesma. Agora pare de choramingar e mãos à obra. Com um sorriso determinado, Deanna se virou para o homem ao seu lado. Fred Banks, lembrou-se ela, era dono da estação, apaixonado por golfe e um menino da cidade.

— Não dá para dizer o quanto gostei de ver hoje como sua emissora funciona — começou ela. — Você tem uma equipe maravilhosa.

Ele se estufou de orgulho.

— Eu gosto de pensar que é assim. Somos a número dois no momento, mas queremos ser a número um daqui a um ano. Seu programa vai nos ajudar a chegar lá.

— Espero que sim. — Ela ignorou a pontada de tensão no estômago. Já estava quase completando seus seis meses na emissora. — Ouvi dizer que você nasceu aqui em Indianápolis.

— Isso mesmo. Nasci e fui criado aqui.

Enquanto ele descrevia os encantos de sua cidade natal, Deanna fazia comentários adequados e examinava a sala com os olhos. Todas as mesas estavam ocupadas por pessoas que, de algum modo, dependiam dela para ter sucesso. E não bastava fazer um bom programa. Ela havia feito isso naquela manhã, pensou. Quase dez horas antes, sem contar o tempo gasto com maquiagem, cabelo, guarda-roupa e pré-produção. Depois houve uma entrevista, uma reunião da equipe, ligações telefônicas para retornar, correspondências para ler.

Na correspondência havia outra carta estranha de alguém que ela estava começando a considerar seu fã mais persistente.

*Você parece um anjo sexy com os cabelos curtos.*
*Adoro sua aparência.*
*Eu amo você.*

Ela guardou o bilhete no bolso e respondeu a outras três dezenas. Tudo isso antes de entrar em um avião com Jeff para ir a Indianápolis e à afiliada, as reuniões e apertos de mão com a equipe local, o almoço de negócios, a posição no noticiário e agora esse banquete interminável.

Não, um bom programa não era suficiente. Deanna tinha de ser diplomata, embaixadora, chefe, parceira comercial e celebridade. E tinha de cumprir todos esses papéis corretamente enquanto fingia não estar sozinha ou preocupada com Finn nem sentir falta daquelas horas tranquilas em que podia se encolher em um sofá para ler um livro por prazer, em vez de ler um livro porque teria uma entrevista com o autor.

Era isso que ela queria, disse para si mesma, e sorriu para o garçom enquanto ele servia a sobremesa de pêssego.

— Você pode dormir no avião na volta para casa — sussurrou Jeff no ouvido dela.

— Dá para perceber?

— Só um pouco.

Ela pediu licença e se levantou da mesa. Se não podia dar um jeito no cansaço, pelo menos podia dar um jeito nos sinais dele.

Ela estava quase à porta quando ouviu alguém dar tapinhas no microfone na plataforma. Automaticamente, olhou para trás e viu Fred Banks em pé debaixo das luzes.

— Peço a atenção de vocês. Acabei de receber a notícia de que Bagdá está sendo atacada pelas forças das Nações Unidas.

Deanna sentiu um zunido nos ouvidos. Vagamente ouviu o nível do ruído aumentar no salão de baile, como o mar em maré alta. Em algum lugar perto dela, um garçom levantou o punho em sinal de triunfo.

— Espero que acabem com aqueles desgraçados.

Devagar, com todo o cansaço desaparecendo, ela voltou à mesa. Tinha um trabalho para terminar.

♦ ♦ ♦ ♦

Sentado no chão de um quarto de hotel, Finn estava com o laptop nos joelhos. Escrevia um artigo com toda a velocidade que seus dedos lhe permitiam. Estava quase amanhecendo agora, e, embora estivesse com os olhos irritados, ele não se sentia cansado. Lá fora, o tiroteio continuava. Ali dentro começava um jogo de gato e rato.

Durante as últimas três horas, eles haviam se mudado duas vezes, arrastando equipamentos e mantimentos. Enquanto soldados iraquianos percorriam o prédio, levando hóspedes e equipes internacionais de notícias para o subsolo do hotel, Finn e sua equipe passavam de um quarto para outro. A trama bem-sucedida fazia o sangue de Finn bombear.

Enquanto ele assumia seu turno como sentinela, seus dois companheiros se esparramaram na cama e pegaram no sono.

Satisfeito com o artigo que havia escrito até aquele momento, Finn desligou o computador. Levantou-se, esticou as costas, girou o pescoço e ficou pensando saudosamente no café da manhã: panquecas com mirtilos e litros de café quente. Contentou-se com um punhado de frutas secas de Curt e, em seguida, levantou a câmera.

Da janela, registrou as últimas imagens do primeiro dia de guerra, os clarões de mísseis teleguiados e bombas inteligentes, as faixas deixadas por projéteis luminosos. Ficou imaginando a devastação que veriam quando amanhecesse, e quantas coisas teriam para filmar.

— Vou ter de denunciá-lo ao sindicato, colega.

Finn abaixou a câmera e olhou para Curt. O cinegrafista estava em pé ao lado da cama, esfregando os olhos cansados.

— Você só está irritado porque eu sei manejar esta belezinha aqui tão bem quanto você.

— Droga! — Desafiado, Curt aproximou-se para tomar a câmera de Finn. — Você não pode fazer nada a não ser parecer bonitão no vídeo.

— Então, se prepare para provar isso. Tenho um artigo para ler.

— O chefe é você. — Ele começou a mexer na câmera em silêncio enquanto as bombas explodiam. — Vamos dar um jeito de sair daqui?

— Tenho alguns contatos em Bagdá. — Finn observava os fogos que saltavam no horizonte. — Quem sabe?

♦♦♦♦

No momento em que o último discurso depois do jantar chegou ao fim, a última mão foi apertada, o último beijo no rosto foi dado, Deanna seguiu em direção a um telefone. Enquanto ela ligava para Fran e Richard, Jeff usava o telefone ao lado dela para entrar em contato com a sala de redação de Chicago.

— O quê? — resmungou Richard. — O que aconteceu?

— Richard? Richard, aqui é Deanna. Estou a caminho do aeroporto de Indianápolis. Fiquei sabendo do ataque aéreo e...

— Sim, é verdade. Nós ouvimos também. Mas estamos no meio de uma pequena crise particular aqui. Fran está tendo contrações. Estamos saindo para o hospital.

— Agora? — Com a sensação de que teria um troço, Deanna apertou com força os dedos na têmpora. — Achei que faltavam dez dias.

— Diga isso ao Big Ed. Respire, Fran, não se esqueça de respirar.

— Escute, não vou segurar vocês. Só me diga se ela está bem.

— Ela acabou de comer metade de uma pizza. Foi por isso que ela não me disse que estava tendo contrações. Ela já entrou em contato com Bach. Parece que cancelaram seu programa de amanhã... Não, droga, você não vai falar com ela, Fran. Você tem de respirar.

— Estarei aí o mais rápido possível. Diga a ela... Oh, meu Deus, só diga que estarei aí.

— Estou contando com isso. Ei, vamos ter um bebê! Até mais.

Com o som intermitente da linha no ouvido, Deanna apoiou a testa na parede.

— Que dia!

— Finn Riley noticiou o ataque aéreo.

— O quê? — Alerta novamente, ela se virou para Jeff. — Finn? Então ele está bem?

— Ele estava falando ao telefone com o estúdio quando aconteceu o ataque. Ele conseguiu transmitir cinco segundos de imagens antes de perder o contato.

— Então não sabemos — disse ela devagar.

— Ei, ele já passou por coisas assim antes, certo? — Hesitante, Jeff pôs o braço em volta dos ombros de Deanna enquanto a conduzia ao carro à espera dos dois.

— Sim, é claro. É claro que ele já passou.

— E olhe para a situação desta maneira: estamos saindo daqui pelo menos uma hora antes do previsto, porque todos querem chegar em casa e ligar a televisão.

Ela quase riu.

— Você me faz bem, Jeff.

Ele sorriu para ela.

— Digo o mesmo.

♦ ♦ ♦ ♦

Eram seis horas quando Deanna finalmente abriu a porta de seu apartamento e entrou, cambaleando. Fazia 24 horas que estava acordada, e ela estava extremamente cansada. Mas, se lembrou, havia cumprido suas obrigações profissionais e visto sua afilhada nascer.

Aubrey Deanna Myers, pensou ela, e sorriu exausta enquanto seguia para o quarto. Um milagre de cabelos ruivos que pesava 3,60 quilos. Depois de ver aquela vida tão bela vir ao mundo, era difícil acreditar que havia uma guerra acontecendo do outro lado do planeta.

Mas, enquanto tirava a roupa, indescritivelmente agradecida por ter tido o programa cancelado naquela manhã, ela ligou a televisão e trouxe aquela guerra para dentro de sua casa.

Que horas eram em Bagdá?, ela se perguntou, mas sua mente simplesmente não conseguia fazer os cálculos. Cansada, sentou-se na beira da cama só de calcinha e sutiã e tentou se concentrar nas imagens e notícias.

— Cuidado, seu maluco.

Foi a última coisa que pensou ao deitar-se na colcha e cair no sono.

♦ ♦ ♦ ♦

Tarde, durante a segunda noite da Guerra do Golfo, Finn instalou-se em uma base saudita. Ele estava cansado, com fome e com vontade de tomar um banho. Podia ouvir o rugido de jatos decolando do aeroporto em direção ao Iraque. Saiba que outras equipes de notícias estariam transmitindo notícias.

Finn estava com um humor terrível. Como consequência das restrições do Pentágono à imprensa, ele teria de esperar sua vez para viajar ao front, e aí só poderia ir aonde os oficiais do exército lhe instruíssem. Pela primeira vez desde a 2.ª Guerra Mundial, todas as notícias estariam sujeitas à censura.

Era uma das poucas palavras que Finn considerava uma obscenidade.

— Você não quer um tempo para fazer a barba desse rosto bonito?

— Vá se ferrar, Curt. Vamos entrar no ar em dez segundos. — Ele ouviu a contagem regressiva no ponto em seu ouvido. — Nas horas que antecedem o nascer do sol do segundo dia da operação Tempestade do Deserto... — começou ele.

♦ ♦ ♦ ♦

Em seu sofá em Chicago, Deanna inclinou-se para a frente e examinou a imagem de Finn na tela. Cansado, pensou ela. Ele parecia muito cansado. Mas forte e preparado. E vivo.

Ela fez um brinde a ele com seu refrigerante diet enquanto comia o sanduíche de pasta de amendoim que havia feito para o jantar.

Queria saber o que ele estava pensando, o que estava sentindo enquanto falava de incursões militares e estatísticas ou respondia às perguntas que o âncora de notícias fazia. O céu árabe estendia-se atrás dele e, de vez em quando, ele tinha de falar mais alto que o som das turbinas dos jatos.

— Que bom que você saiu a salvo de Bagdá, Finn. E ficaremos sintonizados à espera de outras notícias.

— Obrigado, Martin. Para a CBC, Finn Riley, na Arábia Saudita.

— Que bom ver você, Finn — murmurou Deanna, depois suspirou e se levantou para levar os pratos para a cozinha. Foi só quando passou pela secretária eletrônica que percebeu que a luz das mensagens piscava.

— Ah, droga, como fui esquecer?

Deixando os pratos de lado, apertou o botão "Rebobinar". Ela havia dormido um sono delicioso de seis horas e depois saído às pressas novamente. Uma parada no hospital, algumas horas no escritório, onde reinava o caos. Esse caos e as conversas sobre a guerra fizeram-na sair novamente com uma pilha grande de recortes e uma bolsa de correspondências. Havia trabalhado o restante da noite, ignorando o telefone. Sem checar suas mensagens.

O bebê e a guerra, sem dúvida, distraíam sua atenção, pensou ela enquanto apertava o botão "Play".

Havia uma ligação de sua mãe. Uma de Simon. Cuidadosamente, anotou as mensagens em um bloco. Havia duas ligações sem mensagens, cada uma com uma longa pausa antes de o telefone ser desligado.

— Kansas? — Deanna deixou o lápis cair quando a voz de Finn encheu o quarto. — Onde você está, droga? Devem ser cinco horas da manhã aí. Só tenho esta linha por um minuto. Saímos de Bagdá. Meu Deus, este lugar é uma loucura. Não sei quando vou poder ligar de novo, então me veja nos noticiários. Estarei pensando em você, Deanna. Meu Deus, é difícil pensar em outra coisa. Compre um par de camisas de flanela, está bem? E um par de galochas. Pode esfriar na cabana. Escreve, está bem? Envie uma fita, um sinal de fumaça. E me diga por que você não está atendendo ao telefone, droga. Até mais.

E ele desligou.

Deanna estava estendendo a mão para apertar o botão "Rebobinar" e ouvir a mensagem novamente quando a voz de Loren Bach apareceu.

— Pelo amor de Deus, como é difícil falar com você! Liguei para seu escritório e sua secretária disse que você estava no hospital. Levei o maior susto até que ela explicou que Fran estava tendo o bebê. Fiquei sabendo que é uma menina. Não sei por que você não está em casa ainda, droga, mas o negócio é o seguinte: a Delacort gostaria de renovar seu contrato por dois anos. Nosso pessoal entrará em contato com seu agente, mas eu queria ser o primeiro a lhe dar a notícia. Parabéns, Deanna.

Ela não saberia dizer por quê, mas se sentou no chão, cobriu o rosto com as mãos e chorou.

♦ ♦ ♦ ♦

*A*s coisas mudaram rapidamente nas cinco semanas seguintes, em casa e longe de casa. Com o novo contrato com a Delacort assinado e selado, Deanna viu seu orçamento e suas esperanças crescendo. Ela pôde aumentar sua equipe e mobiliar um escritório exclusivo para Fran quando ela voltasse da licença-maternidade.

O melhor de tudo era que os índices de audiência começavam a subir de forma lenta e constante durante as primeiras semanas do novo ano.

Deanna tinha dez cidades agora e, embora estivesse atrás do programa de Angela toda vez que os programas eram transmitidos no mesmo horário, a margem havia diminuído.

Para comemorar o sucesso, comprou um tapete com motivos suaves de Aubusson para colocar em sua sala no lugar do que havia comprado de segunda mão. Ele combinava perfeitamente com a mesa, pensou.

Em abril, ela sairia na capa da *Woman's Day*, teria um artigo de destaque na *People* e, pelos bons e velhos tempos, havia concordado em aparecer em um bloco do programa *Papo de Mulher*. O *Chicago Tribune* dedicou uma página dupla na edição de domingo, chamando-a de uma estrela em ascensão.

Ela recusou, com uma mistura de diversão e espanto, uma proposta para posar para a *Playboy*.

Quando a luz vermelha acendeu, Deanna estava sentada no set. Ela sorriu, entrando fácil e confortavelmente em milhares de casas.

— Você se lembra de seu primeiro amor? Aquele primeiro beijo que fez seu coração bater mais rápido? As longas conversas, os olhares secretos? — Ela suspirou e fez a plateia suspirar junto. — Hoje vamos reunir três casais que se lembram muito bem. Janet Hornesby tinha 16 anos quando teve seu primeiro romance. Isso foi há cinquenta anos, mas ela não se esqueceu do jovem que roubou seu coração naquela primavera.

A câmera começou a passar pelo painel, focalizando sorrisos eufóricos e nervosos enquanto Deanna continuava a falar.

— Robert Seinfield tinha só 18 anos quando deixou sua namorada do ensino médio e mudou-se com a família para um lugar a mais de três mil quilômetros de distância. Embora tenha se passado uma década, ele ainda pensa em Rose, a garota que lhe escreveu sua primeira carta de amor. E, há 23 anos, os planos de estudo e as pressões familiares separaram Theresa Jamison do homem com quem ela imaginava que iria se casar. Eu acho que nossos convidados de hoje estão se perguntando: O que teria acontecido se... Eu estou me perguntando. Vamos descobrir em instantes.

◆ ◆ ◆ ◆

— Meu Deus, que programa maravilhoso! — Fran, com Aubrey aconchegada ao seu torso, dirigiu-se para o set. — Acho que a sra. Hornesby e seu namorado talvez tenham uma segunda chance.

— O que você está fazendo aqui?

— Eu queria que Aubrey visse onde a mãe dela trabalha. — Envolvendo a bebê, ela olhou com saudades para o set. — Senti falta deste lugar.

— Fran, você acabou de ter um bebê.

— Sim, estou sabendo. Sabe, Dee, você deveria pensar em um programa para acompanhar as histórias. As pessoas adoram essas coisas sentimentais. Se um desses três casais ficar junto, você poderia fazer um programa de aniversário ou algo assim.

— Já pensei nisso. — Deanna deu um passo para trás com as mãos no quadril. — Bom — disse um minuto depois —, você parece ótima. De verdade.

— Eu me sinto bem. De verdade. Mas do mesmo jeito que adoro ser mãe, odeio ficar em casa. Preciso trabalhar ou sou capaz de fazer algo drástico. Como começar a bordar.

— Não podemos deixar que isso aconteça. Vamos subir e conversar.

— Eu quero dar um oi para a equipe, antes.

— Estarei lá em cima no escritório quando você acabar. — Sorrindo de forma convencida, Deanna seguiu em direção ao elevador. Ela havia ganhado a aposta de cinquenta dólares que havia feito com Richard. Ele tinha certeza de que Fran ficaria dois meses inteiros em casa. Enquanto subia ao 16º andar, ela olhou para o relógio e calculou o tempo. — Cassie — começou ela assim que pisou na recepção. — Veja se você consegue remarcar minha reunião de almoço para uma e meia.

— Sem problema. A propósito, o programa foi ótimo. Estão dizendo que os telefones não param de tocar.

— Nosso objetivo é agradar. — Com sua agenda em mente, Deanna caiu sentada atrás de sua mesa para examinar a correspondência que Cassie havia empilhado para ela. — Fran está lá embaixo. Ela subirá em alguns minutos... com a bebê.

— Ela trouxe a bebê? Ah, mal posso esperar para vê-la. — Ela parou, transtornada com a expressão no rosto de Deanna. — Algum problema?

— Problema? — Desnorteada, Deanna fez que não com a cabeça. — Eu não sei. Cassie, você sabe como isto veio parar aqui? — Ela levantou um envelope branco que trazia apenas seu nome.

— Já estava em sua mesa quando eu trouxe as outras correspondências. Por quê?

— Estranho. Venho recebendo esses bilhetes de vez em quando desde a última primavera. — Ela virou o papel para que Cassie pudesse lê-lo.

— "Deanna, você é tão bonita. Seus olhos sondam minha alma. Eu amarei você para sempre." — Cassie apertou os lábios. — Eu acho que é um elogio. E muito dócil comparado com algumas das cartas que você recebe. Você está preocupada com isso?

— Não estou preocupada. Talvez um pouco sem jeito. Não me parece muito saudável alguém enviar isso por tanto tempo.

— Você tem certeza de que todas são da mesma pessoa?

— É o mesmo tipo de envelope, o mesmo tipo de mensagem, o mesmo tipo de letras vermelhas. — Seu estômago embrulhou de agonia. — Talvez seja alguém que trabalha no prédio.

Alguém que ela via todos os dias. Alguém com quem falava. Alguém com quem trabalhava.

— Tem algum homem convidando você para sair ou se aproximando de você?

— O quê? Não. — Com esforço, Deanna espantou o clima sombrio e, então, deu de ombros. — É idiotice. Algo inofensivo — disse ela como se quisesse se convencer e, depois, espontaneamente, rasgou a folha ao meio e jogou-a no lixo. — Vamos ver o que podemos resolver antes do meio-dia, Cassie.

— Tudo bem. Por acaso você assistiu ao especial de Angela ontem à noite?

— Claro. — Deanna sorriu. — Você não achou que eu perderia o primeiro programa em horário nobre de minha concorrente mais durona, achou? Ela fez um belo trabalho.

— Nem todas as críticas acharam isso. — Cassie bateu de leve nos recortes sobre a mesa de Deanna. — A da *Times* foi impressionante.

Automaticamente, Deanna apanhou a pilha de recortes e leu a primeira crítica.

— "Pomposa e superficial" — estremeceu. — "Ela alternava sorrisos tontos e ataques verbais."

— Os índices de audiência também não foram o que eles esperavam — disse-lhe Cassie. — Não foram vergonhosos, mas também não foram fora de série. O *Post* diz que ela se engrandece.

— É justamente o estilo dela.

— Foi um pouco exagerado fazer aquele passeio por sua cobertura para a câmera e morrer de amores por Nova York. E havia mais tomadas dela do que de seus convidados. — Cassie deu de ombros e sorriu. — Eu contei.

— Eu acho que Angela terá dificuldade para aceitar isso. — Deanna deixou as críticas de lado novamente. — Mas ela vai se recuperar. — Ela lançou um olhar de advertência para Cassie. — Tive meus problemas com Angela, mas não desejo críticas caluniosas a ninguém.

— Eu também não. Eu só não quero que Angela magoe você.

— As balas que me atingem voltam — disse Deanna secamente. — Agora vamos esquecer Angela. Tenho certeza de que sou a última pessoa em quem ela pensaria nesta manhã.

♦ ♦ ♦ ♦

A EXPLOSÃO INICIAL de raiva de Angela com as críticas resultaram em uma chuva de jornais picados que cobriram o chão de seu escritório. Ela moía o papel de jornal no tapete cor-de-rosa enquanto andava.

— Esses canalhas não vão se safar depois de terem me atacado assim.

Dan Gardner, o novo produtor-executivo do programa de Angela, esperou prudentemente até que o pior da tormenta tivesse passado. Ele tinha 30 anos e a estrutura física de uma pessoa normal com um corpo compacto e musculoso. Seus cabelos castanhos com estilo conservador combinavam com o rosto de menino, acentuado por olhos azul-escuros e a covinha sutil no queixo.

Ele tinha uma mente astuta e um objetivo simples: chegar ao topo em qualquer veículo que pudesse levá-lo até lá o mais rápido possível.

— Angela, todo mundo sabe que as críticas são besteira. — Dan lhe serviu uma xícara de chá calmante. Foi uma pena, pensou ele, que a estratégia deles de não permitir prévias do primeiro programa tivesse falhado. — Esses imbecis sempre dão golpes baixos em quem está no topo.

E é justamente onde você está. — Ele lhe entregou uma xícara delicada de porcelana. — No topo.

— Estou mesmo. — O chá entornou no pires quando ela girou a xícara. Angela sabia que a fúria era melhor que as lágrimas. Ninguém, absolutamente ninguém, teria a satisfação de ver como ela estava magoada. Havia sentido tanto orgulho, exibindo sua casa nova, compartilhando sua vida com o público.

Eles chamaram isso de "sorrisos tontos".

— E os índices de audiência teriam provado isso — respondeu ela bruscamente — se não fosse essa maldita guerra. Os malditos espectadores não se cansam desse maldito tema. Dia e noite, noite e dia, somos bombardeados. Por que não fazemos este maldito país sumir do mapa e acabamos com tudo?

As lágrimas estavam por um fio, perigosamente por um fio. Elas as engoliu e bebeu o chá como se fosse um remédio.

Ela queria uma bebida.

— Não está nos prejudicando. Sua entrada no noticiário das seis tem aparecido em cinco redes. E os espectadores adoraram seu programa a distância na base Andrews da força aérea na semana passada.

— Bem, estou farta de tudo isso. — Ela jogou a xícara de chá contra a parede, fazendo cacos voarem e gotas borrifarem o papel de parede de seda. — E estou farta daquela putinha de Chicago tentando enfraquecer minha audiência.

— Ela é fogo de palha. — Dan não se impressionou com o ataque de nervos de Angela. Ele o esperava. Agora que havia passado, sabia que ela começaria a se acalmar. E, quando estivesse calma, ela teria necessidades.

Fazia meses que ele estava cuidando das necessidades de Angela.

— Dentro de um ano ela será notícia do passado, e você ainda será a melhor de todas.

Angela se sentou atrás de sua mesa, reclinou-se e fechou os olhos. Nada parecia sair como ela havia planejado quando montou sua produtora. Estava no comando, sim, mas havia tanta coisa para fazer. Tantas exigências, tantas maneiras de fracassar.

Mas ela não podia fracassar, pois jamais encararia isso. Acalmou-se, respirando lenta e demoradamente, como fazia quando tinha ataques de pânico antes de aparecer diante da plateia. Era muito mais produtivo, lembrou-se, concentrar-se no fracasso de outra pessoa.

— Tem razão. Uma vez que Deanna estiver no fundo do poço, ela terá sorte de conseguir alguma coisa para apresentar ao público. — E Angela contava com algo que podia apressar esse belo dia.

Quando um sorriso se formou nos lábios da apresentadora, Dan colocou-se atrás da cadeira de Angela para aliviar a tensão nos ombros dela com uma massagem.

— Relaxe. Deixe que eu cuide de todas as suas preocupações.

Ela gostava de sentir as mãos suaves, competentes e firmes de Dan nela. Elas a faziam se sentir protegida, segura. E Angela precisava desesperadamente disso naquele momento.

— Eles me amam, não amam, Dan?

— É claro que amam. — Suas mãos percorreram o pescoço de Angela até o rosto e depois desceram até os seios dela. Eram macios e pesados, e nunca deixavam de excitá-lo. Sua voz ficou rouca quando ele sentiu os mamilos endurecidos debaixo dos apertos suaves de seu polegar e dedo indicador. — Todos amam Angela.

— E eles vão continuar a assistir ao meu programa. — Ela suspirou, relaxando enquanto as mãos de Dan percorriam seu corpo.

— Todos os dias. De costa a costa.

— Todos os dias — murmurou ela, e seu sorriso se alargou. — Tranque a porta, Dan. Peça a Lorraine para não me passar chamadas.

— Com prazer.

# Capítulo Catorze

****

Durante as noites frias no deserto, era difícil lembrar o calor escaldante do dia. Logo depois que as primeiras bombas explodiram, era fácil esquecer o tédio mortal das longas semanas da operação Escudo do Deserto.

Finn já havia estado em outras guerras, mas nunca se vira tão paralisado por regulamentos militares. Um repórter ousado, no entanto, tinha muitas maneiras de torná-los flexíveis. Ele nunca teria negado que certos dados delicados da inteligência não podiam ser transmitidos sem pôr em perigo as tropas. Mas Finn não era um tolo, nem cegamente ambicioso. Para ele, seu trabalho e seu dever era descobrir o que estava acontecendo, não somente o que as notícias oficiais alegavam.

Por duas vezes ele e Curt entraram em seu caminhão alugado com uma antena parabólica portátil presa na caçamba e saíram. Pelas estradas malsinalizadas e areias instáveis, eles conseguiram se juntar às tropas norte-americanas. Finn ouvia queixas e esperanças e voltava à base para relatá-las.

Viu os mísseis *Scuds* atravessarem o céu e os *Patriots* os interceptarem. Seu sono era picado, e ele convivia com a possibilidade de um ataque com armas químicas.

Quando a guerra em terra começou, ele estava pronto e ansioso para segui-la até a cidade do Kuwait.

A luta feroz de cem horas para libertar o Kuwait seria conhecida como a Mãe das Batalhas. Enquanto as tropas aliadas tomavam posições ao longo do rio Eufrates e das estradas que ligavam o Kuwait às outras cidades, os iraquianos fugiam. Acotovelando-se, como contou um soldado a Finn, "para sair daquele inferno".

Havia terríveis congestionamentos de trânsito, tanques destruídos, propriedades abandonadas. De um caminhão empoeirado que seguia para a cidade, Finn observava os escombros. Quilômetros e quilômetros de veículos destruídos ao longo da estrada. Carros sem peças abandonados em ferros-velhos. Bens pessoais espalhados pela estrada, colchões, cobertores, frigideiras e restos de munições. Por incrível que pareça, um candelabro, com seus cristais resplandecendo debaixo do sol, deixado na areia, lembrava joias espalhadas. E o pior, muito pior, eram os cadáveres que apareciam de vez em quando.

— Vamos gravar um pouco. — Finn saiu do caminhão, suas botas esmagando uma das fitas cassetes na estrada, levadas pelo vento.

— Lembra uma venda de garagem do inferno — comentou Curt. — Os desgraçados loucos provavelmente saquearam tudo enquanto fugiam.

— Sempre é uma questão de levar o que é seu, não é? — Finn apontou para um pedaço de tecido de seda rosa que balançava debaixo de um caminhão tombado. O vestido de baile brilhava com suas lantejoulas. — Onde ela esperava usá-lo?

Finn preparou-se para uma tomada enquanto Curl montava seu equipamento. Ele não achava que algo mais pudesse surpreendê-lo. Não depois de ver os soldados iraquianos pateticamente esqueléticos rendendo-se, exaustos, às tropas aliadas. Ver o medo e a fadiga, e o alívio, no rosto deles enquanto saíam de suas trincheiras no deserto. Ele não achava que alguma coisa mais relacionada à guerra pudesse afetá-lo: nem os cadáveres dilacerados, nem as atrocidades dos animais se alimentando de corpos, nem o mau cheiro da morte cozinhando debaixo do sol impiedoso.

Contudo, aquele pedaço de tecido de seda rosa, farfalhando de forma sedutora com o vento do deserto, embrulhou seu estômago.

Dentro da cidade foi pior. Os nervos inflamados, a raiva, a devastação; tudo coberto por uma camada de fuligem oleosa dos incêndios que consumiram a força vital do Kuwait, que era o petróleo.

Quando o vento soprava na direção da cidade, o céu escurecia com a fumaça. O meio-dia tornava-se meia-noite. A praia estava salpicada de minas, e as explosões estremeciam a cidade várias vezes por dia. Os tiros continuavam, não só com rajadas comemorativas, mas com ataques selvagens contra soldados kuwaitianos. Os sobreviventes vasculhavam o cemitério à procura dos restos de entes queridos, muitos dos quais tendo sofrido torturas e coisas piores.

Em meio a tudo o que observou e relatou, Finn continuou a pensar em um vestido de noite enfeitado com lantejoulas que balançava ao vento no deserto.

♦ ♦ ♦ ♦

Como o restante do mundo, Deanna assistia ao fim da guerra pela televisão. Ouviu as notícias da liberação do Kuwait, o cessar-fogo oficial, as estatísticas da vitória. Tornou-se um hábito passar pela sala de redação antes de sair do edifício da CBC com a esperança de obter algumas informações ainda não divulgadas.

Mas a realidade das responsabilidades do dia a dia a mantinha com os pés no chão. Toda vez que tinha uma noite livre, ela assistia às últimas notícias e depois colocava um vídeo do programa daquela manhã. Na privacidade de seu apartamento, podia assistir a si mesma de forma crítica, procurando formas de melhorar suas habilidades diante das câmeras ou reforçar o formato geral.

Estava sentada de pernas cruzadas no chão e à vontade com uma blusa de moletom e um jeans, tendo um bloco de anotações aberto sobre os joelhos. Percebeu que os brincos não estavam apropriados. Toda vez que mexia a cabeça, eles balançavam — uma distração para o espectador, pensou ela, e escreveu: Nada de brincos pendentes.

E os gestos com a mão eram muito amplos. Se não cuidasse disso, acabaria sendo imitada no *Saturday Night Live*. Isso seria ótimo, pensou com um sorriso, e anotou no bloco.

Tocava muito nas pessoas? Mordendo os lábios, Deanna continuou a assistir. Parecia que estava sempre colocando a mão no braço de um convidado ou abraçando os ombros de uma pessoa da plateia. Talvez ela devesse...

A batida na porta levou-a a praguejar. Sua agenda não permitia visitas inesperadas depois das dez. Com má vontade, desligou o videocassete. Olhou rapidamente pelo olho mágico. Em seguida, começou a abrir as fechaduras e a corrente.

— Finn! Eu não sabia que você estava de volta!

Ela não sabia quem dos dois havia se movido primeiro. Em um piscar de olhos, eles estavam abraçados, a boca de Finn pressionada na dela, as mãos de Deanna cravadas nos cabelos dele. A necessidade que sentiam um do outro deixou os dois aturdidos, o aumento de calor, a explosão de força. Uma bomba explodiu dentro dela, deixando as emoções abaladas e as necessidades à flor da pele. Então, Finn fechou a porta com o pé, e os dois caíram no chão.

Ela não pensou. Não podia pensar. Não com a boca de Finn ardendo na sua e as mãos dele já se apoderando dela com urgência. Como crianças em uma briga, eles rolaram pelo tapete, e as únicas coisas que se ouviam eram sussurros incoerentes e a respiração tensa.

Não era um sonho, mas a realidade nua e crua. A única realidade que importava. As mãos de Finn eram ásperas, passeavam debaixo da blusa de Deanna, percorriam o quadril dela para apertá-la violentamente contra seu corpo.

Parecia que Deanna estava entrando em erupção debaixo dele, com manifestações curtas e estáticas de energia. Sua pele era quente, suave e irresistivelmente lisa. Finn queria prová-la, devorá-la, sentir o gosto de sua carne, sangue e ossos. A boca de Deanna não era suficiente — sua garganta, seu ombro, a pele exposta pela blusa puxada para baixo. Ele se sentia como um animal, violento e faminto, e queria se saciar naquele corpo. Contudo, sabia que podia machucá-la, que faria isso se não controlasse o impulso mais violento daquela necessidade.

— Deanna. — Finn queria poder encontrar alguma fagulha de brandura na fornalha que bramia dentro dele. — Deixe-me... — Levantou a cabeça, tentando clarear a vista. Percebeu que mal havia olhado para ela. Quando Deanna abriu a porta e disse seu nome, ele perdeu o controle.

Naquele momento, ela vibrava debaixo dele como uma corda dedilhada, seus olhos grandes e escuros, sua boca inchada. E sua pele... Ele passou as pontas dos dedos no rosto dela, acariciando a pele corada e úmida.

Lágrimas. Finn sempre as havia considerado a arma mais poderosa de uma mulher. Abalado, ele as secou e limpou a garganta.

— Eu derrubei você?

— Eu não sei. — Deanna se sentia como um misto de terminais nervosos e faíscas. — Não importa. — Lenta e lindamente, seu sorriso irradiou. Envolveu o rosto de Finn nas mãos. — Bem-vindo ao lar. — Ela deixou que um beijo lento e sereno acalmasse os dois.

— Dizem que sou consideravelmente delicado com as mulheres. — Envolvendo a mão de Deanna com a sua, ele a pressionou nos lábios. — Embora talvez seja difícil para você acreditar nisso no momento.

— Prefiro não pedir confirmação.

Finn sorriu.

— Olhe só, por que nós não... — Ele se conteve ao acariciar os cabelos dela com a mão. Confuso, recuou, estreitou os olhos e a examinou. — O que você fez com seu cabelo?

Na tentativa de se defender automaticamente, ela o penteou com os dedos.

— Eu o cortei. Na véspera de Ano-Novo. — Seu sorriso hesitou. — Os espectadores estão gostando, um a cada três. Fizemos uma pesquisa.

— Está mais curto que o meu. — Sorrindo de leve, Finn se afastou um pouco para se agachar. — Venha aqui. Deixe-me dar uma boa olhada. — Sem esperar que ela concordasse, ele a puxou para se sentar.

Deanna se sentou, fazendo beicinho, desafiando-o com os olhos, e a lâmpada irradiando luz no alto da cabeça brilhante.

— Eu estava cansada dele — murmurou ela enquanto Finn continuava com seu exame silencioso. — Isso me poupa horas por semana e combina com o formato do meu rosto. Fica bom diante das câmeras.

— Ahn ahn... — Fascinado, ele estendeu a mão para brincar com a orelha de Deanna e depois deslizou o dedo pela lateral do pescoço dela. — De duas uma: Vários meses de celibato estão prejudicando minha libido ou você é a mulher mais sexy do mundo.

Encantada, perturbada, ela abraçou os joelhos.

— Você parece muito bem também. Sabe que estão chamando você de Um Pedaço do Deserto.

Ele fez uma careta. Depois de ser alvo de piadas de seus colegas, foi obrigado a achar graça nisso.

— Vai passar.

— Não sei, não. Já existe um fã-clube em Chicago. — A simples possibilidade de vê-lo envergonhado a divertia. — Você parecia um pedaço de mau caminho com os *Scuds* voando no céu ou com os tanques atravessando o deserto atrás de você. Especialmente depois de passar alguns dias sem fazer a barba.

— Quando a guerra em terra começou, a água virou uma recompensa.

A diversão cessou para ela.

— Foi terrível?

— Muito. — Finn segurou a mão dela, agora com delicadeza, lembrando-se de apreciar a elegância. Era disso que ele precisava, a calidez de Deanna. Talvez dentro de um ou dois dias, as coisas que havia visto e ouvido desaparecessem um pouco.

— Você quer falar sobre isso?

— Não.

— Você parece cansado. — Ela podia ver agora como o bronzeado adquirido no deserto o havia deixado com o aspecto cansado. — Quando você voltou?

— Faz uma hora. Vim direto para cá.

Mesmo com o coração tentando entrar no ritmo, ela respondeu ao cansaço que viu nos olhos dele.

— Por que não preparo alguma coisa para você comer? Você vai se recuperar.

Finn manteve a mão de Deanna na sua, querendo poder explicar para ela o quanto se sentia mais tranquilo ali. Perto dela.

— Eu não recusaria um sanduíche, ainda mais se viesse com uma cerveja.

— Talvez eu possa dar um jeito nisso. — Ela se levantou e puxou-o com a mão. — Venha se esticar no sofá e relaxar com Carson. Enquanto você estiver comendo, vou lhe contar todas as novidades e fofocas da CBC.

Ele se levantou, esperando que ela apertasse o controle remoto.

— Você vai me deixar ficar aqui esta noite, Deanna?

De olhos arregalados, mas firmes, ela olhou para ele.

— Vou.

Virando-se rapidamente, entrou na cozinha. Percebeu que suas mãos estavam trêmulas. E era maravilhoso. Todo o seu corpo estava tremendo em resposta àquele último olhar demorado que ele lhe deu antes de ela sair da sala. Deanna não sabia como seria, mas sabia que nunca desejara tanto um homem. Os meses de separação não diminuíram as emoções que haviam começado a aumentar dentro dela.

E aquele primeiro beijo voraz enquanto eles estavam caídos no chão havia sido mais impressionante e mais erótico que qualquer fantasia que ela tivesse imaginado enquanto esperava que Finn voltasse.

Ele foi procurá-la. Ela apertou a mão no estômago. Estava com os nervos agitados, pensou. Mas a sensação era boa, ardente e forte, não fria e covarde.

Naquela noite ela daria o passo necessário. Ela se recuperaria, porque o desejava, porque havia tomado essa decisão.

Pôs um sanduíche frio de presunto e queijo em uma bandeja e um copo de cerveja. Levantou a bandeja e sorriu para si mesma. O desejo era algo tão básico e humano quanto a fome. Uma vez que tivessem satisfeito esta última, ela iria levá-lo para sua cama e recebê-lo em seu corpo.

— Posso preparar alguma coisa quente — disse ela enquanto levava a bandeja para a sala. — Há uma lata de sopa na... — Deanna parou e fitou os olhos.

A televisão estava ligada. E Finn Riley, o Pedaço do Deserto, estava dormindo como uma criança.

Ele havia tirado os tênis surrados de cano alto, mas não se dera ao trabalho de tirar a jaqueta. O trabalho implacável, a viagem e a fadiga, finalmente, venceram. Estava deitado de bruços, o rosto amassado em uma das almofadas de cetim de Deanna, o braço caído na beira do sofá.

— Finn? — Deanna deixou a bandeja de lado e pôs a mão no ombro dele. Ela o sacudiu, mas ele, um homem exausto de mais de setenta quilos, não se mexeu.

Conformada, foi buscar um cobertor e o cobriu. Trancou a porta do apartamento com a chave e a corrente. Diminuindo a luz, sentou-se no chão em frente a ele.

— Nossos horários — disse ela baixinho e beijou-o no rosto — ainda são uma droga. — Com um suspiro, pegou o sanduíche e tentou preencher com comida e televisão o vazio deixado pela frustração sexual.

♦ ♦ ♦ ♦

FINN DESPERTOU do sonho, gelado por causa do suor. A visão pálida por trás de seus olhos era horrenda: um corpo perfurado de balas aos seus pés, sangue manchando o vestido de noite de seda rosa com lantejoulas todo rasgado. Sob a luz suave da manhã, ele se esforçou para se sentar, esfregando o rosto com as mãos.

Desorientado, tentou lembrar onde estava. Um quarto de hotel? Em que cidade? Em que país? Em um avião? Em um táxi?

Deanna. Ao lembrar-se dela, Finn deixou a cabeça cair novamente nas almofadas e gemeu. Primeiro, ele a jogou no chão e depois apagou. Um capítulo surpreendente no diário frustrante do romance dos dois.

Estava surpreso com o fato de que ela não o havia arrastado pelos pés para fora do apartamento e o deixado roncando no corredor. Lutando para se livrar do cobertor, ele se levantou. Ficou tonto por um instante, o corpo ainda instável por causa do cansaço. Ele teria matado por um café. Imaginou que era esse o motivo de achar que sentia o aroma da bebida. Depois de meses no deserto, sabia que as miragens não eram só resultado do calor, mas de desejos humanos desesperados.

Girou os ombros tensos e praguejou. Meu Deus, não queria pensar em desejos.

Mas talvez não fosse muito tarde. Uma rápida dose de café solúvel e ele poderia se enfiar na cama de Deanna e compensar sua negligência na noite anterior.

Com os olhos embaçados, foi tropeçando para a cozinha.

Deanna não era uma miragem, em pé ali sob um raio de luz de sol, vigorosa e linda com calças largas e um suéter, servindo um café de aroma delicioso em uma caneca de cerâmica vermelha.

— Deanna.

— Ah! — Ela deu um salto, quase derrubando a caneca. — Você me assustou. Eu estava pensando em algumas notas para o programa. — Pôs a xícara na mesa e secou, rapidamente, as mãos no quadril. — Dormiu bem?

— Como uma pedra. Não sei se devo me envergonhar ou pedir desculpa, mas, se você dividir esse café, farei o que você quiser.

— Não há por que se envergonhar ou pedir desculpa. — Mas ela não conseguiu olhar nos olhos dele enquanto pegava a caneca. — Você estava exausto.

Ele passou suavemente a mão nos cabelos dela.

— Você está muito zangada comigo?

— Não estou. — Mas desviou o olhar quando pôs a caneca na mão dele. — Creme ou açúcar?

— Não. Se você não está zangada, o que aconteceu?

— É difícil explicar. — Não havia espaço suficiente na cozinha, percebeu ela. E ele estava bloqueando a saída. — Eu realmente tenho de ir, Finn. Meu motorista estará aqui em alguns minutos.

Ele se manteve firme.

— Tente explicar.

— Não é fácil para mim. — Perturbada, ela falou as palavras de forma impertinente e se afastou. — Não tenho experiência com conversas da manhã seguinte.

— Não aconteceu nada.

— Não é isso, de verdade. Eu não estava pensando na noite passada. Eu não podia. Quando vi você, fiquei empolgada com o que estava acontecendo, com o que eu estava sentindo. Nunca ninguém me desejou daquela maneira.

— E eu estraguei tudo. — Perdendo o interesse pelo café, Finn largou a caneca na pia. — Desculpe. Talvez eu não devesse ter parado aquela primeira investida louca, mas tive medo de machucar você.

Ela se virou devagar, seus olhos refletindo a confusão que sentia.

— Você não estava me machucando.

— Eu a teria machucado. Pelo amor de Deus, Deanna, eu poderia tê-la comido viva. E aquele negócio de derrubá-la no chão foi... — Ele pensou amargamente em Angela. — Foi muito impensado.

— Essa é a questão. Não de sua parte, Finn, mas da minha. Eu não pensei, e eu não sou assim. — Parecia não haver nada que ela pudesse fazer com as mãos. Ela as levantou e as deixou cair enquanto ele continuava em pé à porta e a examiná-la. — Os sentimentos que você despertou são novos para mim. E do jeito que as coisas estão acontecendo... — Deanna puxou a própria orelha. — Isso me deu tempo para pensar.

— Ótimo. — Finn apanhou a caneca novamente e deu um gole demorado. — Maravilhoso.

— Eu não mudei de ideia — disse ela enquanto observava os olhos de Finn escurecerem. — Mas precisamos conversar antes que isso vá mais longe. Uma vez que eu tiver explicado e uma vez que você tiver entendido, espero que possamos seguir em frente.

Havia uma súplica nos olhos de Deanna, algo dele que ela precisava. Finn não precisava saber o que era para responder. Aproximando-se, ele segurou o queixo dela com as mãos e a beijou suavemente.

— Tudo bem. Vamos conversar. Hoje à noite?

Aliviada, o nervosismo desapareceu.

— Sim, hoje à noite. O destino deve estar a meu favor. É o primeiro fim de semana livre que tenho em dois meses.

— Vá à minha casa. — Enquanto o corpo dela amolecia deliciosamente contra o dele, ele a beijou novamente, um beijo demorado, convincente. — Há uma coisa que eu quero fazer. — Finn mordeu levemente os lábios de Deanna até ela fechar os olhos.

— Está certo.

— Eu... hummm... — Ele percorreu os lábios dela com a língua, mergulhando-a lentamente dentro deles para saborear o beijo. — Quero muito cozinhar para você.

♦♦♦♦

— E aí, o que ele vai cozinhar?

— Não perguntei. — Rapidamente, Deanna conferiu a lista de seu guarda-roupa, observando as datas em que havia usado certas saias, jaquetas, blusas e acessórios. Tinha uma assistente de produção que colocava a data e a etiqueta em cada peça, listando não só quando a peça havia sido usada, mas também a combinação com outros itens.

— A coisa fica muito séria quando um homem cozinha para uma mulher, especialmente em uma sexta-feira à noite. — Fran estava de olho em Aubrey, que dormia tranquilamente no berço. — Isso dá uma turbinada no namoro.

— Talvez. — Deanna sorriu ao pensar na ideia. Meticulosamente, começou a combinar suas opções para os programas da semana seguinte. — Minha intenção é aproveitar o momento.

— Meus instintos me dizem que ele é bom para você. Eu gostaria de ter um pouco mais de tempo para examiná-lo pessoalmente, mas a expressão em seu rosto quando você chegou nesta manhã foi quase suficiente.

— Que expressão?

— De felicidade. Uma felicidade estritamente feminina. Diferente do brilho em seus olhos quando a Delacort renovou nosso contrato ou quando seis novas estações escolheram nosso programa.

— E quando alcançamos o primeiro lugar em Columbus?

— Diferente disso também. É algo muito importante. Quanto ao programa, você sabe o que pode fazer com ele. E o modo como você organizou as coisas por aqui para que eu pudesse trazer Aubrey para o trabalho.

— Eu a quero aqui também — Deanna a fez se lembrar. — Ninguém da equipe vai ter de escolher entre os filhos e a carreira. O que me faz lembrar uma ideia que tive como tema.

Fran pegou sua prancheta.

— Diga.

— Encontrar maneiras de incorporar creches no local de trabalho. Nos edifícios dos escritórios e das fábricas. Li um artigo sobre um restaurante dirigido por uma família. Eles têm algo equivalente a um jardim de infância ao lado da cozinha. Já entreguei o recorte a Margaret.

— Vou dar uma olhada.

— Bom. Agora me deixe contar a ideia que tive com relação a Jeff.

— Jeff? O que tem ele?

— Ele está fazendo um bom trabalho, você não acha?

— Eu acho que ele está fazendo um ótimo trabalho. — Fran deu uma olhada quando Aubrey suspirou durante o sono. — Ele é totalmente dedicado a você e ao programa, e é um especialista em reduzir gastos desnecessários.

— Ele quer dirigir. — Satisfeita por ter sido capaz de surpreender Fran, Deanna relaxou na cadeira. — Não disse nada para mim nem para ninguém. Ele não diria. Mas eu o tenho observado. Dá para ver pelo modo como fica andando pelo estúdio e conversando com os cinegrafistas e técnicos. Toda vez que temos um diretor novo, Jeff praticamente o interroga.

— Ele é editor.

— Eu era repórter — rebateu Deanna. — Quero dar uma chance para ele. Deus sabe que precisamos de um diretor fixo, alguém que possa entrar na rotina, que entenda meu ritmo de trabalho. Eu acho que Jeff é perfeito para isso. Como produtora-executiva, o que você acha?

— Vou falar com ele — disse Fran depois de um instante. — Se estiver interessado, temos um programa na semana que vem sobre entrevistas por vídeo. É tranquilo. Poderíamos testá-lo.

— Ótimo.

— Deanna. — Cassie apareceu à porta com um jornal enrolado na mão.

— Não me diga. Só tenho vinte minutos para gravar a nova promoção e, depois disso, tenho de atravessar a cidade e aparecer maravilhosa na divisão da NOW em Chicago. Eu juro que não estava tentando fugir.

— Deanna — repetiu Cassie. Não havia humor em seus olhos. Somente angústia. — Eu acho que você deveria ver isto.

— O que é? Ah, nada de tabloides de novo. — Preparada para se aborrecer um pouco, ela pegou o jornal da mão de Cassie, abriu-o e deu uma olhada na manchete chamativa.

— Meu Deus! — Seus joelhos amoleceram enquanto ela tateava à procura de uma cadeira. — Ah, Fran.

— Calma, querida. Deixe-me ver. — Fran ajudou Deanna a se sentar em uma cadeira e pegou o jornal.

A VIDA SECRETA DA QUERIDINHA DA AMÉRICA
Ex-amante de Deanna Reynolds conta tudo

Um grande EXCLUSIVO! em vermelho aparecia no canto, e a chamada NOITES SELVAGENS! ORGIAS COM ÁLCOOL! SEXO NO CAMPO DE FUTEBOL AMERICANO! vinha abaixo de uma foto recente de Deanna. Ao lado dela estava a foto granulada de um homem que ela tentava esquecer.

— Aquele filho da puta! — explodiu Fran. — Aquele canalha mentiroso! Por que procurou a imprensa com isso? Ele está cheio de dinheiro.

— Quem pode saber por que alguém faz algo? — Revoltada, Deanna ficou olhando para as manchetes em negrito. A menina assustada e humilhada que fora um dia ressurgiu. — Ele conseguiu aparecer no jornal, não conseguiu?

— Querida. — Fran rapidamente virou o jornal. — Ninguém vai acreditar nesse lixo.

— É claro que vai, Fran. — Seus olhos estavam brilhantes e violentos. — As pessoas vão acreditar porque a manchete promete uma matéria excitante. E a maioria das pessoas não vai passar batida pelas manchetes. Elas vão vê-las quando estiverem pagando a conta no caixa do supermercado. Talvez leiam a matéria da primeira página, e até folheiem o jornal. Depois, elas vão para casa e vão falar sobre a história com os vizinhos.

— É besteira. É pura besteira, e a pessoa com o mínimo de inteligência vai saber.

— Eu achei que você deveria saber. — Cassie deu um copo de água para Deanna. — Eu não queria que descobrisse por outra pessoa.

— Você fez bem.

Cassie apertou os lábios.

— Você recebeu algumas ligações por causa disso. — Entre elas, uma de Marshall Pike, que ela não mencionou.

— Penso nisso mais tarde. Deixe-me ver, Fran.

— Vou queimar este maldito jornalzinho.

— Deixe-me ver — repetiu Deanna. — Não poderei lidar com isso se não souber o que ele diz.

Relutante, Fran entregou-lhe o jornal. Como acontece nos piores tabloides, havia verdade suficiente misturada com mentiras para causar impacto. Deanna, de fato, estudara em Yale. E havia saído com Jamie Thomas, um astro do futebol americano. Sim, ela fora a uma festa com ele depois de um jogo no outono do penúltimo ano. Havia dançado e flertado com ele. E consumira mais álcool do que deveria.

Sem dúvida, ela havia ido com ele ao campo de futebol naquela noite fresca e clara. E rira quando ele correu no gramado, atacando adversários invisíveis. Havia até rido quando ele a atacou. Mas a história não dizia que ela parara de rir rapidamente. Não havia menção de medo, de afronta, de soluços.

Pelo que Jamie se lembrava, Deanna não havia lutado. Não havia gritado. Em sua versão, ele não a deixara sozinha, com as roupas rasgadas, o corpo cheio de hematomas. Jamie não contou como ela havia chorado naquela grama fria, sua alma destruída e sua inocência roubada de forma violenta.

— Bem. — Deanna secou uma lágrima do rosto. — Ele não mudou sua versão dos fatos ao longo dos anos. Talvez a tenha enfeitado um pouco, mas era de esperar.

— Eu acho que deveríamos entrar em contato com o departamento jurídico. — Fran teve de usar todo o seu controle para falar com calma. — Você deveria processar Jamie Thomas e o jornal por calúnia, Dee. Não pode deixar que ele saia impune.

— Eu o deixei sair impune com coisa muito pior, não? — De forma muito asseada e calculada, ela dobrou o jornal e depois o colocou na bolsa. — Cassie, por favor, cancele os compromissos de minha agenda depois da reunião com a NOW. Eu sei que isso pode causar alguns problemas.

— Sem problema — disse Cassie no mesmo instante. — Vou cuidar disso.

— Cancele todos — disse-lhe Fran.

— Não, eu posso cumprir minhas obrigações. — Deanna pegou seu suéter. Por mais calmos que estivessem sua voz e seus movimentos, seu olhar estava arrasado.

— Então eu vou com você. Não vai para casa sozinha.

— Não vou para casa. Eu preciso conversar com uma pessoa. Vou ficar bem. — Ela apertou o braço de Fran. — De verdade. Vejo você na segunda.

— Que droga, Dee! Deixe-me ajudar.

— Você sempre ajuda. Eu realmente tenho de fazer uma coisa sozinha. Eu ligo para você.

♦ ♦ ♦ ♦

Ela não esperava que seria fácil dar explicações. Mas não imaginou que estaria sentada no carro à entrada da bela casa antiga de Finn, tentando criar coragem para sair e bater à porta.

Ficou sentada ali, observando os galhos desfolhados das grandes árvores que balançavam com o vento forte de março. Queria observar a luz do sol do lado de fora das janelas altas e harmoniosas e os pontinhos reluzentes de mica nas paredes de pedra.

Uma casa antiga e sólida, pensou ela, com seus espigões curvados e chaminés retas. Parecia um lugar seguro, um refúgio contra tempestades e ventos. Ela ficou imaginando se ele resolvera se dar um pouco de sossego pessoal longe do caos do trabalho.

Queria saber se a casa lhe ofereceria um pouco desse sossego.

Preparando-se, desceu do carro, seguiu pelo passadiço de pedras e entrou na varanda coberta que ele havia pintado de um azul-escuro brilhoso.

Havia uma aldrava de bronze com formato de uma harpa irlandesa. Deanna ficou olhando para ela por um bom tempo antes de bater à porta.

— Deanna. — Ele sorriu, estendendo a mão em um gesto de boas-vindas. — Está um pouco cedo para o jantar, mas posso lhe preparar um almoço tardio.

— Preciso conversar com você.

— Você disse. — Ele abaixou a mão já que ela não a segurou e, então, fechou a porta. — Você parece pálida. — Droga, pensou ele, ela parecia tão frágil quanto o vidro. — Por que não se senta?

— Eu gostaria de me sentar. — Ela o seguiu até a sala.

Sua primeira olhada distraída para o cômodo simplesmente registrou que se tratava de uma casa de homem. Nada de penduricalhos, nada de babados, apenas peças antigas robustas que falavam de riqueza fácil e gosto masculino. Deanna escolheu uma cadeira de encosto alto em frente à lareira com um fogo baixo. O calor era confortante.

Sem perguntar, ele foi até um gabinete curvo e escolheu uma garrafa de conhaque. O que quer que estivesse consumindo a mente de Deanna havia ido longe o suficiente para fazê-la se distanciar.

— Beba isto primeiro e depois me diga o que você está pensando.

Ela deu um gole e depois começou a falar.

— Beba tudo — interrompeu ele, impaciente. — Vi soldados feridos com mais cor do que você neste momento.

Deanna deu um gole novamente, mais intenso, e sentiu o calor combatendo o gelo em seu estômago.

— Há algo que quero lhe mostrar. — Ela abriu a bolsa e tirou o jornal. — Você deveria ler isto primeiro.

Finn olhou para baixo.

— Eu já o vi. — Em um gesto de desprezo, ele jogou o jornal para o lado. — Você tem muito bom senso para deixar que esse tipo de bobagem a afete.

— Você leu?

— Deixei de ler ficção mal-escrita quando tinha 10 anos.

— Leia-o agora — insistiu Deanna. — Por favor.

Ele a examinou por mais um minuto, preocupado e confuso.

— Tudo bem.

Deanna não conseguiu ficar sentada. Enquanto ele lia, ela se levantou para andar pela sala, as mãos nervosas tocando em *souvenirs* e objetos decorativos. Ouvia o barulho do jornal nas mãos de Finn, ouvia-o praguejar baixinho e de modo violento, mas não olhou para trás.

— Sabe — disse, finalmente, Finn —, pelo menos poderiam contratar pessoas que soubessem escrever uma frase decente. — Ao olhar para as costas tensas de Deanna, ele suspirou. Jogou o jornal para o lado novamente. Levantou-se e atravessou a sala para pôr as mãos nos ombros dela.

— Deanna...

— Não! — Ela se afastou rapidamente, fazendo um não com a cabeça.

— Pelo amor de Deus, é inteligente demais para deixar que um jornal barato mexa com você desse jeito. — Ele não conseguia impedir a impaciência ou a vaga frustração na reação de Deanna. — Você está em evidência. Queria estar. Força, Kansas, ou volte para o noticiário do meio-dia.

— Você acreditou nisso? — Ela se virou, os braços cruzados sobre o peito.

Por mais que tentasse, ele não conseguia entender como lidar com ela. Tentou com uma pergunta levemente divertida.

— Que você foi um tipo de ninfômana núbil? Se foi, como conseguiu resistir a mim por tanto tempo?

Ele esperava uma risada, e teria se contentado com uma resposta exasperada. Não obteve outra coisa senão um silêncio gélido.

— Nem tudo o que está aí é mentira — disse, finalmente, ela.

— Quer dizer que você realmente foi a algumas festas na faculdade? Exagerou na cerveja e teve um lance com um jogador? — Ele fez que não com a cabeça. — Bem, estou chocado e desiludido. Que bom que descobri isso antes de a pedir em casamento e você se tornar a mãe de meus filhos!

Mais uma vez, sua brincadeira não a fez rir. De vagos, os olhos de Deanna ficaram desolados. E ela desabou a chorar.

— Oh, meu Deus! Não chore, querida. Vamos, Deanna, não faça isso. — Nada podia deixá-lo mais acovardado. Desajeitado e rogando pragas contra si mesmo, ele se aproximou dela, decidido a abraçá-la forte, mesmo que ela resistisse. — Desculpe. — Finn não sabia dizer por qual motivo. — Desculpe, querida.

— Ele me estuprou! — gritou Deanna, afastando-se quando os braços de Finn afrouxaram. — Ele me estuprou — repetiu ela, cobrindo o rosto com as mãos enquanto lágrimas quentes caíam. — E eu não fiz nada. Não vou fazer nada agora, porque isso dói. — Sua voz foi engolida por um soluço enquanto ela balançava para a frente e para trás. — Isso nunca, nunca deixa de doer.

Finn não podia ter ficado mais chocado, mais horrorizado. Por um momento, tudo nele se congelou, e a única coisa que conseguiu fazer foi ficar em pé e olhar para Deanna enquanto ela chorava descontroladamente com as mãos no rosto, com o sol batendo em suas costas e o fogo estalando na lareira ao seu lado.

Então, o gelo dentro dele se quebrou, explodiu com um ataque de fúria tão forte e tão bruto que sua visão embaçou. Suas mãos fecharam-se, como se houvesse algo tangível que ele pudesse esmurrar.

Mas não havia nada a não ser Deanna, que chorava.

Finn deixou os braços caírem ao lado do corpo novamente, fazendo-o se sentir impotente e terrível. Confiando em seu instinto, ele a levantou, levou-a até o sofá, onde pôde se sentar, colocou-a em seu colo e embalou-a até a última lágrima secar.

— Eu ia contar para você — conseguiu falar ela. — Passei a noite pensando nisso. Eu queria que soubesse antes que tentássemos... ficar juntos.

De algum modo, ele tinha de deixar a raiva passar. Mas seu maxilar estava cerrado, e suas palavras, afiadas.

— Achou que isso mudaria o que sinto por você?

— Eu não sei. Mas eu sei que isso deixa uma cicatriz para sempre, e, por mais que você encontre formas de seguir em frente, a cicatriz está sempre ali. Desde que aconteceu... — Ela aceitou o lenço que ele lhe ofereceu e enxugou o rosto. — Não consegui deixar isso de lado o suficiente para poder fazer amor com um homem.

A mão que acariciava os cabelos dela hesitou por um instante. Finn lembrou-se vividamente do modo como havia irrompido no apartamento de Deanna na noite anterior. E do modo como teria iniciado a relação física com ela se algo não o tivesse contido.

— Eu não sou fria — disse ela com uma voz apertada e amarga. — Eu não sou.

— Deanna. — Ele soltou a cabeça dela para que pudesse olhá-lo nos olhos. — Você é a mulher mais ardente que conheço.

— Na noite passada, não havia nada lá senão você; não tive tempo de pensar. Hoje de manhã, não me pareceu justo que você não soubesse primeiro, porque, se as coisas não funcionassem fisicamente, a culpa seria minha, não sua.

— Acho que esta foi a primeira coisa idiota que já ouvi você dizer. Mas vamos deixar isso de lado por ora. Se quiser falar a fundo sobre o assunto, eu irei ouvi-la.

— Eu quero. — Mas ela se afastou para que pudesse se sentar. — Todo mundo no campus conhecia Jamie Thomas. Ele estava um ano na minha frente e, como a maioria das outras meninas na faculdade, eu tinha uma queda por ele. Então, quando Jamie se aproximou de mim no início de meu penúltimo ano, eu me senti lisonjeada e deslumbrada. Ele era um astro do futebol e das pistas. Eu admirava isso e seus planos para entrar na empresa da família. Jamie tinha inteligência, ambição, senso de humor. Todos gostavam dele. Eu também.

Ela respirou fundo e se permitiu recordar.

— Nós nos vimos muito durante os primeiros meses daquele semestre. Estudávamos juntos, fazíamos longos passeios e tínhamos todas aquelas discussões filosóficas profundas de que tanto os universitários se orgulham. Eu me sentava na arquibancada nos jogos de futebol e o incentivava.

Ela fez uma pausa.

— Fomos a uma festa depois do jogo mais importante da temporada. Ele havia feito uma bela partida. Todos estavam comemorando, e nós ficamos um pouco bêbados. Voltamos ao campo, só Jamie e eu, e ele começou a fazer todos aqueles passes de futebol e palhaçadas de um lado para o outro. Então, deixou de fazer isso e veio parar em cima de mim. Tudo parecia bem, a princípio. Mas ele ficou violento e me assustou. Pedi que parasse. Mas ele não parava.

*Pare de fingir, Dee. Você sabe que você quer. Você estava pedindo isso a noite toda.*

Ela estremeceu, apertando as mãos com força.

— E comecei a chorar e a implorar que parasse. Ele era tão forte, e eu não conseguia fugir. Ele começou a rasgar minhas roupas. Estava me machucando.

*Sua gostosa maldita.*

— Gritei por socorro, mas não havia ninguém. Gritei. Ele pôs a mão em minha boca quando gritei. Tinha mãos grandes. E eu só podia ver o rosto dele.

*Você vai gostar, meu bem.*

— Seus olhos estavam vidrados. E ele me penetrou. Doeu tanto que pensei que me mataria. Mas Jamie não parou. Ele só parou quando terminou. Depois de um tempo, o que para mim parecia uma eternidade, saiu de cima de mim e riu.

*Vamos lá, Dee, você sabe que se divertiu. Pergunte por aí. Ninguém deixa as mulheres felizes como o bom e velho Jamie.*

— Então, ele parou de rir e ficou irritado porque eu estava chorando. Eu não conseguia parar de chorar.

*Não me venha com essa droga. Nós dois queríamos. Se você disser outra coisa, metade do time de futebol dirá que você fez isso com eles, bem aqui. Bem aqui na linha das cinquenta jardas.*

Ele me puxou para levantar, apertou o rosto contra o meu e me advertiu que, se eu tentasse fingir que não estava a fim, ninguém acreditaria em mim, porque ele era Jamie Thomas. E todos gostavam de Jamie. Assim, ele me deixou ali, e eu não fiz nada, porque estava envergonhada.

A foto granulada no jornal apareceu na mente de Finn, e ele lutou contra a violência que surgiu dentro dele. Mas manteve a voz calma.

— Você não tinha a quem recorrer?

— Contei para Fran. — Deanna cravava as unhas na palma da mão e, aos poucos, cuidadosamente, relaxou. — Depois de algumas semanas, não consegui esconder dela. Ela quis que eu procurasse o reitor, mas não fui. — Ela ficou olhando para as próprias mãos e sentiu o calor da vergonha novamente. — Fran, finalmente, me convenceu a procurar uma terapia. Depois de um tempo, consegui superar o pior disso tudo. Não quero que isso controle minha vida, Finn. — Ela olhou para ele, os olhos inchados e cheios de dor. — Não quero que isso estrague o que podemos ter.

Ele tinha medo de que qualquer palavra que tentasse dizer pudesse estar errada.

— Deanna, não posso lhe dizer que isso não tem importância, porque tem. — Quando ela abaixou os olhos, Finn a tocou no rosto, desejando que voltasse a olhar para ele. — Porque não posso suportar a ideia de você ter sido machucada dessa forma. E porque você talvez não seja capaz de confiar em mim.

— Não é isso — disse ela rapidamente. — Sou eu.

— Então me deixe fazer algo por você. — Delicadamente, ele a beijou na testa. — Venha à cabana comigo. Agora. Hoje. Apenas um fim de semana a sós em um lugar onde possamos relaxar.

— Finn, não sei se posso lhe dar o que você quer.

— Eu não me importo com o que você pode me dar. Estou mais interessado no que podemos dar um ao outro.

## Capítulo Quinze
♦♦♦♦

Deanna imaginava que ele a chamava de cabana porque era feita de madeira. Longe de ser a caixa primitiva que ela havia imaginado, a estrutura bem equipada de dois andares tinha deques cobertos nos pisos superior e térreo ligados por escadas abertas. Do lado de fora, o telhado de cedro havia ficado prateado com o tempo e por causa das condições climáticas, e era realçado pelos postigos azul-escuros. Teixos altos transformavam a casa em uma reserva particular.

Em vez de um gramado, o chão estava coberto por pedras, ramos de sempre-vivas, arbustos floridos, ervas e plantas perenes. Alguns açafrões já estavam aparecendo.

— Seu jardim. Como você aprendeu?

— Li muitos livros. — Finn tirava as malas do carro enquanto Deanna permanecia em pé no meio da trilha de cascalhos e olhava para todos os lados. — Nunca sei por quanto tempo vou ficar fora, por isso a grama não era algo prático. Eu não gostava da ideia de contratar um serviço para cortar a grama. Ela é minha. — Ligeiramente envergonhado pelo comentário, ele encolheu os ombros. — Por isso, passei algumas semanas investindo em plantas que não precisariam de muita atenção.

— É lindo.

Ele percebeu que queria que ela pensasse assim.

— Vai estar melhor daqui a um ou dois meses. Vamos entrar. Vou acender a lareira e depois lhe mostrar a casa.

Ela o seguiu até a varanda e passou a mão no braço de uma cadeira de balanço.

— É difícil imaginá-lo sentado aqui, olhando para o jardim e sem fazer nada.

— Vai ficar mais fácil — prometeu ele e a levou para dentro.

A cabana abria-se para uma sala grande, e no alto havia um sótão e quatro claraboias. Uma parede estava tomada por uma lareira ornamentada com seixos; outra estava coberta de livros em prateleiras embutidas. Os painéis eram da cor do mel, assim como o assoalho sobre o qual Finn havia espalhado tapetes — orientais, franceses, ingleses, indianos. E, por incrível que pareça, um tapete feito com a pele negra brilhosa de um urso, com a cabeça mostrando os dentes e as garras.

Ao perceber o olhar de Deanna, Finn sorriu.

— Foi um presente de alguns rapazes da estação.

— É de verdade?

— Infelizmente, eu acho que sim. — Ele atravessou a sala até o piso da lareira, onde o urso se espalhava como uma piscina preta espaçosa. — Eu o chamo de Bruno. Como não fui eu que atirei nele, nós nos damos muito bem.

— Eu acho que ele é... uma boa companhia.

— E não come muito. — Percebeu o nervosismo de Deanna, tremendo por causa do ar frio. E o entendeu. Ele a havia tirado de Chicago antes que ela tivesse tempo para pensar. Agora estava sozinha com ele. — Está mais frio aqui dentro do que lá fora.

— Sim. — Deanna esfregou as mãos enquanto caminhava até uma das janelas para examinar a vista que ele tinha dali. Não havia outra casa para perturbar o panorama, somente aqueles teixos viçosos e árvores que ainda não estavam maduras. — Não parece que estamos a apenas uma hora da cidade.

— Eu queria um lugar para onde pudesse fugir. — Ele acendeu o fogo com habilidade e rapidez. — E de onde eu pudesse voltar rapidamente se houvesse algum problema. Tenho uma televisão, um rádio e um aparelho de fax na outra sala.

— Ah, entendi. Você pode tirar o garoto da sala de redação... Que beleza! — disse ela e foi até onde a lenha começava a estalar e faiscar.

— Há outra lareira lá em cima. — Ele pegou a bolsa dela e fez sinal em direção às escadas que levavam ao sótão.

No andar superior havia um quarto grande com o mesmo tipo de móveis simples da sala principal. Em uma sala de estar em frente a uma janela havia um sofá verde-escuro de dois lugares, outra cadeira de balanço, uma mesa baixa de pinho e um banquinho de três pés. A cama de bronze reluzente estava coberta com um veludo cotelê de cor vinho e ficava de frente para uma pequena lareira de pedra. Havia uma penteadeira de pinho e um armário espaçoso.

— O banheiro fica aqui. — Finn indicou a porta com um gesto de cabeça enquanto se agachava para acender o fogo.

Curiosa, Deanna abriu a porta com o cotovelo. Com os olhos fixos, ficou à porta sem saber se ria ou aplaudia. Embora o restante da cabana refletisse uma elegância rústica, no banheiro, Finn caprichara.

A banheira enorme de ébano tinha jatos instalados e era rodeada por uma prateleira apoiada em uma janela ampla. O chuveiro ficava em um espaço de vidro com revestimento branco. A parede acima da pia estava forrada de espelhos e tinha uma bancada longa de azulejos brancos e pretos, tão alinhada quanto um tabuleiro de xadrez. Havia uma televisão portátil sobre ela, voltada para a banheira.

— Que banheiro!

— Se você quiser relaxar — comentou Finn ao se levantar —, fique à vontade.

— Você não tem uma televisão no quarto?

Finn abriu uma das portas do armário. Ali, no alto de três gavetas, estava a tela de uma televisão.

— Há um rádio de ondas curtas na gaveta da cômoda ao lado da cama. — Quando ela riu, ele estendeu a mão. — Desça e me faça companhia enquanto eu preparo o jantar.

— Você, ah, não trouxe as malas aqui para cima — disse Deanna quando começaram a descer as escadas.

— Há outro quarto lá embaixo.

— Ah. — A tensão que ela sentia começou a desaparecer ao mesmo tempo que foi tomada por um sentimento de remorso.

Ele parou no pé das escadas, virou-se, pôs as mãos nos ombros de Deanna e a beijou suavemente.

— Tudo bem?

Ela apoiou a testa na dele por um momento.

— Sim — respondeu. — Tudo bem.

E estava tudo bem: Deanna estava sentada à bancada, preparando uma salada, enquanto Finn cortava batatas em tiras finas para fritá-las, e os dois ouviam o vento forte de março soprando entre as sempre-vivas e batendo nas janelas. Era fácil relaxar na cozinha rústica, enquanto as batatas fritavam e o frango grelhava, e rir das histórias de aventura de Finn nos mercados em Casablanca.

Durante todo o tempo, a televisão na cozinha só murmurava, mantendo o mundo em segundo plano e, de algum modo, deixando mais íntima a atmosfera que os dois compartilhavam.

A sala estava quente e aconchegante, com a escuridão servindo de cortina para as janelas e as velas tremeluzindo sobre a mesa da cozinha.

— Está maravilhoso — disse-lhe ela depois de dar outra mordida no frango. — Você é tão bom quanto Bobby Marks.

— E muito mais bonito.

— Bom, você tem mais cabelo. Eu acho que devo me oferecer para cozinhar amanhã.

— Isso depende. — Ele enroscou os dedos nos de Deanna e roçou os nós dos dedos dela com seus dentes. — Que tal peixe fresco assado?

— É o que tem no cardápio?

— Se tivermos sorte... Podemos pescar alguns no lago pela manhã.

— Pela manhã? — piscou Deanna. — Vamos pescar de manhã?

— Claro. Para que você acha que eu a trouxe aqui? — Quando ela riu, ele fez que não com a cabeça. — Kansas, você não entendeu o plano principal. Depois que tivermos jogado as linhas de pesca juntos por algumas horas, pescado e limpado trutas juntos...

— Limpado?

— Claro. Depois de tudo isso, você não conseguirá resistir. A excitação, a paixão, a sexualidade fundamental da pesca terão desarmado você.

— Ou terão feito eu desmaiar de tédio.

— Tenha um pouco de fé. Não há nada como um homem ou uma mulher lutando contra a natureza para instigar os instintos.

— É um plano e tanto. — Ela se inclinou em sua cadeira, surpreendentemente relaxada. — Você já se deu bem por causa dele?

Finn só sorriu e completou as taças de vinho.

— Quer que eu lhe mostre minhas iscas?

— Acho que não. Você pode me surpreender amanhã.

— Vou acordar você às cinco.

A taça congelou a alguns centímetros dos lábios de Deanna.

— Às cinco? Da manhã?

— Coloque roupas de frio — advertiu ele.

♦ ♦ ♦ ♦

Deanna tinha certeza de que ficaria agitada e de que seu nervosismo voltaria no momento em que a casa ficasse em silêncio. Mas, assim que se aconchegou debaixo dos cobertores, caiu em um sono profundo e não sonhou com nada. Um sono que foi cruelmente perturbado pela mão de um homem sacudindo seu ombro.

Ela abriu os olhos, piscou no escuro e os fechou novamente.

— Vamos, Kansas, levante-se.

— Tem uma guerra por aí? — murmurou ela para o travesseiro.

— Tem um peixe com seu nome nele — respondeu Finn. — O café estará pronto em dez minutos.

Deanna se sentou, piscou novamente e pôde distinguir a silhueta de Finn ao lado da cama. E pôde sentir o cheiro dele: sabonete e pele úmida.

— Por que você tem de pescar de madrugada?

— Algumas tradições são sagradas. — Ele se inclinou e, infalivelmente, encostou a boca na boca quente e sonolenta de Deanna. O suspiro dela em resposta enrijeceu seus músculos e fez sua mente considerar uma atividade matinal totalmente diferente. — Você vai querer aquela roupa de baixo comprida que pedi para você pôr na mala. — Ele limpou a garganta e fez um esforço para se afastar antes de desistir e de se enfiar debaixo dos cobertores com ela. — Faz frio lá no lago.

Finn a deixou encolhida na cama. Ele não havia dormido bem. Uma grande surpresa, pensou de forma irônica. Deanna precisava de tempo, lembrou. E de cuidado. E de paciência. Ela não precisava que ele liberasse o desejo que o dominava por dentro. Finn tinha certeza de que ela se assustaria se tivesse ideia do quanto ele a desejava.

Isso quase o assustou.

♦ ♦ ♦ ♦

Havia névoa no lago. As cortinas leves que ela formava se rasgavam como algodão na brisa e abafavam o som do motor do barco. No leste, o céu lutava para clarear, e o sol prateado resvalava pela neblina, insinuando um arco-íris. Deanna podia sentir o cheiro de água e de pinheiro, e o sabonete do banho de Finn. Estava sentada na proa do pequeno barco, as mãos apoiadas nos joelhos, a gola da jaqueta levantada para proteger-se do frio.

— É lindo. — Sua respiração fazia fumaça. — É como se fôssemos os únicos no meio do nada.

— O Senachwine recebe muitos campistas e excursionistas. — Ele desligou o motor e deixou o barco deslizar nas águas tranquilas. — Provavelmente já temos companhia no lago.

— Está tão tranquilo. — Contudo, ela ouviu a distância o barulho de outro motor, o canto de um pássaro e a água que batia no casco.

— Essa é a melhor parte da pescaria. — Depois de lançar a âncora, ele lhe entregou uma vara de pesca. — Você não pode ter pressa. Não pode se atropelar. Você só precisa se sentar em um lugar e deixar sua mente descansar.

— Deixar sua mente descansar — repetiu ela.

— Estamos fazendo aqui a pesca com flutuador — começou ele. — Requer mais sutileza do que a pesca com isca.

— Certo.

— Nada de sarcasmo, por favor. Trata-se de uma arte.

— Arte? Sem dúvida.

— A arte — continuou Finn — está em colocar o flutuador delicadamente na superfície para que ele atraia o peixe enquanto você, com destreza, enrola o molinete.

Deanna tirou os olhos das belas iscas que estava examinando e olhou para a água.

— Não vejo nenhum peixe.

— Você vai ver. Confie em mim. Agora você vai jogar a linha. O segredo está no pulso.

— É o que meu pai sempre diz sobre ferraduras.

— Tudo isso aqui é sério. — Andando com segurança, ele foi até a ponta do barco onde ela estava.

— Ferraduras não são coisas sérias?

— Pelo amor de Deus, Deanna, você não sabe nada? Quando um homem precisa relaxar, não significa que ele não queira competição.

Ela sorriu quando Finn mudou suas mãos de posição na vara.

— Meu pai gostaria de você.

— Seu pai parece um homem sensível. Agora mantenha as mãos firmes, os pulsos flexíveis. — Ele a equilibrou, lançando a linha para que caísse suavemente nas águas tranquilas. Como em um passe de mágica, ondinhas formaram-se em volta da isca e foram se espalhando, deixando Deanna encantada.

— Consegui! — Radiante, ela olhou para Finn por sobre o ombro. — Tudo bem, *você* conseguiu, mas eu ajudei.

— Nada mal. Você tem potencial. — Ele pegou sua vara e escolheu uma isca. Lançou-a na água sem fazer nenhum som e quase sem formar ondas no lago. O forte espírito de competição surgiu com o prazer de Deanna.

— Quero fazer de novo.

— É para você fazer de novo. Mas precisa enrolar a linha primeiro.

Ela arqueou a sobrancelha.

— Já sei.

— Devagar — disse ele, insinuando um sorriso enquanto mostrava. — Suavemente. A paciência é uma arte tal como lançar a linha.

— Então, ficamos sentados aqui, lançando a linha e trazendo-a de novo para dentro do barco?

— Essa é a ideia. Vou ficar sentado aqui e olhar para você, o que é uma maneira muito boa de passar a manhã. Agora, se você fosse um homem, animaríamos a pescaria contando mentiras sobre peixes e mulheres.

As sobrancelhas de Deanna estavam unidas enquanto ela se concentrava para lançar a linha novamente. Sua isca não caiu na água sem fazer som, mas ela gostou de como caiu.

— Nessa ordem, imagino.

— Normalmente, os temas se misturam. Uma vez, Barlow James e eu passamos seis horas aqui. Não acho que dissemos um ao outro uma única verdade.

— Eu posso mentir.

— Não. Não com esses olhos. Vou facilitar as coisas para você. Fale-me sobre sua família.

— Tenho três irmãos. — Ela não tirou os olhos da isca, esperando para agir. — Dois mais velhos e um mais novo. Os dois mais velhos são casados, e o mais novo ainda está na faculdade. Eu devo mover a vara ou algo do tipo?

— Não, só relaxe. Todos eles ainda estão em Kansas?

— Sim. Meu pai tem uma loja de ferragens, e meu irmão mais velho trabalha com ele. Minha mãe faz a contabilidade. O que você está fazendo?

— Puxando um peixe — disse Finn, calmamente, enquanto enrolava a linha. — Ele mordeu a isca.

— Você pescou um. — Ela se inclinou para a frente no barco, lançando a linha. — Já?

— Você cresceu na cidade ou em algum bairro?

— Em um bairro — disse ela, impaciente. — Como pode você já ter pegado um peixe? Ah, olhe! — Fascinada, ficou olhando enquanto ele tirava o peixe do lago. O peixe balançava, o sol cada vez mais forte fazia suas barbatanas cintilarem. A fascinação continuou quando Finn o apanhou e o jogou no fundo do barco. — Você deve ter usado uma isca melhor que a minha — disse ela enquanto Finn removia o anzol e colocava o peixe no gelo.

— Quer trocar?

O vinco persistente enrugava a testa de Deanna.

— Não. — Ela o observou lançar a linha novamente. Determinada, enrolou a linha, mudou de posição e depois a lançou para o outro lado do barco com mais entusiasmo do que estilo.

Quando Finn sorriu para ela, Deanna levantou o nariz.

— E sua família?

— Não tenho muito que falar. Meus pais divorciaram-se quando eu tinha 15 anos. Sou filho único. Os dois são advogados. — Ele apoiou a vara para que pudesse abrir a garrafa térmica e servir café para os dois. — Os dois se enterraram debaixo de uma pilha civilizada de papéis e concordaram em dividir tudo meio a meio, incluindo a mim.

— Lamento.

— Pelo quê? — Não foi uma pergunta amarga, mas simples. — Os laços familiares não são fortes entre os Riley. Cada um tem sua própria vida e prefere que seja assim.

— Sem querer criticar, mas me parece algo muito frio.

— É frio. — Ele deu um gole no café e absorveu o prazer silencioso da manhã fria com o sol batendo na água. — Também é prático. Não temos nada em comum a não ser o sangue. Por que fingir o contrário?

Ela não sabia o que responder. Estava longe de sua família, mas os laços estavam sempre presentes.

— Eles devem ter orgulho de você.

— Tenho certeza de que estão contentes com o fato de que o dinheiro que gastaram com meus estudos não foi desperdiçado. Não me olhe assim. — Estendeu a mão e deu um tapinha no tornozelo de Deanna. — Não fiquei traumatizado nem cheio de cicatrizes. A verdade é que foi positivo para minha vida profissional. Se você não tem raízes, não precisa cortá-las toda vez que tem uma tarefa.

Talvez não fosse preciso sentir compaixão por esse homem, mas Deanna não pôde evitar que se espalhasse em seu íntimo a compaixão pelo menino que ele havia sido.

— As raízes não prendem ninguém — disse ela, calmamente. — Agora, se você souber transplantá-las...

— Kansas?

— Sim?

— Você fisgou um peixe.

— Eu fisguei... Oh! — Sua linha foi puxada novamente. Se Finn não tivesse estendido a mão para ajudá-la a segurar, ela teria pulado e virado o barco. — O que eu faço? Eu esqueci. Espere, espere — disse ela antes que ele pudesse responder. — Quero fazer isso sozinha.

Com a sobrancelha franzida em sinal de concentração, ela girou o molinete, sentindo a resistência enquanto o peixe lutava para se soltar. Houve um momento em que teve um desejo de soltá-lo. Então, a linha ficou esticada, e o espírito de competição foi maior do que qualquer outra coisa.

Quando ela, finalmente, jogou sem jeito o peixe no fundo do barco, gritou de alegria.

— Ele é maior que o seu.

— Talvez.

Afastou a mão de Finn com um tapa antes que ele pudesse remover a isca.

— Sou eu que vou fazer isso.

Com o sol mais alto no leste, eles sorriram um para o outro por causa de uma truta de mais de dois quilos.

♦ ♦ ♦ ♦

Voltaram para a cabana com quatro peixes. Dois para cada um. Deanna defendeu veementemente a ideia de um desempate, mas Finn havia ligado o motor.

— Não se deve pescar mais do que se pode comer — disse-lhe ele enquanto limpava os peixes.

— Foi maravilhoso. — Ainda animada, Deanna girava pela cozinha. — Realmente maravilhoso. Eu me sinto uma pioneira. Vamos almoçar peixe?

— Claro. Vamos fritar alguns. Deixe-me aumentar o fogo na sala, primeiro.

— Eu achei que seria chato — disse ela atrás dele. — Quero dizer, no bom sentido. — Rindo, penteou os cabelos com os dedos. — Mas foi emocionante também. Sei lá. Gratificante. — Ela riu novamente.

— Você tem jeito para isso. — Finn pôs outra lenha na lareira e se agachou. — Podemos sair por algumas horas amanhã de manhã antes de voltarmos para a cidade.

— Eu adoraria. — Deanna ficou observando a luz do fogo dançar no antebraço de Finn enquanto ele tentava aumentar o fogo. Para ela, ele tinha o perfil relaxado, os olhos escuros enquanto fitavam o fogo. Seus cabelos caíam sobre a testa e enrolavam-se no alto da gola de sua camisa. — Que bom que você me trouxe para cá.

Ele olhou por sobre o ombro e sorriu.

— Eu também acho.

— Não só pela aula de pesca.

O sorriso de Finn desapareceu, mas seus olhos continuaram nos dela.

— Eu sei.

— Você me trouxe para cá para me tirar dos jornais, das conversas e das coisas desagradáveis. — Ela tirou os olhos dele para fitar a lareira, onde as chamas se levantavam. — Você não me fez mais perguntas.

Ele pôs o atiçador no chão e se virou para ela.

— Quer que eu faça perguntas?

— Eu não sei. — Deanna tentou dar um sorriso. — Que pergunta você faria?

Finn fez a pergunta que o havia deixado inquieto durante toda a noite.

— Você tem medo de mim?

Deanna hesitou.

— Um pouco — ela se ouviu dizer.

— Tenho mais medo do que você possa me fazer sentir.

Ele voltou a olhar para o fogo.

— Não vou pressionar você, Deanna. Não vai acontecer nada entre nós que você não queira. — Voltou a olhar para ela nesse momento, os olhos escuros, intensos. — Eu prometo.

Em vez de relaxar, Deanna sentiu um frio na barriga; as palavras de Finn, e a certeza que tinha de que ele iria cumpri-las, deixaram-na mais ansiosa.

— Não é esse tipo de medo, Finn. É... sedutor.

A expressão nos olhos dele fizeram com que ela o desejasse. Deanna se virou rapidamente para que pudesse dizer tudo de uma vez.

— Pelo que aconteceu, nunca consegui recuperar o que perdi. Até você chegar. — Ela voltou a se virar, devagar. O nervosismo era terrível. Podia sentir o coração batendo forte no peito. — Até você chegar, eu acho. E isso me dá medo. Tenho medo de estragar tudo.

Apesar de ter se levantado, ele não se aproximou dela.

— O que acontece entre nós acontece porque nós dois queremos. Estou disposto a esperar até que você esteja pronta.

Ela olhou para as mãos, entrelaçadas à sua frente.

— Eu gostaria de lhe fazer uma pergunta.

— Pergunte.

— Você tem medo de mim?

Ela ficou parada onde estava, os cílios escondendo seus olhos, parecendo magra e frágil com a blusa folgada. Uma das lenhas se moveu lentamente atrás dele e lançou algumas fagulhas breves e pequenas.

— Deanna, nunca nada me deixou com tanto medo na vida como você e o que você pode me fazer sentir.

Seus cílios levantaram-se nesse momento. E ela já não mais era tão frágil, não com seus olhos grandes e escuros, seus lábios levemente curvados. O primeiro passo na direção de Finn foi o mais difícil. Depois foi fácil chegar até ele, abraçá-lo, descansar a cabeça no ombro dele.

— Eu não poderia ter tido uma resposta melhor. Finn, eu não quero perder o que estou sentindo neste momento. — Uma vez que Finn não se mexeu, ela ergueu os olhos e pôs as mãos no peito dele. — Eu não acho que isso vá acontecer se você fizer amor comigo.

De todas as emoções que ele havia esperado sentir, o susto era o último. Contudo, foi o susto que o tomou primeiro, de imediato, enquanto ela olhava para ele com um misto de confiança e dúvida nos olhos.

— Não há pressão alguma aqui, Deanna.

— Há, sim. Não de sua parte. Da minha. — Era o coração dele que estava acelerado debaixo de sua mão?, perguntou-se. Como podia bater tão rápido, uma vez que olhava para ela com tanta calma, uma vez que as mãos dele estavam tão leves sobre seus ombros? — Eu preciso de você.

Não foi somente o desejo que o acertou ao ouvir essas palavras. Havia algo mais violento e mais ardente nesse desejo. Escorregou as mãos que estavam nos ombros de Deanna e, segurando o rosto dela, inclinou os lábios para beijá-la.

— Não vou machucar você.

— Eu sei — disse ela, mas, apesar de tudo, tremeu. — Não tenho medo disso.

— Sim, você tem. — E lamentou o fato, amargamente. — Mas você não precisará ter. — Ele prometeu com veemência. — Você só precisa me dizer quando parar.

— Não vou dizer. — Havia determinação em seus olhos novamente. Finn jurou para si mesmo que iria transformá-la em prazer.

A boca de Deanna secou quando ele desabotoou sua blusa. Lentamente, com os olhos nos dela, Finn tirou a primeira peça e jogou-a para o lado. Depois, sorriu.

— Isso vai demorar um pouquinho.

Deanna riu, nervosa e trêmula.

— Tenho todo o tempo do mundo.

Seus olhos fecharam-se, sua boca se levantou para a dele. Era natural, tão simples e tão facilmente natural, apertar seu corpo contra o de Finn, levantar os braços e puxá-lo em sua direção. Tremeu novamente quando ele lhe tirou a malha de gola alta. Mas não foi de frio. Nem de medo. Perdeu o fôlego quando ele a levantou nos braços e a deitou no tapete de pele grossa em frente à lareira.

— Não quero que pense em outra coisa além de mim. — Finn a beijou de novo, demoradamente, antes de se sentar para tirar-lhe as botas. — Nada além de mim.

— Não, não vou. Não posso.

A luz do sol e do fogo dançava sobre as pálpebras fechadas de Deanna. Ela ouviu os estalos do fogo, o barulho da camisa e das botas de Finn enquanto ele as tirava. Então, lá estava ele, ao seu lado, acariciando suavemente seu rosto até que ela abriu os olhos e olhou para ele.

— Eu quis você desde o primeiro momento em que a vi.

Deanna sorriu, desejando relaxar e espantar aqueles sentimentos súbitos de dúvida.

— Faz quase um ano.

— Mais. — Seus lábios brincavam com os dela, aqueciam-nos, esperavam que respondessem. — Você entrou correndo na sala de redação.

Foi direto para sua mesa, aí prendeu os cabelos com uma fita vermelha e começou a escrever um artigo. Isso foi alguns dias antes de eu ir para Londres. — Deslizou a mão sobre a seda que cobria o torso de Deanna, praticamente sem tocá-la, mas apenas insinuando o que poderia ser. — Fiquei observando você por um tempo. Era como se alguém tivesse me acertado com um martelo. Depois de todos aqueles meses, eu a vi em pé na pista do aeroporto, debaixo da chuva.

— E você me beijou.

— Guardei o beijo por seis meses.

— Depois roubou minha história.

— Sim. — Ele deu um sorriso largo e depois inclinou a boca para tocar-lhe os lábios curvados. — E agora tenho você.

Ela se enrijeceu instintivamente quando a mão de Finn deslizou debaixo da seda. Mas ele não a apalpou nem teve pressa. Em instantes, a carícia suave dos dedos dele em sua pele fizeram seus músculos relaxarem. Quando subiram para envolver seu seio, seu corpo se curvou para recebê-los.

Como chuva quente, o prazer era suave, calmo e relaxante. Ela o aceitou, o absorveu e depois o desejou com ânsia enquanto Finn a despia lentamente.

O calor do fogo iluminava a sala, mas ela só sentia as mãos dele, que a acariciavam suavemente, exploravam, excitavam. Seu toque hesitava, depois continuava, chamas acesas nas quais aquelas gotinhas de prazer começavam a esquentar. Daquela vez, quando ela tremeu, foi de calor. E sua respiração estava presa na garganta.

Finn não mais sentiu o animal cravando suas garras nele. Havia uma doçura ali, e uma força. Enquanto seus lábios desciam até os seios inchados de Deanna, ele soube que ela era totalmente dele, como se os dois já fossem amantes fazia anos.

O corpo de Deanna era como água nas mãos dele, subia e descia com as ondas de prazer que ambos davam um ao outro. Finn ouvia o vento batendo nas janelas, o fogo estalando na lareira. E o som de seu nome sendo sussurrado nos lábios dela.

Ele sabia que podia fazê-la flutuar, como estava fazendo naquele momento, os olhos de Deanna como fumo, e seus músculos, como cera quente. E sabia que só precisava estimulá-la mais, só mais um pouco, para vê-la romper aquelas nuvens em direção à tempestade.

Deanna sentiu os dentes de Finn roçarem seu quadril, e a mão com a qual acariciava os cabelos dele enrijeceu. Sentia um calor na barriga enquanto a língua dele passeava por ela. Fez que não com a cabeça para recusar e afastar o tremor súbito e incontrolável. Então, a fornalha da pressão esquentou rapidamente. Ela se contorceu. Tentou gritar, pedir que ele esperasse, que lhe desse um instante para se preparar. Mas o prazer irrompeu dentro dela, espalhando-se por todo o seu corpo.

Finn observou o instante de recusa frenética, o pânico inebriado, o prazer desenfreado. Tudo o que ela sentia ecoava dentro dele. Tão ofegante quanto Deanna, deitou-se sobre ela, cobrindo seu rosto radiante de beijos até envolvê-la, até que seus movimentos ficassem frenéticos e a necessidade violenta que tinha dela exigisse ser suprida.

— Olhe para mim. — Ele lutou para que as palavras saíssem de sua garganta quente. — Olhe para mim.

E, quando ela olhou para ele, quando os olhos dos dois se encontraram, Finn a penetrou. Lentamente, ele afundou as mãos no tapete, como se pudesse ter controle ali, abaixou-se e sentiu-a se levantar para encontrá-lo até os dois se mexerem suavemente ao mesmo tempo.

Quando os lábios de Deanna se curvaram, ele pressionou o rosto em sua garganta e levou os dois ao êxtase.

## Capítulo Dezesseis

Ainda sonhando, Deanna virou-se para Finn, e ele estava ali. Os braços mexendo-se para abraçá-la, o corpo pronto para possuí-la. Enquanto a luz cálida do amanhecer entrava aos poucos no quarto, eles se envolveram fisicamente de novo. Ritmo gracioso, peles quentes, paixões saciadas. Era tão fácil, tão natural a ligação dos dois, sem pressa, sem pensamentos, enquanto a sintonia era tão rítmica quanto as palpitações.

O vaivém dos corpos, o movimento da relação sexual tão simples como respirar, fez os lábios de Deanna se curvarem antes que encontrassem os dele em um beijo longo, intenso e crepuscular.

Quando chegaram ao clímax, tão suave quanto a manhã, ela suspirou o nome dele e passou do sonho para a realidade, percebendo que Finn ainda pulsava dentro dela, um segundo coração.

— Finn. — Ela falou novamente, sorrindo em direção à luz silenciosa da manhã. O crucifixo que ele usava pressionava sua pele, pouco abaixo do coração.

— Hmmm?

— Essa é uma maneira de começar o dia ainda melhor que a pesca.

Ele riu, roçando o nariz no pescoço dela.

— Ontem de manhã eu não conseguia pensar em outra coisa que não fosse me arrastar para esta cama com você.

Deanna abriu um sorriso largo.

— Bom, você está aqui agora.

— Parece que sim. — Ele levantou a cabeça, examinando-a enquanto brincava com os cabelos que caíam no rosto dela. Os olhos de Deanna estavam grandes e sonolentos, sua pele tinha um brilho translúcido, com o rubor típico de quem acabou de fazer sexo. — Dormimos muito.

— Não. — Satisfeita em ver que havia sido fácil, correu os dedos pelas costas de Finn até chegar à pele firme de suas nádegas. — O sono foi perfeito. Absolutamente perfeito.

— Sabe... — Ele segurou um dos seios de Deanna, esfregando o polegar no mamilo e observando-a abrir a boca e respirar de forma instável. — Eu ia ensinar você a pescar com mosca hoje de manhã.

Sentindo os puxões leves que Finn lhe dava, ela começou a sentir frio na barriga novamente.

— Você ia?

— Isso é o máximo na pesca com vara e anzol. É preciso... um toque de mestre.

Ela virou a cabeça quando ele inclinou a boca na direção de seu pescoço.

— Eu poderia aprender.

— Eu acho que sim. — Roçou os dentes no lugar onde a pulsação dela vibrava. Não havia nada mais erótico, concluiu ele, do que sentir uma mulher se abrir para o prazer. — Eu acho que você tem um potencial ilimitado.

Deanna suspirou, contraindo-se em reação à ereção de Finn ao penetrá-la.

— Eu sempre quero ser a melhor. Talvez isso seja um defeito.

— Eu não acho — murmurou ele. Ela se arqueou para recebê-lo, já estremecendo com as primeiras sensações do clímax. — É, com certeza, uma virtude.

♦♦♦♦

— Deanna, por que uma mulher tão inteligente como você ainda mantém esse vínculo sentimental com um perdedor?

— Não é sentimental. — Deanna fungou enquanto destrancava a porta de seu apartamento. — É uma lealdade prática e muito lógica. Os Cubs vão surpreender todo mundo este ano.

— Sim, tem razão. — Depois de bufar, Finn entrou no apartamento atrás dela. — Seria uma surpresa se eles conseguissem sair da última posição. Quando foi a última vez que eles quase conseguiram?

Aquilo doeu.

— Essa não é a questão. — Apesar de suas melhores intenções, seu tom foi muito convencido. — Eles têm garra.

— É uma pena que não tenham batedores.

Ela levantou o nariz e foi até a secretária eletrônica.

— Desculpe. Preciso ouvir as mensagens.

— Sem problema. — Sorrindo, ele se jogou no sofá. — Podemos encerrar esse assunto mais tarde. Pelo jeito, não mencionei que fui líder do grupo de discussão na faculdade. E este é o tipo de discussão que não posso perder.

Para mostrar seu desdém, ela apertou o botão da secretária.

"Deanna, aqui é Cassie. Desculpe-me por incomodá-la em casa, mesmo você não estando aí. Tivemos algumas mudanças na agenda de segunda-feira. Vou enviá-las por fax para você. Se tiver alguma dúvida, sabe onde me encontrar. E, ah, droga, recebemos muitas ligações sobre o artigo do tabloide. Descartei várias, mas, se você quiser responder, tenho uma lista de repórteres com quem talvez queira falar. Estarei em casa quase todo o fim de semana. Ligue para mim se quiser preparar alguma coisa."

— Ela nunca fez uma pergunta — murmurou Deanna. — Ninguém no escritório faz uma pergunta.

— Eles conhecem você.

Deanna concordou com a cabeça e parou a secretária por um instante.

— Sabe, Finn, por mais duro que meu trabalho possa ser, por mais energia que exija, eu acordo algumas manhãs com a sensação de que me dei muito bem.

— Se você me perguntar, ganhar a vida falando uma hora por dia parece mais fácil.

Esse comentário a fez sorrir um pouco.

— Você cuida dos terremotos. Eu cuidarei dos sofrimentos.

Ele tirou a jaqueta.

— É uma pena desperdiçar toda essa inteligência.

— Não é desperdício — disse Deanna, impetuosa. — Eu... — Contudo, ao ver o brilho nos olhos de Finn, ela parou. Ele só estava tentando seduzi-la novamente. — Não, obrigada. Não vou discutir com você. — Voltou-se outra vez para a secretária eletrônica e parou novamente. — Já parou para pensar que alguém vai tirar tudo de você? Que alguém vai lhe dizer, um dia, que acabou e que não haverá mais câmeras?

— Não. — Sua confiança, a fácil arrogância por tê-la, fez Deanna abrir um sorriso largo. — E nem você deve pensar nisso. — Ele levantou o queixo dela e a beijou. — Você é maravilhosa no que faz.

— Cale a boca, Finn. — Ela apertou o botão "Play" novamente e anotou a breve mensagem de Simon sobre um possível problema no programa do dia seguinte e outra de Fran dizendo que o problema havia sido resolvido. Esperou para ouvir uma ligação sem mensagem que demorou para ser desligada e depois rangeu os dentes ao ouvir três ligações de repórteres que haviam conseguido seu número, mesmo ele não estando na lista telefônica.

— Tudo bem? — Finn aproximou-se por trás e esfregou os ombros dela para aliviar a tensão.

— Sim. — Ela cedeu à massagem por um instante ao apoiar as costas nele. — Estou bem. Preciso decidir se devo me negar a comentar ou se devo escrever uma declaração. Eu acho que não quero pensar nisso ainda.

— Então, não pense.

— Evitar o problema não vai fazê-lo desaparecer. — Ela se endireitou e foi para o lado para parar em pé sozinha. — Quero tomar a decisão certa. Detesto cometer erros.

— Então, você tem duas opções. Reagir emocionalmente ou reagir como uma repórter.

Deanna franziu a testa enquanto pensava.

— Ou combinar as duas coisas — disse ela, delicadamente. — Eu estava pensando em fazer um programa sobre estupros cometidos por pessoas conhecidas das vítimas. Fiquei adiando porque achava que era um assunto muito delicado para mim. Mas talvez seja delicado o suficiente.

— Por que você passaria por isso, Deanna?

— Porque eu *passei* por isso. Porque homens como Jamie se safam. E porque... — Ela deixou escapar um longo suspiro que ameaçava ficar preso em sua garganta. — Estou cansada de sentir vergonha por não ter feito nada a respeito. Tenho a chance de reparar isso agora.

— Você vai se machucar.

— Não como já me machuquei. — Estendeu a mão para tocá-lo. — Não mais.

Finn a apertou. Droga, precisava protegê-la. E ela precisava fazer aquilo. A única coisa que ele podia fazer era localizar Jamie Thomas e ter uma bela e longa... conversa.

— Se você resolver fazer esse programa, me avise. Quero estar lá, se puder.

— Tudo bem. — Ela inclinou a cabeça para beijá-lo antes de se afastar. — Por que não abrimos uma garrafa de vinho? Vamos esquecer tudo isso por um tempo.

Deanna precisava disso. Finn podia ver a tensão voltando, como um ladrão, para os olhos dela.

— Contanto que você me deixe ficar. E, dessa vez, não vou dormir no sofá.

— Não vou lhe dar a chance — disse-lhe ela e entrou na cozinha.

Por hábito, ele foi até a televisão, primeiro, para ligá-la no instante em que o noticiário da noite começava. Virou-se para o sofá com a intenção de tirar as botas e pôr os pés para cima. Viu o envelope no tapete ao lado da porta.

— Tenho batatas fritas. — Deanna trouxe uma bandeja e a pôs na mesa de centro. — A viagem abriu meu apetite. — Seu sorriso congelou ao ver o envelope na mão de Finn. — Onde você achou isso?

— Estava no chão, perto da porta. — Ele o estava entregando a ela quando o puxou de volta. Deanna ficou pálida. — Qual é o problema?

— Não é nada. — Irritada consigo mesma, ela espantou o medo vago e bobo. — É bobeira, só isso. — Tentando convencer-se a si mesma e a Finn de que não estava preocupada, pegou o envelope e o abriu.

Deanna,
nada que disserem mudará meus sentimentos.
Eu sei que tudo é mentira.
Eu sempre acreditarei em você.
Eu sempre amarei você.

— Um fã tímido — disse ela encolhendo os ombros, um gesto que mais parecia um impulso defensivo. — Que precisa fazer alguma coisa da vida.

Finn tirou a folha da mão dela e a examinou.

— Resposta para os tabloides, eu diria.

— Parece. — Mas acreditar em um anônimo não a animou.

— Acho que você já recebeu uma dessas antes.

— Eu teria uma coleção se as tivesse guardado. — Deanna levantou sua taça de vinho. — Faz um ano que elas chegam de vez em quando.

— Um ano? — Ele olhou para ela, uma expressão intensa nos olhos. — Como assim?

— Aqui, na sala de redação, em meu escritório. — Ela mexeu os ombros novamente, inquieta. — Sempre com o mesmo formato e o mesmo tipo de mensagem.

— Você já denunciou isso?

— A quem? À polícia? — Todo desconforto que sentia desapareceu em uma risada. — Por quê? O que eu diria? Policial, venho recebendo cartas de amor anônimas. Faça alguma coisa!

— O fato de você receber essas cartas há um ano mostra que não são só cartas de amor inofensivas. Isso é uma obsessão. As obsessões não são saudáveis.

— Eu não acho que uma dezena de bilhetes bobos ao longo de um ano seja uma obsessão. É só alguém que me vê na televisão, Finn, ou que trabalha no prédio. Alguém que se sente atraído pela imagem, mas é muito tímido para se aproximar de mim e pedir um autógrafo. — Pensou nas ligações, aquelas mensagens silenciosas no meio da noite. E no fato de que a pessoa conseguira passar um bilhete por debaixo de sua porta. — Assusta um pouco, mas não é ameaçador.

— Não gosto disso.

Deanna segurou a mão dele para fazê-lo se sentar no sofá com ela.

— É só seu instinto exagerado de repórter. — Uma vez que a boca de Finn era muito mais inebriante, ela pôs o vinho de lado. — É claro que se você quiser ser um pouco mais ciumento...

Seus olhos estavam sorrindo para ele. Finn devolveu o sorriso, deixando que ela criasse o clima, mas pensou na folha de papel aberta sobre a mesa de centro e em sua mensagem de devoção tão vermelha quanto o sangue.

♦ ♦ ♦ ♦

— Nem uma única declaração. — Angela riu para si mesma e se esticou sobre os lençóis de cetim rosados de sua grande cama. A televisão estava ligada, e havia jornais e revistas espalhados pelo chão à sua volta.

Era um belo quarto que lembrava um museu majestoso com suas antiguidades curvilíneas e douradas e toques femininos muito particulares.

Uma das empregadas havia comentado com uma amiga que ficou surpresa por não haver uma corda de veludo de um lado ao outro da porta e necessidade de bilhete para entrar.

Havia espelhos em todas as paredes — ovais, quadrados e retangulares — refletindo a elegância que ela havia conseguido e sua própria imagem.

As únicas cores diferentes do dourado e dos tons de madeira eram rosa e branco, um bastão de caramelo que ela podia saborear com lambidas longas e vorazes.

Havia ramalhetes de rosas frescas e molhadas de orvalho, de modo que ela nunca respirava sem inalar o perfume puro e gratificante que lhe remetia ao sucesso. Na cabeceira da cama cromada de cor dourada estava uma pilha de travesseiros com fronhas de seda e rendas. Angela bateu as pontas rosadas dos dedos dos pés neles e tripudiou.

Perto da cama havia uma poltrona, na qual ela havia jogado despreocupadamente um de seus muitos roupões.

Antes, muito tempo atrás, ela invejara as coisas belas que os outros tinham. Quando criança, e também quando jovem, ficava encarando as vitrines das lojas e desejando o que elas exibiam. Agora tinha, ou podia ter, tudo o que desejasse.

E quem desejasse.

Nu e com os músculos discretos brilhando, Dan Gardner abria as pernas dela e esfregava óleo perfumado em suas costas e ombros.

— Já faz mais de uma semana — ela o lembrou — e Deanna não deu um pio.

— Você quer que eu entre em contato com Jamie Thomas?

— Hmmm. — Angela esticou-se voluptuosamente debaixo das mãos de Dan. Sentia-se mimada e vitoriosa. E calma, lindamente calma. — Entre em contato com ele e peça que continue a falar com os repórteres, talvez aumentando um pouco a história. Faça-o se lembrar de que, se não causar problemas suficientes para nossa pequena Dee, teremos de deixar vazar a história de seu caso com o pó branco.

— Isso seria bom. — Dan admirava o corpo de Angela debaixo do seu da mesma forma, ou quase, com que admirava a mente dela. — Se os investimentos que ele faz na cocaína vierem à tona, a carreira dele já era! Mesmo trabalhando na firma do papai.

— Faça-o se lembrar disso se não quiser colaborar. O menino rico vai pagar caro — murmurou Angela. Ela o teria odiado apenas pelo fato de ter nascido rico e com privilégios e de esbanjar tudo em seu vício com as drogas. Mas o modo patético com que se curvou diante de sua primeira ameaça fez com que o desprezasse.

— Ah, envie uma caixa de Dom Perignon a Beeker. — Angela examinou suas unhas pintadas de cor-de-rosa, fazendo uma cara feia para um pequeno defeito nelas. — Ele fez um bom trabalho. Mas o mantenha no caso. Se encontrarmos sujeira suficiente que nossa pequena Dee varreu para debaixo do tapete, poderemos acabar com ela.

— Eu adoro sua inteligência, Angela. — E, excitado com isso, ele a mordeu forte no ombro. — É tão lindamente pervertida.

— Não estou nem aí para o que você acha da minha inteligência. — Rindo baixinho, Angela se virou para que ele pudesse deslizar as mãos escorregadias de óleo sobre seus seios. — E, neste caso, ela está bem focada. Seja lá como for, os índices de audiência de Deanna estão subindo. Não vou permitir isso, Dan, não depois de ela ter traído minha amizade. Por isso, continue... — De repente, Angela se colocou de joelhos, dando um grito de protesto quando uma imagem de Deanna e Finn apareceu na tela.

— Seguindo com outras notícias do mundo do entretenimento — continuou o apresentador —, a estrela dos programas de entrevistas, Deanna Reynolds, acompanhou o correspondente internacional da CBC, Finn Riley, a um banquete do Clube Nacional da Imprensa, em Chicago, no qual Riley foi homenageado por seu trabalho durante a Guerra do Golfo. Dizem nesse meio que o repórter, conhecido como Um Pedaço do Deserto, está considerando a oferta de liderar um programa semanal de notícias da CBC. Riley não comentou sobre o projeto nem sobre seu relacionamento pessoal com Deanna, a queridinha de Chicago.

— Não! — Angela explodiu na cama, um míssil sendo detonado. — Eu a acolhi. Eu lhe ofereci oportunidades, lhe dei meu afeto. E é assim que ela me trata.

Andou nua até uma garrafa de champanhe aberta e se serviu generosamente. Lágrimas, tão genuínas e dolorosas quanto a sua amargura, ardiam em seus olhos.

— E aquele filho da puta se voltou contra mim. — Em um gesto violento, virou a taça de vinho espumante na boca. A bebida ferveu em seu estômago como a paixão. — Ele se virou contra mim e foi correndo para ela. Para *ela*. Porque é mais jovem. — Enfurecida e, subitamente, assustada ao ver a taça vazia, Angela a jogou em direção à televisão. A taça bateu no canto do armário e se partiu em dois pedaços. — Ela não é nada. É um zero à esquerda. Uma carinha bonita em um corpo torneado. Qualquer uma pode ter isso. Ela não vai segurar Finn. Ele vai descartá-la, e os espectadores também. — Secou violentamente as lágrimas com a mão, mas a boca continuou a tremer. — Eles vão me querer. Eles sempre me querem.

— Ela não chega aos seus pés, Angela. — Dan aproximou-se lentamente dela, cuidando para que seus olhos estivessem cheios de compreensão e desejo. — Você é a melhor que existe. Em público. — Delicadamente, ele a virou para que ambos ficassem de frente para o espelho de corpo inteiro. — Em particular — murmurou ele, olhando-a enquanto ela observava as carícias de suas mãos. — Você é tão bonita. Deanna tem o físico de uma criança, mas você... Você é uma mulher.

Desesperada para ser reconfortada, segurou as mãos de Dan com força até ele apertar seus seios dolorosamente.

— Preciso ser desejada, Dan. Preciso saber que as pessoas me querem. Não posso sobreviver sem isso.

— As pessoas querem você. Eu quero você. — Ele estava acostumado com os ataques de raiva e a carência de Angela. E sabia tirar proveito das duas coisas. — Quando vejo você no set, tão fria, tão controlada, você me fascina. — Deslizou a mão por entre as coxas dela, acariciando-a até deixá-la molhada, até fazê-la tremer. Até ele tremer. — E mal posso esperar para ficar a sós com você, como agora.

Angela respirava superficialmente, mas sua visão era nítida e estava bem focada no vidro enquanto as mãos ocupadas de Dan a tocavam. O gosto de champanhe ainda estava em sua língua, fazendo-a ansiar mais. Desejar mais. Ela engoliu o gosto e se concentrou no que via no espelho.

— Você faria qualquer coisa por mim?

— Qualquer coisa.

— E para mim?

Ele riu. Sabia onde estava o poder. Quanto mais Angela precisava, mais maquinava, mais poder ela colocava em suas mãos. E a verdade era que o sexo com Angela era como uma viagem escura e violenta a um inferno irresistível.

— O que você quer que eu faça, Angela?

— Transe comigo aqui, bem aqui, para que eu possa ver.

Ele riu novamente. Ela tremia como uma puta no cio, seus olhos cravados no próprio corpo. Sua vaidade, a insegurança patética dessa vaidade, era mais uma maneira que Dan tinha de dominá-la. Mas, quando ele começou a se mexer, ela o empurrou.

— Não. — Angela mal conseguia respirar naquele momento. Seus seios brancos ainda tinham as marcas vermelhas deixadas pelas mãos impetuosas de Dan. Ela as queria ali como provas de que era desejada. — Por trás. Como um animal.

Dan salivou ao imaginar a cena. Sua ereção doía como se ele tivesse levado um golpe. Desesperado para tomá-la, ele a pôs violentamente de joelhos. Olhos selvagens, dentes à mostra, ela o observou se curvar. Dan puxou sua cabeça para trás pelos cabelos, assobiando ao ouvir seu rosnado engasgado.

— Não vou parar. Nem que você implore.

— Me coma. — Seu sorriso reluziu como uma espada já manchada de sangue. — E, quando você terminar, vamos encontrar outra maneira de fazê-la pagar caro.

— Veja. — Ele segurou a cabeça dela com uma das mãos. — Eu quero que você veja.

Dan penetrou-a violentamente, o sangue quase arrebentando suas veias quando ela gritou de dor, comoção e ávido prazer. Seus dedos cravaram-se no quadril de Angela enquanto ele entrava e saía com força várias vezes até o suor escorrer pelos dois como chuva, e sua visão ofuscar.

Mas a visão de Angela permaneceu nítida. Viu o sangue aparecer no lábio ferido pelos próprios dentes, o brilho do suor e das lágrimas em seu rosto. E, quando o orgasmo terrível e sem amor venceu a agonia e a necessidade, o rosto de Dan se desfez para que ela pudesse ver o de Finn. E sorriu enquanto ele gritava seu nome e tremia, tremia, tremia.

Ele a queria. Ele a desejava. Ela era a melhor.

♦ ♦ ♦ ♦

— Deanna, tem certeza de que quer fazer isso? — Fran mordia a unha do polegar, um hábito que havia quebrado anos antes, enquanto estava em pé ao lado da mesa de Deanna.

— Com certeza — respondeu enquanto continuava a assinar a correspondência. Sua assinatura era rápida, nítida e automática. — É um programa que quero fazer. Quantas fichas conseguimos de volta?

Fran franziu as sobrancelhas para os formulários que tinha na mão, as fichas que entregavam à plateia depois de cada programa. Esses formulários simplesmente diziam: Você conhece alguém que foi vítima de estupro? Este é um tema que você gostaria de discutir no programa *A Hora de Deanna*?

Havia um espaço reservado para comentários, nomes e números de telefone. Dos duzentos formulários que Fran examinou, ela escolheu apenas dois.

— Estes são os dois que acho que deveria ver. — Relutante, Fran colocou-os na mesa. — Vai ser doloroso para você, Deanna.

— Eu posso lidar com isso.

Passou os olhos pelo primeiro, depois voltou e leu cada palavra novamente.

*Ele disse que fui eu que pedi. Eu não pedi nada. Ele disse que a culpa foi minha. Não tenho certeza. Eu gostaria de tentar falar sobre isso, mas não sei se consigo.*

Deixando o primeiro formulário de lado, ela apanhou o segundo.

*Era a primeira vez que eu saía com um homem depois de meu divórcio. Foi há três anos, e, desde então, nunca mais estive com um homem. Eu ainda tenho medo, mas confio em você.*

— Duas mulheres — murmurou Deanna. Sim, era doloroso. Sentiu uma punhalada forte e violenta no peito. — Bem ali no meio da plateia. Quantas mais, Fran? Quantas mais estão por aí se perguntando se a culpa foi delas? Quantas mais estão com medo?

— Não suporto ver você sofrer assim. Você sabe que, se fizer isso, vai ter de tocar no nome de Jamie Thomas.

— Eu sei. Já conversei com o departamento jurídico.

— E se ele processar você?

Deanna suspirou, praticamente evitando esfregar os olhos e borrar a maquiagem. Não havia dormido bem, e, com Finn em Moscou, dormira sozinha. Contudo, não fora a dúvida que a havia deixado acordada. Fora a expectativa.

— Que me processe. Resumindo o que o departamento jurídico me disse, ele já foi a público com sua versão. Já que é a palavra dele contra a minha, vou a público com minha versão. Eu poderia ter feito isso em uma dezena de entrevistas desde que os tabloides publicaram a história. Em duas dezenas — corrigiu ela com um sorriso rígido. — Prefiro fazer assim, do meu jeito, em meu programa.

— Você sabe que a imprensa cairá em cima de você.

— Eu sei. — Ela estava calma agora, muito calma. — É por isso que vamos fazer esse programa durante as pesquisas de audiência de maio.

— Meu Deus, Dee...

— Vou a público com isso, Fran, e espero ajudar ao menos uma mulher que assistir ao programa. — Usou as mãos para tirar a umidade das bochechas. — E juro que vou bater a audiência da concorrência enquanto estiver nesse tema.

♦ ♦ ♦ ♦

DEANNA ESTAVA muito tranquila antes do programa. À sua maneira precisa, repassou as fichas com as perguntas enquanto Marcie fazia os últimos retoques em sua maquiagem. Preparada, e ansiosa, girou na cadeira para ficar de frente para Loren Bach.

— Você está aqui como observador, Loren, ou para oferecer conselhos?

— Um pouco dos dois. — Ele entrelaçou os dedos longos e brancos. — Como você sabe, não tenho o hábito de interferir no conteúdo do programa.

— Eu sei, e agradeço.

— Mas tenho o hábito de proteger as pessoas que trabalham para mim. — Sentou-se em silêncio por um instante, reunindo seus pensamentos enquanto examinava a sala organizada, cheia de pilhas de jornais e revistas atuais e uma prateleira de vídeos bem-identificados que poderiam ser colocados no videocassete para serem vistos. A sala tinha um perfume suave de cosméticos e loções. Feminino, sim, pensou ele, mas também havia ferramentas de trabalho. O camarim era tanto um lugar para se preparar como também escritório de Deanna.

— Você pode fazer este programa, e um excelente trabalho, sem recorrer à sua experiência pessoal.

— Posso, sim. — Ela se levantou nesse momento para fechar a porta que Marcie havia deixado aberta. — Você está me pedindo para fazer isso, Loren?

— Não. Eu só estou fazendo você se lembrar disso.

— Então, vou fazer você se lembrar de que eu sou parte do programa, não só a apresentadora. Uma parte íntima; é isso que o faz funcionar para mim e, acredito eu, para a plateia também.

Loren sorriu, e seus olhos permaneceram aguçados. Ela parecia polida e equilibrada, pensou ele.

— Não vou discutir com você. Mas, Deanna, se você tiver alguma dúvida sobre o que está fazendo, não é preciso seguir em frente.

— Não tenho dúvidas, Loren. Tenho medos. Eu acho, pelo menos espero, que a resposta seja enfrentá-los. Você talvez esteja preocupado que Jamie Thomas tente algum tipo de retaliação legal, mas...

Loren espantou a ideia.

— Tenho advogados para lidar com isso. Em todo caso, me parece que o peso da publicidade teve um resultado contrário ao que ele esperava. Jamie está, no momento, passando férias prolongadas na Europa.

— Ah, entendi. — Ela deu um suspiro profundo. — Está bem, então.

— Você se importa se eu ficar para assistir ao programa? — Ele se levantou depois dela.

— Seria uma honra para mim. — Por impulso, Deanna se inclinou para frente e beijou o rosto dele. Quando ele piscou, surpreso, ela sorriu. — Não foi para meu sócio comercial. Foi por seu apoio.

Ao abrir a porta, viu-se envolvida nos braços de Finn.

— Você deveria estar em Moscou.

— Voltei. — Ele havia usado toda a influência que tinha para conseguir chegar a tempo de ver o programa. — Você está ótima, Kansas. Como se sente?

— Trêmula. — Apertou a mão na barriga. — Pronta.

— Você se sairá bem. — Manteve o braço em volta dos ombros dela e cumprimentou Loren. — Que bom vê-lo.

— Digo o mesmo. Você pode me fazer companhia enquanto Deanna vai trabalhar.

— Ótimo. — Finn acompanhou Deanna até o set. — Vai trabalhar hoje à noite?

— Tenho um jantar com o pessoal da rede às sete. Mas acho que consigo escapar por volta das dez horas.

— Quer dar uma passada em minha casa?

— Sim. — Agarrou firme a mão de Finn. Quanto mais ela se aproximava do set, mais seu estômago retorcia. Deu uma olhada para Fran e abraçou-se. — É como mergulhar em uma piscina gelada.

— O quê?

Ela forçou um sorriso enquanto erguia os olhos para Finn.

— Só um conselho que me deram uma vez. Vejo você daqui a uma hora, hein?

— Estarei aqui.

Deanna ocupou seu lugar com as três mulheres já inquietas no palco. Falou calmamente com cada uma delas, depois pôs seu microfone e esperou o sinal.

Música. Aplausos. A luz vermelha da câmera.

— Bem-vindos ao programa *A Hora de Deanna*. Hoje vamos tratar de um tema doloroso. O estupro, em qualquer forma, é trágico e horrível. Ele assume outra dimensão quando a vítima conhece seu agressor e confia nele. Todas as mulheres neste palco foram vítimas do que é conhecido como estupro cometido por um conhecido: e todas nós temos uma história para contar. Quando fui estuprada há quase dez anos, não fiz nada. Espero poder fazer alguma coisa agora.

## Capítulo Dezessete

♦ ♦ ♦ ♦

Para celebrar o primeiro ano do programa de Deanna, Loren Bach deu uma festa em sua cobertura com vista para o lago Michigan. Ouvia-se o murmúrio das vozes por sobre a música suave e o tinido de copos. Vinham vagamente da sala de jogos ao lado os bipes e campainhas de video games.

Além da equipe do programa e dos executivos da CBC e da Delacort, ele havia convidado um punhado de colunistas e repórteres escolhidos a dedo. A notoriedade de Deanna desde as pesquisas de audiência de maio não mostrava sinais de redução. Loren não tinha intenção de deixar que isso acontecesse.

A audiência aumentava, e o mesmo acontecia com a receita publicitária. Enquanto a queridinha de Chicago rapidamente se tornava a queridinha da América, a celebridade de Deanna, cada vez mais famosa, abriu as portas para que outras estrelas passassem pelo programa para promover seus filmes e turnê de concertos. Ela alternava os famosos com segmentos voltados para cônjuges ciumentos, a escolha do traje de banho adequado e namoros pela Internet.

O resultado era um programa cuidadosamente feito com um estilo atraente, casual e acolhedor. Deanna ficava no centro, tão impressionada quanto a sua plateia com a aparição de uma estrela glamorosa do cinema, tão entretida quanto eles com a ideia de escolher um cônjuge com a ajuda de uma máquina e tão cautelosa e intimidada quanto qualquer mulher diante da ideia de ficar de biquíni em uma praia pública.

A imagem da moça comum atraía a plateia. A mente aguçada e prática por trás da imagem estruturava a visão.

— Parece que você conseguiu, menina.

Deanna sorriu para Roger enquanto beijava o rosto dele.

— Ao longo do primeiro ano.

— Ei, nesse negócio, isso é um pequeno milagre. — Escolheu uma cenourinha de seu prato e a mordeu com um suspiro. Ele havia engordado alguns quilos nos últimos meses. A câmera expunha com alegria cada grama. — Que pena que Finn não pôde estar aqui.

— Os soviéticos resolveram encenar um golpe bem no dia do meu aniversário.

— Teve notícias dele?

— Já faz uns dias. Eu o vi no noticiário. Falando nisso, vi sua nova promoção. Muito inteligente.

— Nossa equipe de notícias é sua equipe — disse Roger com sua voz de apresentador. — Mantendo Chicago informada.

— Você e sua nova parceira têm um belo ritmo.

— Ela é ótima. — Ele passou para o aipo, achando-o igualmente insípido. — Uma boa voz, um bom rosto. Mas ela não entende minhas piadas.

— Rog, ninguém entende suas piadas.

— Você entendia.

— Não. — Ela deu um tapinha na bochecha dele. — Eu fingia que entendia, porque gosto de você.

Ele sentiu uma rápida fisgada no coração.

— Ainda sentimos sua falta na sala de redação.

— Sinto falta de vocês também, Roger. Sinto muito sobre você e Debbie.

Ele deu de ombros, mas as feridas de seu recente divórcio ainda estavam sensíveis.

— Você sabe o que as pessoas dizem, Dee. Assim é a vida. Talvez eu procure uma namorada pela Internet.

Ela riu e apertou a mão dele.

— Eu tenho um conselho sobre isso. Não procure.

— Bem, já que Finn está muito ocupado, viajando de um lado para outro do mundo, talvez você esteja interessada em um relacionamento estável com um homem um pouco mais velho.

Ela teria rido outra vez, mas não estava totalmente certa de que ele estava brincando.

— Acontece que já tenho um relacionamento estável com um homem um pouco mais velho, cuja amizade significa muito para mim.

— Oi, Dee.

— Jeff.

— Vi que você estava sem taça e pensei que talvez quisesse um pouco de champanhe.

— Obrigada. Você nunca deixa escapar um detalhe. Fiz uma grande jogada quando roubei Jeff do departamento de notícias — disse ela a Roger. — Nunca teríamos levado meu programa ao ar sem ele.

Ele sorriu de prazer.

— Eu só resolvo as pendências.

— E resolve bem.

— Desculpe-me. — Barlow James veio parar atrás de Deanna e pôs o braço em volta de sua cintura. — Preciso roubar a estrela por um instante, senhores. Você está ótimo, Roger.

— Obrigado, sr. James. — Com um sorriso amarelo, Roger levantou outra cenoura. — Estou me esforçando para isso.

— Não vou demorar com ela — prometeu Barlow, conduzindo Deanna às portas abertas que davam no terraço. — Você parece mais que ótima — comentou ele. — Está radiante.

Ela riu.

— Estou me esforçando para isso.

— Acho que tenho algo que pode lhe dar mais brilho. Finn entrou em contato comigo hoje de manhã.

O alívio chegou um pouquinho antes que o prazer.

— Como ele está?

— Como peixe dentro d'água.

— Sim. — Ela olhou para o lago, onde o luar pálido empurrava as nuvens que passavam para poder tocar na água. As silhuetas de barcos balançavam suavemente na correnteza. — Imagino que sim.

— Sabe, cá entre nós, podíamos exercer pressão suficiente para convencê-lo a fazer aquele programa de notícias e sossegar o facho em Chicago.

— Não posso. — Embora desejasse poder fazer isso. — Ele precisa fazer o que gosta.

— Todos nós precisamos. — Barlow disse com um suspiro. — Acho que ofusquei um pouco esse seu brilho. Isto deverá trazê-lo de volta. — Tirou uma caixa fina e grande do bolso de sua jaqueta. — Finn me pediu para buscar isto para você. Algo que ele mandou fazer antes de viajar. Também pediu que eu dissesse que lamenta não poder entregá-lo pessoalmente.

Ela não disse nada enquanto olhava para o conteúdo da caixa. A pulseira era delicadamente feita de argolas ovais de ouro, talhadas para refletir a luz e unidas pelo arco-íris de pedras preciosas multicoloridas. Esmeraldas, safiras, rubis e turmalinas cintilavam e refulgiam sob a luz da lua. No meio, as letras D e R em filigrana ornamentavam um arranjo brilhante de diamantes que formava uma estrela.

— A estrela fala por si só, eu acho — disse-lhe Barlow. — É para comemorar seu primeiro ano. Estamos convencidos de que haverá muitos outros.

— É linda.

— Como a mulher para quem ela foi feita — disse Barlow, tirando-a da caixa para colocá-la no pulso de Deanna. — O garoto, com certeza, tem bom gosto. Sabe, Deanna, precisamos de um programa forte nas noites de terça-feira. Você talvez não se sinta à vontade ao usar sua influência para convencer Finn a preencher esse horário, mas eu não tenho esse problema.

— Ele piscou e, dando tapinhas no ombro dela, deixou-a sozinha.

— Você está muito longe, droga — disse ela, baixinho, enquanto tocava a pulseira com a ponta do dedo.

Tinha tanto do que queria, lembrou-se. Tanto pelo que havia trabalhado. Então, por que ainda estava tão insegura? Sentia-se como os barcos na água ao longe, pensou ela. Estava ancorada, mas ainda balançava, ainda lutava contra a maré.

Seu programa estava caminhando rapidamente para ser transmitido em todo o país. Mas Deanna ainda tinha de encontrar um apartamento novo. Ela estava gostando da exposição nacional, que era, na maioria das vezes, lisonjeira. E estava sozinha em uma festa oferecida em sua homenagem, sentindo-se perdida e insatisfeita.

Pela primeira vez na vida, suas metas profissionais e pessoais pareciam desequilibradas. Ela sabia exatamente o que queria para sua carreira e podia ver com muita clareza os passos que teria de dar para chegar lá. Sentia-se capaz e confiante quando pensava em levar seu programa ao topo da audiência. E, toda vez que se colocava diante da plateia, com a câmera ligada e focada nela, sentia-se extremamente viva, no controle total, investindo um prazer suficiente para transformar seu trabalho em uma emoção contínua.

Não dava o sucesso como certo, pois conhecia muito bem os caprichos da televisão. Contudo, sabia que, se o programa fosse cancelado no dia seguinte, ela juntaria os pedaços, seguiria em frente e começaria de novo.

Suas necessidades pessoais não estavam tão bem-definidas, nem a direção que deveria tomar. Ela queria um lar, um casamento e uma família tradicionais? Se fosse possível misturar esse tipo de ideal com uma carreira dinâmica e exigente, ela encontraria um caminho.

Ou ela queria o que tinha agora? Um lugar seu e um relacionamento satisfatório, mas estranhamente independente, com um homem fascinante. Um homem por quem estava loucamente apaixonada, admitia ela. E que, embora não tivesse ouvido as palavras, tinha certeza de que a amava com a mesma intensidade.

Se eles mudassem o que tinham, ela poderia perder esse entusiasmo de tirar o fôlego. Ou poderia descobrir algo mais reconfortante e igualmente emocionante para substituí-lo.

E, uma vez que não podia ver a resposta, uma vez que a confusão em seu coração cegava sua visão, ela lutava com todas as suas forças para separar o intelecto da emoção.

— Aí está você. — Loren Bach apareceu na sacada com uma garrafa de champanhe em uma das mãos e uma taça na outra. — A convidada de honra não deveria se esconder nas sombras. — Encheu a taça antes de colocar a garrafa na mesa de vidro ao seu lado. — Principalmente quando a mídia está presente na festa.

— Eu só estava admirando a vista — respondeu ela. — E dando à mídia uma chance de sentir minha falta.

— Você é uma mulher inteligente, Deanna. — Levantou a taça e a bateu na dela. — Estou dedicando a noite à sensação de estar satisfeito comigo mesmo por ter seguido meus instintos e firmado um contrato com você.

— Estou com a mesma sensação.

— Contanto que você não demonstre isso no programa. Esse entusiasmo inocente é o que vende, Dee. É com ele que a plateia se identifica.

Ela fez uma careta.

— Sou inocente e entusiástica, Loren. Não represento um papel.

— Eu sei. — Ele não podia ter ficado mais feliz. — É por isso que é tão perfeito. O que li sobre você recentemente... — Bateu com o dedo na têmpora como se quisesse desprender a lembrança. — "Suscetibilidade do Meio-Oeste, a inteligência de uma universidade bem-conceituada, um rosto que faz um homem desejar sua namorada do ensino médio; tudo isso revestido de um brilho discreto de classe."

— Você omitiu minha risada rápida e sexy — disse ela, secamente.

— Você está se queixando, Deanna?

— Não. — Ela se apoiou confortavelmente no parapeito para ficar de frente para ele. O perfume dos hibiscos vermelhos nos vasos do pátio misturava-se exoticamente ao aroma do champanhe e da água do lago. — Nem por um instante. Adoro tudo isso. A página dupla no *Premiere*, a capa da *McCall's*, a indicação ao prêmio do público...

— Você deveria ter ganhado esse — murmurou ele.

— Vou ganhar de Angela da próxima vez. — Ela sorriu para Loren com a franja flutuando à brisa leve, os diamantes no pulso reluzindo sob a luz das estrelas. — Eu queria aquele Emmy de Chicago, e o consegui. Pretendo levar o prêmio nacional quando chegar o momento. Não estou com pressa, Loren, porque estou adorando o percurso. Muito.

— Você faz parecer fácil, Dee, e divertido. — Ele piscou. — É assim que vendo jogos de computador. E é assim que passa da tela da televisão para a sala do telespectador. É assim que sobe nos índices de audiência. — Seu sorriso enrijeceu. — E é assim que você vai tirar Angela do primeiro lugar.

Uma vez que o brilho nos olhos de Loren deixou-a sem jeito, Deanna escolheu as palavras com cuidado.

— Esse não é meu objetivo principal. Por mais ingênuo que possa parecer, tudo o que quero é fazer um bom trabalho e um bom programa.

— Continue a fazer isso, e eu cuidarei do resto. — Era estranho, pensou ele, o fato de não ter percebido como a vontade de se vingar de Angela ardia dentro dele. Até Deanna aparecer. — Não vou afirmar que fiz de Angela a número um, porque é mais complexo do que isso. Mas acelerei o processo. Meu erro foi me enganar com a imagem na tela e me casar com uma mulher que não existia fora das câmeras.

— Loren, você não precisa me dizer isso.

— Não, ninguém precisa lhe dizer nada, mas todos fazem isso. Faz parte de seu charme, Deanna. Posso lhe dizer que Angela se livrou de mim com a mesma indiferença com que uma cobra troca de pele quando concluiu que era mais importante do que eu. Vai me dar muita satisfação ajudar você a destruí-la, Deanna. — Ele bebeu novamente, com prazer. — Uma grande satisfação.

— Loren, não quero entrar em uma guerra com Angela.

— Tudo bem. — Ele tocou sua taça na de Deanna novamente. — Eu quero.

♦ ♦ ♦ ♦

Lew McNeil estava tão obcecado com o sucesso de Angela quanto Loren Bach estava com o fracasso dela. Seu futuro dependia disso. Tinha esperança de se aposentar em dez anos, com o pé-de-meia feito. Não esperava continuar no programa de Angela durante esse tempo todo. O melhor seria cumprir seu contrato enquanto o programa ainda estava em primeiro lugar na audiência e depois passar para a produção de outro.

Ele tinha motivos para se preocupar. Embora o programa ainda estivesse na liderança e tivesse somado outro Emmy à sua coleção, parecia que sua estrela estava perdendo a força. Em Chicago, ela havia conseguido comandar sua equipe usando sua vontade de ferro e sua propensão à perfeição, as quais fermentava com doses de um charme considerável.

Mas, desde a mudança para Nova York, grande parte de seu charme fora abalado pelo estresse, o qual era regado a champanhe francês.

Lew sabia — havia se proposto a saber — que ela tinha investido grande parte de seu dinheiro na inexperiente A. P. Productions. O programa veterano impedira que a empresa ficasse no vermelho, mas o investimento de Angela nos filmes de televisão havia sido desastroso até aquele momento. Seu último especial recebera críticas pouco animadoras, mas os índices de audiência colocavam o programa dela entre os dez mais assistidos da semana.

Isso era pura sorte, mas a audiência diária de Angela havia caído em agosto, quando ela insistiu em reprisar alguns programas enquanto passava férias prolongadas no Caribe.

Ninguém podia negar que ela merecia esse descanso. Assim como ninguém podia negar que o momento não fora propício, uma vez que o programa *A Hora de Deanna* estava constantemente encurtando a distância em termos de pontos de audiência.

Houve outros enganos, outros erros de julgamento, sendo o maior deles Dan Gardner. À medida que o poder ia passando das mãos de Angela para as de seu amante e produtor-executivo, o tom do programa sutilmente mudou.

— Mais queixas, Lew?

— Não é uma queixa, Angela. — Ficou imaginando quantas horas de sua vida passava ao lado da cadeira dela no camarim. — Eu só queria dizer mais uma vez que acho um erro ter uma família de desabrigados no programa ao lado de um homem como Trent Walker. Ele é um vigarista, Angela.

— Sério? — Ela deu um trago demorado no cigarro. — Eu o achei muito encantador.

— É claro, ele é encantador. Foi muito encantador quando comprou aquele abrigo para depois transformá-lo em um condomínio de apartamentos caros.

— Isso se chama renovação urbana, Lew. Em todo caso, seria fascinante vê-lo discutir com uma família de quatro pessoas que estão morando na caminhonete no momento. Não só seria atual — disse ela e apagou o cigarro —, mas excelente. Espero que ele use as abotoaduras de ouro.

— Se isso não der certo, pode parecer que você não é sensível à situação difícil dos desabrigados.

— E se eu não for? — Sua voz saiu como o som de um açoite. — Há empregos por aí. Grande parte dessa gente prefere esmolas a ganhar a vida de forma honesta. — Pensou na época em que servia mesas e lavava pratos para pagar os estudos, e na humilhação que passou. — Nem todos nós nascemos na boa vida, Lew. Quando meu livro sair no mês que vem, você poderá ler como superei minhas origens humildes e me esforcei para chegar ao topo. — Com um suspiro, dispensou a cabeleireira. — Está ótimo, querida, pode ir. Lew, em primeiro lugar, não gosto que você me critique na frente de membros de minha equipe.

— Angela, eu não estava...

— E, em segundo lugar — interrompeu ela, ainda friamente simpática —, você não precisa se preocupar. Não tenho intenção de deixar que nada saia errado nem de dar ao público de coração mole uma opinião desagradável de minha posição. Dan já está cuidando para que vaze a informação de que eu, pessoalmente, patrocinarei a família em destaque no programa. A princípio, eu, modestamente, me recusarei a fazer algum comentário e, depois, com relutância, direi ter encontrado emprego para o pai e a mãe, além de seis meses de aluguel pago e dinheiro para comida e roupas. Agora... — afofou os cabelos pela última vez ao se levantar — eu gostaria de dar uma olhada neles antes de entrarmos no ar.

— Eles estão no camarim — murmurou Lew. — Decidi colocar Walker em outro lugar por enquanto.

— Ótimo. — Passou rapidamente por Lew e seguiu pelo corredor. Com toda a cortesia e um apoio afetuoso, cumprimentou a família de quatro pessoas nervosas que estavam amontoadas no sofá em frente à televisão. Sem querer ouvir as palavras de agradecimento delas, ofereceu-lhes comida e bebida, deu tapinhas na cabeça do menino e fez cócegas no queixo do bebê.

Seu sorriso desapareceu em um piscar de olhos quando começou a voltar para seu camarim.

— Não parece que estão morando na rua há seis semanas. Por que as roupas deles estão tão asseadas? Por que eles estão tão limpos?

— Eu... eles sabiam que apareceriam na televisão em todo o país, Angela. Eles se prepararam da melhor maneira possível. Eles têm orgulho.

— Bem, suje-os — falou rispidamente. Sua dor de cabeça vinha chegando como um trem de carga, e ela queria suas pílulas. — Quero que eles pareçam necessitados, pelo amor de Deus, e não como uma família de classe média com má sorte.

— Mas é isso que eles são — começou Lew.

Ela parou e se virou, congelando-o com olhos tão frios quanto os de uma boneca.

— Não me interessa se os quatro têm um maldito mestrado em Harvard. Entendeu? A televisão é um meio visual. Talvez você tenha se esquecido disso. Eu quero que pareçam como se tivessem sido tirados da rua agora. Suje um pouco aquelas crianças. Quero ver buracos naquelas roupas.

— Angela, não podemos fazer isso. É encenação. É ir longe demais.

— Não me venha com o que não podemos fazer. — Espetou um dedo gelado com a unha rosa no peito dele. — Eu vou lhe dizer o que você vai fazer. O programa é meu, lembre-se. *Meu.* Você tem dez minutos. Agora saia daqui e faça algo para merecer seu salário. — Ela o empurrou, batendo a porta assim que ele saiu.

O ataque de pânico quase a dominou no corredor. Sentia arrepios na pele; tremendo, apoiou-se na porta. Logo teria de sair dali. Sair e enfrentar a plateia. Eles estariam esperando que ela desse um passo errado, que dissesse as palavras erradas. Se isso acontecesse, se cometesse um erro, saltariam em cima dela como cães selvagens.

E ela perderia tudo. Tudo.

Com as pernas bambas, atravessou correndo a sala. Suas mãos tremiam enquanto se servia de champanhe. A bebida ajudaria, sabia ela. Depois de anos negando para si mesma, havia descoberto que uma taça pequena antes de um programa espantaria aqueles arrepios frios e úmidos. Duas poderiam diminuir todos aqueles medos que a corroíam.

Bebeu avidamente, esvaziando a taça, e depois se serviu da segunda com a mão mais firme. Uma terceira não faria mal, assegurou para si mesma. Só para acalmar os nervos. Onde havia ouvido isso?, perguntou-se enquanto levava a taça de cristal à boca.

De sua mãe. Deus do céu, de sua mãe.

*Só para acalmar os nervos, Angie. Alguns goles de gim suavizam os nervos na mesma hora.*

Horrorizada, deixou cair a taça cheia, entornando o vinho espumante sobre o tapete. Ficou observando-o se espalhar, como sangue, e se afastou, trêmula.

Ela não precisava beber. Não era como sua mãe. Era Angela Perkins. E era a melhor.

Não haveria erros. Prometeu isso para si mesma ao virar-se para o espelho para que sua imagem, brilhante e elegante, pudesse acalmá-la. Sairia dali e faria o que sabia fazer melhor. E manteria aqueles cães selvagens acuados outra vez. Ela iria amansá-los e fazer com que a amassem.

♦ ♦ ♦ ♦

— Satisfeito, Lew? — Ainda sendo levada pelos ecos dos aplausos, Angela jogou-se na cadeira atrás de sua mesa. — Eu lhe disse que daria certo.

— Você foi ótima, Angela. — Ele disse isso porque era o que ela esperava.

— Não, ela foi fabulosa. — Dan sentou-se na beira da mesa de Angela e inclinou-se para beijá-la. — Sentar aquela criança em seu colo foi uma ideia inspirada.

— Eu gosto de crianças — mentiu ela. — E aquela parecia ser um pouco inteligente. Cuidaremos para que vá para a escola. Agora... — Angela se reclinou, deixando que a família desaparecesse de sua mente da mesma maneira despreocupada com que tirava seus sapatos. — Vamos aos negócios. Quem *ela* espera levar ao programa no mês que vem?

Resignado, Lew entregou uma lista a Angela. Ninguém precisou lhe dizer que eles estavam falando de Deanna.

— Os nomes com asteriscos já estão confirmados.

— Ela está atrás de alguns convidados de peso, não? — pensou Angela. — Filmes, moda. Ainda evitando política.

— Temas pouco importantes — disse Dan, sabendo que o comentário agradaria a Angela.

— Pouco importantes ou não, não queremos que ela tenha sorte. Deanna já conseguiu muita atenção da imprensa. Esse maldito caso com Jamie Thomas. — Sua boca formou uma linha fina de desgosto ao pensar nele se escondendo em Roma.

— Ainda temos os dados sobre Jamie — Dan a fez se lembrar. — Seria fácil divulgar o problema dele com drogas na imprensa.

— Não ganharíamos nada com isso, e a imprensa seria mais solidária com Deanna. Deixe para lá. — Ela examinou a folha de papel. — Vamos ver quem conhecemos aqui que possamos convencer a dar uma rasteira em Deanna. — Ergueu os olhos e deu a Lew um sorriso superficial. — Pode ir. Não vou precisar de você.

Quando Lew saiu e fechou a porta em silêncio, Dan acendeu o cigarro de Angela.

— Já cansei dessa cara de vergonha dele — comentou ele.

— Mas Lew presta para algumas coisas. — Satisfeita, ficou batendo na lista com uma das unhas pintadas. — É muito gratificante saber o que nossa pequena Dee está planejando antes de colocar seus planos em prática. — Angela marcou dois nomes da lista. — Posso cuidar desses dois aqui com uma ligação casual. É tão gratificante ter pessoas importantes devendo favores. Ah, agora, veja isto. Kate Lowell.

— Muito gostosa. — Dan levantou-se para servir um Perrier aos dois. — Um daqueles casos raros que fazem com que o termo atriz-modelo seja um elogio.

— Sim, ela é muito bonita e muito talentosa. E está muito atraente agora, com seu novo filme que está sendo um sucesso de bilheteria. — O sorriso de Angela foi lento e surpreendentemente doce. — Acontece que Deanna conhece Kate. Elas passavam o verão juntas em Topeka. E acontece que eu sei um segredinho interessante de Kate. Um segredinho que me dará a certeza de que ela não conversará com sua velha amiga no ar. Na verdade, acho que acabamos de conseguir essa entrevista para nós. Vou cuidar disso. Pessoalmente.

♦ ♦ ♦ ♦

— Eu não entendo, Finn. — Deanna aconchegou-se no sofá ao lado dele, apoiando a cabeça em seu peito. — Há um minuto estávamos cuidando dos preparativos para a viagem e, no minuto seguinte, a agente dela telefona para falar de problemas inesperados na agenda de compromissos.

— Acontece. — Ele estava mais interessado em mordiscar os dedos dela do que em falar de negócios.

— Não assim. Tentamos marcar outro dia, lhes demos uma data aberta e tivemos a mesma resposta. Eu realmente queria tê-la em novembro, mas não entrei em contato com ela pessoalmente porque não queria que parecesse que estava pedindo um favor a uma amiga. — Deanna fez que não com a cabeça, lembrando-se de como Kate havia sido carinhosa quando elas se viram no escritório de Angela e, depois, ficara distante. — Que droga! Éramos amigas.

— As amizades muitas vezes são as primeiras perdas que sofremos neste negócio. Não se deixe abater, Kansas.

— Estou tentando. Eu sei que vamos conseguir outra pessoa. Acho que estou me sentindo rejeitada, pessoal e profissionalmente. — Fez um esforço para tirar o pensamento da cabeça. O tempo dos dois era muito precioso para ser desperdiçado. — Isso é bom.

— O quê?

— Ficar sentada aqui, sem fazer nada. Com você.

— Eu também gosto. É mais ou menos como criar um hábito. — Passou o dedo na pulseira que ela usava. Desde que havia chegado de Moscou, não a vira sem ela. — Barlow James está na cidade.

— Mmm. Fiquei sabendo. Quer comer alguma coisa?

— Não.

— Está bem. — Suspirou com força. — Nem eu. Não quero mexer um dedo hoje. O domingo está maravilhoso.

Um domingo absolutamente livre para os dois, pensou. E ela não queria estragá-lo mencionando o último bilhete que havia encontrado no meio de sua correspondência.

Eu sei que você não o ama de verdade, Deanna.
Finn Riley não pode significar para você tanto como eu.
Eu posso esperar por você.
Eu vou esperar para sempre.

Sem dúvida, esse bilhete não era nada comparado ao que ela havia recebido do caminhoneiro de Alabama que queria que ela conhecesse o país na cama de seu caminhão de dezesseis rodas. Ou a do reverendo que dizia ter tido uma visão em que ela estava nua, um sinal de Deus de que ela e seu talão de cheques deveriam se juntar a ele na obra que ele fazia.

Por isso, não havia com que se preocupar. De fato, não havia nada.

— Tive uma reunião com ele ontem.

Ela piscou.

— Com quem?

— Com Barlow James. — Uma vez que não conseguiu perceber que ela estava prestando atenção, Finn puxou-lhe a orelha. — Está ouvindo?

— Desculpe. Para onde ele vai mandar você agora?

— Tenho de ir para Paris daqui a alguns dias. Pensei que você talvez gostasse de passar o próximo fim de semana lá.

— Ir para Paris? — Ela se virou para olhar para ele. — No fim de semana?

— Vá de Concorde. Comemos comida francesa, vemos lugares interessantes em Paris e fazemos amor em um hotel francês. Quem sabe eu até possa voltar com você no mesmo voo.

A ideia fez Deanna endireitar-se.

— Não consigo me imaginar em Paris para passar um fim de semana.

— Você é uma celebridade — lembrou ele. — Você deveria fazer coisas desse tipo. Nunca leu revistas de fofocas?

Os olhos de Deanna brilharam com as possibilidades.

— Nunca estive na Europa.

— Você tem passaporte, não tem?

— Claro. Eu até o renovei recentemente, um hábito de minha época como repórter, quando alimentava a vaga esperança de fazer um trabalho interessante no exterior.

— Então, eu serei seu trabalho interessante no exterior.

— Se eu pudesse aliviar minha agenda... Eu *vou* aliviar minha agenda.

— Ela se virou para lançar os braços em volta dele.

— Aonde você pensa que vai? — perguntou ele, apertando-a em seu abraço quando ela começou a se esquivar.

— Tenho de fazer uma lista. Preciso conseguir um vídeo da Berlitz e um guia, e...

— Mais tarde. — Ele riu enquanto se preparava para beijá-la. — Meu Deus, você é muito previsível, Kansas. Você faz uma lista para tudo o que proponho.

— Eu sou organizada. — Bateu com a mão fechada no peito dele. — Isso não quer dizer que eu seja previsível.

— Você pode fazer seis listas mais tarde, se quiser. Eu não lhe falei sobre minha reunião com Barlow.

Mas ela não estava ouvindo. Precisava de um daqueles minigravadores. Como o que Cassie tinha. E um livro de expressões idiomáticas.

— O quê? — Piscou quando Finn puxou seus cabelos. — A reunião com Barlow — disse ela, deixando sua lista mental de lado. — Você acabou de dizer que ele o está enviando para Paris.

— A reunião não foi sobre isso. Foi a continuação de discussões que estamos tendo de vez em quando há quase um ano.

— O programa de notícias. — Ela sorriu. — Ele não vai desistir, vai?

— Eu vou fazer o programa.

— Eu acho que é... você o quê? — Ela se endireitou novamente. — Você vai fazê-lo?

Finn esperava que Deanna ficasse surpresa. Agora esperava que ela gostasse da ideia.

— Levamos um tempo para entrar em acordo sobre as condições e o formato.

— Mas eu não pensei que estivesse interessado. Você gosta de noticiar qualquer história que apareça. Jogar a mochila nas costas, pegar seu laptop e cair no mundo.

— O paladino dos noticiaristas. — Ele brincou com o brinco dela. — Eu ainda faria isso, até certo ponto. Quando algo importante acontecer, eu vou, mas estarei cobrindo a matéria para o programa. Faremos transmissões remotas toda vez que for preciso, mas nossa base será aqui em Chicago. — Esse havia sido um impasse, uma vez que Barlow o queria em Nova York. — Eu poderei pegar uma história e explorá-la por todos os ângulos, em vez de adequá-la a uma matéria de três minutos no noticiário. E passarei mais tempo aqui. Com você.

— Eu não quero que você faça isso por mim. — Ela se levantou rapidamente. — Não vou negar que é difícil para mim dar adeus com tanta frequência, mas...

— Você nunca me disse isso.

— Não teria sido justo. Por Deus, Finn. — Passou as mãos nos cabelos. — O que eu poderia ter dito? Não vá? Eu sei que há coisas acontecendo no mundo, mas eu preferiria que você ficasse em casa comigo?

Ele se levantou também e passou os nós dos dedos no rosto dela.

— Não teria feito mal ao meu ego ouvir isso.

Suas palavras serenas fizeram-na tremer.

— Não teria sido justo para nenhum de nós dois. E mudar o enfoque de sua carreira por minha causa também não será justo.

— Não estou simplesmente fazendo isso por você. Estou fazendo por mim também.

— Você disse que não queria criar raízes. — Deanna estava angustiada porque se deu conta de que estava quase deixando cair as lágrimas. Ela não seria capaz de explicá-las para ele nem para si mesma. — Eu me lembro disso. Finn, somos profissionais e nós dois entendemos as exigências da carreira. Não quero que se sinta pressionado.

— Você não entende, não é? — Sua impaciência voltou. — Não há nada que eu não fizesse por você, Deanna. As coisas mudaram neste último ano. Não é fácil para mim pegar minhas coisas e cair na estrada. Não tem graça dormir em algum hotel do outro lado do mundo. Sinto sua falta.

— Sinto sua falta também — disse ela. — Isso o faz feliz?

— Droga! É claro que faz. — Ele a puxou lentamente em sua direção e a beijou suave e delicadamente até a boca de Deanna ficar voraz e quente debaixo da sua. — Eu quero que você sinta minha falta. Quero que morra de saudades toda vez que vou embora. E quero que se sinta tão desnorteada, incomodada e frustrada quanto eu me sinto com toda essa confusão na qual nos metemos.

— Bem, eu me sinto, então nós dois estamos quites.

— Muito bem. — Finn a soltou. Se ela quisesse brigar com a razão, ele lhe daria muitos motivos para isso. Afinal, palavras objetivas não lhe faltavam. — Eu ainda precisarei viajar. Terei mais controle no que se refere a onde e quando, mas precisarei viajar. E quero que você sofra toda vez que eu for.

— Você — disse ela, precisamente — pode ir para o inferno.

— Não sem você. — Ele segurou o rosto dela com a mão, apertando-o quando ela tentou se afastar. — Que droga, Deanna. Eu amo você.

Quando a mão de Finn amoleceu, ela deu um passo para trás com as pernas bambas. Seus olhos estavam arregalados e fixos no rosto dele. Levou alguns segundos para poder respirar novamente. E outros para poder formar palavras coerentes.

— Você nunca disse isso antes.

A reação de Deanna não foi exatamente o que Finn esperava. Então, mais uma vez, ele teve de admitir que sua declaração não havia sido exatamente elegante.

— Estou dizendo isso agora. Algum problema?

— Você tem?

— Perguntei primeiro.

Deanna fez que não com a cabeça.

— Eu acho que não. É meio conveniente, porque eu também amo você. — Ela deu um suspiro rápido e atraente. — Eu não tinha me dado conta do quanto precisava dessas palavras.

— Você não é a única que precisa assimilar as coisas aos poucos. — Ele estendeu a mão para tocá-la no rosto. — Muito assustador, não?

— Sim. — Segurou forte o pulso de Finn enquanto era tomada pela primeira onda de prazer. — Não estou nem aí se assusta. Na verdade, eu gosto, por isso, se me disser novamente, vai ser ótimo.

— Eu amo você. — Ele a levantou, fazendo-a rir enquanto ambos caíam no sofá. — É melhor se agarrar a mim — advertiu ele e tirou o suéter de Deanna pela cabeça. — Estou prestes a deixar você morrendo de medo.

## Capítulo Dezoito
♦ ♦ ♦ ♦

*A Fundo*, com Finn Riley, estreou em janeiro para substituir um drama desastroso que se passava em um hospital. A rede tinha muita esperança de que um programa semanal de notícias com um rosto conhecido pudesse elevar os índices de audiência. Finn tinha experiência e credibilidade, e, o mais importante, era muito popular entre as mulheres, especialmente aquelas na faixa dos 18 a 40 anos.

A CBC levou o programa ao ar com muita publicidade. Foram feitos propagandas e anúncios, e o tema musical foi composto. Quando o set, com seu mapa do mundo tridimensional e a bancada de vidro polido, foi construído, Finn e os três repórteres de sua equipe já estavam trabalhando intensamente.

Sua visão do projeto era muito mais simples do que comerciais espalhafatosos ou acessórios caros. Ele estava, como havia dito a Deanna, fazendo algo que sempre imaginou. Estava substituindo o arremessador depois da pausa do sétimo *inning*. Tudo o que ele tinha de fazer eram *strikes*.

Com seu primeiro programa, ele conseguiu abocanhar 30% da concorrência. Na manhã seguinte, os norte-americanos falavam sobre as chances que os Estados Unidos tinham de conquistar o ouro olímpico e a entrevista cuidadosa de Finn com Boris Yeltsin.

Em um espírito cordial de competição, Deanna preparou um programa com Rob Winters, um ator veterano do cinema cuja estreia como diretor era aclamada pela crítica e pelo público.

Encantador, bonito e à vontade diante das câmeras, Rob manteve tanto o estúdio quanto o público entretidos. Sua última piada, envolvendo a filmagem de uma cena de amor sensual e uma invasão inesperada de gaivotas, encerrou o programa com um coro de gargalhadas.

— Não tenho como lhe agradecer por participar do programa. — Deanna apertou-lhe a mão calorosamente depois que ele terminou de dar autógrafos para as pessoas da plateia que ficaram por ali depois do programa.

— Eu quase não consegui. — Enquanto os seguranças acompanhavam as últimas pessoas da plateia até a saída do estúdio, ele examinou Deanna com cuidado. — Para ser franco, eu só concordei em vir porque fui muito pressionado a não fazer isso. — Rob deu seu sorriso famoso. — É por isso que tenho fama de ser um homem difícil.

— Não sei bem se entendi. Seu agente o aconselhou a não vir ao programa?

— Entre outros. — Deanna examinou-o, confusa. — Você tem um minuto? — perguntou ele.

— Claro. Você gostaria de subir até meu escritório?

— Ótimo. Eu poderia pedir uma bebida. — Seu sorriso rápido estava de volta. — Em Hollywood, você duraria vinte minutos com olhos assim. — Simpático, pôs a mão no braço dela enquanto andavam pelo set em direção ao elevador. — Se deixar que um número suficiente de pessoas veja o que está pensando, elas irão devorar e engolir você inteira.

Deanna entrou no elevador e apertou o botão do 16º andar.

— E o que eu estou pensando?

— Que são apenas dez da manhã e já vou virar duas doses de uísque. — Seu sorriso foi tão rápido e forte quanto uma dose da bebida. — Você está pensando que eu deveria ter ficado na clínica de reabilitação de Betty Ford por mais tempo.

— Você disse durante o programa que não bebia mais.

— Não bebo... álcool. Meu vício mais novo é Pepsi Diet com uma rodela de limão. Um pouco constrangedor, mas sou homem suficiente para lidar com isso.

— Deanna... — Cassie virou-se de onde estava trabalhando. Quando viu o homem ao lado de Deanna, seus olhos se arregalaram.

— Você precisa de mim para alguma coisa, Cassie?

— O quê? — Ela piscou, enrubesceu, mas não tirou os olhos do rosto de Rob. — Não... não, não é nada.

— Rob, esta é Cassie, minha secretária e braço direito.

— Prazer em conhecê-la. — Rob segurou a mão de Cassie nas suas.

— Admiro seu trabalho, sr. Winters. Todos nós ficamos emocionados por tê-lo no programa hoje.

— Foi um prazer.

— Cassie, não me passe ligações, por favor. Vou providenciar sua bebida — disse ela a Rob enquanto o conduzia ao seu escritório.

A sala estava muito diferente do que era desde os primeiros dias. As paredes estavam pintadas com uma cor verde-azulada forte e o carpete havia sido substituído por um piso de carvalho e tapetes com formas geométricas. Os móveis modernos e confortáveis. Indicando uma cadeira para Rob, Deanna abriu uma geladeira pequena.

— Faz quatro ou cinco anos que não subo aqui, eu acho. — Esticou as pernas compridas e olhou ao redor. — Está bem melhor. — Voltou a olhar para Deanna. — Mas, então, rosa-bebê provavelmente não faz seu estilo.

— Eu acho que não. — Ela fatiou um limão e colocou as rodelas em dois copos de refrigerante gelados. — Estou curiosa para saber por que seu agente o aconselhou a não participar do programa. — Curiosa não era a palavra certa, mas Deanna manteve a voz tranquila. — Fazemos o possível para deixar nossos convidados à vontade.

— É provável que tivesse a ver com uma ligação de Nova York. — Ele aceitou o copo e esperou que Deanna se sentasse. — De Angela Perkins.

— Angela? — Confusa, ela fez que não com a cabeça. — Angela ligou para seu agente para falar sobre sua vinda ao meu programa?

— Um dia depois de sua equipe entrar em contato com ele. — Rob deu um gole demorado. — Ela disse que um passarinho lhe havia contado que eu estava pensando em fazer uma parada em Chicago.

— É bem típico dela — murmurou Deanna. — Mas eu não sei como Angela conseguiu descobrir isso tão rápido.

— Ela não disse. — Observando o rosto de Deanna, ele chacoalhou o gelo em seu copo. — E ela não tocou no assunto quando conversou comigo também, dois dias depois. Com meu agente, Angela usou seu charme, lembrando-o de que ela me chamara para seu programa quando minha carreira estava em um momento difícil e que, se eu concordasse em vir para cá, ela não poderia me receber em Nova York como esperava. Angela queria que eu participasse de seu próximo especial e me garantiu que usaria sua influência para reforçar minha indicação ao Oscar, o que significava elogiar o filme em público e em particular e contribuir com a campanha publicitária.

— Um suborno não muito sutil. — Sua voz tomada de raiva foi mantida sob estrito controle. — Mas você está aqui.

— Talvez não estivesse se ela tivesse ficado só no suborno. Eu quero aquele prêmio, Deanna. Muitas pessoas, e eu também, pensaram que eu estava acabado quando fui para a clínica de reabilitação. Tive de mendigar dinheiro para fazer esse filme. Fiz acordos e promessas, contei mentiras. O que foi preciso. Na metade da produção, a imprensa começou a dizer que o público em massa não apareceria porque ninguém dava a mínima para uma história de amor épica. Eu quero aquele prêmio.

Ele fez uma pausa e bebeu novamente.

— Eu quase mudei de ideia, aceitando o conselho de meu agente e deixando você na mão. Então Angela me ligou. Ela não usou seu charme, mas me ameaçou. E foi aí que ela errou.

Deanna levantou-se para encher o copo dele novamente.

— Angela ameaçou não apoiar o filme se você viesse ao meu programa?

— Ela fez pior. — Ele tirou um cigarro e deu de ombros. — Você se importa? Eu ainda não abandonei esse vício.

— Eu não me importo.

— Eu vim porque fiquei pê da vida. — Acendeu um fósforo, deu uma tragada e soltou a fumaça. — Foi meu jeitinho de mandar Angela se ferrar. Eu não iria mencionar nada disso, mas algo em seu jeito de se comportar me levou a tocar no assunto. — Estreitou os olhos. — Não resta outra coisa senão confiar nesse seu rosto.

— Já me disseram isso. — Ela conseguiu dar um sorriso, embora sua garganta fervesse de amargura. — Seja qual for a razão pela qual você veio, fico feliz que tenha sido assim.

— Você não vai me perguntar com o que mais ela me ameaçou?

Seu sorriso surgiu outra vez, mais facilmente.

— Estou tentando não perguntar.

Ele deu uma risada curta e pôs a Pepsi de lado.

— Ela me disse que você era uma monstra manipuladora e calculista que usaria qualquer meio necessário para permanecer no centro das atenções. Que você havia abusado da amizade e da confiança dela e que só estava na televisão porque estava indo para a cama com Loren Bach.

Deanna apenas levantou uma sobrancelha.

— Tenho certeza de que Loren ficaria surpreso ao ouvir isso.

— Pareceu-me mais um autorretrato. — Rob deu outra tragada e bateu inquietamente o cigarro no cinzeiro. — Eu sei o que é ter inimigos, Deanna, e, já que parece que agora temos uma em comum, vou lhe dizer o que Angela tinha para usar contra mim. Preciso que você guarde isso em segredo por 24 horas até eu voltar para a costa e organizar uma entrevista coletiva à imprensa.

Deanna sentiu algo frio passando por suas costas.

— Tudo bem.

— Há quase seis meses fiz um exame de rotina. Eu estava cansado, mas, na época, estava trabalhando, dia e noite, por mais de um ano, fazendo o filme, supervisionando a edição e preparando-me para a divulgação. Eu vivia em consultas médicas durante a época em que bebia, e meu médico é muito discreto. Discrição à parte, Angela conseguiu informações sobre os resultados do exame. — Ele tragou o cigarro pela última vez e o apagou no cinzeiro. — Eu sou HIV positivo.

— Oh, eu sinto muito. — No mesmo instante, ela estendeu as mãos para apertar a de Rob. — Eu sinto muito.

— Eu sempre imaginei que a bebida acabaria comigo. Nunca imaginei que seria o sexo.

Ele levantou o copo. O gelo fez um ruído musical quando sua mão tremeu.

— Por outro lado, passei tempo demais bêbado para saber quantas mulheres foram, ou quem eram.

— Todos os dias são descobertos novos tratamentos... — Deanna se interrompeu. O comentário era tão batido, pensou ela, tão pateticamente inútil. — Você tem direito à sua privacidade, Rob.

— Uma afirmação estranha para uma ex-repórter.

— Mesmo que Angela divulgue essa informação, você não precisa confirmar.

Ele se reclinou, parecendo entretido.

— Agora é você que está pê da vida.

— É claro que estou. Ela me usou para chegar a você. Isso é só televisão, pelo amor de Deus. É *televisão*. Estamos falando de índices de audiência aqui, não de acontecimentos que vão mudar o mundo. Que tipo de negócio é este em que alguém usa a tragédia do outro para derrubar a concorrência?

Com o humor mais leve, Rob deu um gole em sua bebida.

— É a indústria do entretenimento, querida. Nada está mais perto da vida e da morte do que a vida e a morte. — Ele sorriu ironicamente. — Eu deveria saber.

— Sinto muito. — Ela fechou os olhos e tentou se controlar. — Um ataque de raiva não irá ajudá-lo. O que posso fazer?

— Você tem amigos que sejam membros da Academia com direito a voto no Oscar?

Ela devolveu o sorriso.

— Talvez alguns.

— Você poderia ligar para eles e usar essa voz sensual e persuasiva para influenciá-los no voto. E, depois disso, você pode se colocar novamente diante das câmeras e acabar com o programa de Angela.

Os olhos de Deanna brilharam.

— Você pode ter certeza disso.

♦ ♦ ♦ ♦

DEANNA CONVOCOU uma reunião de equipe naquela tarde em seu escritório e sentou-se atrás de sua mesa para projetar uma imagem de autoridade. Ainda sentia a raiva fervendo lentamente dentro dela. Como consequência, sua voz estava comedida, fria e formal.

— Temos um problema sério do qual acabo de tomar conhecimento. — Ela examinou a sala enquanto falava, observando os rostos intrigados. As reuniões de equipe eram quase sempre cansativas, às vezes inflamadas, mas sempre informais e, em essência, agradáveis.

— Margaret — continuou ela —, você entrou em contato com o pessoal de Kate Lowell, não entrou?

— Isso. — Intimidada pela frieza no ar, Margaret mordeu as hastes de seus óculos de leitura. — Eles estavam muito interessados em que ela viesse ao programa. Tínhamos o gancho de que Kate havia vivido em Chicago por alguns anos na adolescência. Daí eles cancelaram tudo, alegando problemas na agenda.

— Quantas outras vezes isso aconteceu nos últimos seis meses?

Margaret piscou.

— É difícil dizer. Muitas das ideias temáticas não vingam.

— Eu me refiro especificamente aos programas com celebridades.

— Ah, bom. — Margaret mexeu-se na cadeira. — Não fazemos muitos desses porque o formato normalmente está voltado para convidados comuns, as pessoas do dia a dia com as quais você lida tão bem. Mas eu acho que foram cinco ou seis vezes nos últimos seis meses que tivemos problemas com alguém.

— E como cuidamos da lista de convidados que planejamos levar ao programa? Simon?

Ele enrubesceu.

— Como sempre, Dee. Cogitamos e discutimos ideias. Quando chegamos a alguns temas e convidados viáveis, colhemos informações e fazemos algumas ligações.

— E a lista de convidados é confidencial até que esteja confirmada?

— É claro que é. — Nervoso, ele alisou os cabelos com a mão. — Este é o procedimento-padrão. Não queremos que nenhum concorrente se intrometa em nosso trabalho.

Deanna apanhou um lápis e o ficou batendo na superfície de vidro de sua mesa, ociosamente.

— Eu soube hoje que Angela Perkins sabia que estávamos interessados em trazer Rob Winters ao programa poucas horas depois de nosso contato com o agente dele. — Houve um murmúrio geral entre os integrantes da equipe. — E eu desconfio — continuou Deanna —, pelo que fiquei sabendo, que ela também estava a par de vários outros. Kate Lowell apareceu no programa de Angela duas semanas depois de seu agente dizer que ela estava com problemas na agenda. E não foi a única. Tenho uma lista aqui de pessoas que tentamos agendar que participaram do programa de Angela ao longo de duas semanas depois de nosso primeiro contato.

— Temos um dedo-duro. — Os músculos da mandíbula de Fran se contorceram. — Filha da puta!

— Qual é, Fran! — Jeff lançou olhares preocupados para todos os lados da sala. — A maioria de nós está aqui desde o primeiro dia. Somos como uma família. — Ele puxou a gola de sua camiseta, voltando a olhar para Deanna. — Puxa, Dee, você não pode acreditar que algum de nós faria mal a você ou ao programa.

— Não, eu não posso. — Ela passou a mão nos cabelos. — Por isso preciso de ideias, sugestões.

— Meu Deus! Meu Deus do céu! — murmurou Simon, baixinho, enquanto apertava os olhos com os dedos. — A culpa é minha. — Abaixando as mãos, ele olhou para Deanna com uma expressão perturbada. — Lew McNeil. Estivemos em contato o tempo todo. Droga, somos amigos há dez anos. Eu nunca pensei... Estou enojado — disse ele. — Eu juro por Deus que isso me deixou enojado.

— Do que você está falando? — perguntou Deanna, calmamente, mas já imaginava a resposta.

— Conversamos uma ou duas vezes por mês. — Empurrou a cadeira para trás para se afastar da mesa e atravessou a sala para se servir de um copo de água. — As coisas de sempre. Falamos de trabalho. — Balançou um frasco tirado do bolso para pegar duas pílulas. — Ele estava louco com Angela. Sabia que podia falar comigo porque a história morreria ali. Lew me contava algumas das ideias mais absurdas que a equipe dela sugeria para os blocos. E me perguntava quem pensávamos em convidar para nosso programa. E eu lhe dizia. — Todos o ouviram engolir as pílulas. — Eu lhe dizia porque éramos apenas dois velhos amigos falando de trabalho. Nunca maquinei nada, Dee. Juro por Deus.

— Tudo bem, Simon. Então, sabemos como, sabemos por quê. O que vamos fazer a respeito?

— Contratar alguém para ir a Nova York e quebrar todos os dedos de Lew McNeil — sugeriu Fran enquanto se levantava para ficar ao lado de Simon, visivelmente angustiado.

— Vou considerar a possibilidade. Enquanto isso, a nova política é não falar sobre nenhum convidado, nenhuma ideia ou *nenhuma* das fases de desenvolvimento do programa fora do escritório. Combinado?

Houve um murmúrio geral. Ninguém se olhou.

— E temos um novo objetivo, no qual todos vamos nos concentrar. — Ela fez uma pausa, esperando até que pudesse passar os olhos em cada rosto. — Em um ano, vamos tirar o programa de Angela do primeiro lugar. — Levantou a mão para conter os aplausos espontâneos. — Quero que todos comecem a pensar em ideias para gravações externas. Precisamos começar a pôr este programa na estrada. Quero locais atraentes, divertidos. Quero coisas exóticas e quero o país inteiro.

— Disney World — sugeriu Fran.

— Nova Orleans na época do carnaval — acrescentou Cassie e levantou os ombros. — Eu sempre quis ir.

— Vamos dar uma olhada — ordenou Deanna. — Eu quero seis possíveis locais. Quero todas as ideias sobre temas em minha mesa até o final do dia. Cassie, faça uma lista de todos os convites de aparições na mídia que tenho e os aceite.

— Quantos?

— Todos. Encaixe-os em minha agenda. E me coloque no telefone com Loren Bach. — Ela se reclinou e apoiou as palmas das mãos na superfície da mesa. — Mãos à obra.

— Deanna. — Simon aproximou-se enquanto os outros saíam. — Você tem um minuto?

— Só um — respondeu ela e sorriu. — Eu quero dar início a essa campanha.

Ele continuou imóvel em frente à mesa de Deanna.

— Eu sei que pode levar um tempinho para você colocar alguém em meu lugar e que você gostaria de uma transição suave. Eu lhe entregarei minha demissão quando quiser.

Deanna já estava fazendo uma lista em um bloco à sua frente.

— Eu não quero que peça demissão, Simon. Eu quero que você use esse seu cérebro esperto para me colocar no primeiro lugar de audiência.

— Eu estraguei tudo, Dee. Fui um fracasso.

— Você confiou em um amigo.

— Um concorrente — corrigiu ele. — Só Deus sabe quantos programas sabotei por ter aberto minha boca grande. Droga, Dee, fiz isso para me gabar, para mostrar para ele que meu emprego era melhor que o dele. Eu queria alfinetá-lo porque essa era a única maneira que eu tinha de atingir Angela.

— Eu estou lhe dando outra maneira. — Deanna se inclinou para a frente, os olhos penetrantes. Sentiu o poder em suas veias e iria usá-lo, sabia ela, para terminar o que Angela havia começado. — Ajude-me a desbancá-la da primeira posição, Simon. Você não vai poder fazer isso se estiver fora daqui.

— Não consigo entender por que você ainda confia em mim.

— Eu já desconfiava de onde as informações vazavam. Simon, estou aqui há tempo suficiente para saber que você e Lew eram chegados. — Ela estendeu os dedos. — Se você não tivesse me dito, não precisaria pedir sua demissão. Eu o teria demitido.

Ele passou a mão no rosto.

— Então, eu admito ter sido um idiota e continuo em meu emprego.

— Acho que isso resume bem as coisas. E espero, já que você está se sentindo assim, que se esforce ainda mais para me colocar no topo.

Mais do que um pouco aturdido, ele fez que não com a cabeça.

— No final das contas, você aprendeu algumas coisas com Angela.

— Eu aprendi o que precisava — disse ela em poucas palavras. Apanhou o telefone quando ele tocou. — Sim, Cassie?

— Loren Bach está na linha um, Deanna.

— Obrigada. — Ficou com o dedo parado sobre o botão enquanto olhava novamente para Simon. — Estamos acertados?

— Perfeitamente.

Esperou Simon fechar a porta ao sair e, então, suspirou fundo.

— Loren — disse ela depois de apertar o botão. — Estou pronta para entrar na guerra.

♦ ♦ ♦ ♦

Em uma manhã fria e escura de fevereiro, Lew despediu-se da esposa com um beijo. Ela se mexeu sonolenta e deu-lhe tapinhas de leve no rosto antes de se aconchegar debaixo da colcha para dormir mais meia hora.

— Hoje teremos canja para o jantar — murmurou ela. — Estarei em casa às três da tarde para prepará-la.

Uma vez que seus filhos já haviam crescido, cada um tinha adquirido uma rotina confortável de manhã. Lew deixou a esposa dormindo e desceu sozinho as escadas para tomar seu café com as notícias da manhã. Fez uma careta ao ouvir a previsão do tempo, embora uma rápida olhada pela janela já lhe tivesse mostrado que o dia não seria nada promissor. O trajeto de Brooklyn Heights até o estúdio em Manhattan seria de momentos de frustração. Colocou o casaco, as luvas e o gorro de pele de estilo russo que seu caçula lhe tinha dado no Natal.

Ventava muito, e o vento jogava a neve úmida e desagradável em seu rosto e a fazia entrar por debaixo da gola de seu casaco. Ainda não eram sete horas, mas o dia estava escuro o suficiente para que as luzes dos postes ainda estivessem acesas. A neve abafava o som e parecia sufocar o ar.

Lew não viu ninguém na vizinhança, a não ser um pobre gato arranhando a porta da frente de seu dono.

Muito acostumado com os invernos de Chicago para se queixar de uma tempestade de fevereiro, Lew andou até seu carro e começou a limpar o para-brisa.

Ele não se deu conta do mundo de conto de fadas que começava a se formar atrás dele. As sempre-vivas baixas cobertas de neve, o tapete branco que cobria a grama e a calçada, os flocos de neve dançantes que giravam sob o brilho melancólico das luzes dos postes.

Só conseguia pensar no trabalho penoso de limpar o para-brisa, no desconforto da neve em sua gola, no vento cortante em seus ouvidos, no trânsito que ainda tinha de enfrentar.

Ouviu alguém chamar seu nome baixinho e virou-se para ver quem era.

Por um instante não viu nada senão a luz branca e enfraquecida pela neve que vinha do poste.

E, então, viu. Por apenas um instante, ele viu.

O tiro da escopeta acertou-o em cheio no rosto, lançando seu corpo sobre o capô do carro. Em outro quarteirão, um cachorro começou a latir alto e agitado. O gato correu para esconder-se em um junípero coberto de neve.

O eco do tiro logo morreu, quase tão rápido quanto Lew McNeil.

— Esse foi por Deanna — sussurrou o assassino e se afastou lentamente em seu carro.

♦ ♦ ♦ ♦

Quando Deanna ficou sabendo da notícia algumas horas mais tarde, o choque ofuscou o envelope que havia encontrado sobre sua mesa. O bilhete simplesmente dizia:

Deanna, eu sempre estarei ao seu lado.

## Capítulo Dezenove
♦ ♦ ♦ ♦

Com os olhos meio fechados e uma bebida espumante na mão, Deanna relaxava na banheira grande de Finn enquanto o vapor se movia rapidamente e a envolvia. Era manhã de sábado, e tinha pouco mais de uma hora antes que Tim O'Malley, seu motorista, passasse para buscá-la para um compromisso em Merrillville, Indiana.

Sentia-se tão preguiçosa e complacente quanto um gato encolhido sob um raio de sol.

— O que estamos celebrando?

— Você está na cidade; eu estou na cidade. E, não fosse você ter de cruzar o estado hoje à tarde, isso poderia continuar assim por uma semana.

Do outro lado da banheira, Finn viu a tensão de Deanna começar a aliviar pouco a pouco. Fazia semanas que ela estava tensa como um arco. Mais tempo, pensou ele, dando um gole na bebida gelada. Mesmo antes do assassinato indiscriminado e absurdo de Lew McNeil, ela já estava uma pilha de nervos. Nas semanas que se seguiram à morte de Lew, os sentimentos de Deanna foram do remorso e da culpa à frustração por causa de um homem que havia feito o possível para sabotar seu programa por causa dos próprios objetivos.

Ou dos objetivos de Angela, deduziu Finn teoricamente.

Mas agora ela sorria, e seus olhos estavam cheios de prazer.

— As coisas têm sido um pouco caóticas ultimamente.

— Você viajando para a Flórida e eu correndo atrás de candidatos presidenciais de um estado a outro. E nós dois tentando preparar um programa com a imprensa e os *paparazzi* na nossa cola. — Ele encolheu os ombros, esfregando o pé para cima e para baixo na perna lisa e escorregadia de Deanna.

Não era fácil para ninguém da equipe dos dois trabalhar com a atenção constante e irritante que a mídia dava ao relacionamento deles. Por motivos que nenhum dos dois podia entender, eles haviam se tornado o casal do ano. Justamente naquela manhã, Deanna lera sobre seus planos de casamento em um tabloide que um filho de Deus havia colocado debaixo do capacho da porta.

Em geral, isso a deixava inquieta, insegura e muito confusa.

— Você chama isso de caótico? — perguntou Finn, conseguindo a atenção dela novamente.

— Você tem razão: é só mais um dia dessa vida simples. — Seu suspiro foi longo e pomposo. — E pelo menos estamos fazendo as coisas acontecerem. Eu realmente gostei de seu programa sobre a infraestrutura em decadência de Chicago, mesmo tendo feito eu começar a me preocupar se as ruas vão desmoronar debaixo de meu carro.

— Havia de tudo lá: pânico, comédia, funcionários públicos meio loucos. Apesar disso, não foi tão emocionante quanto a sua entrevista com Mickey e Minnie Mouse.

Deanna abriu um olho.

— Pode brincar, colega.

— Não, falando sério. — Seu sorriso largo era malicioso. — Você pôs o país para pensar. Que tipo de relacionamento eles têm e que papel o Pateta desempenha nessa história? Essas perguntas urgentes precisam de respostas, e, quem sabe, isso pode contribuir para que a mídia nos dê um pouco de tempo!

— Estamos falando de tradições norte-americanas — respondeu ela, rapidamente. — Da necessidade de entretenimento e fantasia, e da enorme indústria que as alimenta. O que é tão relevante quanto ver políticos insultando uns aos outros. E mais — disse ela gesticulando com sua taça —, as pessoas precisam de uma válvula de escape, sobretudo durante uma recessão. Você faz seus programas sobre o aquecimento global e os problemas socioeconômicos da antiga União Soviética, Riley. Eu ficarei com as questões do dia a dia que afetam o cidadão comum.

Finn continuou a sorrir para ela. Deanna deu um gole em sua bebida e fez uma cara feia para ele.

— Você está me irritando de propósito.

— Eu gosto do jeito como seus olhos ficam escuros e provocadores. — Pôs a taça de lado para que pudesse deslizar para a frente e se deitar em cima dela. A água espalhou-se lentamente sobre a borda da banheira. — E você forma uma ruga bem aqui — esfregou o polegar entre as sobrancelhas dela — que eu tenho de fazer desaparecer.

Com a mão livre, ele acariciava outra parte do corpo dela.

— Alguns poderiam dizer que você é um grande canalha, Finn.

— Alguns já disseram. — Ele mordeu os lábios dela. — Outros vão dizer. E, falando de Mickey e Minnie... — Suas mãos percorriam a pele quente e macia de Deanna.

— É?

— Fiquei imaginando se poderíamos comparar nosso relacionamento com o deles. Indefinido e em longo prazo.

Enquanto os jatos faziam a água espumar em volta e no meio deles, ela passou a mão nos cabelos molhados de Finn. Era tão bom estar ali e saber que a qualquer momento o calor confortante poderia irromper em um calor explosivo.

— Eu posso defini-lo: somos duas pessoas que se amam, que se curtem e que querem estar uma com a outra.

— Poderíamos passar mais tempo juntos se você fosse morar comigo.

Esse era um assunto que eles já haviam discutido antes e que não conseguiram resolver. Deanna pressionou os lábios no ombro de Finn.

— É mais fácil para mim ter meu próprio apartamento quando você está longe.

— Estou mais aqui do que fora ultimamente.

— Eu sei. — Seus lábios deslizaram pelo pescoço de Finn enquanto ela tentava distraí-lo. — Preciso de mais um tempinho para pensar no assunto.

— Às vezes temos de confiar nos impulsos, Deanna, nos instintos. — Sua boca encontrou-se com a dela, provando o sabor de frustração e desejo. Ele sabia que, se investisse, ela concordaria, mas seu instinto o advertiu para que não a apressasse. — Eu posso esperar. Só não me faça esperar muito.

— Podemos fazer um teste. — Seu sangue estava pulsando da mesma forma frenética que a água em ebulição. — Vou trazer algumas coisas e ficar aqui na semana que vem.

— Vou dificultar as coisas para você ir embora.

— Eu aposto que sim. — Ela sorriu, jogando os cabelos de Finn para trás e envolvendo o rosto dele em suas mãos. — Estou tão apaixonada por você, Finn. Pode acreditar. E juro que os boatos sobre mim e o Pateta são mentiras. Somos só amigos.

Ele inclinou a cabeça de Deanna para trás para que ela se deitasse mais na água.

— Eu não confio nesse filho da puta de orelhas compridas.

— Eu só o usei para deixar você com ciúmes, embora ele realmente tenha certo charme ingênuo que, para mim, é estranhamente atraente.

— Você quer charme? Por que eu não... droga! — Finn jogou os cabelos molhados para trás e apanhou o telefone ao lado da banheira. — Continue pensando nisso — disse-lhe. — Sim, é Riley.

Deanna começou a imaginar várias maneiras interessantes de distraí-lo quando viu a mudança de expressão no rosto de Finn. A água agitou-se e transbordou da banheira quando ele se levantou para pegar uma toalha.

— Encontre Curt — disse ele pingando enquanto enrolava uma toalha na cintura. — E entre em contato com Barlow James. Eu quero a equipe inteira e uma unidade móvel no local em cinco minutos. Estarei lá em vinte minutos. — Ele praguejou em voz não tão baixa. — Você pode se eu disser que pode.

— O que foi? — Deanna desligou a banheira e se levantou. A água correu por seu corpo enquanto sacudia uma toalha. Ela já sabia que ele estava indo embora.

— Há um caso com reféns em Greektown. — disse Finn, ligando a televisão enquanto ia para o quarto para se vestir. — A coisa está feia. Três pessoas já morreram.

Deanna arrepiou-se. Então, com a mesma rapidez de Finn, pegou seu roupão. Queria dizer que iria com ele, mas é claro que não podia. Várias centenas de pessoas esperavam-na no salão de baile de um hotel em Indiana.

Por que estava com tanto frio?, perguntou-se enquanto vestia apressadamente o roupão. Finn já colocava a camisa dentro da calça, com a mesma calma de um homem que está indo para o escritório para preencher formulários. Havia sobrevivido a ataques aéreos e terremotos. É claro que uma confusão em Greektown não era motivo para se preocupar.

— Cuidado.

Ele pegou uma gravata e uma jaqueta.

— Ficarei bem. — Enquanto ela abria o armário para pegar o terninho que havia escolhido para o compromisso da tarde, ele a girou para dar-lhe um beijo. — Eu provavelmente estarei de volta antes de você.

♦ ♦ ♦ ♦

*O* PIOR TIPO de guerra era o que não tinha linhas de frente nem planos de batalha. Esse era alimentado pela raiva, pelo medo e pela necessidade cega de destruir. O restaurante antes organizado, com seu belo toldo listrado e suas mesas na calçada, estava destruído. Estilhaços da janela quebrada reluziam como pedras preciosas espalhadas pela calçada. O barulho da aba do toldo agitada pelo vento da primavera era abafado pelos ruídos estáticos dos rádios da polícia. Os repórteres, contidos por barricadas, apinhavam-se como lobos famintos.

Houve outra saraivada de tiros no interior do restaurante. E um grito demorado de pavor.

— Meu Deus! — Corria suor na testa de Curt enquanto segurava firme a câmera. — Ele está matando gente.

— Faça uma tomada daquele policial ali — ordenou Finn. — Aquele com o megafone.

— Você é o chefe. — Curt focalizou o policial com uma capa impermeável laranja, expressão abatida e cabelos grisalhos. Em meio a gemidos e gritos, choros, ameaças cruéis e imprecações que vinham de dentro do restaurante, o policial com olhar duro continuou a falar com uma voz monótona e calma. — Sujeito bem frio — observou Curt e, a um sinal de Finn, deslocou-se e agachou-se para fazer uma tomada da equipe da SWAT que estava se posicionando.

— Muito frio — concordou Finn. — Se ele continuar assim, talvez não sejam necessários os franco-atiradores. Continue filmando. Vou ver se consigo me aproximar e descobrir quem é o homem.

♦ ♦ ♦ ♦

O SALÃO DE baile estava lotado. De onde estava sentada, na plataforma elevada, Deanna podia ver as 350 pessoas que haviam vindo para ouvi-la falar sobre as mulheres nos meios de comunicação. Ela faria valer a pena cada centavo que elas haviam pagado. Tinha repassado detalhadamente suas notas mais uma vez durante a viagem de carro de Chicago, deixando sua atenção se desviar somente quando via Finn de relance na televisão da limusine.

Ele estava, como diria Barlow James, como um peixe na água. E, ao que parecia, ela também.

Deanna aguardou a apresentação elogiosa e os aplausos que se seguiram e, então, se levantou e foi ao pódio. Examinou o salão e sorriu.

— Boa-tarde. Uma das primeiras coisas que aprendemos nos meios de comunicação é que trabalhamos nos fins de semana. Já que estamos trabalhando, espero fazer com que a próxima hora seja tão divertida quanto informativa. Isso, para mim, é televisão, e descobri que é uma maneira muito gratificante de ganhar a vida. Ocorreu-me que, como vocês são profissionais, não têm muitas oportunidades de ver televisão durante o dia, por isso espero convencê-los a ligarem o videocassete nas segundas-feiras de manhã. Seremos transmitidos às nove aqui em Merrillville.

Isso conferiu a Deanna suas primeiras risadas e definiu o tom dos próximos vinte minutos, até que seu discurso se transformou em um momento de perguntas e respostas.

Uma das primeiras perguntas foi se Finn a havia acompanhado.

— Infelizmente, não. Como todos sabemos, uma das vantagens e desvantagens deste negócio é a história de última hora. Finn está cobrindo uma notícia neste exato momento, mas vocês podem vê-lo no programa *A Fundo*, às terças-feiras à noite. Eu sempre vejo.

— Srta. Reynolds, como você se sente com relação ao fato de a aparência física ter se tornado uma parte considerável dos critérios usados para empregos na televisão?

— É óbvio que concordo com os executivos da rede que a televisão é um meio visual. Até certo ponto. Posso lhe dizer isto: se daqui a trinta anos Finn Riley ainda estiver trabalhando como repórter e for considerado um homem ilustre, eu não só espero, mas também exijo, como mulher, receber o mesmo respeito.

♦ ♦ ♦ ♦

FINN NÃO estava pensando no futuro. Ele estava muito envolvido com o presente. Usando sua astúcia, perspicácia e arrogância, conseguiu se colocar ao lado do homem que estava negociando os reféns, o tenente Arnold Jenner. O tenente ainda tinha o megafone, mas havia feito uma breve pausa em seus apelos para que os reféns fossem libertados.

— Tenente, ouvi dizer aqui que Johnson... é esse o nome dele, não é, Elmer Johnson?

— É ele quem responde — respondeu Jenner de modo simpático.

— Ele tem um histórico de depressão. Seus antecedentes como ex-combatente...

— Você não teria acesso ao relatório médico dele, sr. Riley.

— Não diretamente. — Mas ele tinha contatos e os havia usado. — Minha opinião sobre isso é que Johnson serviu no exército e tem tido problemas desde que foi dispensado em março do ano passado. Na semana passada, ele perdeu a esposa e o emprego.

— Você está bem-informado.

— Sou pago para isso. Ele entrou nesse restaurante pouco depois das dez desta manhã, isso foi há três horas, com uma Magnum 44, uma metralhadora, uma máscara de gás e uma carabina. Atirou e matou dois garçons e um cliente, depois pegou cinco reféns, incluindo duas mulheres e uma menina de 12 anos, a filha do proprietário do restaurante.

— Dez anos — disse Jenner, cansado. — A menina tem 10 anos. Sr. Riley, o senhor faz um bom trabalho e eu, normalmente, gosto dele. Mas meu trabalho neste momento é tirar aquelas pessoas lá de dentro com vida.

Finn deu uma olhada, observando a posição dos franco-atiradores. Eles não esperariam muito mais.

— O que ele exige? Você pode me dizer?

Não tinha importância se dissesse, concluiu Jenner. Só havia uma exigência, e ele não podia atendê-la.

— Ele quer a esposa, sr. Riley. Ela saiu de Chicago há quatro dias. Estamos tentando localizá-la, mas não temos tido sorte.

— Posso colocar isso no ar. Se ela assistir ao boletim, talvez faça contato. Deixe-me falar com ele. Talvez eu consiga negociar se disser que colocarei toda a minha equipe nesta ação.

— O senhor está tão desesperado assim por uma história?

Os insultos eram muito comuns em sua linha de trabalho para Finn se ofender.

— Estou sempre pronto para negociar por uma história, tenente. — Seus olhos estreitaram-se enquanto ele media o homem ao seu lado. — Pense bem, a menina tem 10 anos. Vamos tentar.

Jenner acreditava no instinto e também sabia, sem sombra de dúvida, que não podia impedir por muito mais tempo que a situação chegasse ao seu ponto crítico. Depois de um instante, entregou o megafone a Finn.

— Não prometa o que você não pode cumprir.
— Sr. Johnson. Elmer. Aqui é Finn Riley. Eu sou repórter.
— Eu sei quem você é. — A voz saiu aguda através do vidro quebrado.
— Você acha que eu sou idiota?
— Você estava no Golfo, não estava? Eu também.
— Droga. Você acha que isso nos torna amigos?
— Eu acho que qualquer um que ficou preso lá já esteve no inferno. — O toldo balançou, fazendo-o se lembrar da estrada para o Kuwait e do brilho de lantejoulas. — Pensei que talvez pudéssemos fazer um trato.
— Não tem trato. Se minha esposa vier aqui, eu liberto os reféns. Se ela não vier, vamos todos para o inferno. De verdade.
— A polícia está tentando encontrá-la, mas eu pensei que poderíamos dar um novo rumo ao seu caso. Tenho muitos contatos. Posso transmitir sua história para todo o país, pôr a foto de sua esposa nas telas de televisão de costa a costa. Mesmo que ela não esteja assistindo, alguém que a conhece, com certeza, verá. Colocaremos um número de telefone especial na tela para o qual ela poderá ligar. Você poderá falar com ela, Elmer.

Boa ideia, concluiu Jenner com a mão esticada para arrancar o megafone das mãos de Finn, caso fosse necessário: usar o primeiro nome dele e oferecer-lhe não só esperança, mas alguns minutos de fama. Seus superiores talvez não aprovassem sua atitude, mas Jenner pensou que poderia funcionar.

— Então faça isso! — gritou Johnson. — Faça essa droga.
— Com prazer, mas só posso fazer isso se você me der algo em troca. Deixe a menina sair, Elmer, e eu colocarei sua história no ar em todo o país em dez minutos. Eu até consigo dar um jeito de você enviar uma mensagem para sua esposa. Com suas próprias palavras.

— Não vou deixar ninguém sair, só se for em um saco.

— Ela é só uma menina, Elmer. Sua esposa provavelmente gosta de crianças. — Meu Deus, ele esperava que sim. — Se você a libertar, ela ficará sabendo e vai querer falar com você.

— É um truque.

— Estou com uma câmera bem aqui. — Deu uma olhada para Curt. — Tem uma televisão aí dentro? — gritou.

— E se tiver?

— Você poderá ver tudo o que eu fizer. Tudo o que eu disser. Farei que me coloquem ao vivo.

— Faça isso, então. Faça isso em cinco minutos, cinco malditos minutos, ou vocês vão ter outro corpo aqui dentro.

— Ligue para a televisão — gritou Finn. — Coloque-me em contato com eles. Preparem-se para entrar no ar agora. — Então, ele se virou para Jenner.

— Para um repórter, você se saiu muito bem no papel de policial.

— Obrigado — disse Finn e lhe entregou o megafone. — Peça-lhe para libertar a menina enquanto eu estiver no ar ou vou interromper a transmissão.

♦ ♦ ♦ ♦

Em cinco minutos contados, Finn pôs-se diante da câmera. Por mais abalado que estivesse emocionalmente, suas palavras eram tranquilas e bem compassadas, seus olhos, indiferentes. Atrás dele estava a fachada destruída do restaurante.

— Esta manhã em Greektown, em Chicago, este restaurante administrado pela família foi alvo de uma violência. Sabe-se que três pessoas morreram em um impasse entre a polícia e Elmer Johnson, um ex-mecânico que escolheu este local para se manifestar. A única exigência de Johnson é fazer contato com sua esposa Arlene, de quem está separado.

Mesmo percebendo a movimentação atrás de si, os olhos de Finn permaneceram fixos na luz da câmera.

— Johnson, bem armado, tem cinco reféns. Em seu apelo a...

Houve um grito atrás dele. Finn moveu-se no mesmo instante para dar a Curt espaço para filmar.

Tudo aconteceu rapidamente, como se as horas de espera tivessem se concentrado naquele único momento. Tremendo e chorando, a menina saiu do restaurante. Mesmo com a sombra do toldo sobre seu rosto, um homem de olhos arregalados saiu correndo, aos gritos, enquanto tentava fugir. A rajada de disparos que vinha do restaurante fez o homem cair para a frente. Finn viu Jenner pôr a menina de lado no momento em que Johnson tropeçou na porta.

A bala do franco-atirador atravessou a testa de Johnson.

— Meu Deus! — Curt ficou repetindo baixinho as palavras enquanto segurava firme a câmera. — Meu Deus! Meu Deus! Meu Deus!

Finn só fez um não com a cabeça. A ardência em seu braço esquerdo o fez olhar para baixo, curioso. Com as sobrancelhas unidas, ele tocou o buraco na manga. Seus dedos ficaram pegajosos de sangue.

— Que droga! — murmurou. — Comprei este casaco em Milão.

— Droga, Riley! — Os olhos de Curt arregalaram-se. — Droga! Acertaram você.

— Sim. — Ele ainda não sentia dor alguma, somente um incômodo chato. — Também não dá para remendar couro.

♦ ♦ ♦ ♦

Na segunda-feira, assim que o programa da manhã era transmitido, Deanna ficou em pé no meio de seu escritório, os olhos grudados na tela de televisão. Parecia inacreditável que pudesse ouvir a voz de Finn dando os detalhes em uma reportagem especial.

Viu a cena como ele havia visto, o vidro estilhaçado, o corpo ensanguentado. A câmera balançou quando o franco-atirador fez o disparo. O coração de Deanna disparou quando ouviu o estouro das balas.

Durante o tempo todo, a voz de Finn permaneceu calma, fria, com uma raiva implícita que ela duvidava que qualquer um de seus espectadores pudesse perceber. Deanna continuou em pé, com a mão fechada pressionada contra o peito enquanto a câmera aproximava a imagem da criança, chorando nos braços de um homem desgrenhado de cabelos grisalhos.

— Deanna. — Jeff hesitou junto à porta e depois cruzou a sala para ficar ao lado dela.

— É horrível — murmurou ela. — Inacreditável. Se esse homem não tivesse entrado em pânico e corrido nessa direção, se ele não tivesse feito isso, as coisas poderiam ter acabado de outra forma. Aquela garotinha... ela poderia ter ficado no meio do fogo cruzado. E Finn...

— Ele está bem. Ei, ele está lá embaixo. De volta ao trabalho.

— De volta ao trabalho.

— Deanna — disse Jeff novamente e pôs a mão no ombro dela. — Eu sei que é difícil para você. Não só saber, mas ver o que aconteceu, de verdade. — Aproximou-se da televisão e a desligou. — Mas Finn está bem.

— Ele foi baleado. — Ela se afastou da tela apagada e esforçou-se para recuperar a compostura. — E eu estava em Indiana. Você não pode imaginar como foi horrível ver Tim entrar no salão de baile e me contar que havia visto tudo na televisão da limusine. E ficar impotente. Não estar lá quando o levaram para o hospital.

— Se isso a incomoda tanto, e se você conversasse com Finn, ele poderia conseguir um trabalho no escritório.

Pela primeira vez na manhã, ela lhe deu um sorriso sincero.

— As coisas não funcionam assim. Eu não iria querer que funcionassem assim. É melhor voltarmos ao trabalho. — Ela lhe deu um rápido aperto na mão antes de dar a volta em sua mesa. — Obrigada por me ouvir.

— Ei. É para isso que estou aqui.

♦ ♦ ♦ ♦

— Todo mundo ficará até tarde hoje — anunciou Angela em uma reunião de emergência da equipe. — Ninguém sairá até fecharmos este programa. Quero ideias e uma discussão séria. Três deste grupo da supremacia branca e três da NAACP (Associação Nacional para o Progresso de Pessoas de Cor). Quero posturas radicais. — Sentou-se atrás de sua mesa, os dedos batendo na superfície dela. — Cuidem para que cada grupo receba pelo menos uns dez ingressos, de modo que eles possam se espalhar pela plateia. Eu quero que o circo pegue fogo.

Bateu com o dedo na cabeça da responsável pelas pesquisas.

— Temos um bom número deles aqui em Nova York. Consiga alguns dos parentes.

— Talvez não seja fácil convencer alguns deles.

— Então os pague — falou rispidamente. — O dinheiro sempre fala mais alto. E quero alguns vídeos, os mais descritivos possíveis, de manifestações. Alguns testemunhos de crimes motivados por preconceito racial; melhor ainda, o testemunho de pessoas que cometeram tais crimes. Prometa que a identidade delas será preservada. Prometa qualquer coisa, mas as consiga para mim.

Quando Angela ficou em silêncio, Dan mexeu a cabeça sinalizando o fim da reunião. Esperou até a última pessoa sair e fechar a porta.

— Sabe, Angela, talvez você esteja na corda bamba aqui.

Angela levantou a cabeça.

— Você está falando como Lew.

— Não a estou aconselhando a não fazer o programa. Só estou sugerindo que você esteja preparada para o fogo cruzado.

— Eu sei o que estou fazendo. — Ela havia visto a reportagem de Finn, como quase todos os outros norte-americanos com um aparelho de televisão. Agora queria superar a ele e a Deanna. — Precisamos de algo forte, e o momento não poderia ser melhor. Há uma comoção no país por causa das questões raciais, e a cidade está um caos.

— Você não está preocupada com Deanna Reynolds. — Ele sorriu, sabendo que teria de acalmar a fúria que via surgindo nos olhos dela.

— Ela está subindo em minhas costas, não está?

— Ela vai escorregar. — Segurou as mãos tensas de Angela na sua. — O que você precisa agora é de mais publicidade. Algo que concentrará a atenção do público em você. — Levantou a mão dela, admirando o modo como o sol batia nos diamantes de seu relógio. — E eu tenho uma ideia para isso.

— É melhor que seja boa.

— É mais do que boa. É genial. — Beijou a mão de Angela, observando-a por sobre os nós dos dedos. — Há uma coisa que enlouquece o público norte-americano mais do que ouvir sobre corrupção, sexo e violência. Casamentos — disse ele enquanto a colocava delicadamente em pé. Casamentos importantes e extravagantes; casamentos privados repletos de celebridades. Case-se comigo, Angela. — Seus olhos amoleceram. — Não só lhe farei feliz, mas cuidarei para que sua foto apareça em todos os grandes jornais e revistas do país.

Angela sentiu uma palpitação rápida na garganta.

— E o que você ganharia com isso, Dan?

— Você. — Examinando-a claramente, ele abaixou a cabeça para beijá-la. — Tudo o que quero é você.

♦♦♦♦

No SEGUNDO sábado de junho, Angela usava um vestido rosa-pérola de seda, de Vera Wang, coberto de minúsculas pérolas. O decote tomara que caia favorecia o contorno de seus seios arredondados e a saia com pregas e cheia de detalhes acentuava sua cintura fina. Usava um chapéu de abas largas com um véu curto e carregava um buquê de orquídeas brancas.

A cerimônia aconteceu na casa de campo que ela havia comprado em Connecticut, e estavam presentes convidados ilustres. Alguns estavam contentes por estarem ali, motivados pela emoção ou pela ideia de terem o nome e a foto incluídos em matérias da imprensa. Outros apareceram porque era mais fácil aceitar o convite do que enfrentar depois a fúria de Angela.

Presentes caros enchiam o salão e, sob os cuidados de pessoas uniformizadas, eram exibidos para membros seletos da imprensa. Ninguém que visse tudo isso, pensou Angela, duvidaria do quanto ela era amada.

A recepção espalhou-se pelo jardim de rosas, onde o champanhe espumava e pombas brancas arrulhavam.

Quando viu o barulho incessante de helicópteros cheios de *paparazzi* que tentavam cobrir o evento, Angela soube que o casamento estava sendo um sucesso.

Como toda recém-casada, ela estava radiante. O sol fazia reluzir o diamante de cinco quilates que adornava sua mão esquerda enquanto posava para fotos com Dan.

Com pesar, disse aos repórteres que sua mãe, sua única parente viva, encontrava-se muito doente para comparecer ao casamento. Na realidade, ela estava internada em uma clínica particular para alcoólatras.

Kate Lowell, parecendo jovem e viçosa em um vestido de verão, beijou Angela no rosto para as câmeras. Seus cabelos longos e ruivos caíam sobre as costas nuas, como cobre derretido sobre pêssegos beijados pelo sol. Tinha um rosto que as câmeras veneravam: maçãs do rosto pontiagudas, lábios cheios, olhos grandes e castanho-claros. A imagem ficava completa com um corpo sinuoso, pernas torneadas e uma risada contagiosa.

Ela poderia ter se tornado uma estrela simplesmente por seus maravilhosos atributos físicos. É claro que já havia participado de comerciais. Mas tinha algo mais: talento e encanto, que se igualavam ao seu sucesso de bilheteria. E ambição.

Encantou ao fotógrafo ao lançar um sorriso deslumbrante para ele e depois ofereceu a outra face para Angela.

— Eu odeio você — disse em voz baixa.

— Eu sei, querida. — Radiante, Angela passou o braço em volta da cintura de Kate e, sem piedade, cravou os dedos na pele dela enquanto oferecia seu melhor perfil para a câmera. — Sorria agora, mostre por que você é um sucesso de bilheteria.

Foi o que Kate fez com um sorriso que poderia ter derretido o aço.

— Eu queria que você estivesse morta.

— Você e tantas outras. — Angela enganchou-se no braço de Kate e saiu com ela, como se ambas fossem amigas íntimas querendo um momento em particular. — Agora me diga: é verdade que você e Rob Winters estão lendo roteiros para um filme para a televisão?

— Sem comentários.

— Ora, ora, querida. — Angela ronronou, como uma felina fatal. — Não vamos arranhar as costas uma da outra.

— Eu gostaria de arranhar seus olhos. — Mas ela sabia que não podia. Ceder a esse desejo de forma tão descarada colocaria muita coisa em jogo. Entretanto, havia outras armas. Inclinando a cabeça, Kate estudou o rosto de Angela. — A propósito, bela cirurgia plástica. Mal dá para perceber. — Seu sorriso foi rápido e sincero quando Angela se irritou. — Não se preocupe, *querida*, esse será nosso segredinho. Afinal, uma mulher tem de fazer tudo o que for preciso para manter a ilusão da juventude. Especialmente quando se casa com um homem mais jovem.

Debaixo do belo véu, os olhos de Angela estavam duros como bolinhas de gude. Era seu dia, pelo amor de Deus! Seu dia. E nada e ninguém iriam estragá-lo.

— Estou com um roteiro, querida Katie. Acredito que o achará fascinante. E acho que você conseguirá despertar o interesse de Rob também. Vocês dois são amigos há anos, e seria conveniente para se o convencesse a aceitá-lo. Afinal, não resta a Rob muito tempo para se dar ao luxo de escolher, não é?

— Sua puta.

Angela deu uma gargalhada estridente. Nada poderia ter lhe dado mais prazer do que ver o sorriso convencido de Kate desaparecer.

— O problema é que os atores precisam de alguém para escrever aqueles diálogos inteligentes. Você terá o roteiro na segunda, querida. Eu realmente consideraria um favor se você o lesse rápido.

— Estou ficando cansada de seus favores, Angela. Outras pessoas poderiam chamá-los de chantagem.

— Eu não faço parte desse grupo. É simplesmente uma questão de ter certas informações que me deixam mais do que feliz em guardar em segredo. Um favor para você, querida. Em troca, você me faz um. Isso se chama cooperação.

— Um dia você vai cooperar consigo mesma e ir direto para o inferno.

— São só negócios. — Com um suspiro, Angela deu um tapinha no rosto corado de Kate. — Você já está neste meio há tempo suficiente para saber que não vale a pena levar tudo para o lado pessoal. Discutiremos os termos quando eu voltar de minha lua de mel. Agora, se você me der licença... Não posso ignorar meus convidados.

Embora Kate não tenha respondido, sua imaginação correu solta. Enquanto Angela se afastava, Kate viu a seda esvoaçante salpicada de sangue.

— Um dia — sussurrou, arrancando uma rosa de uma moita e esmagando-a na mão. — Um dia, alguém finalmente vai ter coragem e fazer isso.

♦ ♦ ♦ ♦

— Ela está maravilhosa. — Relaxando no sofá da cabana, Deanna examinava a capa da revista *People*. — Radiante.

Finn juntou forças suficientes para dar uma olhada. Os dois haviam conseguido conciliar três dias inteiros de folga, juntos. Se o telefone não tocasse, o fax não emitisse seu sinal e o mundo não desmoronasse dentro das próximas 24 horas, eles teriam tido sucesso.

— Ela parece um daqueles bonequinhos que vão em bolos de casamento. Todo aquele glacê decorativo sobre o que não é comestível.

— Sua visão está distorcida pela maldade.

— A sua também deveria estar.

Deanna só suspirou e folheou a revista até chegar à matéria da capa.

— Eu não preciso gostar de Angela para reconhecer que ela está linda. E parece feliz, realmente feliz. Talvez o casamento vá acalmá-la.

Finn só bufou.

— Já que esta é a terceira vez, duvido.

— Não se esta for a escolha certa. Não lhe desejo má sorte, nem pessoal nem profissionalmente. — Examinou o alto da revista. — Quero derrotá-la por mérito.

— Você a está derrotando.

— Em Chicago e em outros lugares. Mas este casamento irá favorecê-la pelo menos por um tempo.

Finn esticou os braços acima da cabeça, os músculos começaram a aparecer. Deanna pôde ver a leve cicatriz no local atingido pela bala.

— Por que você acha que ela fez isso?

— Ah, qual é, Finn? Dê-lhe um pouco de crédito. Uma mulher não se casa para que possa ter sua foto em algumas capas.

— Kansas. — Surpreso por ver que ela ainda podia ser tão ingênua, tirou a revista das mãos de Deanna. — Quando uma pessoa está escorregando nas escadas, ela se agarra a qualquer corda que estiver por perto.

— Eu acho que você está misturando as metáforas.

— Você acha que ela se casou por amor? — Rindo, jogou a revista longe. Angela, a noiva feliz, caiu de cara no chão. — Ela teve seis semanas de publicidade gratuita desde o dia em que a notícia de seu compromisso secreto vazou misteriosamente.

— A notícia pode ter vazado. — Deanna lhe deu um empurrão delicado com o pé. — E, mesmo que ela tenha plantado a notícia, isso não muda o resultado final. Angela é uma mulher linda e cheia de vida que se apaixonou por um homem deslumbrante e atraente.

— Deslumbrante? — Finn puxou o pé de Deanna pelo tornozelo. — Você o acha deslumbrante?

— Sim, ele é... — Ela gritou e se retorceu quando ele lhe fez cócegas no pé. — Pare com isso.

— E atraente?

— Sexy. — Rindo indefesa, tentou se soltar de Finn. — Um pedaço de mau caminho. — Tentou mordê-lo quando ele a pôs debaixo dele.

— Você luta como uma menina.

Ela soprou para tirar os cabelos dos olhos e tentou jogá-lo no chão.

— E daí?

— Eu gosto. E agora será uma questão de honra tirar esse Dan sei lá o que de sua cabeça.

— Dan Gardner — disse ela de modo afetado. — E eu não sei se você vai conseguir. Quero dizer, ele é tão elegante, tão sofisticado, tão... — Fingiu estar arrepiada. — Tão romântico.

— Vamos nos concentrar nas diferenças.

Com força, passou a mão na blusa leve de algodão de Deanna e mandou os botões para o espaço.

— Finn! — Entre o choque e o prazer, ela começou a empurrá-lo. O protesto com risadas terminou com um suspiro abafado enquanto ele apertava seu seio com a boca.

Sentiu um calor no mesmo instante. Uma necessidade imediata. A sensação irrompeu nela como uma luz, tão brilhante a ponto de cegar. As mãos que divertidamente apertavam os ombros de Finn se contraíram, unhas curtas e bem-cuidadas cravaram-se cada vez mais na pele dele. Seu coração palpitava debaixo da boca voraz de Finn, perdendo o ritmo e, em seguida, correndo em disparada.

As mãos de Finn já colocavam de lado o que restava da blusa de Deanna, percorrendo a pele desnuda para excitá-la e possuí-la. O sol forte do verão passava pelas janelas e batia nela com a luz branca e quente. Sua pele estava úmida do sol, do toque impetuoso e impaciente de Finn. Com a boca ainda se deliciando nela, ele deslizou a mão para dentro da perna larga de seu short e a levou, sem dó nem piedade, a um clímax rápido e violento.

— De novo. — Instigado, ele cravou a boca na dela e engoliu seus gritos enquanto a empurrava para o alto.

Ele a queria assim. Por tantas vezes se contentou em possuí-la lentamente, deliciando-se com cada toque, cada sabor durante a jornada longa e preguiçosa rumo à satisfação. Gostava do modo como o corpo dela ficava sinuoso e macio, do modo como seu próprio prazer ia aumentando pouco a pouco.

Mas, agora, ele queria apenas o percurso rápido e ardente, a coisa impensada do sexo apressado e urgente. Queria possuí-la, marcá-la, sentir o corpo de Deanna balançar de forma irregular debaixo do seu até penetrá-la com força.

Rasgou as roupas dela ao mesmo tempo que ela o puxou. Sentiu na pele a respiração quente de Deanna, a boca percorrendo seu corpo com fome, sons de uma excitação desesperada que ela prendia na garganta.

Ele se mexeu, segurando o quadril de Deanna e levantando-a para que os músculos de seus braços se movimentassem. Em seguida, ele a envolveu. Os mesmos gritos de triunfo de ambos ecoaram no ar quente.

Com a cabeça para trás, o corpo longo e delgado molhado de suor, Deanna subiu nele e o conduziu como ele havia feito com ela. Sem dó, sem piedade. Agarrou as mãos dele, conduzindo-as por sobre seu corpo úmido, instigando-o a pedir mais enquanto seu coração disparava em uma corrida alucinada.

Veio o orgasmo, um golpe dado por um punho suado e que deixou seu corpo com dores indescritivelmente deliciosas. O ar estava parado e ardia em seus pulmões. Ela soluçava para soltá-lo, soluçava para inspirá-lo.

Sentiu o corpo de Finn mover-se para a frente, fazendo-a arquear naquele último momento intenso. Como cera derretida no sol, caiu sobre ele e ficou deitada ali, sem forças.

A mente de Finn foi clareando aos poucos, a força estática da tempestade foi se transformando em uma paz constante, que era a respiração de Deanna. A névoa escura que cobria sua visão desapareceu e o fez fechar os olhos para a luz forte do sol.

— Eu acho que defendi minha honra — murmurou ele. Ela deu uma risada sufocada.

— Eu não sabia... Meu Deus, não consigo respirar. — Ela tentou novamente. — Eu não sabia que provocar seu ego seria algo tão... gratificante.

— Relaxada?

Ela suspirou.

— Muito.

— Feliz?

— Completamente.

— Então, talvez este seja um bom momento para pedir que você pense em uma coisa.

— Hmmm. Eu não acho que eu *possa* pensar neste momento.

— Pense depois. — Sua mão massageava delicadamente as costas dela. — Deixe-a aí na cabeça por um tempo.

— O quê?

— Quer se casar comigo?

Ela afastou a cabeça.

— Casar com você?

— Parecer chocada é outra forma de provocar meu ego?

— Não. — Atordoada, ela apertou uma das mãos no rosto. — Meu Deus, Finn, você sabe lançar uma bola do campo esquerdo.

— Vamos falar de beisebol depois, já que os Cubs estão em último lugar. — Maldito nervosismo, pensou ele, enquanto o estômago apertava. Era ridículo para ele sentir aquelas fisgadas de pânico, mas a única coisa em que conseguia pensar era ouvir um não como resposta. Um grande e redondo não.

Pela primeira vez na vida, queria algo e alguém que não sabia ao certo se poderia ter.

Finn se ergueu para que ambos ficassem sentados, nus, de frente um para o outro, ainda doloridos e saciados pelo sexo. Ele se lembrou de que o plano era fazer com que fosse algo leve, natural.

— Você não deveria estar tão surpresa, Deanna. Já namoramos há mais de um ano.

— Sim, mas... ainda não decidimos morar juntos...

— Um de meus objetivos. Minha estratégia de conseguir fazer você morar comigo e depois se casar comigo não está dando certo.

— Sua estratégia?

Ele não se importou com o tom ríspido na voz dela. Combinava com o da dele.

— Kansas, a única maneira de controlá-la é imaginar um jogo de xadrez. É preciso pensar antes em meia dúzia de movimentos para poder vencê-la.

— Eu não acho que gosto dessa analogia.

— É precisa. — Ele apertou levemente o queixo dela com os dedos. — Você passa tanto tempo pensando nas coisas, tentando evitar o movimento errado, que eu preciso lhe dar um empurrão.

— E esta proposta é isso? — perguntou, afastando a mão de Finn. — Um empurrão?

— Digamos que seja mais uma cutucada, já que estou disposto a deixá-la pensar no assunto.

— Muito generoso de sua parte — disse ela com os dentes cerrados.

— Na verdade — continuou ele —, estou dando tempo para nós dois. Não posso dizer que estou totalmente convencido dessa ideia.

Ela piscou.

— Como é que é?

Foi genial, percebeu ele. Absolutamente genial. Os dois podiam fazer o jogo de provocar o ego.

— Estamos vindo de campos opostos nesse tema. Você vem de uma família grande e feliz, com todos aqueles sentimentos tradicionais, na qual a expressão "até que a morte os separe" significa alguma coisa. Para mim, o casamento sempre significou "até que o divórcio os separe".

Irritada, ela pegou sua blusa, praguejou e depois a jogou de lado.

— Para alguém tão cínico como você, estou surpresa que tenha pensado em casamento.

A boca de Finn tremia enquanto ela vestia a camiseta dele.

— Não sou cínico. Sou realista. O casamento passou a ser como um jornal. Você o joga no lixo quando termina de ler, e não são muitas as pessoas que se dão ao trabalho de reciclá-lo.

— Então, qual é o sentido? — Ela sacudiu seu short.

— Estou apaixonado por você — disse ele simplesmente e baixinho, e a impediu de sair violentamente do quarto. — Eu gostaria de pensar na ideia de começar uma vida com você, ter filhos, dar uma chance a esses sentimentos tradicionais.

Suas palavras reprimiram a raiva de Deanna.

— Droga, Finn — disse ela, indefesa.

Ele abriu um sorriso largo para ela.

— Isso significa que você vai pensar no assunto?

## Capítulo Vinte

♦♦♦♦

$\mathcal{D}$AN GARDNER não se casou com Angela por causa de dinheiro. Não de todo. Algumas pessoas eram tão cruéis a ponto de pensar que esse fora o motivo, e até que ele havia dito isso. Durante as primeiras semanas do casamento deles, houve uma especulação considerável nos tabloides sobre o assunto, como também sobre a diferença de idade entre o casal: ela era quase dez anos mais velha. Como alguém que acreditava piamente na publicidade, fora o próprio Dan que plantara os artigos.

Mas havia outras razões pelas quais havia se casado com ela. Ele admirava suas qualidades. Entendia seus defeitos e, o mais importante para ele, sabia explorá-los. Foi Dan que, reconhecendo as inseguranças e suspeitas de Angela, insistiu para que firmassem um acordo pré-nupcial. O divórcio não iria beneficiá-lo. Mas Dan não planejava se divorciar dela, a menos que se beneficiasse com isso. Foi ele que, sabendo que Angela tinha um fraco por romantismo e uma necessidade de ser o centro do amor, preparou jantares à luz de velas para os dois e fins de semana tranquilos no campo. Quando ela precisava de atenção além da que Dan podia dar, ele cuidava disso também. Uma vez que Angela estava cada vez mais obcecada com a queda da audiência, ele recuperou o contato com vários projetos da A. P. Productions e, com habilidade, aumentou os lucros.

Talvez não tivesse se casado com ela pelo dinheiro, mas pretendia desfrutar dele.

— Veja! — Angela jogou um exemplar de *TV Guide* para ele, do outro lado do quarto. O exemplar caiu com a foto de Deanna para cima. — Veja! "A nova princesa das manhãs", vai nessa. — Seu roupão de seda ondulava como uma vela de barco enquanto ela andava no tapete branco de sua cobertura. — "Cordial e acessível, sexy e inteligente." Eles só fizeram elogios, Dan. Droga! Eles lhe deram a capa e duas páginas inteiras.

— Não se assuste com isso. — Uma vez que ficariam em casa naquela noite, Dan lhe serviu uma taça cheia de champanhe. Era mais fácil lidar com ela quando estava bêbada e chorosa. E, quando estava carente, o sexo era simplesmente estupendo. — Ela só vai cair de um lugar mais alto, só isso.

— Não é só isso. — Angela tirou a taça da mão dele. Não queria precisar de uma bebida, mas precisava e não estava a fim de lutar contra o desejo. — Você viu os índices de audiência. Ela ficou com 20% nas últimas três semanas.

— E você terminou o ano como a número um — lembrou a ela.

— Mas é outro ano — respondeu Angela, bruscamente. — Ontem não conta. — Deu um gole demorado no champanhe e depois enfiou o salto delicado de seu sapato com plumas no olho esquerdo de Deanna. — Nada bonita agora, não é? — Cheia de inveja, chutou a revista para longe. — Não importa o que eu faça, ela continua a subir. Agora ela está ficando com minha imprensa. — Depois de esvaziar a taça, Angela a jogou de volta para Dan.

— Seu programa não é a única coisa que lhe interessa. — Obedientemente, ele encheu novamente a taça para ela. — Você tem os especiais, os projetos com os quais a A. P. Productions está envolvida. Seus interesses e seu impacto são mais variados que os dela. — Observou o olhar pensativo de Angela enquanto ela bebia. — Deanna só tem um programa, Angela. Ela o dirige bem, mas é só um programa.

A descrição acalmou seu coração agitado.

— Ela sempre foi limitada, com seus horários restritos e anotações. — Mas, à medida que a fúria desaparecia, o desespero se infiltrava no espaço deixado por ela. — Eu não quero que Deanna ocupe meu lugar, Dan. — Seus olhos encheram-se de lágrimas quentes enquanto engolia rapidamente o champanhe. — Eu não acho que suportaria isso. Poderia ser de outras pessoas, menos dela.

— Você está fazendo disso algo muito pessoal. — Solidário, ele encheu outra taça para ela, sabendo que, depois da terceira, ela estaria tão dócil quanto um bebê com a barriga cheia.

— É pessoal. — As lágrimas caíram, mas ela deixou que Dan a levasse para o sofá. Encolheu-se ali no colo dele com uma sensação mista de contentamento e mal-estar. Era dessa maneira que se encolhia no colo de seu pai nas raras ocasiões em que ele estava em casa e sóbrio. — Ela quer me machucar, Dan. Ela e aquele canalha do Loren Bach. Eles fariam qualquer coisa para me machucar.

— Ninguém vai machucar você. — Ele levou a taça à boca de Angela do mesmo modo que uma mãe insistia para que o filho choroso tomasse o remédio.

— Eles sabem que eu sou a melhor.

— É claro que eles sabem. — A carência de Angela o excitou. Enquanto ela estivesse cheia de neuroses, ele estaria no comando. Colocando a taça de lado, ele abriu o roupão de Angela para lhe acariciar os seios. — Deixe isso comigo — murmurou ele. — Eu cuidarei de tudo.

♦ ♦ ♦ ♦

— *As* discussões com seu cônjuge terminam como uma zona de guerra, com acusações e pratos voando para todos os lados? "Como brigar de forma justa", amanhã, no programa *A Hora de Deanna*.

— Tudo bem, Dee, precisamos de algumas chamadas para as afiliadas.

Ela girou os olhos para o diretor-assistente, mas, obedientemente, examinou os cartões com dicas.

— Veja o que há de melhor em Tulsa. KJAB-TV, canal nove. Tudo bem, vamos passar rapidamente.

Durante a hora seguinte, ela gravou promoções para as afiliadas de todo o país, uma tarefa cansativa na melhor das hipóteses, mas com a qual ela sempre estava de acordo.

Quando terminou, Fran entrou no set com uma lata de Pepsi. Gingava um pouco enquanto andava porque estava grávida de seu segundo filho.

— O preço da fama — disse ela.

— Eu posso pagar. — Agradecida, Deanna deu um gole demorado na bebida gelada. — Eu não falei para você ir para casa mais cedo?

— Eu não falei que estou bem? Ainda tenho três semanas.

— Três semanas e você não passará pela porta.

— Como é que é?

— Nada. — Deanna deu outro gole na bebida antes de sair do set. Parou perto do espelho grande, enganchando um braço no de Fran para que ficassem lado a lado. — Você não acha que está um pouco maior do que estava quando esperava Aubrey?

Fran pôs um M&M na boca.

— Retenção de líquido.

Deanna pegou o pacote de confeitos e levantou uma sobrancelha.

— Tem certeza de que não tem nada a ver com todas essas coisinhas de chocolate que você devora?

— O bebê deseja essas coisinhas. O que eu posso fazer? Os desejos têm de passar por mim primeiro. — Inclinando a cabeça, Fran examinou sua imagem no espelho. O novo corte de cabelo na altura do queixo poderia ter ficado bonito, pensou ela, não fosse seu rosto estar parecendo um balão cheio de ar. — Meu Deus! Por que comprei este terninho marrom? Fico parecendo um mamute!

— Foi você que disse, não eu. — Deanna seguiu na direção do elevador, observando Fran como uma coruja enquanto apertava o botão.

— Nada de gracinhas sobre restrições de peso, colega. — Com toda a dignidade que pôde reunir, Fran entrou no elevador e apertou o botão do 16º andar. — Mal posso esperar pela sua vez. Se você cedesse e se casasse com Finn, poderia começar uma família. Você também poderia conhecer as alegrias da maternidade. Pés inchados, indigestão, estrias e a vontade de urinar toda hora.

— Você está deixando isso muito atraente.

— O problema, e a razão pela qual estou de novo quase do tamanho de um planeta pequeno, é que *é* atraente. — Apertou a mão na lateral quando o bebê, mais uma vez apelidado de Big Ed, começou a chutar. — Não há nada igual a isso — murmurou ela. As portas se abriram. — E aí, você vai se casar com o rapaz ou o quê?

— Estou pensando.

— Faz semanas que você está pensando. — Fran apoiava as costas com a mão enquanto seguiam para o escritório de Deanna.

— Ele também está pensando. — Ela sabia que soava como um meio de defesa. Incomodada, andou pela recepção vazia e entrou em seu escritório. — E as coisas estão complicadas neste momento.

— As coisas sempre estão complicadas. As pessoas que esperam o momento perfeito, normalmente, morrem antes.

— Isso é confortante.

— Eu não queria pressionar você.

— Não? — Deanna sorriu novamente.

— Cutucá-la, querida, mas não pressioná-la. O que é isto? — Fran pegou a única rosa branca que estava na mesa de Deanna. — Elegante — disse ela, cheirando-a. — Romântico. Doce. — Olhou para o envelope branco. — É de Finn?

Não, pensou Deanna com a pele arrepiada. Não era de Finn. Tentou agir com naturalidade e pegou uma pilha de correspondências que Cassie havia preparado.

— Talvez seja.

— Você não vai abrir o bilhete?

— Mais tarde. Quero que Cassie envie estas cartas antes do final do dia.

— Meu Deus, como você é difícil, Dee! Se um cara me enviasse uma rosa, eu estaria nas mãos dele.

— Eu estou ocupada.

Fran levantou a cabeça ao perceber a mudança no tom de Deanna.

— Dá para ver. Vou deixar você trabalhar.

— Desculpe. — Contrita na mesma hora, Deanna estendeu a mão. — De verdade, Fran. Eu não queria ser grossa com você. Eu acho que estou um pouco nervosa. O negócio do Emmy está se aproximando. Aquela história estúpida nos tabloides sobre meu caso secreto com Loren Bach na semana passada...

— Ah, querida, não deixe que isso afete você. Vamos! Eu acho que Loren está se divertindo com a ideia.

— Ele pode. A história não o pintou como alguém que está dormindo com outra pessoa para conseguir 30% da audiência.

— Ninguém acredita nessas coisas. — Ela se irritou com a expressão de Deanna. — Bom, ninguém com um QI de três dígitos. Quanto ao Emmy, também não tem com o que se preocupar. Você vai ganhar.

— É o que vivem falando para Susan Lucci. — Mas ela riu e se despediu de Fran com a mão. — Saia daqui e vá para casa. Já são quase cinco da tarde.

— Você me convenceu. — Fran pôs a rosa de volta na mesa, sem perceber o recuo instintivo de Deanna. — Até amanhã.

— Até. — Sozinha, Deanna pegou o envelope com cuidado. Com o corta-papel de cabo de ébano que estava na mesa, abriu o envelope com habilidade.

DEANNA, EU FARIA QUALQUER COISA POR VOCÊ.
SE VOCÊ TÃO SOMENTE OLHASSE PARA MIM, SE ME OLHASSE DE
VERDADE. EU LHE DARIA QUALQUER COISA. TUDO. FAZ TANTO
TEMPO QUE ESTOU ESPERANDO.

Ela começava a acreditar que o autor dos bilhetes estava falando sério. Pôs o papel de volta no envelope, abriu a última gaveta da mesa e o colocou sobre a pilha de bilhetes do mesmo tipo. Decidida a tratar da questão de forma prática, pegou a rosa e começou a examinar suas pétalas pálidas e frágeis como se tivessem uma pista da identidade do remetente.

Obsessão. Uma palavra assustadora, pensou ela, mas, sem dúvida, algumas formas de obsessão eram inofensivas. Entretanto, a flor mostrava uma mudança no hábito. Não havia símbolos antes, apenas as mensagens com tinta vermelha. É claro que uma rosa perfumada e doce era um sinal de afeto, de estima. Contudo, os espinhos que estavam no caule fino podiam fazer sangrar.

Agora ela estava sendo uma tola, disse para si mesma. Levantou-se, encheu um copo de água e pôs a rosa dentro dele. Não suportava ver uma bela flor secar e morrer. Apesar de tudo, colocou-a em uma mesa do outro lado da sala antes de voltar para sua escrivaninha.

Durante os vinte minutos seguintes, assinou correspondências. Ainda estava com a caneta na mão quando o interfone tocou.

— Sim, Cassie.

— É Finn Riley na linha dois.

— Obrigada. Terminei de assinar as cartas. Você pode colocá-las no correio quando for para casa?

— Claro.

— Finn? Você está aí embaixo? Desculpe, tivemos alguns imprevistos aqui e eu me atrasei. — Olhou para o relógio e fez uma careta. — Não vou conseguir chegar às sete para o jantar.

— Melhor assim. Estou do outro lado da cidade, preso em uma reunião. Parece que não vou conseguir chegar a essa hora também.

— Vou cancelar, então. Comemos mais tarde. — Levantou os olhos e observou Cassie enquanto tirava as correspondências assinadas da mesa de Deanna. — Cassie, cancele minha reserva para o jantar, por favor.

— Está bem. Precisa de mais alguma coisa antes que eu vá embora? Eu posso ficar para revisar aqueles vídeos com você.

— Não, obrigada. Até amanhã. Finn?

— Estou aqui.

— Tenho uns vídeos para revisar. Por que você não passa por aqui e me pega quando estiver indo para casa? Vou dispensar meu motorista.

— Acho que chegarei por volta das oito ou talvez mais tarde.

— Quanto mais tarde, melhor. Precisarei de pelo menos três horas para terminar aqui. Consigo fazer mais coisas quando todos vão para casa. Vou atacar a comida que Fran guarda aqui e me entocar no escritório até você chegar.

— Se eu não conseguir, aviso você.

— Estarei aqui. Tchau.

Deanna desligou o telefone e girou a cadeira para ficar de frente para a janela. O sol já estava se pondo e deixando o céu e a silhueta da cidade escuros. Ela podia ver as luzes se acendendo e formando pequenos pontos com o crepúsculo, ficando cada vez mais escuro.

Imaginou os prédios ficando vazios, as autoestradas, cheias de carros. Em casa, as pessoas estariam ligando a televisão para ver as notícias da noite e pensando no jantar.

Se ela se casasse com Finn... Deanna brincou com a pulseira que sempre usava, que era para ela um talismã, assim como o era para Finn o crucifixo que ele usava. Se ela se casasse com ele, estaria fazendo uma promessa para toda a eternidade.

Ela acreditava em cumprir promessas.

Eles começariam a planejar uma família.

Ela acreditava piamente na família.

E teria de encontrar formas boas, sólidas e inteligentes para fazer com que tudo funcionasse bem. Para fazer com que todos os elementos estivessem equilibrados.

Era isso que a impedia de assumir o compromisso.

Por mais que tentasse parar e pensar racionalmente em tudo ou por mais que tentasse fazer uma lista de suas prioridades e plano de ataque, Deanna sempre fugia como um animal assustado.

Ela não tinha certeza se conseguiria fazer as coisas funcionarem.

Não havia pressa alguma, lembrou-se. E, naquele momento, sua prioridade era tratar de subir o próximo degrau de sua escada profissional.

Olhou para seu relógio e calculou o tempo de que precisava *versus* o tempo que tinha. Tempo suficiente, pensou ela, para relaxar um pouco antes de voltar ao trabalho.

Experimentando uma das técnicas para reduzir o estresse que havia aprendido com um convidado em seu programa, fechou os olhos e começou a respirar profunda e tranquilamente. Deveria imaginar uma porta fechada. Quando estivesse pronta, deveria abrir essa porta e entrar em um cenário que, para ela, era relaxante, tranquilo e agradável.

Como sempre, abriu a porta muito rapidamente, impaciente para ver o que havia do outro lado.

A varanda da cabana de Finn. Primavera. Borboletas voavam perto das ervas e das flores que cobriam o chão de seu jardim com pedras ornamentais. Ela podia ouvir o zumbido preguiçoso das abelhas que pairavam sobre as azaleias salmão que ela havia ajudado Finn a plantar. O céu era de um azul claro e deslumbrante, perfeito para os sonhos.

Suspirou, maravilhosamente contente. Havia música. Um mar de violinos chorosos passava pelas janelas abertas atrás dela.

Então, ela estava deitada naquele gramado macio e florido, levantando os braços para Finn. O sol formava uma auréola em volta dos cabelos dele e lançava sombras em seu rosto, realçando seus olhos até ficarem tão azuis a ponto de ela pensar que poderia mergulhar neles. Ela queria. E ele estava em seus braços, o corpo quente e rijo, a boca firme e hábil. Podia sentir seu corpo se contrair de desejo e sua pele sussurrar com ele. Estavam se movendo juntos, lenta e suavemente, com a graça de dois dançarinos, com a abóbada azul do céu sobre eles e com o zumbido das abelhas latejando como se estivesse marcando a pulsação.

Ouviu seu nome, um sussurro que se misturava à música do sonho. E ela sorriu e abriu os olhos para olhar para ele.

Mas não era Finn. As nuvens cobriram o sol e escureceram tanto o céu que ela não pôde ver o rosto dele. Mas não era Finn. Embora seu corpo tivesse se recuado, ele disse seu nome novamente.

— Estou pensando em você. Sempre.

Deanna acordou, a pele fria e úmida, o coração batendo forte. Em um gesto automático de defesa, abraçou-se fortemente para afastar um calafrio repentino e violento. Para o inferno a meditação, pensou ela, esforçando-se para se livrar do último vestígio do sonho. Faria esses exercícios para aliviar o estresse no trabalho outro dia. Tentou rir de si mesma, mas o som saiu mais como um gemido.

Só estou tonta, pensou. Um pouco tonta por causa de um cochilo imprevisto. Mas seus olhos se arregalaram quando ela olhou para seu relógio. Havia dormido quase uma hora.

Uma perda de tempo absurda, pensou, e levantou-se da cadeira para se esticar. Vamos trabalhar, disse com firmeza para si mesma, e começou a tirar a jaqueta enquanto se virava novamente para sua mesa. Em uma negação imediata, moveu-se para a frente, os olhos voltados para o outro lado da sala onde ela havia deixado aquela única rosa. Já não estava mais lá. Já não estava mais lá, pensou ela estupidamente, porque agora estava em sua mesa, junto com outra do mesmo tipo.

Esfregou o peito com a palma da mão enquanto olhava para as rosas. Provavelmente foi Cassie que a colocou ali, calculou. Ou Simon ou Jeff ou Margaret. Alguém que estivesse trabalhando até tarde. Um deles encontrou a segunda rosa em algum lugar, trouxe-a para ali e a colocou junto com a primeira. E, ao vê-la dormindo, simplesmente deixou as duas em sua mesa.

Ao vê-la dormindo. Sentiu um arrepio que lhe deixou com as pernas bambas. Ela havia dormido. Sozinha, indefesa. Ao cair sentada no braço da cadeira, viu a fita na mesa. Pelo rótulo do fabricante, podia dizer que não era do tipo que usavam no programa.

Nenhum bilhete desta vez. Talvez um bilhete não fosse necessário. Ela pensou em fugir, sair às pressas do escritório, confusa. Haveria pessoas na sala de redação. Muitas pessoas trabalhando de um lado para o outro entre o noticiário da tarde e o da noite.

Ela não estava sozinha.

Com uma ligação ela chamaria a equipe de segurança. O elevador iria levá-la ao tumulto provocado pela atividade alguns pisos abaixo.

Não, ela não estava sozinha, e não havia razão para ter medo. Havia todas as razões do mundo para assistir à fita.

Enxugou as palmas das mãos molhadas no quadril antes de tirar a fita da caixa e colocá-la no videocassete.

Os primeiros segundos depois de apertar o botão para rodar a fita exibiram uma tela vazia e azul. Quando Deanna viu a imagem tremida, enrugou a testa, concentrada. Reconheceu seu prédio, ouviu o ruído do trânsito no áudio. Algumas pessoas passavam rapidamente pela calçada; elas estavam de mangas curtas, o que indicava o tempo quente.

Ela se viu passar pela porta da frente, os cabelos caídos sobre os ombros. Confusa, levantou a mão e penteou os cabelos curtos com os dedos. Viu-se olhar para o relógio. A câmera deu um zoom em seu rosto, seus olhos cheios de impaciência. Podia ouvir, terrivelmente, o som da respiração irregular de quem operava a câmera.

O furgão da CBC parou junto ao meio-fio. A imagem desapareceu.

E voltou. Deanna estava andando por Michigan com Fran. Seus braços estavam carregados de sacolas de compras. Ela usava um suéter grosso e uma jaqueta de camurça. Quando virou a cabeça para rir de Fran, a imagem congelou e ficou em seu rosto sorridente até desaparecer.

Havia mais de uma dezena de clipes, de fragmentos de sua vida. Uma ida ao mercado, sua chegada a uma festa de caridade, uma volta pela Water Tower Place, brincando com Aubrey no parque, dando autógrafos em um centro comercial. Seus cabelos estavam curtos agora e seu guarda-roupa indicava que a estação mudara.

E, durante todo o tempo, a trilha sonora era a respiração silenciosa de quem estava com a câmera.

No último clipe, ela estava dormindo, encolhida na cadeira de seu escritório.

Deanna continuou com os olhos grudados na tela mesmo depois de restar apenas a imagem de neve. O medo voltou e esfriou seu sangue, de modo que ela começou a tremer debaixo da luz da lâmpada na mesa.

Ele já a estava observando há anos, pensou ela. Perseguindo-a. Invadindo pequenos momentos pessoais de sua vida e transformando-os em momentos dele. E ela nunca percebeu.

Agora ele queria que ela soubesse. Queria que ela entendesse como ele estava próximo. E como poderia se aproximar ainda mais.

Dando um pulo para a frente, ficou apalpando o botão "Ejetar" e, finalmente, bateu com o punho nele. Pegou sua bolsa e, enquanto guardava a fita dentro dela, saiu às pressas do escritório. O corredor estava escuro, cheio de sombras formadas pela luz de seu escritório. Deanna sentia a pulsação no pescoço enquanto corria para o elevador.

Estava quase sem fôlego quando apertou o botão. Girou e pressionou as costas na parede, examinando as sombras em busca de movimento.

— Depressa, depressa. — Apertou a boca com a mão enquanto sua voz ecoava com escárnio pelo corredor vazio.

O barulho do elevador a fez saltar. Quase chorando de alívio, foi até as portas, mas recuou quando viu um vulto sair do canto do elevador e vir em sua direção.

— Ei, Dee. Eu assustei você? — Roger se aproximou enquanto as portas se fecharam atrás dele. — Ei, moça, você está branca como uma folha de papel.

— Não. — Ela se encolheu; seus olhos reluziram quando viu a saída de incêndio que levava às escadas. Ela teria de passar por ele. Passaria por ele.

— Ei, o que está acontecendo? — A preocupação na voz de Roger a fez olhar cautelosamente para ele. — Você está tremendo. Talvez seja melhor você se sentar.

— Eu estou bem. Estou indo embora agora.

— É melhor recuperar o fôlego primeiro. Qual é! Vamos...

Ela se afastou e evitou a mão dele.

— O que você quer?

— Cassie passou lá embaixo quando estava indo embora. — Ele falou devagar, abaixando a mão na lateral no corpo. — Ela disse que você ficaria trabalhando até tarde, por isso pensei em subir e ver se você gostaria de alguma coisa para comer.

— Finn está chegando. — Ela molhou os lábios. — Estará aqui a qualquer momento.

— Foi só uma ideia. Dee, está tudo bem? Sua família está bem?

Um novo medo se agarrou à sua garganta, cravando-se nela como se fossem garras.

— Por quê? Por que você está perguntando isso?

— Você está transtornada. Pensei que tivesse recebido alguma notícia ruim.

— Não. — Tonta de pânico, ela se afastou devagar. — Estou com muita coisa na cabeça. — Quase não conseguiu sufocar um grito quando ouviu o barulho do elevador novamente.

— Meu Deus, Dee, calma! — Em uma reação involuntária, Roger a agarrou pelo braço quando ela começou a correr em direção às escadas. Deanna girou para lutar, mas as portas do elevador se abriram.

— Que diabos está acontecendo aqui?

— Oh, meu Deus! — Soltando-se de Roger, Deanna caiu nos braços de Finn. — Graças a Deus que você está aqui.

Ele a apertou em seus braços para protegê-la enquanto olhava aborrecido para Roger.

— Eu perguntei: que diabos está acontecendo aqui?

— Diga-me você. — Chocado, Roger passou a mão nos cabelos. — Eu subi há um minuto e a encontrei assustada. Eu estava tentando descobrir o que aconteceu.

— Ele machucou você? — perguntou Finn a Deanna e ouviu um insulto de Roger.

— Não. — Ela manteve o rosto enterrado no ombro de Finn. A tremedeira, a terrível tremedeira, não passava. Pensou que podia ouvir os próprios ossos batendo uns nos outros. — Fiquei com tanto medo. Não consigo pensar. Por favor, me leve para casa.

♦ ♦ ♦ ♦

FINN CONSEGUIU arrancar uma explicação desconexa dela no caminho de casa e depois, enquanto dava um conhaque para Deanna, assistiu à fita.

Ela não protestou ao vê-lo ir até o telefone e ligar para a polícia. Estava mais calma quando contou a história novamente. Sabia da importância dos detalhes, dos horários, dos fatos precisos. O detetive que a interrogou na sala de Finn sentou-se com paciência e anotou tudo em seu bloco de notas.

Ela reconheceu o homem de cabelos grisalhos por causa do vídeo de Greektown: ele havia tirado a menina da linha de fogo.

Arnold Jenner era um policial tranquilo e meticuloso. Seu rosto quadrado era compensado pelo nariz que já havia quebrado, não em serviço, mas com uma bola lançada durante uma partida de *softball*. Usava um terno marrom-escuro que ficava um pouco esticado na altura da barriga. Seus cabelos estavam entre o marrom e o cinza e eram muito curtos. Havia rugas em volta de sua boca e de seus olhos, o que indicava que ele ria ou franzia as sobrancelhas com facilidade. Seus olhos, de um verde pálido e sonolento, provavelmente eram tão indefiníveis quanto o resto de sua pessoa. Contudo, ao olhar para eles, Deanna se sentiu aliviada pela sensação de confiança.

— Eu gostaria de ver as cartas.

— Eu não guardei todas — disse-lhe ela, e se sentiu envergonhada ao ver a aceitação cansada nos olhos dele. — As primeiras... bem, pareciam inofensivas. Os repórteres que aparecem diante das câmeras recebem muitas cartas, algumas curiosas.

— As que você tiver, então.

— Tenho algumas no escritório e outras em meu apartamento.

— Você não mora aqui?

— Não. — Ela deu uma olhada para Finn. — Não exatamente.

— Mmm-hmmm. — Jenner fez outra anotação. — Srta. Reynolds, a senhorita disse que a última parte da fita teria sido feita nesta tarde, entre cinco e meia e seis e meia.

— Sim, eu disse. Eu dormi. Estava tensa, por isso resolvi experimentar uns exercícios de relaxamento que um convidado do programa havia sugerido. Um lance de meditação com imagens. — Encolheu os ombros, sentindo-se uma idiota. — Eu acho que não é meu estilo. Ou estou acordada ou estou dormindo. Quando acordei, vi a segunda rosa na mesa. E a fita.

Ele fez alguns barulhos com a garganta. Como um médico, pensou Deanna.

— Quem teria acesso ao seu escritório nessa hora?

— Várias pessoas. Minha equipe e qualquer um que trabalhe nos andares inferiores.

— Então, o prédio estaria fechado para todos, menos para o pessoal da CBC?

— Não necessariamente. A porta de trás não estaria fechada nessa hora. Há funcionários terminando seu turno, outros chegando para ocupá-lo, pessoas vindo buscar ou trazer outras. Às vezes até visitas.

— Lugar movimentado.

— Sim.

Ele ergueu os olhos na direção dos dela, e Deanna percebeu por que não podia defini-los. Ele simplesmente não estava olhando para ela; ele a estava observando. Finn tinha essa capacidade, esse mesmo olhar rápido que, como um bisturi, penetrava seus pensamentos. Talvez por isso ela tenha sentido confiança nele.

— Você consegue pensar em alguém? Alguém que você rejeitou? Alguém que demonstrou um interesse mais do que casual ou amistoso por você?

— Não. Na verdade, não conheço ninguém que pudesse fazer algo assim. Tenho certeza de que é um estranho... um espectador, talvez. Do contrário, eu teria percebido alguém me filmando.

— Bem, com o sucesso do seu programa, isso não restringe os possíveis suspeitos. — Como um velho hábito, ele rabiscou no bloco de notas. O desenho transformou-se no rosto de Deanna, os olhos assustados e a boca que tentava se curvar em um sorriso. — Você faz muitas apresentações públicas. Notou algum rosto em particular que aparece com frequência?

— Não. Já pensei nisso.

— Vou levar a fita. — Então, ele se levantou e colocou o bloco com cuidado no bolso. — Alguém virá aqui para buscar os bilhetes.

— Não há nada mais, há? — Ela se levantou também. — Não há nada mais mesmo.

— Nunca se sabe o que podemos descobrir na fita. Um equipamento sofisticado ou algum som baixinho que possa ser identificado. Enquanto isso, tente não se preocupar. Esse tipo de coisa acontece mais do que você imagina. — E, uma vez que ela ainda tentava sorrir, ele quis tranquilizá-la.

— Você já ouviu falar dos casos grandes, como o daquela mulher que vivia arrombando a casa de Letterman, mas a verdade é que não são só as celebridades que têm de lidar com casos de obsessão. Não faz muito tempo, tivemos uma mulher obcecada por um corretor da bolsa de valores. Um rapaz de boa aparência, mas nenhum deus grego. De qualquer modo, ela ligava para ele no trabalho e em casa, enviava telegramas, deixava bilhetes de amor debaixo do limpador de para-brisa do carro dele. Ela até adulterou fotos em que aparecia vestida de noiva com ele, de smoking. E as mostrava para os vizinhos do rapaz para provar que eles eram casados.

— O que aconteceu?

— Ele conseguiu uma ordem judicial para mantê-la afastada, mas ela a violou ao ficar acampada junto à porta da casa dele. Essa mulher passou por uma avaliação psiquiátrica. Quando saiu, chegou à conclusão de que não mais estava apaixonada pelo corretor. Diz ela que se divorciou dele.

— Então a moral da história é: às vezes, essas coisas seguem seu curso.

— Pode ser. A questão é que algumas pessoas não têm uma noção tão segura da realidade quanto imaginam. Você provavelmente se sentiria melhor se reforçasse um pouco sua segurança.

— Vou fazer isso. Obrigada, detetive Jenner.

— Estarei em contato. Foi um grande prazer conhecê-la, srta. Reynolds, e o senhor também, sr. Riley. Passo muito tempo com vocês dois em minha sala de estar.

— Então, é isso aí — disse ela ao fechar a porta depois que Jenner saiu.

— Não adiantou muita coisa. — Finn apertou os ombros dela. Não havia interrompido a entrevista de Deanna com Jenner. Mas agora era sua vez. — Você não vai mais trabalhar sozinha até tarde.

— É sério, Finn...

— Isso não é negociável, portanto não discuta comigo. Você faz ideia do que senti quando vi você em pé no corredor, assustada e se debatendo com Crowell?

— Ele estava tentando me ajudar — começou ela, depois fechou os olhos e suspirou. — Sim, sim, eu acho que faço ideia. Desculpe. Vou trazer trabalho para casa quando for necessário.

— Até que isso esteja resolvido, você precisa de proteção 24 horas.

— Um guarda-costas? — Ela teria rido se não estivesse com medo de ele arrancar um pedaço dela com os dentes. — Finn, não vou trabalhar até tarde lá no escritório. Vou tentar levar alguém comigo quando tiver de sair para fazer externas ou apresentações. Mas não vou contratar um brutamontes para me vigiar.

— Não é novidade uma mulher de sua posição contratar um segurança particular.

— Seja qual for minha posição, eu ainda sou Deanna Reynolds, de Topeka, e me recuso a ter um grandalhão de ombros largos assustando as pessoas de quem tento me aproximar. Eu não suportaria isso, Finn. É muito hollywoodiano para mim. Vou levar a sério o que aconteceu — continuou ela. — Acredite, vou ter muito cuidado, mas não fui ameaçada.

— Você está sendo vigiada, seguida, filmada e assediada com bilhetes e ligações anônimos.

— E isso me assusta, confesso. Você fez bem em chamar a polícia. Eu deveria ter chamado antes. Agora que você fez isso, tenho a impressão de que toda essa situação está em seu devido lugar. Vamos dar uma chance para que a polícia faça aquilo que é paga para fazer.

Frustrado, Finn foi para o corredor e voltou.

— Uma concessão — disse ele, finalmente. — Meu Deus, eu estou sempre fazendo concessões por você.

Considerando que a tempestade estava passando, ela se aproximou para envolvê-lo com os braços.

— É por isso que nosso relacionamento é tão saudável. Qual é a concessão... uma guarda-costas chamada Sheila?

— Você vai se mudar para cá. Não vou abrir mão disso, Deanna. Mantenha seu apartamento; não me importo. Mas você vai morar aqui, comigo.

— Engraçado. — Em um acordo de paz sutil, ela lhe deu um beijo no rosto. — Eu ia sugerir a mesma coisa.

Ele levantou o rosto dela. Queria muito perguntar se ela estava concordando com a ideia porque estava com medo ou porque precisava dele. Mas não perguntou.

— E quando eu estiver fora da cidade?

— Eu estava pensando em perguntar o que você acha de cachorros. — Seus lábios curvaram-se nos dele. — Poderíamos passar em um canil neste fim de semana. Com tantos animais abandonados, esse parece ser o caminho certo.

## Capítulo Vinte e Um

❖❖❖❖

*P*RÊMIOS NÃO são importantes. Trabalho de qualidade e satisfação com um trabalho bem-feito são os prêmios propriamente ditos. Monumentos e discursos não passam de promoção comercial.

Deanna não acreditava em nada disso.

Para uma menina do Kansas cujo primeiro trabalho diante de uma câmera havia sido uma matéria sobre uma exposição de cachorros, descer de uma limusine em Los Angeles como uma das indicadas ao Emmy era uma emoção. E ela não tinha problema algum em admitir isso.

O dia estava perfeito. Haveria neblina e fumaça, mas não era o que ela via. O céu era de um azul escuro e contemplativo como o de uma pintura, iluminado por um sol brilhante. Uma brisa agradável esvoaçava os vestidos elegantes e os penteados feitos com cuidado dos presentes e soprava os aromas dos perfumes e das flores sobre a multidão empolgada.

— Não acredito que estou aqui. — Era preciso usar toda a sua força de vontade para não pular no assento da limusine como uma criança no circo. Então, ela desistiu e pulou mesmo assim.

— Você merece! — Fascinado por ela, Finn segurou a mão de Deanna e a levou aos seus lábios.

— Eu sei disso, aqui. — Bateu de leve nas têmporas. — Mas sei também bem aqui. — Pôs a mão sobre o coração. — Estou com medo de alguém me beliscar e eu acordar e perceber que foi só um sonho. Ai!

— Viu, você está acordada. — Ele sorriu enquanto ela esfregava o antebraço. — E você ainda está aqui.

Por mais zonza que se sentisse, desceu graciosamente da limusine, mantendo a cabeça elevada enquanto se endireitava e examinava a multidão. O sol reluzia em seu vestido curto cheio de miçangas e espalhava luz

Para Finn, Deanna havia escolhido bem: o vestido vermelho cintilante, reto e sem alças a fazia parecer jovem, vigorosa e uma verdadeira estrela. Várias pessoas da multidão reconheceram-na no mesmo instante e gritaram seu nome.

Essa reação obviamente surpreendeu-a, percebeu ele ao esboçar um sorriso. Ela parecia confusa, depois impressionada e, por fim, encantada. Deanna acenava para as pessoas, não com a indiferença descuidada de uma veterana, mas com prazer e entusiasmo genuínos.

— É como se eu estivesse entrando em um filme. — Ela riu enquanto dava a mão para Finn. — Não, é como se eu estivesse saindo da última cena e chegado ao herói.

Ele agradou a ela, e à multidão, ao beijá-la. Não foi um selinho, mas um beijo com direito a um abraço forte e demorado que deu aos *paparazzi* muito material. Os dois ficaram por um instante debaixo do sol brilhante, um casal com trajes de cerimônia perfeito para as fotos.

— Esse foi porque você está linda. — Ele a beijou novamente para alegria da multidão. — E esse foi para lhe dar sorte.

— Obrigada. Os dois foram deliciosos.

Começaram a seguir em direção ao prédio, onde fãs e curiosos haviam sido divididos como o mar Vermelho pelas barreiras policiais. Celebridades e imprensa se misturavam, criando cenas rápidas que seriam exibidas nos noticiários da noite.

Conhecia algumas daquelas pessoas, pensou Deanna. Algumas haviam ido ao seu programa, sentado-se ao seu lado e conversado como velhos amigos. Outras, ela havia conhecido durante eventos beneficentes e acontecimentos que se tornaram parte do trabalho. Trocou cumprimentos, desejos de boa sorte, beijos no rosto e apertos de mão enquanto ambos se dirigiam ao salão.

Microfones amontoavam-se à frente e câmeras giravam na direção deles, impedindo que avançassem.

— Deanna, como você se sente estando aqui esta noite?

— Quem desenhou seu vestido?

— Finn, como é ter um programa de sucesso quando tantos programas de notícias fracassaram?

— Vocês fazem planos de se casar?

— Meu Deus, isso parece uma corrida de obstáculos — murmurou Finn enquanto abriam caminho entre o bando de repórteres.

— Estou adorando cada minuto — disse Deanna ao se aproximar, os olhos dançando. — Você não sabe que quando perguntam quem fez seu vestido é porque você acertou?

— Eles não me perguntaram.

Ela se virou e brincou com a gravata de Finn.

— E você está muito bonito também. Capa de revista.

Ele fez uma careta.

— Eu não acredito que você me convenceu a fazer essa pose para a foto.

— Está maravilhoso.

— Eu sou jornalista, não modelo.

— Mas você tem covinhas lindas.

Eles não piscaram nem quando ele olhou para ela com o canto dos olhos, que brilharam duramente.

— Continue com isso e eu vou contar para todo mundo que você trocou três vezes a calcinha hoje à noite antes de colocar esse vestido.

— Tudo bem, as covinhas não são lindas. Não importa o que Mary Hart tenha dito no programa dela na semana passada.

— Ela disse... deixe para lá. — De modo algum ele entraria nesse papo. — Vamos beber alguma coisa antes de entrar.

— Considerando a ocasião, terá de ser champanhe. Só uma taça — acrescentou ela, apertando a mão na altura da barriga. — Não acho que meu corpo aguente mais.

— Espere aqui. Vou lutar contra a multidão.

— Eu disse que você era meu herói.

Ela se virou e, não fosse ter se deparado com Kate Lowell, teria fugido para um canto onde pudesse ficar em pé e observar.

— Olá, Dee.

— Olá, Kate. — Deanna estendeu a mão e as duas se cumprimentaram como se fossem estranhas. — Que bom ver você.

— Não é o que parece — disse ela enquanto endireitava os ombros. — Você está ótima, pronta para vencer.

— Espero que sim.

— Gostaria de lhe desejar sorte. Muita sorte, considerando quem é sua rival.

— Obrigada.

— Não me agradeça. É puro egoísmo de minha parte. A propósito, Rob Winters pediu que eu lhe mandasse lembranças se a visse.

O sorriso tenso de Deanna suavizou.

— Como ele está?

— Morrendo. — Kate respondeu de pronto e, então, suspirou por entre os dentes. — Desculpe. Somos amigos há tanto tempo, e é difícil para mim vê-lo assim.

— Você não precisa se desculpar. Eu entendo essa questão de amizade e lealdade.

Kate olhou para baixo.

— Acertou em cheio, Dee.

— Dei um fora — corrigiu ela. Por instinto, segurou a mão de Kate novamente. Não tinha nada a ver com cortesia dessa vez. Apenas apoio, básico e espontâneo. — Não consigo nem imaginar como deve ter sido para você.

Kate olhou para as mãos dadas das duas e se lembrou de como era fácil antes.

— Dee, por que você não anunciou o problema de saúde de Rob quando ele lhe contou?

— Porque ele me pediu para não falar nada.

Kate fez que não com a cabeça.

— Isso sempre foi suficiente para você. Fiquei imaginando se você havia mudado.

— Eu mudei, mas não nesse sentido.

— Eu realmente espero que você vença hoje à noite. Espero que você quebre as pernas dela. — Com isso, ela se virou e foi embora.

Enquanto observava a mulher atravessar a multidão, Deanna pensou ter entendido as lágrimas que havia visto nos olhos de Kate, mas não o veneno na voz dela.

— Bem, estamos aparecendo para o mundo. — Angela apareceu na linha de visão de Deanna, um sonho frívolo em seda rosa-choque e diamantes cor de gelo. — Sorria para a câmera, querida — sussurrou ao se inclinar para a frente para beijar o ar dos dois lados do rosto de Deanna. — É claro que você não se esqueceu de tudo o que lhe ensinei.

— Não esqueci nada. — Os lábios de Deanna forçaram um sorriso. Ela detestava o fato de sentir frio no estômago por causa do nervosismo. Detestava mais ainda o fato de deixar transparecer que estava nervosa. — Quanto tempo!

— Com certeza. Acho que você não conhece meu marido. Dan, esta é Deanna Reynolds.

— Prazer. — Tão polido quanto uma joia fina, Dan segurou a mão de Deanna. — Você é tão encantadora quanto Angela me disse.

— Tenho certeza de que ela não lhe disse nada disso, mas, mesmo assim, obrigada. Vi seu especial sobre a prévia do Emmy, Angela. Gostei.

— Você viu? — Angela segurou um cigarro à boca para Dan acender. — Tenho tido tão pouco tempo para ver televisão ultimamente...

— Que interessante! Eu achava que isso iria afastá-la de seu público. Eu adoro ver televisão. Acho que sou a telespectadora comum.

— Eu não me contento com nada que seja comum. — Angela olhou por sobre o ombro de Deanna, seus olhos ardentes. — Olá, Finn. Não é interessante todos termos nos encontrado aqui em Los Angeles?

— Angela. — Tranquilamente, ele entregou a taça de champanhe a Deanna e depois pôs o braço na cintura dela. — Você está muito bem.

— Ele costumava ser muito mais criativo em seus cumprimentos — disse Angela a Dan. Ela fez o restante das apresentações e, vendo uma câmera com o canto dos olhos, colocou-se em uma posição proeminente. — Preciso passar pó no nariz antes de entrarmos. Deanna, venha comigo. Nenhuma mulher vai sozinha ao toalete.

Embora Finn tenha apertado a mão em sua cintura, Deanna se soltou.

— Claro. — Era melhor enfrentar as coisas desagradáveis que Angela tinha em mente agora, concluiu ela, do que esperar para ouvi-las em público. — Finn, encontro você lá dentro em um minuto.

Para dar à câmera uma imagem amigável, Angela encaixou o braço no de Deanna.

— Já faz séculos que não conversamos em particular, não faz?

— Seria um pouco difícil, já que não nos vemos há dois anos.

— Sempre levando tudo ao pé da letra. — Com um sorriso leve, Angela entrou no toalete. Como ela esperava, estava quase vazio. Mais tarde, estaria cheio, mas, agora, as pessoas estavam ansiosas para se sentar. Foi até o balcão com espelhos, pegou uma cadeira e fez exatamente o que havia dito que faria: passou pó no nariz. — Você está quase sem batom — disse ela, secamente. — Nervosa?

— Ansiosa. — Deanna permaneceu em pé, mas pôs a taça de lado para pegar um batom na bolsa. — Imagino que seja uma reação natural por ser indicada ao prêmio.

— Isso se torna rotina com o tempo. Tenho vários prêmios, você sabe. Interessante você ter sido indicada por causa daquele programa sobre estupro. Para mim, foi mais um momento de autoconfissão do que um mosaico de pontos de vista. — Angela ajeitou os cabelos com a mão, procurando algum fio fora de lugar enquanto virava o rosto de um lado para o outro. — Acho que Finn levará uma das estatuetas por seu programa em horário nobre. Ele é benquisto no segmento e foi capaz de criar um programa que atrai os que gostam de notícias e o espectador que busca entretenimento.

— Pensei que você não visse televisão.

Angela fulminou-a com os olhos. Deanna ficou surpresa ao ver o espelho intacto com o reflexo delas.

— Vejo alguma coisa de vez em quando se achar que pode ser interessante. É claro que Finn sempre me interessa. — Devagar e com prazer, passou a língua nos lábios. — Diga-me uma coisa: os olhos dele ainda ficam com aquele tom cobalto pecaminoso quando ele fica excitado? — Jogou um pouco de perfume nos pulsos. — Você consegue excitá-lo de vez em quando, não?

— Por que você não pergunta a ele?

— Talvez eu pergunte... se conseguir ficar sozinha com ele. Por outro lado, se eu ficar sozinha com ele, é possível que ele se esqueça completamente de você. — Sorrindo, girou o tubo do batom rosa-choque. — E de que adiantaria?

Deanna já não estava nervosa, mas simplesmente irritada.

— A questão é que você está casada e que Finn deixou de se interessar por você há muito tempo.

— Você acredita mesmo nisso? — A risada de Angela foi tão forte e fria quanto um golpe de vento no inverno. — Querida, se eu resolvesse ter um caso com Finn, e Dan é um homem muito compreensivo, por isso meu casamento não é nenhum obstáculo, ele não só estaria a fim como também ficaria agradecido.

Um pouco mais que irritada, Deanna sentiu pequenas fisgadas de tensão no estômago, mas seu sorriso foi natural.

— Angela. — Havia escárnio em sua voz. — Tentar me deixar com ciúmes é perda de tempo. Você já transou com Finn. Eu sei disso. E não sou tão ingênua a ponto de imaginar que ele não a achou extremamente atraente e sedutora. Mas o que eu tenho com ele agora está em um nível completamente diferente. Você só está se humilhando ao tentar me convencer de que ele é um sem-vergonha que sairá correndo atrás de você se estalar os dedos.

Angela fechou o batom com a tampa.

— Você está muito fria, não está?

— Não, não mesmo. Estou feliz. — Nesse momento, ela se sentou, esperando que pudessem pelo menos depor as armas. — Angela, éramos amigas, ou pelo menos sociáveis. Sou grata pela oportunidade que você me deu de observar e aprender. Talvez o tempo de sermos cordiais tenha passado, mas não vejo por que temos de atacar uma a outra. Somos rivais, mas há mais do que espaço suficiente para nós duas.

— Você acha que pode competir comigo? — Angela começou a tremer dos ombros à cintura. — Você realmente acha que pode chegar perto do que consegui, do que tenho, do que vou ter?

— Sim — respondeu Deanna e levantou-se. — Sim, eu acho. Para isso, eu não preciso recorrer a tabloides para que publiquem mentiras nem à espionagem de baixo nível. Você já está nesse negócio há tempo suficiente para tolerar uma pequena concorrência, Angela.

— Sua abusada. Eu vou acabar com você.

— Não, não vai. — Sentia uma forte palpitação nesse momento, um ritmo primitivo que pulsava em seu sangue na expectativa de uma briga. — Você vai ter de suar muito para não ficar atrás de mim.

Com um grito de indignação, Angela agarrou a taça de champanhe e jogou a bebida no rosto de Deanna. Duas mulheres que entraram no toalete ficaram paradas como estátuas quando viram Angela dar um tapa forte no rosto de Deanna.

— Você não é nada. — gritou Angela, seu rosto tão rosado quanto a seda que usava. — Menos que nada. Eu sou melhor. Muito melhor.

Ela se preparou para dar o bote, as mãos meio fechadas e os dedos esticados como se fossem garras. Enquanto a fúria embaçava sua visão, Deanna a atacou, a mão aberta estalando no rosto vermelho de Angela. Em um instante, todos os movimentos congelaram. Pelo menos uma vez, as duas estavam nas mesmas condições. Horrorizadas, as duas mulheres à porta exclamaram ao mesmo tempo e ficaram olhando para elas.

— Com licença, senhoras. — Kate Lowell saiu de uma das cabines e fez um sinal para as mulheres à porta do toalete. Elas saíram voando, obviamente com pressa para espalhar a notícia. — Ora, ora... e eu achando que toda a competição seria lá fora.

Atordoada, Deanna olhou para sua mão, que ainda queimava por causa do tapa que tinha dado. Piscou para tirar o champanhe que fazia seus olhos arderem.

— Droga!

Kate indicou com a cabeça a porta, que ainda balançava por causa da saída das outras mulheres.

— Isso vai dar uma bela matéria amanhã sobre a cobertura do Emmy. — Sorriu, de repente, exibindo dentes perfeitos e brilhantes. — Vocês gostariam que eu fosse a árbitra?

— Fique fora disso. — Com os dentes cerrados, Angela deu um passo em direção a Deanna. Havia sido humilhada, em público. Isso, acima de tudo, era intolerável. — E você fique fora de meu caminho. Você já foi longe demais.

— Eu ainda não lhe ofereci o outro lado do rosto — respondeu Deanna —, e não pretendo fazer isso. Então, por que você e eu não ficamos fora do caminho uma da outra?

— Você não vai ganhar esta noite. — Com a mão ainda tremendo, Angela pegou sua bolsa. — Nem nunca.

— Um discurso de saída muito feio — cogitou Kate enquanto a porta balançava depois que Angela saiu.

— Eu não sei, não. Tinha potencial. — Deanna fechou os olhos, que ardiam. — E agora?

— Limpe-se. — Kate mexeu-se rapidamente para molhar uma toalha branca com água fria. — Recomponha-se e saia.

— Eu perdi a cabeça — começou ela e, então, se olhou no espelho. — Ah, meu Deus! — Suas bochechas estavam vermelhas e molhadas de champanhe. Seus olhos estavam irritados e borrados de rímel.

— Recupere a imagem de antes — aconselhou Kate, entregando-lhe a toalha molhada. — E, quando sair, saia com um sorriso.

— Eu acho que deveria... — Preparada para o pior, virou para o lado da porta quando ela se abriu. Suas bochechas já quentes queimaram mais ainda quando Finn entrou.

— Perdão, senhoras, mas, como repórter, é meu dever perguntar que diabos está acontecendo aqui. Alguém disse... — Parou ao perceber a cena com uma olhada rápida. — Meu Deus, Kansas, não posso deixar você sozinha um minuto. — Suspirou, pegou uma das toalhas de mão secas e macias na bancada e a ofereceu a Deanna. — Não imaginei que fosse natural o vermelho que percebi no rosto de Angela. Qual de vocês duas bateu nela?

— Foi Deanna que teve esse prazer.

Ele se inclinou para beijar o rosto molhado de Deanna.

— Bom trabalho, minha heroína. — Tocou-lhe nos lábios com sua língua. — Era para você beber o champanhe, querida, e não usá-lo como creme.

Deanna endireitou os ombros e se virou para o espelho para dar um jeito no estrago. Ela não se intimidaria, prometeu para si mesma. Ela simplesmente não se intimidaria.

— Você pode segurar as pessoas lá fora por cinco minutos?

— Sua categoria está chegando — disse ele, descontraidamente, enquanto seguia para a porta.
— Estarei lá.

♦ ♦ ♦ ♦

Com a maquiagem retocada e os cabelos penteados, Deanna estava com os nervos à flor da pele. Sentou-se ao lado de Finn, apertando irregularmente a mão na dele. Fora do alcance das câmeras, esperou ela.

Sua mente estava tão afiada quanto uma espada enquanto observava os apresentadores se movimentando, se atrapalhando com piadas escritas e lendo as listas dos indicados. Aplaudia por educação, ou ocasionalmente com entusiasmo, quando os vencedores eram anunciados e subiam ao palco.

Registrava cada momento, cada gesto, cada palavra em sua memória, porque isso era muito importante naquele momento. Havia perdido grande parte do maravilhoso entusiasmo que sentira quando eles chegaram na limusine. Não, pensou, ela já não era mais a menina do Kansas agora, deslumbrada com as luzes e os famosos. Era Deanna Reynolds e pertencia a esse mundo.

Já não era mais um simples prêmio, um tapinha nas costas por um trabalho bem-feito.

Agora era um símbolo. O auge do que havia começado há muito tempo. Era um símbolo de triunfo sobre o engano, as manipulações, a terrível intriga que havia se transformado em um rancor patético no toalete.

A câmera estava nela. Deanna podia sentir aquele olho frio e objetivo focado nela. Só podia esperar que, por uma vez, suas emoções não estivessem tão estampadas em seu rosto. Ouviu o nome de Angela ser anunciado e depois o seu.

Não conseguia respirar. Então, Finn levou aos lábios as mãos entrelaçadas dos dois, e a tensão quase se foi.

— E o Emmy vai para...

Meu Deus, como alguém podia demorar tanto para abrir um envelope?

— Deanna Reynolds, pelo tema "Quando você o conhece", no programa *A Hora de Deanna*.

— Oh! — Todo o ar que estava preso em seus pulmões saiu naquele único e longo som. Antes de poder respirar novamente, sentiu a boca de Finn na sua.

— Eu nunca duvidei disso.

— Nem eu — mentiu ela, e estava sorrindo quando se levantou da cadeira para subir ao palco em meio aos aplausos.

O prêmio estava frio e liso em suas mãos. E sólido como uma pedra. Teve medo de olhar para ele e chorar. Em vez disso, olhou para as luzes.

— Quero agradecer a cada um dos integrantes de minha equipe. E quero agradecer às mulheres que apareceram no programa, que enfrentaram seus medos para trazer à luz um tema tão doloroso. Não consigo me lembrar de um programa que eu tenha feito nem pensar que haverá algum que possa ser tão difícil ou tão gratificante para mim como esse. Obrigada por vocês me darem algo que me lembrará disso. Agora vou lá para os bastidores para olhar para esta bela mocinha que tenho na mão.

◆ ◆ ◆ ◆

Após os discursos, os aplausos, as entrevistas e as festas, Deanna deitou-se na cama, apoiando a cabeça na curva do ombro de Finn. Tranquilamente, cruzou as pernas.

— Eu acho que minha estatueta é mais bonita do que o Prêmio Nacional de Imprensa que você recebeu — disse ela.

— O meu é mais profissional.

Ela fez um beicinho, examinando a estatueta dourada na cômoda.

— A minha é mais brilhante.

— Deanna. — Ele virou a cabeça para beijá-la no rosto. — Você está tripudiando.

— Sim. E vou continuar. Você já ganhou todos os tipos de prêmios: o Overseas Press Club, o George Polk... Você pode se dar ao luxo de estar cansado.

— Quem disse que estou cansado? E quando eu ganhar meu Emmy, a estatueta será tão brilhante quanto a sua.

Com uma risada de prazer, ela rolou na cama para se deitar em cima dele.

— Eu ganhei. Não queria admitir o quanto eu desejava essa estatueta. Depois da cena com Angela, senti que eu tinha de ganhar. Por mim, sim, mas também por todos os que trabalham comigo. Quando chamaram meu nome, fui para lá voando. Voando de verdade. Foi incrível.

— Uma noite interessante em todos os sentidos. — Ele escorregou a mão pelas costas de Deanna, apreciando o modo como o corpo dela se encolhia ao seu toque. — Conte-me de novo como foi que você a derrubou.

Deanna abaixou os olhos.

— Eu não a derrubei. Foi um tapa elegante, mas particularmente eficaz.

— Muito eficaz. — Sorrindo, ele levantou o rosto de Deanna e depois riu alto com a alegria perversa nos olhos dela.

— Eu não deveria me orgulhar disso. — Ela riu e se sentou com as pernas abertas, o corpo pálido e nu. — Mas, por um instante, antes de ficar horrorizada, eu me senti maravilhosa. Então, fiquei estarrecida e depois furiosa de novo. — Entrelaçou as mãos e levantou os braços. — Além do mais, foi ela que começou.

— E foi você que terminou. Pode esperar que agora ela vai vir atrás de você com pedras nas mãos.

— Que venha. Eu me sinto invulnerável. Inatingível. — Esticou bem o corpo. — Incrível. Não poderia estar melhor.

— Sim, poderia. — Para provar, ele se pôs atrás dela e começou a traçar uma linha de beijos em seu tronco. O suspiro suave de Deanna fluía por ele. Ela abaixou as mãos para trás para acariciar os cabelos de Finn.

— Acho que você tem razão.

O céu estava perolado com o amanhecer e afugentava as sombras do quarto. Seu corpo arqueou-se para trás, já leve e pronto para o dele. Eles já haviam se amado com uma pressa delirante, e agora se moviam devagar, deixando que os desejos ardessem lentamente e o clima instigasse.

Dedos deslizavam, sussurros escapavam baixinho, desejos silenciosos pediam mais. Peito contra peito, os dois se apertavam, os lençóis se enrolavam em volta deles e a manhã entrava suavemente no quarto. Um toque, um gosto, uma mudança sutil no ritmo. Os dois se abaixaram juntos para rolarem preguiçosamente na cama, corpo com corpo.

Sem afobação. Sem pressa. Deanna sentia explosões silenciosas por seu sangue, as quais depois fluíam como seda até outras se formarem. Sua boca procurava a de Finn, suspiros se misturavam, línguas dançavam. Mesmo quando ele a penetrou, saciando-a, o momento de calor era tão reconfortante como um raio de sol.

♦♦♦♦

Do outro lado da cidade havia outra cama em um quarto de hotel na qual ninguém havia dormido ou se amado. Angela estava sentada na beira dela, com o roupão fechado sobre os seios. O vestido que havia usado formava uma pilha de trapos de seda no chão, uma vítima de seu mau humor.

Grande parte desse mau humor havia passado agora, e ela estava encolhida como uma criança na cama grande, lutando para segurar as lágrimas.

— Isso não significa nada, querida. — Dan deu-lhe uma taça de champanhe, o equivalente a um beijo em uma ferida. — Todo mundo sabe que esses malditos prêmios são uma farsa.

— As pessoas veem. — Olhava fixamente para a frente, bebendo o vinho que havia pedido bem gelado para a comemoração e que agora servia como consolo. — Milhares de pessoas, Dan. Elas a viram subir no palco quando era eu que deveria ter subido. Elas a viram segurar meu prêmio. *Meu* prêmio, maldita!

— E amanhã elas terão se esquecido disso. — Ele reprimiu sua impaciência e repulsa. A única maneira de lidar com Angela, e manter a confiança dos dois, era com adulações, elogios e mentiras. — Ninguém se lembra de quem ganhou o que quando as luzes se apagam.

— Eu me lembro. — Levantou a cabeça, e sua expressão estava fria outra vez e assustadoramente controlada. — Eu me lembro. Ela não vai escapar impune dessa. De nada. Vou fazer o que for preciso para fazê-la pagar caro. Pelo tapa, pelo prêmio. Por tudo.

— Vamos falar disso mais tarde. — Ele já estava sabendo do incidente no toalete. Muitas pessoas, pessoas que não poderiam ser facilmente subornadas, ouviram dizer que foi Angela quem bateu primeiro. — Agora você precisa relaxar. Precisa estar ótima para quando voltarmos para casa mais tarde.

— Relaxar? — gritou ela. — Relaxar? Deanna Reynolds está levando minha imprensa, minha audiência e agora meus prêmios. — E também estava com Finn. Ah, não, ela não se esqueceria de Finn. — Como é que você me vem dizer para relaxar?

— Você não poderá ganhar se estiver com essa cara ressentida de quem já era. — Observou os olhos de Angela arderem de fúria e depois esfriarem com um brilho frio.

— Como você tem coragem de falar assim comigo? E justamente hoje.

— Estou dizendo isso para seu próprio bem — continuou ele, convencido de que tinha o controle quando os lábios de Angela tremessem. — Você precisa projetar dignidade, maturidade, confiança.

— Ela está arruinando minha vida. É como quando eu era criança. Alguém sempre estava levando o que eu queria.

— Você não é mais uma criança, Angela. E haverá outros prêmios.

Ela queria *esse* prêmio. Mas conteve as palavras. Dan só ficaria mais distante e contrariado. Ela precisava dele ao seu lado, apoiando-a, acreditando nela.

— Tem razão. Toda a razão. Amanhã, em público, estarei delicada, humilde e cheia de dignidade. E, pode acreditar, Deanna Reynolds não vai ganhar outro prêmio que deveria ser meu. — Forçando um sorriso, estendeu a mão e puxou-o para seu lado. — Eu só estou frustrada, Dan. Por nós dois. Você se empenhou tanto quanto eu para esse Emmy.

— Vamos nos empenhar mais para o próximo. — Aliviado, ele a beijou no alto da cabeça.

— Às vezes, é preciso mais que trabalho. Deus sabe que tenho experiência de sobra nesse ramo. — Ela suspirou e bebeu novamente. Beberia tudo o que quisesse nessa noite, prometeu para si mesma. Pelo menos isso ela merecia. — Quando eu era criança, eu fazia todas as tarefas de casa. Se não fizesse, teríamos vivido em um chiqueiro. Eu sempre gostei que as coisas fossem certas e bonitas. Fossem o melhor possível. Comecei a fazer limpeza para outras pessoas. Já lhe contei isso?

— Não. — Surpreso por vê-la contar agora, ele se levantou para pegar a garrafa. Encheu a taça de Angela. — Você não gosta de falar sobre sua infância. Eu entendo.

— Estou a fim. — Ela bebeu novamente e fez um gesto para os cigarros. Prestativo, Dan pegou o maço e acendeu um cigarro para ela. — Eu ganhava dinheiro extra assim para poder comprar coisas. Minhas coisas. Mas eu ganhava mais do que dinheiro. Você sabe... — Angela deu um trago, pensativa. — É incrível o que as pessoas deixam pela casa, guardado em gavetas, fechado em caixas. Eu sempre tive curiosidade pelas pessoas. Foi por isso que acabei neste negócio, eu acho. E eu descobria muita coisa sobre as pessoas para quem eu trabalhava. Coisas que elas prefeririam manter em segredo. Podia mencionar para certa mulher o nome de um homem que não era seu marido. Depois podia admirar alguns brincos, uma pulseira ou um vestido. — Em meio à fumaça do cigarro, ela sorriu com a lembrança.

— Era mágica a rapidez com que as coisas que eu admirava passavam a ser minhas. Só por fazer o favorzinho de guardar as informações comigo.

— Você começou cedo — observou Dan. Angela falava baixinho, de forma indistinta, por isso ele pôs mais vinho em sua taça.

— Eu precisei. Ninguém iria lutar por mim. Ninguém iria me tirar daquele buraco em que eu vivia. Mamãe era bêbada; papai vivia fora de casa, jogando e com prostitutas.

— Foi duro para você.

— Isso me fez uma mulher dura — corrigiu. — Eu via como as pessoas viviam e o que eu queria. Encontrei formas de conseguir o que eu queria. Eu progredi e me esforcei muito para ser a melhor. Ninguém vai me tirar do topo, Dan. Não Deanna Reynolds, com certeza.

Ele inclinou o rosto dela para trás para beijá-la.

— Essa é a Angela que eu conheço e amo.

Ela sorriu. Sua cabeça estava leve e zonza, seu corpo, livre. Por que, ela se perguntou, havia tido tanto medo de relaxar com uma ou duas garrafas?

— Prove — pediu ela e deixou cair o roupão de seus ombros.

## Capítulo Vinte e Dois
♦ ♦ ♦ ♦

A neve do lado de fora da cabana era branca como em um conto de fadas. As rochas e os arbustos faziam com que a cobertura branca formasse montículos e protuberâncias, dando a impressão de ser um cobertor sob o qual se escondiam dezenas de duendes à espera da primavera. Nenhuma nuvem manchava o azul misterioso e frio do céu, e o sol batia nos troncos lisos das árvores.

Da janela, Deanna observava Finn e Richard ajudarem Aubrey a fazer um boneco de neve. Com seu casaco azul-claro, a menina parecia um passarinho exótico que havia perdido seu rumo para o sul. Os cachos, tão vermelhos quanto a cabeça de um cardeal, escapavam do gorro.

Ao lado dela, os homens eram gigantes, volumosos com seus casacos pesados e botas. Deanna observava Richard mostrar a Aubrey como fazer e moldar uma bola de neve. Ele apontou a bola para Finn, e Aubrey, com uma risadinha, jogou-a de leve no joelho de Finn, que, convincentemente, caiu encolhido no chão como se tivesse sido atingido por uma pedra.

O vira-lata de franjinhas que Finn e Deanna haviam apelidado de Cronkite começou a latir e levantou uma chuva de neve em seu desespero para participar do jogo.

— Parece um boneco de neve — disse Fran enquanto passava a nenê do peito direito para o esquerdo. Kelsey agarrou o peito, alimentando-se satisfeita.

— Eles começaram uma pequena guerra — disse Deanna. — São poucas as baixas, mas parece que a batalha vai ser longa.

— Pode sair e gastar um pouco dessa energia nervosa. Você não precisa ficar aqui dentro comigo.

— Não, eu gosto de observar. Que bom que vocês puderam vir neste fim de semana!

— Já que é o primeiro livre que você tem em seis semanas, fiquei surpresa por você querer compartilhá-lo.

— Sair com os amigos é um desses luxos que tenho tido de dispensar com muita frequência. — Ela suspirou. De nada adiantaria pensar em todos os fins de semana, os feriados, as noites tranquilas em casa que ela havia perdido. Tinha o que havia pedido. — Descobri que preciso de coisas assim para manter o equilíbrio.

— Fico feliz em poder ajudar. Richard achou a ideia de pescar com esse tempo primitiva e corajosa o suficiente para despertar seu interesse. Quanto a mim... — Acariciou o rosto da filha enquanto balançava levemente na cadeira que Finn havia tirado da varanda e levado lá para dentro justamente para esse fim — Estava preparada para ir a qualquer lugar. Quando a neve chega no início de novembro, é sinal de que o inverno vai ser longo.

— E não particularmente agradável. — Fran estava certa com relação à energia nervosa, percebeu Deanna. Ela a sentia se agitando em seu íntimo, como uma corredeira na circulação sanguínea. Afastou-se da janela para se sentar junto à lareira, onde o fogo estalava atrás dela. — Eu me sinto como se estivesse sendo sitiada, Fran. Tudo isso, essa besteira nos tabloides sobre a briga que Angela e eu tivemos no toalete na entrega dos Emmy...

— Querida, a maioria dessas notícias já passou, e, para começar, todo mundo sabia que era besteira.

— Nem todo mundo. — Impaciente, Deanna se levantou novamente e ficou andando pela sala. — Todas aquelas notícias maliciosas na imprensa que diziam que ela havia se mantido firme depois que eu, supostamente, recusei sua oferta de amizade. Amizade, vai nessa! — Pôs as mãos nos bolsos e tirou-as novamente para gesticular. — E aquele tom nojento e divertido nas entrelinhas de algumas das notícias. — "Divas de programas de entrevistas se atracam." "Garras à mostra no banheiro das mulheres." E chegou tão perto da verdade a ponto de nos fazer parecer duas idiotas. É claro que Loren não poderia estar mais feliz. Os índices de audiência subiram consideravelmente desde a noite do Emmy, e não há sinal de que vão cair. As pessoas que nem ligavam para o conteúdo do programa estão sintonizando nele agora para ver se perco o controle e ataco um convidado.

Fran riu baixinho e depois viu a encarada rápida de Deanna.

— Desculpe.

— Eu queria poder achar graça. — Pegando o atiçador, mexeu violentamente nas lenhas no fogo. — Achei engraçado até começar a receber cartas.

— Ah, Dee, a maioria das cartas foi de apoio, e até de elogio.

— Então, eu é que sou a malvada. — Seus ombros estremeceram-se. Ah, ela odiava o fato de que estava sendo uma tola. Odiava mais ainda o fato de que parecia não conseguir parar de pensar em todo aquele incidente horrível. — Eu fico me lembrando das outras. Das que diziam desde "Você deveria ter vergonha" a "Você deveria ser castigada por sua falta de gratidão a uma florzinha frágil como Angela Perkins". — Seus olhos semicerrados ardiam como bolas de fogo. — A *belladonna* talvez pareça uma florzinha frágil.

— Eu não saberia dizer. — Fran pôs a bebê no ombro. — A maioria dessas cartas acabou. Por que você não me diz o que realmente está acabando com você?

Deanna mexeu no fogo pela última vez.

— Estou com medo — disse ela, baixinho, ao sentir um leve tremor de frio subir pelas costas. — Recebi outro bilhete.

— Oh, meu Deus. Quando?

— Na sexta, logo depois que falei com o grupo de alfabetização no Drake.

— Cassie estava com você.

— Sim. — Deanna esfregou a mão na dor chata que sentia na nuca. — Parece que já não vou a nenhum lugar sozinha. Sempre com um séquito.

— Eu não acho que Cassie seja um séquito. — Mas Fran reconheceu a mudança de assunto de Deanna para evitar a conversa. — Fale-me do bilhete, Dee.

— Depois tivemos uma sessão de fotos um pouco demorada. Cassie foi embora. Ela queria terminar algumas coisas no escritório.

Deanna repassou a cena em sua mente, tão clara como em um rolo de filme. Outro aperto de mão, outro clique da câmera. Pessoas aglomeradas à sua volta tentando trocar uma palavra ou um olhar com ela.

— Só mais uma foto, Deanna, por favor. Você e a esposa do prefeito.

— *Só* mais uma. — falou Cassie com seu sorriso amável e sua voz firme. — A srta. Reynolds já está se atrasando para seu próximo compromisso.

Deanna lembrou que sentiu prazer. Seu próximo compromisso, felizmente, era jogar alguns suéteres na mala e sair da cidade.

Fez outra pose com a esposa do prefeito e a placa por seu trabalho em favor da alfabetização e depois foi saindo, com a ajuda de Cassie.

— Bom trabalho, Dee. Deixe que eu leve isso. — Cassie colocou a placa em sua pasta enquanto Deanna vestia o casaco.

— Não me pareceu um trabalho. Eles foram ótimos.

— Eles foram... e você também. — Cassie olhou desconfiada por sobre o ombro. A recepção elegante do Drake ainda estava cheia de pessoas. — Mas acredite em mim. Continue andando e não olhe para trás; do contrário, você só sairá daqui à meia-noite. — Para apressá-la, Cassie segurou o braço de Deanna e a levou da recepção para a calçada. — Ouça, vou pegar um táxi de volta para o escritório.

— Não seja boba. Tim pode deixá-la lá.

— Aí você vai pensar em alguma coisa que precisa fazer enquanto estiver lá — disse Cassie. — Faça sua mala e vá embora. Só apareça nesta cidade no domingo à noite.

Parecia bom demais para argumentar.

— Sim, senhora.

Rindo, Cassie deu-lhe um beijo no rosto.

— Tenha um ótimo fim de semana.

— Você também.

Elas se separaram e seguiram em direções opostas em meio à rajada de vento e à neve.

— Desculpe, estou atrasada, Tim.

— Sem problema, srta. Reynolds. — Com seu longo casaco preto batendo nos joelhos, Tim abriu a porta da limusine. — Como foi?

— Bem. Muito bem, obrigada.

Ainda radiante com a energia de um trabalho bem-feito, ela entrou na limusine agradavelmente quente.

E ali estava ele. Aquele envelope branco no assento de couro vinho...

— Perguntei a Tim se alguém havia se aproximado do carro — continuou Deanna —, mas ele não havia visto ninguém. Como estava frio, ele entrou um pouco no prédio. Disse que o carro estava trancado, e eu sei como Tim é cuidadoso, por isso tenho certeza disso.

Muitos bilhetes, pensou Fran enquanto os músculos de seu estômago se remexiam. E estavam vindo com muita frequência nos últimos meses.

— Você ligou para a polícia?

— Liguei para o tenente Jenner do telefone do carro. Não tenho nenhum controle sobre essa situação. — Sua voz aumentou tanto por causa da frustração como do medo. E era útil, percebeu ela, ter alguma coisa, qualquer coisa, que não fosse o medo a dominando. — Eu não posso analisá-la e colocá-la em um compartimento. Não posso consertá-la nem descartá-la. — Determinada a se acalmar, ela esfregou as mãos no rosto como se pudesse tirar o pânico com uma massagem. — Não posso nem discutir isso de forma racional. Toda vez que me lembro de que não fui ameaçada nem atacada, começo a sentir uma onda de histeria. Ele me acha em todos os lugares. Quero pedir que ele me deixe em paz. Que apenas me deixe em paz, Fran — disse ela, indefesa. — Estou confusa.

Fran levantou-se para pôr Kelsey no berço. Atravessou a sala para segurar as mãos de Deanna. Havia mais do que consolo naquele contato: a raiva começava a ferver.

— Por que você não me contou isso antes? Por que você não me disse o quanto isso está preocupando você?

— Você já tem muita coisa para resolver. Aubrey, a bebê...

— Então você sentiu pena da mamãe inexperiente aqui e fingiu estar indiferente a esse assunto como se fosse uma consequência da fama? — Subitamente furiosa, Fran bateu as mãos nas coxas. — Que droga, Dee. Que droga!

— Não vi por que preocupar você — respondeu Deanna. — Há tanta coisa acontecendo neste exato momento: o programa, a reação violenta de Angela; o acidente de carro envolvendo o filho adolescente de Margaret, a morte da mãe de Simon. — Desprezando a necessidade de se defender, ela voltou para junto da janela. — Finn vai para o Haiti na semana que vem. — Lá fora, o cachorro saltava nas bolas de neve atiradas de um lado para o outro. Deanna teve vontade de chorar. Apoiando a cabeça no vidro frio, esperou até se acalmar. — Achei que pudesse cuidar disso sozinha. Eu queria cuidar disso sozinha.

— E Finn? — Fran aproximou-se para esfregar a mão nas costas de Deanna. — Ele faz ideia do que está acontecendo com você neste exato momento?

— Ele está com muita coisa na cabeça.

Fran não se deu ao trabalho de reprimir um suspiro de desgosto.

— O que significa que você está fazendo o mesmo jogo com ele. Falou para ele sobre o último bilhete?

— Achei melhor esperar até que ele volte dessa próxima viagem.

— Você está sendo egoísta.

— Egoísta? — perguntou Deanna, surpresa e magoada. — Como você pode dizer isso? Eu não quero que ele fique preocupado comigo quando estiver a milhares de quilômetros de distância.

— Ele *quer* se preocupar com você. Meu Deus, Dee, como alguém tão sensível e tão compassiva pode ser tão teimosa? Você tem um homem lá fora que ama você. Que quer compartilhar tudo com você, as coisas boas e as ruins. Ele merece saber o que você está sentindo. Se você o ama a metade do que ele a ama, não tem direito de esconder as coisas dele.

— Não era isso que eu pretendia fazer.

— Mas é o que está fazendo. É injusto com ele, Dee. Assim como... — Parou e praguejou. — Desculpe. — Mas sua voz foi firme e fria. — Não é de minha conta como você e Finn lidam com o relacionamento de vocês.

— Não, não pare agora — disse Deanna, igualmente fria. — Termine o que você ia dizer. Assim como o quê?

— Tudo bem, então. — Fran respirou fundo. A amizade que tinham havia durado mais de dez anos. Ela esperava que resistisse a mais uma tempestade. — É injusto que você peça para ele deixar as próprias necessidades para depois.

— Eu não sei o que você quer dizer.

— Pelo amor de Deus, olhe para ele, Dee. Olhe para ele com Aubrey. — Apertou a mão no braço de Deanna e a fez olhar novamente para a janela. — Dê uma boa olhada.

Ela olhou e viu Finn girando Aubrey de um lado para o outro, a neve cobrindo seus pés. Os gritinhos animados da menina ecoavam como uma canção.

— Aquele homem quer uma família. Ele quer você. E você está negando as duas coisas para ele, porque não tem tudo colocado em seu devido lugar. Isso não é só egoísta, Dee. Não é só injusto. É triste. — Uma vez que Deanna não disse nada, ela se afastou. — Preciso trocar a bebê. — Levantou Kelsey e saiu da sala.

Deanna ficou onde estava por um bom tempo. Podia ver Finn brincar com o cachorro enquanto Aubrey saltava para os braços do pai para pôr um gorro velho no boneco de neve barrigudo.

Mas podia ver mais. Finn atravessando a pista de decolagem debaixo de um temporal, com um sorriso convencido no rosto e um modo de andar arrogante. Finn exausto e dormindo no sofá ou rindo enquanto ela enrolava a linha no molinete para puxar seu primeiro grande peixe. Meigo e doce ao levá-la para a cama. Com os olhos irritados e a aparência horrível depois de voltar de algum desastre.

Ele sempre estava ali, percebeu ela. Sempre.

◆ ◆ ◆ ◆

Naquela noite, ela fez as coisas por fazer: serviu grandes pratos de carne ensopada e riu das piadas de Richard. Se alguém tivesse espiado pela janela da cozinha, teria visto um grupo alegre de amigos compartilhando uma refeição. Pessoas encantadoras que se sentiam à vontade umas com as outras. Teria sido difícil perceber alguma tensão, alguma discórdia.

Mas Finn era um observador treinado. Mesmo que não fosse o caso, podia perceber os estados de ânimo de Deanna num piscar de olhos.

Não lhe perguntou sobre a tensão que percebeu porque esperava que ela lhe contasse por conta própria. À medida que a noite passava, ele reconheceu, impaciente, que teria de pressioná-la.

Observou-a acomodada na sala com um sorriso no rosto, mas tristeza nos olhos.

Meu Deus, aquela mulher o frustrava. Ela o fascinava. Fazia quase dois anos que eram amantes, e sua relação física era a mais íntima possível. Contudo, por mais aberta que estivesse e por mais honesta que fosse, Deanna conseguia esconder pequenas coisas. Conseguia impedi-lo de ter acesso a elas, deixando-as trancadas e bem guardadas.

Percebeu que ela estava fazendo isso naquele momento.

A mão de Deanna podia procurar a sua, segurando-a com uma familiaridade confortável, mas a mente da mulher estava em outro lugar, tentando metodicamente resolver um problema que ela se negava a compartilhar.

*Meu* problema, diria ela com aquele tom racional que ora o enfurecia, ora o divertia. Nada que ela não pudesse resolver sozinha. Nada que precisasse de sua ajuda.

Magoado, Finn pôs seu copo de lado e subiu as escadas.

Acendeu a lareira no quarto e ficou pensando. Perguntou-se até quando poderia esperar que Deanna desse o próximo passo. Para sempre, pensou, com um juramento. Ela era tão parte dele quanto um músculo e um osso.

A necessidade de ter uma família e uma vida estável e com raízes não era nada comparada com a necessidade que ele tinha dela.

O que era muito pior, como também totalmente inesperado, era que ele queria, com muito desespero, que ela precisasse dele.

Uma novidade para Riley, pensou ele, e quis poder achar graça nessa constatação. A necessidade de ser necessário, de estar preso a alguém, de estar... instalado, percebeu ele, não era uma sensação particularmente confortável, e, depois de vários meses, percebeu que ela não iria desaparecer.

E ele estava começando a detestar aquele estado das coisas.

Deanna encontrou-o agachado perto da lareira, encarando as chamas. Depois de fechar a porta silenciosamente, ela atravessou o quarto e passou a mão nos cabelos dele.

— Que diabos está acontecendo, Deanna? — perguntou ele sem tirar os olhos do fogo. — Você está nervosa desde que chegamos aqui ontem à noite e finge não estar. Quando cheguei, antes do jantar, você estava chorando. E você e Fran estão se rodeando como dois boxeadores no décimo round.

— Fran está irritada comigo. — Sentou-se no pufe e cruzou as mãos no colo. Podia sentir a tensão dele no ar. — Eu acho que você ficará também. — Abaixando os olhos, falou sobre o bilhete, respondendo às suas perguntas concisas e esperando sua reação.

Não esperou muito.

Ele se levantou, com o fogo crepitando atrás de si. Seu olhar não se desviou do rosto dela e estava calmo, muito calmo.

— Por que você não me contou na mesma hora?

— Achei melhor esperar até examinar bem os fatos.

— Você achou. — Ele fez que sim com a cabeça e pôs as mãos nos bolsos. — Você achou que não fosse de meu interesse.

— Não, é claro que não. — Ela detestava o fato de que a capacidade fria que ele tinha de entrevistar sempre a colocava na defensiva. — Eu só não queria estragar o fim de semana. Não há nada que você possa fazer.

Os olhos de Finn escureceram ao ouvir isso, o cobalto pecaminoso que Angela havia descrito. Era um sinal claro de paixão. Contudo, o tom de sua voz, quando ele respondeu, não mudou muito. Isso era controle.

— Que droga, Deanna, você fica aí sentada e me faz tratar esse assunto como se fosse uma entrevista hostil na qual tenho de arrancar os fatos de você. — Ele estava tomado de medo e fúria. — Não aguento mais isso. Eu me cansei de você esconder as coisas e arquivá-las como "Só para Deanna".
— Então, Finn deu um passou para a frente e, com uma pressa que a fez piscar, colocou-a em pé. Ela esperava que ele ficasse irritado, mas não esperava a raiva que viu em seu rosto.

— Finn — disse ela, cuidadosamente. — Você está me machucando.

— O que você acha que está fazendo comigo? — Ele a soltou tão rápido que ela cambaleou para trás. Ele se virou e pôs as mãos fechadas nos bolsos.
— Você não faz ideia. Você não sabe o quanto quero pôr as mãos nesse vagabundo? Que eu quero parti-lo ao meio por ter lhe causado momentos de medo? Como me sinto inútil quando você recebe uma dessas malditas cartas e a cor desaparece de seu rosto? E como isso tudo é muito pior, muito mais difícil, porque, depois de todo esse tempo, você não confia em mim?

— Não é uma questão de confiança. — A violência nos olhos de Finn fez seu coração pular na garganta. Em todo o tempo que estiveram juntos, ela nunca o tinha visto tão irritado assim. — Não é, Finn. É orgulho. Eu não queria admitir que não podia resolver isso sozinha.

Ele ficou em silêncio por um bom tempo, e o único som que se ouvia era o estalo das chamas consumindo continuamente as lenhas secas.

— Maldito orgulho, Deanna — disse ele em voz baixa. — Estou cansado de dar murro em ponta de faca.

O pânico brotou nela como um gêiser. As palavras de Finn eram um ponto final. Com um grito involuntário de susto, ela o agarrou pelo braço antes que ele pudesse sair.

— Finn, por favor.

— Vou dar uma volta. — Ele deu um passo para trás e dobrou os braços com as palmas das mãos para cima, com medo de que, se a tocasse, pudesse causar aos dois um mal irreparável. — Há algumas maneiras de descarregar esse tipo de loucura. A mais construtiva é caminhar.

— Eu não quis machucar você. Eu amo você.

— Isso vem a calhar, porque eu amo você também. — E, naquele momento, era como se o amor que sentia por ela o estivesse matando. — Só que não parece ser suficiente.

— Eu não me importo se está furioso. — Estendeu as mãos e o abraçou.

— Você deveria ficar assim. Você deveria gritar e ficar louco da vida.

Delicadamente, ele se soltou do abraço dela.

— É você que grita, Deanna. É genético, eu diria. E eu venho de uma longa linhagem de negociadores. Acontece que não estou a fim de fazer concessões nesse momento.

— Não estou pedindo que você faça concessões. Eu só quero que você ouça o que ainda tenho para dizer.

— Ótimo. — Mas ele se afastou dela e foi se sentar nas sombras, junto à janela. — Afinal, seu forte é falar. Vamos lá, Deanna, seja razoável, objetiva, solidária. Serei seu público.

Em vez de morder a isca, ela se sentou novamente.

— Eu não fazia ideia de que você estava tão zangado assim comigo. Não foi só porque não falei sobre esse último bilhete, foi?

— O que você acha?

Ela havia entrevistado dezenas de convidados hostis ao longo dos anos. Duvidava que existisse algum mais difícil que Finn Riley com seu sangue irlandês.

— Não lhe dei a devida importância e fui injusta. E você permitiu.

— Ótimo! — disse ele, secamente. — Comece com uma afirmação autodepreciativa e depois enrole. Não é de admirar que você esteja no topo.

— Não. — Ela jogou a cabeça para trás, a luz do fogo brilhando em seus olhos. — Deixe-me terminar. Pelo menos me deixe terminar antes de você me dizer que está tudo acabado.

Houve silêncio novamente. Embora não pudesse ver seu rosto enquanto ele falava, ela ouviu o cansaço em sua voz.

— Você acha que eu conseguiria?

— Eu não sei. — Uma lágrima caiu, brilhando à luz que se movimentava. — Só me permiti pensar nisso ultimamente.

— Meu Deus, não chore.

Ela o ouviu se mexer, mas ele não veio em sua direção.

— Não vou chorar. — Enxugou a lágrima e engoliu as outras que ameaçavam brotar em seus olhos. Sabia que podia amolecê-lo com lágrimas, o que a faria sentir desprezo por si mesma. — Eu sempre pensei que poderia deixar tudo em ordem se trabalhasse com diligência. Se planejasse tudo com cuidado. Por isso, fazia listas e seguia cronogramas. Enganei a mim mesma e a você ao tratar nosso relacionamento como se fosse uma tarefa, uma tarefa maravilhosa, mas uma tarefa a ser realizada. — Ela estava falando muito rápido, mas não podia parar, as palavras se enrolavam na pressa de serem ditas. — E eu acho que estava me sentindo muito satisfeita com o trabalho que estava fazendo. Nós combinamos tão bem um com o outro, e eu adoro ser sua amante. E, aí, hoje, fiquei vendo você lá fora e percebi pela primeira vez como estraguei tudo. — Meu Deus, ela gostaria de poder ver o rosto e os olhos de Finn. — Você sabe como odeio cometer erros.

— Sim, eu sei. — Ele precisava de alguns minutos. Não era só o orgulho dela que estava em jogo. — Parece que é você que está pondo um ponto final, Deanna.

— Não — levantou-se. — Eu estou tentando pedir que você se case comigo.

Uma lenha caiu na lareira, lançando faíscas e fazendo barulho no fogo. Quando ela parou, o único som que Deanna ouvia era sua respiração instável. Ele se levantou e saiu das sombras para a luz. Seus olhos estavam cautelosos e enigmáticos como os de um jogador blefando.

— Está com medo de eu deixar você se não fizer isso?

— Imaginei o buraco que ficaria em minha vida se você me deixasse, e eu estou apavorada. E, por causa desse pavor, fico me perguntando por que esperei tanto. Talvez eu esteja errada e você já não queira mais se casar. Se é assim que você se sente, vou esperar. — Imaginou que, se ele continuasse a encará-la com aquela curiosidade meiga, gritaria. — Diga alguma coisa, droga. Sim, não, vá para o inferno. Alguma coisa.

— Por quê? Por quê agora, Deanna?

— Não transforme isso em uma entrevista.

— Por quê? — repetiu ele. Ao agarrar os braços de Deanna, ela percebeu que não havia nada de meigo em seus modos.

— Porque tudo está muito complicado agora. — Sua voz levantou-se, tremeu, enfraqueceu. — Porque a vida não se encaixa em nenhum de meus planos perfeitos, e eu não quero que meu casamento com você seja algo perfeito e organizado. Porque, com as pesquisas de audiência de novembro, com toda essa publicidade louca com Angela e com sua viagem para o Haiti, é provável que esse seja o pior momento possível para se pensar em casamento. Por isso, esse é o melhor momento.

A despeito de suas emoções confusas, ele riu.

— Pelo menos uma vez na vida, sua lógica está me deixando totalmente confuso.

— Não preciso que a vida seja perfeita, Finn. Pelo menos uma vez, eu não preciso disso. A coisa só precisa estar certa. E nós somos perfeitos um para o outro. — Piscou novamente para conter outras lágrimas, mas depois desistiu e as deixou cair. — Você vai se casar comigo?

Ele inclinou a cabeça de Deanna para trás para que pudesse estudar seu rosto. E sorriu, lentamente, quando todas aquelas emoções confusas se transformaram em uma coisa só.

— Bem, Kansas, você me pegou de surpresa.

♦ ♦ ♦ ♦

A notícia do compromisso espalhou-se rapidamente. Vinte e quatro horas depois do anúncio oficial, o escritório de Deanna recebeu uma avalanche de ligações. Pedidos de entrevistas, ofertas de designers, serviços de bufê, *chefs*, felicitações de amigos. Ligações de repórteres curiosos.

Cassie atendeu a todas, passando para Deanna as poucas que exigiam seu toque pessoal.

Estranhamente, não havia ligações, bilhetes ou contato algum da pessoa que a vinha perseguindo havia anos. Por mais que Deanna dissesse para si mesma que deveria ficar aliviada com o silêncio, isso a assustava mais do que ver um daqueles envelopes brancos sobre sua mesa ou debaixo de sua porta.

♦ ♦ ♦ ♦

Mas não chegou nenhum, porque nenhum foi escrito. Na salinha escura onde fotos de Deanna sorriam com satisfação nas paredes e sobre as mesas, havia pouco som, somente pranto. Lágrimas quentes e amargas caíam na matéria do jornal que anunciava o compromisso das duas estrelas mais populares da televisão.

Sozinho, sozinho por tanto tempo. Esperando, esperando com paciência. Certo de que Finn nunca se estabeleceria em um lugar. De que

Deanna ainda poderia ser sua. Agora a esperança que alimentava sua paciência estava destruída, como um copo delicado de cristal jogado de lado, o qual se descobre estar vazio durante todo o tempo.

Não havia nenhum vinho doce de triunfo para ser compartilhado. E não havia Deanna para preencher aquelas horas vazias.

Mas, enquanto as lágrimas secavam, o plano começou a ser elaborado. Era preciso mostrar para ela que ninguém poderia amá-la mais. Era preciso mostrar para ela, era preciso surpreendê-la para que tivesse consciência. E era preciso puni-la. Só um pouquinho.

Havia uma maneira de planejar tudo isso.

♦ ♦ ♦ ♦

Deanna optou por um casamento simples. Uma cerimônia privada, disse a Finn enquanto ele terminava de fazer as malas para o Haiti. Apenas familiares e amigos íntimos.

E foi ele quem a surpreendeu.

— Nada disso. Vamos fazer uma festa de arromba, Kansas. — Fechou o zíper de sua bolsa de viagem e a jogou no ombro. — Um casamento na igreja, música no órgão, um monte de flores e vários parentes chorosos de quem nenhum de nós se lembra. Seguido por uma recepção de enormes proporções na qual alguns desses mesmos parentes vão beber muito e envergonhar seus respectivos cônjuges.

Deanna desceu as escadas atrás dele.

— Você faz ideia de quanto tempo levaria para planejar algo assim?

— Sim. Você tem cinco meses. — Ele a puxou para perto para dar-lhe um beijo ardente e intenso. — Você tem até abril, Deanna. Vamos examinar sua lista quando eu voltar.

— Mas, Finn... — Foi obrigada a correr para segurar o cachorro pela coleira para impedir que ele saísse, animado, pela porta que Finn havia aberto.

— Desta vez *eu* quero que seja perfeito. Ligo assim que puder. — Começou a andar até onde o motorista o esperava, virou-se e andou de costas com um sorriso largo revelando suas covinhas. — Fique ligada.

Então agora Deanna começaria a planejar um casamento de arromba, o que, é claro, inspirou a ideia de fazer um programa sobre os preparativos de casamento e o estresse relacionado a isso.

— Poderíamos entrevistar casais que romperam o compromisso porque as brigas e as discussões durante os planos de casamento abalaram o relacionamento.

Sentada à ponta da mesa de conferência, Deanna olhou séria para Simon.

— Obrigada, eu precisava ouvir isso.

— Não, é sério. — Transformou seu riso em tosse. — Eu tenho uma sobrinha...

Margaret suspirou e empurrou para cima os óculos com armação roxa em seu nariz pequeno e achatado.

— Ele sempre tem uma sobrinha, um sobrinho ou um primo.

— O que eu posso fazer se tenho uma família grande?

— Crianças, crianças. — Esperando restaurar a ordem, Fran balançou o chocalho de Kelsey. — Vamos tentar fingir que somos um grupo sério e organizado com um programa que é campeão de audiência.

— Somos campeões de audiência — cantou Jeff, sorrindo enquanto os outros acompanhavam o ritmo. — Somos campeões de audiência.

— E queremos continuar assim. — Rindo, Deanna levantou as mãos. — Tudo bem, embora não seja algo que vá me acalmar, a ideia de Simon é boa. Quantos casais vocês imaginam que rompem o namoro em algum momento entre o *quer se casar comigo* e o *sim*?

— Muitos — respondeu Simon com prazer. — Vejam minha sobrinha... — Ignorou o aviãozinho de papel que Margaret jogou em sua direção. — É sério, eles reservaram a igreja, o salão e o bufê. Segundo minha irmã, brigavam como gato e cachorro o tempo todo. A gota d'água foram os vestidos das madrinhas. Eles não conseguiram entrar em acordo sobre a cor.

— Eles cancelaram o casamento por causa dos vestidos das madrinhas? — Deanna estreitou os olhos. — Você está inventando essa história.

— Juro por Deus. — Para provar, Simon pôs a mão sobre o coração. — Ela queria azul-celeste e ele queria lavanda. É claro que as flores contribuíram para isso também. Se você não consegue entrar em acordo nisso, como poderá entrar em acordo sobre a escola para a qual mandará seus filhos? Ei! — Seu rosto se iluminou. — Quem sabe possamos levá-los ao programa?

— Vamos nos lembrar disso. — Deanna fez suas anotações; entre elas, um aviso de que deveria ser flexível com relação às cores. — Eu acho que a questão aqui é que os preparativos do casamento são estressantes, e há várias maneiras de diminuir a tensão. Vamos querer um especialista. Não um psicólogo — disse ela rapidamente ao pensar em Marshall.

— Um organizador de casamentos — sugeriu Jeff, observando o rosto de Deanna à procura de sinais de aprovação ou de desaprovação. — Alguém que planeje todo o negócio de forma profissional. É um negócio — disse ele, olhando para os lados à procura de confirmação. — O casamento.

— Estou com você. — Fran bateu o chocalho na mesa. — Um organizador é bom. Poderíamos falar sobre a questão de ficar dentro dos recursos e das expectativas. Como não deixar que as fantasias de perfeição encubram o que realmente importa.

— Golpe baixo — retrucou Deanna. — Poderíamos usar os pais da noiva. Tradicionalmente, são eles os responsáveis pelo talão de cheques. Que tipo de tensão eles têm pessoal e financeiramente? E como se decide, de forma razoável e satisfatória, a questão dos convites, da recepção, da música, das flores, do fotógrafo? Teremos um bufê ou um jantar formal? E os arranjos de mesa? A festa de casamento, a decoração, a lista de convidados? — Um leve sinal de desespero surgiu em sua voz. — Onde você coloca os convidados de outras cidades e como alguém consegue organizar tudo isso em cinco meses?

Apoiou a cabeça nos braços.

— Eu acho — disse ela, devagar — que o melhor seria fugir para casar.

— Ei, isso foi bom — disse Simon em voz alta. — Opções para o estresse do casamento. Eu tenho um primo...

Dessa vez o aviãozinho de Margaret acertou-o no meio dos olhos.

♦ ♦ ♦ ♦

Semanas depois, a mesa organizada de Deanna estava repleta de desenhos de vestidos de noiva, desde modelos primorosamente tradicionais aos estranhamente futuristas.

Atrás dela, a mesma árvore de plástico simples que Jeff arrastou para seu escritório naquele primeiro Natal curvava-se precariamente por causa do excesso de peso das bolas e das guirlandas.

Alguém — Cassie, imaginou ela — havia jogado algum purificador de ar com aroma de pinho no ambiente. O cheiro agradável deixava os ramos de plástico desbotados ainda mais patéticos. E Deanna adorava.

Era uma tradição agora, uma superstição. Ela não teria trocado essa árvore feia pelo pinheiro mais bonito da cidade.

— Não consigo me imaginar dizendo "sim" em algo assim. — Levantou um desenho para que Fran o examinasse. O vestido curto e justo era acompanhado por uma tiara que lembrava hélices de um helicóptero.

— Bem, depois Finn pode dar um giro com você e vocês dois planarem no corredor da igreja. Agora, esse é maravilhoso. — Levantou um desenho: a modelo esguia estava com as pernas abertas, exibia uma parte da barriga e usava botas de salto fino.

— Só se eu estiver carregando um chicote no lugar do buquê.

— Chamaria a atenção da imprensa. — Ela o jogou de lado. — Você não tem muito tempo para decidir, e abril já está aí.

— Não me lembre. — Balançou outro desenho, os dois diamantes na aliança brilharam. Finn precisou de um diamante por ano para vencê-la pelo cansaço, disse-lhe ele enquanto a deslizava em seu dedo. — Esse modelo é bonito.

Fran espiou por sobre o ombro.

— Esse é lindo! — exclamou ao ver as saias esvoaçantes e as mangas compridas. O corpinho era ajustado e enfeitado com pérolas e rendas com o desenho que se repetia na cauda esvoaçante. A tiara era um aro simples do qual fluía um véu volumoso.

— É maravilhoso mesmo. Quase medieval. Um vestido para usar uma vez na vida.

— Você acha?

Reconhecendo seu interesse, Fran estreitou os olhos.

— Você já se decidiu.

— Quero uma opinião totalmente imparcial. E, sim — admitiu com uma risada —, eu soube no instante em que o vi. — Ela arrumou a pilha de papéis, deixando o escolhido por cima. — Eu queria que as outras coisas fossem tão simples assim. O fotógrafo...

— Eu cuido disso.

— O bufê.

— É o departamento de Cassie.

— A música, os guardanapos, as flores, os convites — disse ela antes que Fran pudesse interrompê-la novamente. — Deixe-me pelo menos fingir que isso está me deixando louca.

— Difícil, quando você nunca pareceu mais feliz na vida.

— Eu realmente tenho de lhe agradecer por isso. Foi você que me deu o incentivo de que eu precisava.

— Que bom! Agora, vamos sair daqui enquanto você tem uma noite livre e ir à avenida Michigan para comprar parte de seu enxoval. Com Finn fora da cidade, esta é a única chance que tenho. Não podemos perder um minuto.

— Estou pronta. — Pegou sua bolsa quando o telefone tocou. — Quase.
— Como Cassie já havia ido embora, Deanna o atendeu. — Reynolds — disse, como de costume, e seu sorriso brilhante desapareceu. — Angela. — Olhou para cima e percebeu o interesse nos olhos de Fran. — Gentileza sua. Tenho certeza de que Finn e eu seremos muito felizes.

— É claro que serão — disse Angela do outro lado da linha enquanto picava com o corta-papel uma foto de capa de Finn e de Deanna. — Você sempre foi confiante, Deanna.

Para manter-se calma, Deanna começou a examinar a árvore de Natal que balançava.

— Posso fazer alguma coisa por você?

— Não, nada. Mas há algo que quero fazer por você, querida. Digamos que seja um presente de noivado. Uma fofoquinha sobre seu noivo que talvez lhe interesse.

— Nada que você diga sobre Finn me interessa, Angela. Desculpe, mas estou de saída.

— Não precisa ter tanta pressa. Pelo que me lembro, você é bem curiosa. Duvido que tenha mudado tanto. Seria muito prudente, para você e para Finn, ouvir o que eu tenho para dizer.

— Está bem. — Apertando os dentes, Deanna sentou-se novamente. — Estou ouvindo.

— Ah, não, querida, não pelo telefone. Acontece que estou em Chicago. Um pouco de negócio e um pouco de prazer.

— Sim, você tem um almoço amanhã com a Liga de Eleitoras. Eu li a respeito.

— Isso e outra coisinha. Mas estarei livre para um bate-papo, digamos, à meia-noite.

— A hora das bruxas? Angela, isso é tão óbvio, até para você.

— Cuidado com o que fala, ou não lhe darei a oportunidade de ouvir o que tenho para dizer antes de procurar a imprensa. Você pode considerar minha generosidade como um presente de noivado e de Natal, querida. À meia-noite — repetiu ela. — No estúdio. Meu antigo estúdio.

— Eu não... Desgraçada. — Com a resposta de Angela ecoando, Deanna bateu o telefone.

— O que ela queria?

— Não sei ao certo. — Com seu clima de festa em pedaços, Deanna ficou olhando para o vazio. — Ela quer se encontrar comigo. Diz que tem uma informação que preciso ouvir.

— Ela só quer causar problemas, Dee. — Havia preocupação na voz de Fran, e em seus olhos. — *É ela* que está com problemas. Nos últimos seis meses, o programa de Angela perdeu índices de audiência consideráveis com os boatos de que ela estaria bebendo muito, de que seus programas seriam puro teatro e de que ela subornava os convidados. Não é nenhuma surpresa que queira voar em sua vassoura para cá para lhe entregar uma maçã envenenada.

— Não estou preocupada com isso — Espantou o mau humor e se levantou novamente. — Não estou. É hora de resolvermos nossas diferenças de uma vez por todas. Em particular. Nada do que ela possa dizer ou fazer pode me ferir.

# Terceira Parte

♦ ♦ ♦ ♦

"*Todo poder da fantasia sobre a razão
é um grau de insanidade.*"

— Samuel Johnson

## Capítulo Vinte e Três
♦ ♦ ♦ ♦

Mas alguém havia ferido Angela.

Alguém a havia matado.

Deanna continuou a gritar tão alto e agudo que os gritos queimavam sua garganta como se fossem ácido. Mesmo com a visão turva, não pôde tirar os olhos do horror que estava ao seu lado. E podia sentir o cheiro de sangue, quente, acobreado e denso.

Tinha de fugir antes que Angela conseguisse estender aquela mão delicada e morta para apertar sua garganta.

Choramingando baixinho e em pânico, Deanna conseguiu sair da cadeira, com medo de se mover muito rápido, com medo de tirar os olhos do corpo de Angela Perkins. Cada movimento, cada som ecoava pelo monitor enquanto a câmera registrava objetivamente a cena, os olhos redondos e escuros fixos nela. Algo puxou suas costas. Ofegante, Deanna sufocou um grito, levantou as mãos para lutar contra o que podia ver e enroscou os dedos nos fios de um microfone.

— Oh, meu Deus! Oh, meu Deus! — Ela se soltou, arremessando o microfone para o lado e fugindo do estúdio, cega de pânico.

Tropeçou e viu de relance sua imagem horrorizada em um espelho grande de parede. Uma risada quente espumou em sua garganta. Ela parecia uma louca, pensou descontroladamente. E mordeu a boca para conter sua histeria, com medo de que ela deslizasse por sua garganta em forma de uma risada insana. Quase caiu, tropeçando nos próprios pés enquanto corria pelo corredor escuro. Alguém respirava em seu pescoço. Podia sentir a respiração quente e insaciável que sussurrava atrás dela. Ela a sentia.

Gemendo, entrou em seu camarim, bateu a porta, trancou-a com a chave e, então, ficou em pé ali no escuro com o coração batendo a mil.

Tateou a parede à procura da luz e, então, gritou novamente quando se deparou com seu próprio reflexo. Uma guirlanda dourada rodeava o espelho. Como um nó corredio, pensou ela. Como um nó corredio enfeitado com lantejoulas. Morta de medo, escorregou com as costas apoiadas à porta. Tudo estava rodando, rodando, e sua barriga se mexia para cima e para baixo em resposta. Sentindo náusea, rastejou até o telefone. O som de seu choro resfriava sua pele enquanto ela ligava para a polícia.

— Socorro, por favor, por favor. — Tonta e enjoada, deitou-se no chão, embalando o telefone. — Destruíram o rosto dela. Eu preciso de ajuda. Edifício da CBC, estúdio B. Por favor, depressa — disse ela e deixou que a escuridão a tragasse.

♦ ♦ ♦ ♦

Era pouco mais de uma hora da madrugada quando Finn chegou em casa. As primeiras coisas que lhe vieram à mente foram um banho quente e um conhaque encorpado. Esperava Deanna em casa em uma hora, depois da reunião de emergência que tinha. Ela não tinha dado detalhes quando falou com ele entre uma tomada e outra, e ele não tivera tempo nem disposição para pressionar. Fazia muito tempo que os dois trabalhavam nesse meio para questionar reuniões à meia-noite.

Dispensou o motorista e começou a subir o caminho de acesso, entretido e constrangido com o cachorro fazendo um barulho que acordaria toda a vizinhança.

— Tudo bem, tudo bem, Cronkite. Tenha um pouco mais de respeito. — Pegou as chaves ao entrar na varanda e ficou imaginando por que Deanna havia se esquecido de deixar a luz da varanda acesa. Detalhes que nunca lhe passaram batidos.

Os planos de casamento estavam embaralhando seu cérebro, pensou ele, contente com a ideia.

Seus pés trituraram algo. Finn olhou para baixo e viu o brilho pálido de um vidro quebrado. Seu espanto inicial transformou-se em fúria quando ele viu os cacos dos painéis de vidro bisotado ao lado da porta.

Sentiu a boca seca. E se a reunião de Deanna tivesse sido cancelada? E se ela tivesse vindo para casa? Passou pela porta correndo, sem pensar no medo, e gritou seu nome.

Ouviu um barulho nos fundos da casa, e os latidos frenéticos do cachorro se transformaram em um uivo desesperado. Pensando somente em Deanna, Finn acendeu as luzes antes de correr para o lugar de onde veio o som.

Não encontrou nada senão destruição, um ataque descuidado e selvagem contra seus bens. As luminárias e as mesas estavam caídas, e os objetos de vidro, estilhaçados. Quando chegou à cozinha, ficou gelado. Pensou ter visto um vulto correndo pelo gramado. Enquanto tentava abrir a porta destruída para começar a persegui-lo, o cachorro uivou outra vez, arranhando lastimosamente a porta da despensa trancada.

Ele queria perseguir o vulto. Estava tomado pelo desejo de pôr as mãos na pessoa que havia feito isso e de estrangulá-la. Mas a possibilidade de que Deanna estivesse ferida em algum lugar da casa o deteve.

— Tudo bem, Cronkite. — Destrancou a porta e quase caiu para trás quando o cachorro, alegre, saltou em cima dele. O corpo do animal tremia. — Está assustado, hein? Eu também. Vamos encontrar Deanna.

Procurou em cada cômodo, e a sensação de frio aumentava a cada momento. Parecia que um tornado havia passado pela casa, destruindo, caprichosamente, tanto as coisas inestimáveis como as triviais.

Mas o pior e mais assustador foi a mensagem escrita com o batom de Deanna na parede acima da cama que ele dividia com ela.

Eu amo você<br>
Eu matei por você<br>
Eu odeio você

— Graças a Deus, Deanna não estava aqui. Graças a Deus. — Com a expressão séria, pegou o telefone e ligou para a polícia.

♦♦♦♦

— Calma — disse o tenente Jenner enquanto ajudava Deanna a segurar firme um copo de água.

— Estou bem agora. — Mas seus dentes batiam na borda do copo. — Desculpe. Eu sei que fui incoerente antes.

— Compreensível. — Deu uma boa e demorada olhada para o corpo de Angela Perkins e viu que o estado de Deanna era, na verdade, perfeitamente compreensível. Não a culpava por ter se trancado no camarim, precisando ser delicadamente convencida a abrir a porta para ele. — É melhor você ser examinada por um médico.

— Eu estou bem, de verdade.

Em choque, imaginou ele. Essa era a maneira natural de se fechar e de se dar a ilusão de conforto. Mas os olhos de Deanna ainda estavam vidrados e, mesmo com o sobretudo que ele havia colocado nos ombros dela, ela ainda estava tremendo.

— Você pode me dizer o que aconteceu?

— Eu a encontrei assim. Eu entrei e a encontrei.

— O que você estava fazendo no estúdio à meia-noite?

— Angela me pediu para encontrá-la aqui. Ela ligou... ela... — deu outro gole na água. — Ela me ligou.

— Então, vocês combinaram de se encontrar aqui.

— Ela queria... conversar comigo. Disse que tinha uma informação sobre... — Vieram as justificativas. — Sobre algo que eu precisava saber. Eu não ia vir, mas aí pensei que poderia ser melhor resolvermos nossas diferenças.

— A que horas você chegou aqui?

— Era meia-noite. Olhei para meu relógio no estacionamento. — As luzes coloridas a distância, a névoa da época festiva do Natal. — Era meia-noite. Pensei que talvez ela ainda não tivesse chegado, mas provavelmente pediu para seu motorista deixá-la aqui. Então, entrei no estúdio. E, como estava escuro, imaginei que ela não estivesse aqui, e isso era bom. Eu queria chegar primeiro. Então, quando comecei a acender as luzes, algo me acertou. Quando acordei, eu estava no set e não conseguia pensar. A câmera estava ligada. Ah, meu Deus, a câmera estava ligada, e eu vi, no monitor, eu a vi. — Apertou a mão na boca para reprimir o choro.

— Descanse um minuto. — Jenner encostou-se no assento.

— Não sei de mais nada. Corri aqui para dentro e tranquei a porta. Liguei para a polícia e desmaiei.

— Você viu alguém enquanto ia para o estúdio?

— Não. Ninguém. A essa hora o pessoal da limpeza já tinha ido embora. Havia algumas pessoas na sala de redação, assumindo o turno da noite, mas, após a última transmissão, o prédio fica vazio.

— Você precisa de um cartão para entrar no prédio, não precisa?

— Sim. Instalaram um sistema de segurança há quase um ano.

— Esta bolsa é sua, srta. Reynolds? — Levantou uma bolsa a tiracolo grande de couro preto macio.

— Sim, é minha. Devo tê-la deixado cair quando eu... quando eu entrei.

— E este cartão? — Levantou um saco plástico transparente. Dentro dele havia um cartão fino e laminado com as iniciais dela no canto.

— Sim, é meu.

Ele colocou o saco plástico de lado e continuou a fazer anotações.

— A que horas a srta. Perkins ligou para falar sobre essa reunião?

— Eram cinco horas da tarde. Ela ligou para meu escritório.

— Foi sua secretária que atendeu a ligação?

— Não, ela já havia ido embora. Fui eu que a atendi. — Teve um estalo em meio ao choque. — O senhor acha que eu a matei? Acha que fiz isso com ela? Por quê? — Deanna se levantou e inclinou-se para o lado como um bêbado quando o sobretudo caiu no chão. — Como eu poderia fazer isso? Por que eu faria? O senhor acha que eu a atraí para cá, a assassinei e depois filmei tudo para poder mostrar as cenas para os meus espectadores fiéis pela manhã?

— Calma, srta. Reynolds. — Jenner levantou-se com cuidado. Era como se ela pudesse desmontar se ele a tocasse. — Ninguém a está acusando de nada. Só estou tentando entender os fatos.

— Eu vou lhe dar os fatos. Alguém a matou. Alguém destruiu o rosto dela e a pôs no set. Oh, meu Deus! — Apertou a mão na cabeça. — Isso não está acontecendo.

— Sente-se e descanse. — Jenner segurou-a pelo braço. Houve um tumulto no corredor atrás dele, e ele se virou para a porta.

— Que droga, eu quero vê-la. — Finn empurrou o policial que tentava detê-lo e passou pela porta. — Deanna. — Correu em sua direção quando ela se inclinou para a frente. — Você está bem. — Envolveu-a com os braços e afundou o rosto em seus cabelos. — Você está bem.

— Finn. — Apertou-se contra ele, desesperada para sentir sua pele, seu calor, seu consolo. — Alguém matou Angela. Eu a encontrei. Finn, eu a encontrei.

Mas, ao afastá-la, se assustou com o inchaço e os cabelos embaraçados com o sangue na parte de trás de sua cabeça. O alívio transformou-se em uma sede sombria e impetuosa de vingança.

— Quem machucou você?

— Eu não sei. — Ela voltou à segurança de seus braços. — Eu não vi. Eles acham que eu fiz isso. Finn, eles acham que eu a matei.

Por sobre o ombro trêmulo, ele ficou olhando para Jenner.

— O senhor está louco?

— A srta. Reynolds está enganada. Não temos intenção de acusá-la neste momento. E, em minha opinião, nem no futuro.

— Então, ela pode ir embora?

Jenner esfregou o queixo.

— Sim. Precisamos que ela assine uma declaração, mas podemos fazer isso amanhã. Srta. Reynolds, eu sei que a senhorita teve um choque, e peço desculpas por tê-la feito passar por esse interrogatório. Eu a aconselho a ir ao hospital e deixar que alguém dê uma olhada nisso aí.

— Eu vou levá-la. Deanna... — Delicadamente, Finn a fez se encostar na cadeira. — Eu quero que você espere aqui um minuto. Preciso conversar com o tenente Jenner.

Ela agarrou sua mão.

— Não me deixe.

— Não, estarei aqui do lado de fora. Só um minuto. Detetive...

Jenner foi com Finn para o corredor e fez sinal para que um homem fardado se retirasse.

— Ela teve uma noite difícil, sr. Riley.

— Eu sei. Por isso eu não quero que o senhor a torne mais difícil.

— Nem eu quero. Mas certas coisas são necessárias. Tenho um homicídio terrível para resolver, e, até onde eu sei, ela é a única testemunha. O senhor se importaria em me dizer onde estava à meia-noite?

Finn expressou um olhar frio.

— Não, eu não me importo. Eu estava gravando um programa em South Side. Tenho uma dezena de testemunhas que poderão afirmar que fiquei lá até quase meia-noite. Meu motorista me levou para casa e me deixou lá pouco depois da uma hora. Era uma e vinte quando liguei para a polícia.

— Por quê?

— Porque minha casa está destruída. Se quiser confirmar o que eu disse, entre em contato com seu superior.

— Não duvido de sua palavra, sr. Riley. — Jenner esfregou o queixo novamente, pensando no horário. — O senhor disse uma e vinte?

— Era mais ou menos isso. Quem arrombou minha casa deixou uma mensagem para Deanna na parede do quarto. Você pode conferir os detalhes com seus colegas. Vou tirar Deanna daqui.

— Vou fazer isso. — Jenner fez outra anotação. — Sr. Riley, se eu fosse o senhor, eu a levaria por outro caminho. O senhor não iria querer que ela passasse pelo estúdio.

— Ei, Arnie! — sinalizou outro policial à paisana do outro lado do estúdio no corredor. — O legista terminou aqui.

— Diga para ele esperar um minuto. Manteremos contato, sr. Riley.

Sem dizer nada, Finn voltou para o camarim. Tirou seu casaco e fez Deanna passar os braços nele. Não queria perder tempo à procura do dela.

— Vamos, querida. Vamos sair daqui.

— Eu quero ir para casa. — Ela se apoiou nele enquanto ele a levava para fora.

— Sem chance. Vou levá-la ao pronto-socorro.

— Não me deixe lá sozinha.

— Não vou deixar você.

Deram uma volta grande para evitar o estúdio e optaram pelas escadas que levavam ao estacionamento. Uma vez que sabia o que esperar antes de abrir a porta, ele lhe deu um beijo na testa e a segurou nos ombros.

— Vão ferver repórteres e câmeras neste lugar.

Ela apertou os olhos e estremeceu.

— Eu sei. Tudo bem.

— Segure firme em mim.

— Estou segurando.

Quando ele abriu a porta, os clarões das luzes de estúdio cegaram-na. Ela protegeu os olhos com a mão e só viu pessoas correndo em sua direção, microfones sendo atirados como se fossem flechas e o olho grande e exigente da câmera.

Todos lhe faziam perguntas, levando-a a encolher os ombros em sua própria defesa enquanto Finn a fazia passar pelo mar de repórteres.

Deanna percebeu que conhecia quase todos eles. Gostava da maioria dos que conhecia. Em outras épocas, eles haviam competido por histórias. Em outras épocas, ela estaria no meio deles, no empurra-empurra, correndo para conseguir a imagem mais marcante e o melhor comentário. E depois voaria para a mesa de notícias para levar ao ar a notícia — agora ela era a notícia — minutos, e até segundos, antes da concorrência.

Mas ela já não era mais a observadora. Era o alvo da observação. Poderia dizer-lhes como se sentia? Poderia dizer-lhes o que sabia? Sua cabeça era como um vidro delicado, estalando com um choro intenso e estridente. Se não pudesse ter silêncio, estouraria e ficaria em pedaços, pensou ela.

— Pelo amor de Deus, Dee.

Percebeu a mão de alguém estendida em sua direção e hesitou, enquanto se afastava encolhida. E viu Joe, com a câmera no ombro e o boné de beisebol torto.

— Sinto muito — disse ele e praguejou novamente. — Sinto muito.

— Tudo bem. Já passei por isso, lembra? É o trabalho. — Agradecida, entrou no carro de Finn e fechou os olhos. Apagou.

♦ ♦ ♦ ♦

Jenner deixou o estúdio nas mãos da equipe de legistas. Uma vez que já tinha dois homens interrogando os ocupantes do prédio, decidiu esperar até de manhã para fazer uma nova investigação no local. Saiu do prédio da CBC e foi para a casa de Finn.

Não se espantou nem se irritou quando Finn parou o carro atrás dele.

— Como está a srta. Reynolds?

— Teve uma concussão — respondeu Finn, conciso. — Vai passar a noite no hospital em observação. Tive um pressentimento de que iria encontrá-lo aqui.

Jenner fez que sim com a cabeça enquanto ambos subiam o caminho de acesso.

— Noite fria — disse ele, sociavelmente. — Sua chamada foi feita à uma e vinte e três da madrugada. A primeira unidade chegou à uma e vinte e oito.

— A resposta foi rápida. — Embora não tivesse parecido tão rápida durante os intermináveis cinco minutos que passou examinando a destruição em sua casa. — Você também investiga casos de arrombamento, tenente?

— Gosto de diversificar. E a verdade é que... — Parou diante da porta. — Descobri que tenho um interesse nisso. Descobri que estou interessado naquele caso em Greektown e também na investigação daquelas cartas que a srta. Reynolds vinha recebendo. Isso o incomoda?

Finn examinou Jenner sob a luz da lua. O homem parecia cansado, mas completamente alerta. Era uma combinação que Finn entendia perfeitamente.

— Não.

— Bem, então... — Jenner passou a fita da polícia na porta arrombada. — Talvez você queira me acompanhar.

Riley era um homem muito moderno, pensou Jenner quando entraram. Do tipo que preferia jaquetas de couro e jeans desbotado. Jenner experimentou uma jaqueta de couro uma vez. Ficou parecendo um policial. Sempre foi assim.

— Você mencionou o que aconteceu aqui para a srta. Reynolds?

— Não.

— Não posso culpá-lo. Ela teve uma noite difícil. — Olhou ao redor. Parecia que haviam jogado uma bomba no lugar. — E você também.

— Como você pode ver, quase todos os cômodos ficaram destruídos. — Finn apontou para a área de convivência ao lado do salão principal. — Não tive muito tempo de passar por aqui.

Jenner resmungou. Pelo que sabia, no instante em que Finn soube do problema na CBC, saíra correndo, deixando toda a destruição para trás.

— Você deve estar muito furioso. — Para não dizer coisa pior, pensou Jenner. O que via no rosto de Finn era uma raiva fria. Se tivesse se deparado com o delinquente, Finn teria feito dele pedacinhos. Embora contrário à ética profissional, Jenner teria pagado para ver isso.

— As coisas podem ser substituídas — disse Finn quando começaram a subir as escadas.

— Sim. — Jenner entrou no quarto e fez um sinal em direção à parede.

— Então, nosso amigo gosta de escrever em paredes. — Tirando o bloco de anotações, Jenner copiou as palavras em uma página branca. Essa era a primeira vez que o sujeito se expunha daquela maneira. — Ele faz uma declaração. — Bastava uma rápida olhada para perceber a destruição do quarto. — Os forenses vão ter muito trabalho nessa bagunça. — Bateu o pé em um frasco quebrado de perfume. — Tiffany — comentou ele. — Bem caro. Minha esposa adora esse perfume. Eu lhe dei a colônia de aniversário. E aqueles lençóis... linho irlandês. Minha avó tinha uma toalha de mesa. Eu esfregava o rosto nela quando era criança.

Quase entretido, Finn apoiou-se na ombreira da porta e examinou Jenner.

— É assim que conduz uma investigação, tenente? Ou será que você faz um bico para uma companhia de seguros?

— Nunca consegui resistir à qualidade. — Pôs o bloco no bolso, pouco acima do lugar onde guardava sua arma. — Então, sr. Riley, devo dizer que temos uma conexão.

— Então, tenente, devo concordar com você.

— O homicídio aconteceu à meia-noite. — Coçou a nuca. — O trajeto da CBC até aqui é de catorze minutos, no limite de velocidade. Digamos que ele tenha gastado dez minutos para preparar o terreno e ligar o equipamento. Outros dez minutos para chegar aqui. Você chega em casa à uma e vinte e um. Sim, eu diria que é tempo suficiente.

— Você não está me dizendo nada que eu não saiba, tenente. E aí?

— Vamos investigar a vizinhança amanhã. Alguém pode ter visto alguma coisa.

— Você não teve tempo de entrevistar Dan Gardner.

— Não. — Um leve sorriso se formou nos lábios de Jenner. — Minha próxima parada.

— A minha também.

— Sr. Riley, é melhor voltar para o hospital e cuidar de sua mulher. Deixe que eu cuide disso.

— Vou cuidar de Deanna — respondeu Finn. — E vou conversar com Gardner. Vou usar todos os recursos e todas as pessoas que conheço para chegar à fonte disso. Posso ir com ou sem você, tenente.

— Isso não foi simpático, sr. Riley.

— Não me sinto simpático, tenente Jenner.

— Imagino que não, mas este é um assunto para a polícia.

— Assim como o caso de Greektown.

Jenner levantou as sobrancelhas ao examinar Finn. O homem sabia que providências deveria tomar, pensou ele.

— Eu gosto de você — disse Jenner depois de um minuto. — Gostei de como se comportou em Greektown. Vi você levar aquele tiro. — Coçou o queixo e considerou. — Continue com as notícias.

— É meu trabalho.

— Sim, e esse é o meu. Estou disposto a forçar um pouco as leis, sr. Riley, por algumas razões. Primeiro, eu realmente admiro sua mulher e, segundo... tem uma menina de 10 anos por aí que talvez lhe deva a vida. Talvez eu não tenha mencionado, mas tenho uma neta dessa idade.

— Não, não mencionou.

— Bem — Jenner simplesmente fez que sim com a cabeça de novo —, você pode me seguir com seu carro.

♦ ♦ ♦ ♦

Quando Deanna despertou, a manhã já estava na metade. Contudo, ela não precisou se orientar; lembrava-se de tudo com muita clareza. Estava em observação no hospital. Queria poder rir de sua condição. Sabia que ficaria sob todo tipo de observação por um bom tempo.

Virou a cabeça, ciente da dor chata que sentia por dentro, e examinou Finn. Ele estava cochilando na cadeira ao lado da cama, com a mão sobre a sua. Com a barba por fazer, exausto e pálido, ele era a visão mais confortante que ela podia imaginar.

Sem querer perturbá-lo, mexeu-se lentamente. Mas seu leve movimento o despertou.

— Está com dor?

— Não. — Sua voz foi fraca; esforçou-se para deixá-la mais forte. — Você não deveria ter ficado sentado aí a noite toda. Deveriam ter arrumado uma cama para você se esticar.

— Posso dormir em qualquer lugar. Sou repórter, lembra? — Esfregou as mãos no rosto e depois esticou as costas. — Você deveria tentar dormir mais um pouco.

— Quero ir para casa. Uma concussão leve não é motivo suficiente para me manter no hospital. — Sentou-se com cuidado, sabendo que, se espirrasse, ele sairia correndo atrás de uma enfermeira. — Não estou vendo nada duplicado, não tenho lapsos de memória e não estou com náusea.

— Você está branca como cera, Deanna.

— Você também não parece estar em sua melhor forma. Quer se deitar aqui comigo?

— Mais tarde. — Sentou-se na beira da cama e a acariciou no rosto. — Eu amo você.

— Eu sei. Acho que não poderia ter suportado a última noite sem você.

— Você não precisa suportar nada sem mim.

Ela sorriu, mas seus olhos se desviaram dele para a televisão presa à parede em um suporte ao pé de sua cama.

— Eu imagino que você não viu o noticiário da manhã.

— Não. — Ele se virou e olhou para ela, atentamente. — Não — repetiu. — Vamos pensar nisso mais tarde.

Sim, pensou ela. Mais tarde seria melhor.

— Foi horrível o modo como ela morreu. Horrível o modo como tudo foi tão bem-preparado. Preciso pensar no assunto, mas parece que não consigo.

— Então, não pense. Não force as coisas, Deanna. — Virou o rosto ao ouvir a voz alta de Fran, com um tom de raiva indignado, enquanto discutia com o guarda do lado de fora. — Vou dizer a ela que você está descansando.

— Não, por favor. Eu quero vê-la.

Finn havia acabado de se aproximar da porta para falar com o guarda quando Fran entrou subitamente. Ela disparou para a cama e abraçou Deanna.

— Oh, meu Deus! Fiquei mal desde que soube. Você está bem? Está muito machucada?

— Só uma pancada na cabeça — respondeu Deanna e a abraçou novamente, com força. — Eu já ia me levantar para me vestir.

— Tem certeza? — Fran afastou-se; era como se estivesse examinando uma de suas filhas à procura de sintomas. — Você está tão pálida. Finn, chame o médico. Eu acho que ele deveria dar outra olhada nela.

— Não. — Segurou firme as mãos de Fran. — Eles só queriam que eu passasse a noite aqui em observação. Já fui observada. E o escritório? Como estão as coisas por lá?

Algo tremeu nos olhos de Fran, e, então, ela encolheu os ombros.

— Um caos. O que você esperava? A polícia está questionando todo mundo.

— Eu deveria estar lá, fazer alguma coisa.

— Não. — O protesto veio rápida e impetuosamente. — Estou falando sério, Deanna. Não há nada que você possa fazer, e, se aparecer lá a essa altura do campeonato, a confusão só vai aumentar. Assim que eu voltar e disser para todo mundo que você está bem, as coisas vão se acalmar um pouco. — Seus lábios tremeram antes de envolver Deanna em seus braços novamente. — Está bem mesmo? Deve ter sido horrível para você. Toda vez que penso no que poderia ter acontecido...

— Eu sei. — Confortada, Deanna pôs a cabeça no ombro de Fran. — Angela. Meu Deus, Fran, eu ainda não consigo acreditar. Quem poderia odiá-la tanto assim?

É só escolher um nome, pensou Fran.

— Não quero que você se preocupe com o programa nem com o escritório. Fizemos uma reprise hoje. Cassie está cancelando e remarcando as entrevistas com os convidados que teríamos na semana que vem.

— Não é preciso.

— Eu sou a produtora, e eu digo que precisa, sim. — Depois de apertá-la pela última vez, Fran recuou e se virou para Finn em busca de apoio. — Você vai me ajudar aqui?

— Não parece ser preciso, mas é claro. Vou levá-la para a cabana por um tempo.

— Eu não posso deixar a cidade. Jenner, com certeza, vai querer falar comigo de novo. E eu tenho de conversar com Loren, com minha equipe.

Finn examinou-a por um momento. Havia dor em seus olhos, como também vestígios de terror e choque.

— É assim que vejo as coisas — disse ele, delicadamente. — Posso tirá-la daqui hoje, mais tarde, e levá-la para a cabana. Ou posso cuidar para que a mantenham nessa cama por mais alguns dias.

— Isso é ridículo. — Deanna queria ficar irritada, mas estava muito cansada. — Só porque vamos nos casar não significa que você pode mandar em minha vida.

— Significa, sim, quando você é muito teimosa para fazer o que é melhor para você.

— Bem... — Fran fez um gesto de satisfação e deu um beijo no rosto de Finn. — Agora que eu sei que ela está em boas mãos, vou falar com o médico. Preciso falar com você — disse ela baixinho para Finn e depois se virou novamente para Deanna. Foi um alívio ver o traço de mau humor na boca de sua amiga. — Não se preocupe com os detalhes — disse-lhe. — A turma e eu podemos cuidar de tudo. Estarei de volta em alguns minutos.

— Ótimo. Maravilha! — Deanna jogou-se nos travesseiros e fez uma careta de dor causada pelo movimento súbito. — Diga para todo mundo que resolvi pescar.

— Boa ideia. — Finn foi até a porta para abri-la para Fran. — Vou ver se consigo alguém para preparar a papelada da alta. Fique na cama — ordenou ele e saiu. — O que você não quer que ela saiba?

— Está fervendo de policiais no 16º andar. — Fran deu uma última olhada, preocupada, por sobre o ombro enquanto eles seguiam para os elevadores. — O escritório de Deanna está destruído, como se alguém tivesse tido um ataque de raiva lá: cadeiras arremessadas para todos os lados, vidros quebrados. Todas as listas que ela havia organizado para o casamento e os desenhos dos vestidos de noiva estão rasgados. Alguém escreveu nas paredes com tinta vermelha. — Enquanto Finn observava, as bochechas de Fran ficaram pálidas e suas sardas mais evidentes. — A única coisa que está escrita é "eu te amo" várias e várias vezes. Eu não quero que ela veja isso, Finn.

— Ela não vai ver. Vou cuidar dela.

— Eu sei. — Fran apertou os dedos nos olhos. — Mas eu estou com medo. Quem matou Angela está de olho em Dee. Eu não acho que ele irá deixá-la em paz.

Os olhos de Finn ficaram afiados como uma espada.

— Ele não vai se aproximar dela. Preciso me encontrar com uma pessoa. Fique com ela até eu voltar.

♦ ♦ ♦ ♦

Depois de um cochilo de duas horas, Jenner bateu à porta da suíte de hotel onde estava Dan Gardner. Ao seu lado, Finn repassava mentalmente uma lista de perguntas para as quais queria respostas.

— É melhor que ele esteja a fim de falar dessa vez.

Jenner só encolheu os ombros. Não se importava em tomar o caminho mais longo desde que acabasse no lugar certo.

— É difícil falar quando se está sedado.

— Conveniente — murmurou Finn.

— Já que apagaram a esposa do sujeito, ele tem o direito de ter um colapso nervoso.

— Você não acha que ele iria querer alguns detalhes antes de desmoronar, tenente? Em minha opinião, quanto mais ele protela uma conversa com você, mais tempo ele tem para conseguir um álibi. Angela Perkins era uma mulher rica. Quer adivinhar quem é o principal beneficiário?

— Então, se ele a matou, seria uma estupidez não ter um álibi, para começo de conversa. Tenho a impressão de que você é um homem acostumado a estar no controle das coisas.

— E?

— Você vai ter de ocupar uma posição secundária aqui. Tenho uma intuição sobre você, por isso vou deixá-lo por perto... assim posso ouvir suas ideias. Mas você vai ter de lembrar quem é que comanda esta investigação.

— Policiais e repórteres têm muita coisa em comum, tenente. Não seremos os primeiros a usar um ao outro.

— É. — Jenner ouviu o barulho da corrente na porta. — Mas isso não muda a ordem da hierarquia aqui.

Dan Gardner, desarrumado, parecia um homem que havia passado dois dias na farra. Tinha o rosto acinzentado, os olhos fundos e os cabelos desgrenhados. O roupão de seda preto e o pijama davam-lhe uma elegância que só acentuava sua aparência desleixada, como ouro em uma pintura retalhada.

— Sr. Gardner?

— Sim. — Dan levou um cigarro aos lábios e engoliu a fumaça como se fosse água.

— Sou o detetive Jenner. — Levantou seu distintivo.

Dan olhou para o objeto e depois viu Finn.

— Um minuto. O que ele está fazendo aqui?

— Pesquisa jornalística — respondeu Finn.

— Não vou falar com repórter algum, especialmente com esse aí.

— Engraçado ouvir isso de alguém que corteja a imprensa como um pretendente apaixonado. — Finn pôs a mão na porta antes que Dan pudesse fechá-la. — Vou considerar confidencial o que você disser. Mas vou lhe dizer uma coisa: é melhor você falar comigo com um policial por perto. Estou muito mal-humorado.

— Não estou bem.

— Meus pêsames, sr. Gardner — disse Jenner antes que Finn pudesse comentar. — O senhor, com certeza, não é obrigado a falar na presença do sr. Riley, mas tenho o pressentimento de que ele voltará. Por que não tentamos assim e resolvemos isso o mais breve possível? Seria mais fácil para o senhor falar aqui do que ter de ir à delegacia.

Dan olhou para os dois por um momento, depois encolheu os ombros e virou-se, deixando a porta aberta.

As cortinas ainda estavam fechadas, dando à sala da suíte um ar sombrio. O cheiro de cigarro era forte e misturava-se, estranhamente, à fragrância de dois vasos grandes de rosas ao lado do sofá.

Dan sentou-se no meio deles e piscou quando Jenner acendeu uma luminária.

— Sinto muito ter de incomodá-lo, sr. Gardner — começou Jenner —, mas preciso de sua cooperação.

Sem dizer nada, Dan deu outro trago voraz no cigarro. A marca de Angela, pensou ele, e sentiu a fumaça arder amargamente na garganta.

— O senhor pode nos dizer o que sabe sobre as atividades de sua esposa ontem?

— Além de ser assassinada? — Com uma risada sem graça, ele se levantou para ir ao bar e se serviu de uma dose generosa de uísque.

Finn só levantou uma sobrancelha ao vê-lo engolir a bebida de uma vez e encher novamente o copo. Ainda não eram dez horas.

— Seria útil — continuou Jenner — se tivéssemos uma ideia clara dos movimentos de sua esposa ao longo do dia. Aonde ela foi, com quem teve contato.

— Angela se levantou às dez. — Dan voltou para o sofá. O uísque ajudou, percebeu ele. Era como se estivesse deslizando alguns centímetros acima do chão. — Ela fez uma massagem, o cabelo, a maquiagem e as mãos. Tudo aqui na suíte. — Bebia com uma das mãos e fumava com a outra, os movimentos mecânicos e estranhamente ritmados. — Deu uma entrevista para o *Chicago Tribune* e depois desceu ao salão para almoçar. Ela teve muitos outros compromissos ao longo do dia: entrevistas, reuniões. A maioria aqui na suíte.

Apagou o cigarro e sentou-se com a fumaça azulada pairando sobre sua cabeça como uma auréola turva.

— Você estava com ela? — perguntou Finn.

Dan deu-lhe um olhar ressentido e depois encolheu os ombros.

— Ora sim, ora não. Na maioria das vezes, não. Angela não gostava de distrações quando estava lidando com a imprensa. Tinha uma entrevista no jantar com a revista *Premiere* para que eles promovessem seu próximo especial. — Com um movimento contorcido, esticou a mão para tirar outro cigarro do maço sobre a mesa de centro. — Ela me disse que não sabia quanto tempo demoraria e que depois tinha outra reunião, e que eu deveria ir a um barzinho de *blues* e me divertir.

— E o senhor foi? — perguntou Jenner.

— Pedi um bife, alguns drinques e ouvi um pouco de piano no Pump Room.

Jenner anotou.

— Estava acompanhado?

— Eu não estava no clima para isso. Nós dois não tivemos muito tempo para relaxar nos últimos meses, então aproveitei para ficar sozinho. — Seus olhos vermelhos estreitaram-se. — Você quer saber dos compromissos de Angela ou dos meus?

— De ambos — respondeu Jenner de forma simpática. Fez um desenho rápido da sala e do rosto de Dan Gardner. — É útil se tivermos uma noção clara das coisas. Quando o senhor viu sua esposa pela última vez, sr. Gardner?

— Pouco antes das sete, quando ela estava se arrumando para o jantar.

— E ela lhe disse que pretendia se encontrar com Deanna Reynolds na CBC naquela noite, mais tarde?

— Não. Se ela tivesse me dito, eu a teria impedido. — Inclinou-se para a frente nesse momento, calculando a frase de efeito que usaria. — Ele também sabe — acrescentou e moveu a cabeça na direção de Finn. — É por isso que ele quer participar da investigação: para tentar desviá-la. Não é segredo para ninguém que Deanna Reynolds odiava minha esposa, tinha inveja dela e estava decidida a destruí-la. Não tenho dúvida de que foi ela que matou Angela ou contratou alguém para matá-la.

— Essa é uma teoria muito interessante — cogitou Finn. — Essa é a linha que você vai seguir por meio de seu agente publicitário?

Jenner limpou a garganta.

— O senhor sabe se a srta. Reynolds fez alguma ameaça contra sua esposa?

Entediado, Dan voltou a olhar para Jenner.

— Eu já disse, ela a atacou fisicamente uma vez. Deus sabe que ela a atacou emocionalmente dezenas de vezes ao longo dos anos. Queria Angela fora do caminho. Agora Angela está. Que isso fique bem claro. O que você está fazendo a respeito?

— Estamos investigando — respondeu Jenner, delicadamente. — Sr. Gardner, a que horas o senhor voltou para o hotel na noite passada?

— Entre meia-noite e meia e uma hora da manhã.

— Encontrou-se ou falou com alguém que pudesse confirmar isso?

— Não gostei da insinuação, tenente. Minha esposa está morta. — Bateu violentamente o cigarro, partindo-o em dois. — E, pelo que me disseram, só havia uma pessoa com ela. — Encarou Finn, certo de que poderia dizer o que bem quisesse sem ser punido. — Uma pessoa que tinha todos os motivos do mundo para machucá-la. Não gostei de você me pedir para dar um álibi.

— Mas você tem? — reagiu Finn.

Dan cerrou os dentes.

— Você está se empenhando, não está, Riley? Você realmente acha que pode tirar Deanna da mira da polícia para que eu seja o suspeito?

Finn levantou uma sobrancelha.

— Eu não acho que você respondeu à pergunta.

— É possível que um dos recepcionistas da noite tenha me visto entrar. Também é possível que a garçonete do clube se lembre de ter me servido e da hora que saí. Que tipo de álibi Deanna Reynolds tem?

Era raiva?, perguntou-se Jenner. Ou era medo que havia na voz de Gardner?

— Infelizmente, não posso falar disso neste momento. Você faz ideia de como sua esposa conseguiu acesso ao edifício da CBC e ao estúdio B?

— Ela trabalhou lá por algum tempo — respondeu Dan, secamente. — Imagino que tenha entrado. Ela sabia o caminho.

— Há um sistema de segurança que não estava em funcionamento na época em que sua esposa trabalhava no edifício.

— Então, imagino que Deanna a tenha deixado entrar e depois a matou. — Ele se moveu para a frente e apoiou a mão na seda preta que cobria seu joelho. — Imagine o que acontecerá com os índices de audiência do programa dela, tenente Jenner. Ele sabe. — Dan apontou o dedo para Finn. — Quantas pessoas vão assistir a uma assassina de sangue frio, Riley?

Ela vai massacrar a concorrência. — Riu e esfregou a mão várias vezes no rosto. — Assim como fez com Angela.

— Seja lá quem foi que matou sua esposa, não se beneficiará com isso. — Jenner deu uma olhada para Finn, satisfeito por vê-lo manter aparentemente a calma. Chegou à conclusão de que gostava do modo como os dois trabalhavam juntos. Nada parecido com a dupla estereotipada do bom e do mau policial. Apenas um trabalho em equipe. — A srta. Perkins tinha uma agenda?

— Era a secretária que cuidava da agenda dela, mas Angela sempre carregou um caderninho de compromissos na bolsa.

— O senhor se importa se dermos uma olhada no quarto dela?

Dan pressionou as mãos nos olhos.

— Droga, façam o que vocês quiserem.

— O senhor deveria pedir o café da manhã, sr. Gardner — disse Jenner ao se levantar.

— Sim, eu deveria fazer isso.

Jenner tirou um cartão e o deixou na mesa de centro, ao lado do cinzeiro com tocos de cigarro que ainda queimavam.

— Eu agradeceria se o senhor entrasse em contato comigo caso se lembrasse de alguma outra coisa. Vamos embora em alguns minutos.

A primeira coisa que Finn fez no quarto da suíte foi abrir as cortinas. A luz espalhou-se pelo quarto. A cômoda estava cheia de frascos e potes, os brinquedos caros de uma mulher vaidosa que poderia se dar ao luxo de ter o melhor. No centro havia uma taça de champanhe com uma marca desbotada de batom rosa na borda. No braço da cadeira estava pendurado um roupão de seda com estampa de flores, cujo tecido da bainha combinava com as sapatilhas.

A única evidência de que o quarto era dividido com um homem era o terno pendurado no armário.

— Você não mencionou o caderninho na bolsa dela, tenente.

— Não havia. — Ele olhava de um lado para outro do quarto como um cão de caça farejando o ar. — Cosméticos, chave de hotel, cigarros, isqueiro, um lenço de seda, um pacotinho de pastilhas, uma carteira de pele de enguia com documentos de identidade, cartões de crédito e mais de trezentos dólares em dinheiro. Mas nenhum caderninho.

— Interessante. — Finn fez um sinal na direção da taça de champanhe. — Eu diria que era dela, não acha? Sentada aí com seus perfumes e cremes hidratantes.

— Muito provavelmente.

— Há outra na sala, no barzinho. Tem batom nela também. Vermelho-escuro.

— Bom olho, sr. Riley. Por que não verificamos se o pessoal do serviço de quarto sabe quem estava bebendo com Angela?

♦ ♦ ♦ ♦

CARLA MENDEZ nunca havia sentido tanta emoção na vida. Era a mais velha dos cinco filhos de um vendedor de sapatos e uma garçonete, e levava uma vida simples e sem ostentação. Aos 33 anos, tinha três filhos e um marido fiel que normalmente estava desempregado.

Carla não se importava em trabalhar como camareira. Não necessariamente gostava, mas fazia bem seu trabalho, ainda que de forma mecânica. Levava pequenos frascos de xampu e de creme hidratante da mesma forma religiosa com que levava suas gorjetas.

Era uma mulher miúda, robusta e muito baixa, de cabelos pretos anelados artificialmente e olhos escuros pequenos que quase se perdiam em um emaranhado de rugas de preocupação. Contudo, seus olhos brilhavam naquele momento, enquanto passavam do policial para o repórter.

Não gostava de policiais. Se Jenner tivesse se aproximado sozinho dela, ela teria se fechado como uma concha, por princípio. Mas não pôde resistir a Finn Riley. O modo como as covinhas lhe realçaram o rosto quando ele sorriu para ela, o modo cortês com que segurou sua mão...

E ele queria entrevistá-la.

Para Carla, era o momento mais importante de sua vida.

Percebendo a disposição da mulher, Jenner recuou e deixou que Finn assumisse o comando.

— A que horas a senhora entrou no quarto da srta. Perkins para fazer a cama, sra. Mendez?

— Às dez. Normalmente faço isso muito mais cedo, mas ela me pediu para não chegar nem perturbá-la antes desse horário. Tinha compromissos. — Com precisão, puxou a bainha de seu uniforme. — Não gosto de trabalhar até tarde, mas Angela era muito boazinha. — A nota de vinte dólares era melhor ainda. — Eu a vi na televisão também. Mas ela não era arrogante nem nada disso. Era muito educada, mas confusa — acrescentou. — Ela e o marido usavam quase seis toalhas de banho por dia. E deixavam tocos de cigarro em todos os cinzeiros. E pratos para todos os lados. — Olhou ao redor da sala. — Fazer limpeza dá ideia de como as pessoas são — disse ela e parou por aí.

— Tenho certeza disso. — Finn incentivou-a com um sorriso. — A srta. Perkins estava com o marido quando a senhora foi arrumar a cama na suíte deles?

— Não dá para dizer. Eu não o vi nem ouvi. Mas eu ouvi a srta. Perkins e a outra pessoa.

— A outra pessoa?

— A outra mulher. Elas estavam se arranhando como duas gatas. — Carla puxou a bainha do uniforme novamente e examinou os sapatos. — Não fico escutando as coisas. Eu cuido de meu serviço. Faz sete anos que trabalho neste hotel. Não estaria aqui se me metesse na vida particular das pessoas. Mas quando fiquei sabendo como ela havia sido assassinada, a srta. Perkins, comentei com Gino, meu marido. Eu disse para ele que havia ouvido a srta. Perkins se atracar com uma mulher em sua suíte poucas horas antes de ser assassinada. Ele disse que eu talvez devesse contar para meu supervisor, mas achei que isso poderia me causar problemas.

— Então, a senhora não comentou nada com ninguém? — perguntou Finn.

— Não. E quando vocês chegaram e me disseram que queriam falar sobre o pessoal do 2.403, imaginei que já soubessem. — Seus olhos brilharam. — Talvez você não.

— O que a senhora pode nos dizer sobre a mulher que estava com a srta. Perkins?

— Eu não a vi, mas a ouvi bem. Ouvi as duas. A mulher disse: "Estou cansada de fazer seus jogos, Angela. E, de um jeito ou de outro, eles vão acabar." Então, a srta. Perkins riu. Eu sabia que a risada era dela porque, como eu disse, eu a via na televisão. E Angela ria como as pessoas riem quando se sentem mesquinhas. E ela disse algo assim: "Ah, você vai continuar a jogar, querida. Há muita coisa..." — Carla enrugou o nariz enquanto se concentrava. — "Há muita coisa em jogo", ela disse, "para que você faça outra coisa". As duas se insultaram por um tempo. Então, a outra mulher disse: "Eu poderia matar você, Angela. Mas talvez eu faça algo ainda melhor que isso." Então, ouvi a porta bater e a sra. Perkins começou a rir de novo. Terminei rápido e fui para o corredor.

— Sabe, sra. Mendez, eu acho que a senhora deveria se aventurar em meu ramo de trabalho. — Ela alisou o uniforme e puxou a bainha novamente. — A senhora é muito observadora — acrescentou.

— É natural, eu acho. A gente vê muitas coisas engraçadas em um hotel.

— Tenho certeza de que sim. Eu estava pensando... A senhora viu a mulher que bateu a porta?

— Não. Não havia ninguém lá fora, mas levei alguns minutos para terminar de pendurar as toalhas limpas, por isso ela deve ter entrado no elevador. Aquele era meu último quarto, então fui para casa depois.

Na manhã seguinte, fiquei sabendo que a srta. Perkins havia sido assassinada. Logo pensei que talvez aquela mulher tivesse voltado e a matado aqui, na suíte. Mas depois vi que não foi no hotel. Foi na estação de televisão onde Deanna Reynolds faz um programa. Eu gosto mais do programa de Deanna — acrescentou, ingenuamente. — Ela tem um sorriso simpático.

♦ ♦ ♦ ♦

Deanna tentou usar esse sorriso quando Finn hesitou na porta da cabana.

— Estou bem — disse. Ela já lhe havia dito isso várias vezes desde que tivera alta no hospital três dias atrás. — Finn, vá buscar algumas coisas no mercado; você não está me deixando aqui para defender o forte contra o ataque de índios selvagens. Além disso... — Curvou-se para coçar as orelhas do cachorro. — Tenho alguém para me defender.

— Pobrezinho. — Segurou o rosto de Deanna. — Deixe que eu me preocupe, está bem? Ainda é uma experiência nova para mim. — Ele abriu um sorriso. — Eu gosto de me preocupar com você, Deanna.

— Contanto que não se preocupe tanto a ponto de se esquecer de comprar aquela barra de chocolate para mim...

— Aquela grande da Hershey's, sem amêndoas. — Ele a beijou e ficou aliviado ao sentir os lábios dela se curvarem suavemente debaixo dos seus. Ele sabia que o dia que haviam passado na cabana tinha aliviado o pavor de Deanna, mas ela ainda dormia mal e se agitava ao ouvir sons inesperados. — Por que você não dá um cochilo, Kansas?

— Por que você não vai comprar aquela barra de chocolate? — rebateu ela com um sorriso na boca. — Aí você poderá dar um cochilo comigo.

— Parece uma ótima ideia. Não vou demorar.

Não, pensou ela enquanto o via ir para o carro. Ele não demoraria muito. Detestava deixá-la sozinha, embora Deanna não entendesse o que ele esperava que poderia acontecer com ela. Ter um ataque histérico? Sair aos gritos da casa?, ficou imaginando e acenou enquanto ele se afastava.

Com um suspiro, agachou-se novamente para acariciar o cachorro enquanto o animal choramingava e arranhava a porta. Ele adorava passear, pensou ela. Mas Finn o havia deixado ali como um cão de guarda.

Não podia culpar Finn por ser superprotetor naquele momento. Afinal, ela havia ficado sozinha com um assassino. Um assassino que poderia ter tirado sua vida com a mesma rapidez e crueldade com que tirara a de Angela. Todos estavam preocupados com a pobre Deanna, pensou ela. Seus pais, Fran. Simon, Jeff, Margaret, Cassie. Roger, Joe e muitos outros da sala de redação. Até Loren e Barlow haviam ligado para dizer que estavam preocupados e oferecer ajuda.

— Use todo o tempo que precisar — disse-lhe Loren sem mencionar uma única vez os índices de audiência ou os gastos. — Só pense em voltar quando se sentir mais forte.

Mas ela não se sentia fraca, concluiu. Estava viva.

Ninguém havia tentado matá-la. É óbvio que todos deviam entender essa simples questão. Sim, ela havia ficado sozinha com um assassino, mas estava viva.

Endireitando-se, começou a andar pela cabana e a arrumar o que já estava bem-arrumado. Preparou um chá que não tinha vontade de beber e depois continuou a andar com a xícara quente nas mãos. Atiçou o fogo que já queimava na lareira.

Olhou pela janela. Sentou-se no sofá.

Precisava desesperadamente trabalhar.

Esse não era um daqueles fins de semana roubados, cheios de risadas, relações sexuais e discussões sobre editoriais de jornais. Não havia jornal algum na casa, pensou ela, frustrada. E Finn havia mencionado algum problema com a televisão a cabo, por isso não havia televisão também.

Ela sabia que ele estava fazendo o possível para mantê-la afastada do mundo. Para colocá-la em uma bolha protetora, onde nada nem ninguém poderiam causar-lhe aflição.

E ela permitia, porque pensar no que havia acontecido em Chicago parecia muito horrível; ela deixava Finn colocar tudo isso de lado.

Mas, naquele momento, precisava fazer alguma coisa.

— Vamos voltar para Chicago — disse para o cachorro, que respondeu abanando a cauda no chão. Virou-se para as escadas com a intenção de arrumar as malas quando ouviu o som de um carro na entrada da casa.

— Ele não poderia ter chegado nem ao mercado ainda — murmurou ela enquanto ia para a porta atrás do cachorro que latia feliz. — Veja, Cronkite, eu o amo também, mas não faz nem dez minutos que ele saiu. — Deanna abriu a porta de tela e riu quando o cachorro passou correndo por ela. Mas, quando levantou os olhos e viu o carro, parou de rir.

Não reconheceu o carro, um sedã marrom-escuro com marcas de batida nos para-lamas, mas reconheceu Jenner e puxou a gola de sua camisa de flanela. Deveria ter ficado aliviada ao vê-lo e saber que ele estava tentando resolver o caso. Em vez disso, sentiu um nervosismo que a colocava entre o medo e a resignação.

Jenner sorriu, obviamente encantado com Cronkite, que latia e dançava em volta de suas pernas. Ele se curvou e, infalivelmente, encontrou um ponto entre as orelhas do cachorro que o fez se contrair de satisfação.

— Ei, garoto! Aí está um bom cachorro. — Riu quando Cronkite se sentou e lhe estendeu uma pata. — Sabe se comportar, não é? — Com a pata do cachorro cheia de terra em sua mão, ele ergueu os olhos quando Deanna saiu na varanda. — A senhorita tem um belo cão de guarda aqui, srta. Reynolds.

— Infelizmente ele não fica mais raivoso do que isso. — Sentiu a brisa forte de dezembro nos ossos. — É uma boa viagem de Chicago até aqui, tenente.

— Uma bela estrada. — Deixando a mão estendida para o cachorro cheirar, ele olhou ao redor. A neve havia derretido e o verde das sempre-vivas começava a brilhar. A brisa sussurrava entre as árvores sem folhas e ameaçava ganhar força. — Belo lugar. Deve ser bom sair da cidade de vez em quando.

— Sim, é bom.

— Srta. Reynolds, lamento incomodá-la, mas preciso fazer algumas perguntas sobre o homicídio da srta. Perkins.

— Por favor, entre. Acabei de fazer um chá, mas posso lhe oferecer um café se você preferir. — Como poderiam falar de homicídio sem uma boa e agradável bebida quente?, pensou Deanna ao sentir o estômago virar.

— Chá está ótimo. — Jenner andou em direção à porta com o cachorro saltando atrás dele.

— Fique à vontade. — Ela indicou a sala grande. — Só preciso de um minuto.

— O sr. Riley não está com a senhorita? — Jenner deu uma volta pela sala, interessado no refúgio dos ricos.

— Ele foi ao mercado. Logo estará de volta.

Hepplewhite. Jenner notou uma mesa lateral e uma cadeira com o encosto vazado. O tapete indígena deveria ser um Navajo, imaginou ele. Os objetos de vidro eram irlandeses. De Waterford.

— Você tem um bom olho, tenente. — Com o rosto meigo, Deanna trazia a bandeja com o chá para a sala.

Não percebendo que havia falado em voz alta, ele sorriu. Não lhe importava ser surpreendido enquanto bisbilhotava. Era pago para isso.

— Gosto de coisas de qualidade, mesmo que não possa comprá-las. — Fez sinal para o vaso na cornija da lareira, cheio de botões de flores. — De Staffordshire?

— Dresden. — Perturbada, Deanna bateu a bandeja ao colocá-la na mesa. — Tenho certeza de que você não veio até aqui para admirar antiguidades. Descobriu quem matou Angela?

— Não. — Jenner acomodou-se no sofá com o cachorro aos seus pés. — Estamos começando a juntar as peças.

— Isso é confortante. Açúcar? Limão?

Ela estava se fazendo de difícil, pensou Jenner.

— Sem limão, obrigado. — Poderia ter acreditado na cena de Deanna, não fossem as sombras por trás de seus olhos. — Com muito açúcar.

Sorrindo arrependido, Jenner começou a pôr açúcar na xícara que Deanna lhe serviu.

— Sou uma formiga. Srta. Reynolds, não quero fazê-la repetir toda a sua declaração...

— Eu agradeço. — Deanna falou bruscamente e suspirou. — Eu quero cooperar, tenente. Eu só não entendo o que mais posso lhe contar. Eu tinha um compromisso com Angela e o cumpri. Alguém a matou.

— A senhorita não achou estranho o fato de ela marcar esse encontro tão tarde?

Deanna olhou para Jenner por sobre a borda da xícara.

— Angela gostava de fazer exigências estranhas.

— E a senhorita gostava de concordar com elas?

— Não, eu não gostava. Eu não queria me encontrar com ela de jeito nenhum. Não é nenhum segredo que não estávamos de bem, e eu sabia que acabaríamos brigando. O fato de que isso aconteceria me deixou nervosa. — Deanna pôs a xícara na mesa e dobrou as pernas no sofá. — Eu não gosto de confrontações, tenente, mas, normalmente, não fujo delas. Angela e eu tínhamos uma história que estou certa de que você conhecia.

— Vocês eram rivais. — Jenner inclinou um pouquinho a cabeça. — Vocês não se gostavam.

— Isso, nós não nos gostávamos, e era algo muito pessoal de ambos os lados. Eu estava preparada para acertar nossas diferenças, e uma parte de mim esperava que pudéssemos resolver as coisas de forma amigável. A outra estava ansiosa para arrancar seus cabelos. Não vou negar que a queria fora de meu caminho, mas eu não queria que ela morresse. — Deanna voltou a olhar para Jenner, mais calma e mais firme agora. — É por isso que está aqui? Sou uma suspeita?

Jenner esfregou a mão no queixo.

— Parece que o marido da vítima, Dan Gardner, acha que a senhorita a odiava o suficiente para assassiná-la. Ou para contratar alguém para isso?

— Para matá-la? — Deanna piscou diante dessa ideia e por pouco não riu. — Então eu contratei um assassino de aluguel, paguei-o para assassinar Angela, me deixar inconsciente e filmar tudo? Como sou original! — Ela se levantou de um salto com a cor voltando às suas bochechas. — Eu nem conheço Dan Gardner. Para mim, é um elogio saber que ele me considera tão inteligente. E qual foi meu motivo? Pontos de audiência? Parece que eu deveria ter cuidado disso para não perder as pesquisas de novembro.

O olhar ofendido e indefeso desapareceu, percebeu Jenner. Ela estava exaltada, roendo-se de indignação e revolta.

— Srta. Reynolds, eu não disse que estamos de acordo com a versão do sr. Gardner.

Seus olhos ficaram fixos por um instante, e ardiam.

— Você só queria uma reação? Espero que esteja satisfeito.

Jenner levantou uma sobrancelha.

— Srta. Reynolds, foi ver a srta. Perkins no hotel na noite em que ela foi assassinada?

— Não. — Frustrada, Deanna passou a mão nos cabelos. — Por que eu iria? Nós nos encontraríamos no estúdio.

— Talvez você tenha ficado impaciente. — Jenner sabia que estava conseguindo o que queria. As impressões digitais de Deanna não haviam sido encontradas no hotel, e, sem dúvida, não estavam na segunda taça de champanhe.

— Mesmo que eu tivesse ido até lá, Angela me disse que estaria ocupada até a meia-noite. Tinha reuniões.

— Ela comentou com quem?

— Não estávamos conversando, detetive, e eu não estava interessada em seus planos pessoais ou profissionais.

— Você sabia que Angela tinha inimigos?

— Eu sabia que ela não era, particularmente, benquista. Em parte talvez por causa de sua personalidade e, em parte, porque ela era uma mulher com muito poder. Podia ser dura e vingativa. Também podia ser encantadora e generosa.

— Não achou que ela foi encantadora quando preparou para que a surpreendesse com o dr. Pike em uma circunstância comprometedora?

— Isso é notícia antiga.

— Mas você estava apaixonada por ele?

— Eu quase me apaixonei por ele — corrigiu Deanna. — Há uma grande diferença. — Ah, qual é o objetivo de tudo isso?, perguntou-se e esfregou a testa no ponto onde doía. — Não vou negar que fiquei magoada e furiosa, e o episódio mudou meus sentimentos em relação aos dois de forma irrevogável.

— O dr. Pike tentou levar a relação com você adiante.

— Ele não via o incidente da mesma forma que eu. Eu não estava interessada em continuar nada com ele, e deixei isso claro.

— Mas ele persistiu por um bom tempo.

— Sim.

Jenner reconheceu a emoção por trás da resposta monossilábica.

— E os bilhetes que faz anos que você vem recebendo com certa regularidade? Você chegou a pensar que ele os estivesse enviando?

— Marshall? — Fez que não com a cabeça. — Não. Não faz o estilo dele.

— Qual é o estilo dele?

Os olhos de Deanna se fecharam. Ela se lembrou das fotos, do relatório do detetive.

— Talvez você devesse perguntar a ele.

— Faremos isso. Você se envolveu com alguém além do dr. Pike? Alguém que pudesse ter ficado tão perturbado com o anúncio de seu noivado a ponto de arrombar seu escritório ou a casa do sr. Riley?

— Não, houve... o que você quer dizer com "arrombar"? — Segurou o braço da cadeira que estava ao seu lado.

— Parece lógico que quem enviou os bilhetes também seja responsável pela destruição de seu escritório e da casa em que você mora com o sr. Riley — começou Jenner. E pelo assassinato de Angela, acreditava ele.

— Quando? — Deanna mal conseguiu sussurrar a pergunta. — Quando aconteceu isso?

Intrigado, Jenner parou de bater o lápis em seu bloco de anotações. O brilho rosado que a raiva tinha dado às bochechas de Deanna desapareceu, deixando seu rosto branco como cera. Riley não havia lhe contado ainda, percebeu ele. E o homem não gostaria nem um pouco de saber que ele havia mencionado o fato.

— Não. — Ainda agarrada à cadeira, ela se sentou antes que suas pernas amolecessem. — Finn não... ninguém me contou. — Fechou os olhos e lutou contra as pontadas no estômago. Quando os abriu novamente, estavam pretos como piche, ardendo e secos. — Mas você vai me contar. Eu quero saber exatamente o que aconteceu.

Haveria mais do que uma briguinha quando Finn Riley voltasse, concluiu Jenner. Enquanto relatava os fatos, ele a observava. Ela piscou uma vez, como se as palavras fossem dardos, e depois ficou parada. Seus olhos pareceram firmes e curiosamente vagos até que ele terminou.

Ela não disse nada por um instante, inclinando-se para a frente para servir mais chá. Sua mão estava firme. Jenner admirou seu equilíbrio e controle, sobretudo depois de ter visto a expressão de horror em seu rosto.

— Você acha que quem estava enviando os bilhetes, quem arrombou meu escritório e minha casa, matou Angela.

Era o tom de uma repórter, observou Jenner. Frio, calmo e sem inflexão. Mas o olhar de Deanna já não estava mais vago. Estava apavorado. Por alguma razão, ele se lembrou de uma matéria que ela havia feito anos atrás sobre uma mulher em um bairro de classe média que havia sido morta a tiros pelo marido. Seus olhos também não estavam vagos naquele dia.

— É uma teoria — disse ele, finalmente. — Faz mais sentido que somente uma pessoa esteja envolvida.

— Então, por que não eu? — Sua voz saiu enquanto, impaciente, ela fazia que não com a cabeça. — Por que Angela e não eu? Se ele estava tão furioso comigo, por que a matou e me deixou viva?

— Ela estava em seu caminho — disse Jenner, rapidamente, e observou enquanto todo o impacto dessas palavras acertava Deanna como um golpe.

— Ele a matou por minha causa? Oh, meu Deus, ele fez isso por minha causa.

— Não temos certeza — começou Jenner, mas Deanna já estava empurrando sua cadeira.

— Finn. Meu Deus, ele poderia vir atrás de Finn. Ele arrombou a casa. Se Finn estivesse lá, ele teria... — Apertou a mão na barriga. — Você precisa fazer alguma coisa.

— Srta. Reynolds...

Mas ela ouviu o som de pneus nos cascalhos. Virou-se, correu com o cachorro até a porta e chamou por Finn.

Finn já estava praguejando com o outro carro na entrada quando ouviu Deanna gritar seu nome. Sua irritação com a intrusão desapareceu ao vê-la sair da casa correndo. Trêmula, ela o abraçou, abafando os soluços.

Finn apertou-a no peito, lançando um olhar ardente e letal por sobre o ombro de Deanna para Jenner na varanda.

— Que diabos você fez?

♦ ♦ ♦ ♦

— DESCULPE — era a melhor coisa que Finn podia pensar para dizer a Deanna do outro lado da sala. Jenner havia deixado os dois sozinhos. Isso depois de ter lançado sua bomba, pensou Finn amargamente.

— Pelo quê? Por eu ter descoberto tudo por Jenner? Ou porque você não confiou o suficiente em mim para me contar?

— Agora já foi — disse ele, cuidadosamente. — E não foi uma questão de confiança, Deanna. Você praticamente acabou de sair do hospital.

— E você não quis perturbar meu delicado equilíbrio mental. É por isso que a televisão, convenientemente, não está funcionando. Foi por isso que você quis ir ao mercado sozinho e não trouxe o jornal. Não queríamos que a pobre Deanna ficasse sabendo de notícias que poderiam perturbá-la.

— É bem por aí. — Ele pôs as mãos nos bolsos. — Achei que você precisasse de um tempo.

— Você achou. Bem, você errou. — Ela se virou para o lado das escadas. — Não tem o direito de esconder isso de mim.

— Eu escondi de você. Droga, se vamos brigar, pelo menos que seja cara a cara. — Ele a deteve no alto das escadas, segurou-a pelo braço e a virou.

— Não consigo brigar quando estou fazendo as malas. — Ela se soltou do braço dele e entrou no quarto.

— Você quer voltar. Ótimo. Vamos voltar depois de resolvermos isto.

Ela puxou uma bolsa grande do armário.

— *Nós* não vamos a lugar nenhum. Eu vou. — Jogou a bolsa na cama e abriu o zíper. — Sozinha. — Com movimentos rápidos e descontrolados, tirou frascos e potes da penteadeira. — Vou voltar para meu apartamento. Pego o que deixei em sua casa mais para a frente.

— Não — disse ele, muito calmo —, você não vai.

Deanna jogou um frasco de perfume na direção da bolsa aberta, que caiu sobre a cama.

— É exatamente o que estou fazendo. — Com os olhos nos dele, tirou os dedos de Finn da bolsa. — Você mentiu para mim, Finn. Se Jenner não tivesse aparecido aqui para fazer algumas perguntas sobre o caso, eu não ficaria sabendo do que aconteceu em meu escritório e em sua casa nem que você conversou com Dan Gardner e com aquela camareira do hotel. Eu não ficaria sabendo de nada.

— Não, e você talvez não tivesse dormido bem algumas noites.

— Você mentiu — repetiu ela, recusando-se a se esquecer disso. — E não me venha dizer que esconder a verdade de mim é diferente de mentir. É a mesma coisa. Não vou continuar em uma relação que não é sincera.

— Você quer sinceridade. Ótimo! — Virou-se e fechou a porta silenciosamente com a chave. — Farei tudo o que estiver ao meu alcance para proteger você. Isso é fato. — Com um olhar firme, voltou para perto dela. — Você não vai me deixar, Deanna. Isso é fato. E não vai usar esse papo furado de direitos e de confiança para fugir. Se quiser sair, pelo menos seja sincera.

— Tudo bem. — Ela se moveu de modo que ele não pudesse ver como suas mãos tremiam enquanto fazia a mala. — Cometi um erro quando aceitei me casar com você, e tive tempo de pensar melhor. Preciso me concentrar em minha carreira, em minha própria vida. Não poderei fazer isso se estiver resolvendo coisas para o casamento, se estiver começando uma família. Eu me convenci de que poderia fazer tudo isso, mas me enganei. — Os diamantes em seu dedo brilhavam ironicamente para ela, que não conseguia tirar o anel. Não ainda. — Eu não quero me casar com você, Finn, e não é justo para nenhum de nós dois continuar assim. Minha prioridade no momento é meu trabalho, e colocá-lo nos eixos novamente.

— Olhe para mim, Deanna. Eu disse para você olhar para mim. — Com as mãos firmes nos ombros de Deanna, ele virou o rosto dela para ele. A sensação de pânico transformou-se em uma firme confiança. — Você está mentindo.

— Eu sei que você não quer acreditar...

— Meu Deus, Deanna, não percebe que posso ver em seu rosto? Você não sabe mentir. Por que está fazendo isto?

— Eu não quero machucar você mais do que o necessário, Finn. — Enrijeceu-se e olhou por sobre o ombro dele. — Solte-me.

— Sem chance!

— Eu não quero você — disse com a voz estridente. — Eu não quero isso. Ficou claro?

— Não. — Ele a puxou para si e calou-a com sua boca. — Ela tremeu no mesmo instante, o corpo estremecendo contra o dele, os lábios esquentando. — Mas isso está.

— Essa não é a resposta. — Mas seu corpo desejava o dele, seu calor, sua força.

— Você quer que eu peça desculpa de novo? — Suavemente agora, ele lhe acariciou os cabelos. — Tudo bem. Desculpe, mas eu faria exatamente a mesma coisa de novo. Se quiser chamar isso de mentira, então eu mentiria. Eu faria o que fosse preciso para proteger você.

— Eu não quero que me protejam. — Ela se soltou dele e fechou as mãos, impotente. — Não preciso ser protegida. Não dá para ver? Você não entende? Ele *me* usou para matá-la. Ele *me* usou. Ele não vai *me* machucar; não preciso ser protegida. Mas só Deus sabe quem mais ele vai machucar por minha causa.

— Eu — disse ele baixinho, furiosamente. — Então, é isso que significa toda essa confusão. Você acha que ele pode vir atrás de mim. E a melhor maneira de evitar isso é me deixar, certo? Deixar claro para todo mundo que você rompeu comigo.

Os lábios de Deanna tremeram antes que ela pudesse pressioná-los.

— Não vou discutir com você, Finn.

— Você tem toda a razão nisso. — Ele pegou a bolsa e virou seu conteúdo na cama. — Nunca mais faça isso comigo de novo. Nunca mais se aproveite de meus sentimentos assim.

— Ele vai tentar matar você — disse ela, sombriamente. — Eu sei que vai.

— Então você mentiu para me proteger. — Quando ela abriu a boca para falar, ele a fechou novamente e sorriu. — Uma coisa pela outra,

Deanna. Digamos que estamos quites. Então, você não quer ser protegida... nem eu. O que você quer?

Ela levantou as mãos fechadas na altura do rosto e depois as deixou cair.

— Eu quero que você pare de me vigiar como se eu fosse uma criança.

— Combinado. O que mais?

— Quero que prometa que nunca mais vai me esconder nada, por mais que você ache que vá me perturbar.

— Combinado, e digo o mesmo.

Ela fez que sim com a cabeça, lentamente, enquanto o observava.

— Você ainda está irritado.

— Sim, ainda estou. É o que acontece quando a mulher que amo me parte ao meio.

— Você ainda me deseja?

— Meu Deus, sim, eu ainda desejo você.

— Você não faz amor comigo desde que isso aconteceu. Toda vez que procuro você, você me acalenta e me afaga, mas nada além disso.

— Não. — Sentiu o sangue começar a correr nas veias. — Quero lhe dar tempo.

— Não quero tempo! — falou alto e sentiu o primeiro sinal de alívio. — Não sou frágil, fraca ou delicada. Quero que você pare de olhar para mim como se eu fosse assim, como se eu fosse desmanchar. Eu estou viva. Eu quero me sentir viva. Faça com que eu me sinta viva.

Ele estendeu a mão e acariciou-a no rosto com os nós de seus dedos.

— Você deveria ter pedido algo mais difícil.

Ele a beijou. Ela podia sentir os resquícios de fúria que ele tentava esconder, o gosto da frustação impetuosa, a necessidade ardente.

— Não — murmurou ela. — Não seja delicado. Não agora.

Ele queria ser. Mas ela o derrubou na cama com as mãos já frenéticas, puxando suas roupas. Ele não podia ser delicado, não podia manter a ternura quando a boca de Deanna já o estava deixando louco.

O corpo dela vibrava contra o dele enquanto ela se arqueava, se esticava e se contorcia. Deanna só conseguia pensar em mais. Mais dele. Mais dessa violência que fervia aos poucos e que ela o havia visto tentar controlar fazia dias. Queria que ele liberasse essa violência agora, dentro dela.

Podia ouvir o próprio coração bater forte em seus ouvidos, sentir cada um dos batimentos. Seu grito abafado foi de triunfo enquanto ele abria sua blusa às pressas e à procura de carne.

O vento batia nas janelas, agitando o vidro. Uivava chaminé abaixo, tentando levantar poeira no quarto. Mas o fogo ardia na lareira e queimava ainda mais com a ameaça da tempestade.

Na cama, os dois rolavam como trovões.

A boca de Finn estava na de Deanna, voraz, os dentes arranhando a pele já molhada de paixão. Sua respiração era quente, suas mãos machucavam-na na pressa de possuí-la. Ela se ergueu para vê-lo, a cabeça caindo para trás, o gemido longo e selvagem.

Mais rápido. Mais rápido. O desespero chegou ao limite quando ele lhe puxou com força o jeans, com a boca faminta percorrendo seu torso trêmulo em direção ao espaço ardente. As mãos dela afundaram-se nos cabelos de Finn, apertando-o cada vez mais. Suas unhas arranharam as costas dele quando ela chegou ao primeiro orgasmo.

— Agora. — Deanna quase chorou ao dizer, puxando-o para cima, louca para que ele a preenchesse. Suas mãos agarraram-se ao quadril de Finn, suas pernas envolveram-no na altura da cintura. — Agora — disse ela novamente e depois gritou quando ele a penetrou.

— Mais. — Começou a empurrar o corpo de Deanna para cima, cravando-a fundo, penetrando-a cada vez mais forte enquanto a ferocidade do prazer o fustigava. Sentia o próprio corpo como se fosse uma máquina, incansável, pronta para funcionar. Encaixou-o no dela, era aço envolvido em veludo, penetrando-a mais rápido a cada vez que sentia os músculos de sua mulher se contraírem.

Quando ela se arqueou, contorcendo-se, ele a puxou para si até os dois ficarem peito contra peito. Deanna cravava-lhe os dentes no ombro enquanto mexia o corpo como seda úmida contra o dele. Mais uma vez, enrijeceu-se e depois começou a tremer. Seus olhos se abriram e ficaram vidrados nos dele enquanto ela perdia as forças.

— Não posso.

Ele a empurrou, agarrou suas mãos e as pôs acima de sua cabeça.

— Eu posso.

Começou a devorá-la, deixando o lado animal assumir o controle, arrancando-lhe cada nova reação com dentes impacientes, incitando novos fogos com a língua e os lábios.

Sua respiração queimava na garganta, seu sangue pulsava na cabeça e no quadril. A última onda de desejo atingiu-o e inundou seu corpo como se fosse uma luz, branca e ofuscante. Pensou que ela tivesse gritado novamente, seu nome, enquanto a enchia de prazer.

## Capítulo Vinte e Quatro
••••

O CONSULTÓRIO DE Marshall Pike era como uma sala elegante. Mas ninguém morava ali. Fazia Finn se lembrar de uma daquelas casas de exposição, decoradas por possíveis compradores que jamais relaxariam no sofá brocado ou pisariam no tapete caro. Certamente, nunca haveria uma marca circular deixada por um copo esquecido na mesa de centro Chippendale. Nenhuma criança brincaria de esconde-esconde atrás das cortinas de seda ou se acomodaria para ler em uma das cadeiras acolchoadas.

Até a mesa de Marshall parecia mais um objeto cênico do que um móvel utilizável. A madeira de carvalho estava bem polida e os utensílios de bronze brilhavam. Os materiais de escritório de couro bordô combinavam discretamente com as cores dos vinhos e das samambaias. O fícus próximo à janela não era artificial, mas era tão perfeito, com suas folhas livres de pó, que poderia muito bem ser.

Finn havia convivido com a riqueza durante toda a sua vida, e com as coisas materiais que o dinheiro podia comprar, mas o consultório impecável de Marshall Pike, com o zunido suave de um filtro de ar que discretamente sugava as impurezas, lhe pareceu sem alma.

— É claro que eu ficaria feliz em poder cooperar com a polícia. — Com cuidado, puxou as mangas de seu paletó exibindo os punhos da camisa branca com as iniciais de seu nome. — Como eu lhe expliquei, a polícia não julgou necessário me interrogar. Por que faria isso? Não tenho nada a declarar à imprensa.

— Como eu lhe expliquei, não estou aqui como repórter. Você não é obrigado a falar comigo, Pike, mas, se não falar... — Finn abriu os braços. Jenner ficaria uma fera, pensou ele, por não ter sido avisado sobre essa entrevista. Mas esse contato era algo pessoal. — Alguns de meus colegas gostariam que eu lhes refrescasse a memória com certo incidente entre você e Angela que passou despercebido há alguns anos.

— Não acho que algo tão trivial possa ser de interesse para alguém.

— É incrível, não é, o que prende a atenção dos espectadores? E o que, se mostrado de certo ângulo, pode intrigar a polícia.

É claro que o homem estava exagerando, assegurou-se Marshall. Não havia nada, absolutamente nada, que pudesse conectá-lo a Angela, senão uma falta momentânea de juízo. Mas, sem dúvida... uma palavra dita à pessoa errada poderia resultar em uma publicidade que sua prática não permitia.

Chegou à conclusão de que algumas perguntas e algumas respostas não seriam problema. Afinal, ele era um especialista em comunicação. Se não pudesse lidar com um repórter insistente, não merecia os diplomas pendurados na parede atrás dele.

Além disso, ele gostaria de se mostrar mais esperto que o homem por quem Deanna o havia trocado.

— Minha última consulta do dia foi cancelada. — Fez que não com a cabeça como se estivesse com pena do pobre casal que não se beneficiaria de seus conhecimentos. — Só tenho outro compromisso às sete. Posso lhe conceder alguns minutos.

— É só o que preciso. Como você ficou sabendo da morte de Angela?

— No noticiário, na manhã depois do assassinato. Fiquei surpreso. Entendi que Deanna estava com ela no estúdio. Como você sabe, Deanna e eu tivemos um relacionamento. Naturalmente, fiquei preocupado com ela.

— Tenho certeza de que isso irá ajudá-la a dormir à noite.

— Tentei falar com ela e oferecer meu apoio.

— Ela não precisa.

— Gosta de marcar seu território, sr. Riley? — perguntou Marshall com uma curva nos lábios.

— Com certeza, dr. Pike — respondeu Finn.

— Em minha profissão, é preciso ser imparcial — continuou ele com um sorriso. — Deanna significou muito para mim naquela época.

Em algumas entrevistas era necessário instigar, e, em outras, incutir ideias. No caso de Marshall, Finn percebeu que, quanto mais curta era a pergunta, mais extensa era a resposta.

— Significou?

— Já se passou muito tempo. E Deanna está comprometida com você. Apesar disso, eu ainda ofereceria todo o apoio ou ajuda que pudesse a alguém de quem gosto, principalmente sob circunstâncias tão terríveis.

— E Angela Perkins? — Finn encostou-se na cadeira. Por mais relaxado que estivesse, ele estava alerta, observando cada movimento dos olhos de Marshall. — Você gostava dela?

— Não — respondeu ele, abruptamente. — Não gostava.

— Entretanto, foi seu caso com a srta. Perkins que pôs fim ao seu relacionamento com Deanna.

— Não houve nenhum caso. — Marshall entrelaçou as mãos sobre a mesa. — Houve uma falta momentânea de controle e bom senso. Descobri logo depois que Angela havia planejado todo o incidente por suas próprias razões.

— Que razões?

— Em minha opinião? Manipular Deanna e deixá-la arrasada. Ela estava fazendo sucesso. — Seu sorriso estreitou-se e perdeu a graça. — Mesmo não tendo aceitado a posição que Angela lhe ofereceu em Nova York, Deanna rompeu os laços comigo.

— Você ficou ressentido?

— Fiquei, sr. Riley, porque Deanna não quis ver o que realmente aconteceu: nada. Uma mera reação física a estímulos premeditados. Não havia nenhuma emoção em jogo.

— Algumas pessoas associam mais o sexo às emoções do que outras. — Finn abriu um sorriso largo, provocando-o intencionalmente. — Deanna é bem assim.

— De fato — disse ele e parou por aí. Uma vez que Finn permaneceu em silêncio, Marshall continuou, incomodado. — Não entendo que relação esse meu infeliz deslize pode ter com a investigação.

— Eu não falei que tem — disse Finn de forma simpática. — Mas, só para esclarecer o assunto, por que você não me diz onde estava na noite do assassinato?

— Eu estava em casa.

— Sozinho?

— Sim, sozinho. — Confiante, Marshall relaxou. Seus olhos suavizaram. — Tenho certeza de que você concordaria que, se eu estivesse planejando um assassinato, teria sido inteligente o suficiente de arrumar um álibi. No entanto, eu jantei sozinho, trabalhei algumas horas em alguns casos de estudo e depois fui para a cama.

— Você falou com alguém? Recebeu alguma ligação?

— Deixei a secretária eletrônica ligada. Não gosto de ser interrompido quando estou trabalhando... exceto em caso de emergência. — Sorriu com arrogância. — Você acha que devo entrar em contato com meu advogado, sr. Riley?

— Se você acha necessário... — Se ele estava mentindo, pensou Finn, soubera ser frio. — Quando foi a última vez que você viu Angela?

Pela primeira vez na entrevista, houve um brilho de autêntico prazer nos olhos de Marshall.

— Não a via desde que ela se mudou para Nova York. Isso tem mais de dois anos.

— Teve algum contato com ela depois disso?

— Por que eu teria? Não tivemos um caso amoroso, como eu expliquei.

— Você não teve um com Deanna também — comentou Finn e teve a satisfação de tirar o sorriso do rosto de Marshall. — Mas, mesmo assim, continuou a fazer contato com ela.

— Não fiz por quase um ano. Ela não é do tipo que perdoa.

— Mas você enviou bilhetes. Fez ligações.

— Não. Só tentei entrar em contato depois que fiquei sabendo do que aconteceu. Ela não retornou minhas ligações, por isso devo imaginar que não queira nem precise de minha ajuda. — Certo de que havia sido mais do que razoável, ele mexeu no punho novamente e se levantou. — Como eu disse, tenho um compromisso às sete e preciso ir para casa me trocar para a noite. Devo dizer que foi uma conversa muito interessante. Mande lembranças a Deanna.

— Acho que não. — Finn levantou-se também, mas não indicou que estava de saída. — Tenho outra pergunta. Digamos que seja de um repórter para um psicólogo.

Os lábios de Marshall formaram uma linha de escárnio.

— Como eu poderia me recusar a ouvi-la?

— É sobre obsessão. — Finn deixou a palavra no ar por um instante e esperou um sinal: um gesto que evitasse o contato visual, um tique, uma mudança de tom. — Se um homem ou uma mulher teve uma fixação por alguém durante um bom tempo, digamos que dois ou três anos, e teve fantasias, mas não conseguiu se aproximar dessa pessoa, cara a cara, e, nessas fantasias, ele se sentiu traído, o que ele estaria sentindo? Amor? Ou ódio?

— Uma pergunta difícil, sr. Riley, com tão pouca informação. Posso dizer que amor e ódio são sentimentos intrincadamente entrelaçados, como afirmam os poetas. Qualquer um dos dois pode assumir o controle, dependendo das circunstâncias, e pode ser perigoso. As obsessões raramente são construtivas para qualquer uma das partes envolvidas. Diga-me: você está pensando em fazer um programa sobre o tema?

— Talvez. — Finn pegou seu casaco. — Como leigo, eu queria saber se alguém com esse tipo de obsessão é capaz de escondê-la. Realizar suas atividades do dia a dia sem deixar a máscara cair. — Examinou o rosto de Marshall. — Como o homem que mata meia dúzia de pessoas em um supermercado e, segundo os vizinhos, era simpático e tranquilo.

— Acontece, não? As pessoas, na maioria, são muito espertas em se tratando de deixar que os outros vejam somente aquilo que elas querem. E, em todo caso, a maioria só vê o que quer ver. Se a raça humana fosse mais simples, nós dois estaríamos procurando outro tipo de trabalho.

— É um bom argumento. Obrigado por seu tempo.

Enquanto Finn saía do consultório, atravessava a recepção e seguia para os elevadores, ficou imaginando se Marshall Pike era do tipo que podia destruir o rosto de uma mulher e ir embora. Sangue frio não lhe faltava. Disso Finn tinha certeza.

Tem sujeira debaixo do tapete, pensou Finn. Talvez fosse uma reação puramente animal, imaginou ele, um instinto para delimitar seu território. Não, concluiu Finn, aquele desconforto vinha do repórter que havia dentro dele. O homem estava escondendo alguma coisa, e dependia dele descobrir o que era.

Não custaria nada passar no hotel e ver se alguém havia visto Marshall na área na noite da morte de Angela.

♦ ♦ ♦ ♦

Em seu consultório, Marshall ficou sentado atrás da mesa. Esperou até ouvir o barulho distante do elevador. E esperou novamente até não ouvir mais nada. Apanhando o telefone, apertou os botões e passou a palma da mão úmida no rosto.

Ouviu a voz de Finn repetindo as informações que ele já sabia: Deanna não estava. Marshall bateu o telefone e enterrou a cabeça nas mãos.

Maldito Finn Riley. Maldita Angela. E maldita Deanna. Ele precisava vê-la. E precisava vê-la naquele momento.

♦ ♦ ♦ ♦

— Você deveria ter esperado um pouco mais para voltar. — Jeff estava em pé no escritório de Deanna, seu rosto simpático e desprovido de beleza revelava linhas persistentes de preocupação. O cheiro de tinta ainda era fresco.

Os dois sabiam por que as paredes haviam sido pintadas, e o tapete, trocado. Havia arranhões longos e irregulares na superfície da mesa de Deanna. Fazia só 48 horas que a polícia tirara o lacre da sala, e não houve tempo para reparar ou substituir as coisas.

— Pensei que você ficaria contente em me ver.

— Eu fiquei contente em ver você, mas não aqui. — Uma vez que eram pouco mais de oito da manhã, os dois estavam sozinhos. Jeff sentia-se obrigado a convencê-la a se dar mais tempo. Quando as outras pessoas da equipe chegassem, ele não tinha dúvida de que contaria com o apoio delas. Mas agora cabia a ele cuidar dela. — Você passou por um pesadelo, Dee, e não faz nem uma semana.

Sim, fazia, pensou ela. Faria uma semana naquela noite. Mas ela não o corrigiu.

— Jeff, já discuti isso com Finn...

— Ele não deveria ter deixado você aparecer aqui.

Os pelos de seu pescoço se levantaram, mas Deanna conteve a primeira reação de fúria. Para querer falar rispidamente com o pobre Jeff só podia estar com os nervos à flor da pele, concluiu ela.

— Finn não tem de me *deixar* fazer nada. Se isso faz você se sentir melhor, ele está totalmente de acordo com você quando diz que tenho de me dar mais tempo. Eu discordo. — Ela apoiou o quadril no peitoril amplo da janela de vidro laminado. Atrás dela, a neve úmida caía torrencialmente. — Preciso trabalhar, Jeff. A morte de Angela foi horrível, mas enterrar a cabeça debaixo das cobertas não fará a cena nem os momentos que vivi nela desaparecerem. E preciso de amigos. — Estendeu a mão. — Eu preciso mesmo.

Ela o ouviu suspirar, mas ele se aproximou e segurou sua mão.

— Queríamos estar ao seu lado, Dee. Todos nós.

— Eu sei. — Apertou a mão dele e puxou-o para se sentar no peitoril da janela com ela. — Acho que não está sendo fácil para ninguém. Você teve de falar com a polícia?

— Sim. — Ele fez uma careta e empurrou os óculos. — Com o tal do detetive Jenner. "Onde você estava na noite do crime?" — Jeff imitou Jenner com tanta perfeição que Deanna riu. — Todos passamos por isso. Simon suou frio. Você sabe como ele fica sob pressão. Aperta as mãos, faz barulho quando engole a saliva. Ele ficou tão nervoso que Fran o fez se deitar e depois acusou o policial de perseguição.

— Lamento ter perdido isso. — Apoiou a cabeça no ombro de Jeff, contente por estar de volta com os amigos. — O que mais perdi? — Sentindo o corpo tenso de Jeff, apertou-lhe a mão para tranquilizá-lo. — Eu me sentiria melhor se soubesse, Jeff. Só me deram alguns detalhes superficiais de como o escritório ficou destruído. Senti falta de nossa árvore de Natal. — Seu sorriso foi rápido e triste. — Bobeira, não? Com tudo o que foi destruído aqui e eu sentindo falta daquela árvore idiota.

— Arrumei outra. Feia do mesmo jeito.

— Impossível — deixou escapar. — Conte para mim.

Ele hesitou por um instante.

— O escritório estava uma bagunça, Dee. Mas grande parte dos danos foi superficial. Quando a polícia nos deixou entrar, Loren o limpou, pintou novamente e trocou o tapete. Ele estava realmente irritado. Não com você — disse Jeff, rapidamente. — Com tudo, você sabe. O fato de alguém ter entrado e... feito o que fez.

— Vou ligar para ele.

— Deanna... sinto muito. Não sei o que mais posso dizer. Fiquei tão chateado por você ter de passar por tudo isso. Eu gostaria de poder dizer que sinto muito por Angela, mas não posso.

— Jeff...

— Não posso — repetiu ele e apertou a mão de Deanna. — Ela queria machucar você. Fez tudo o que pôde para arruinar sua carreira. Usou Lew, inventou mentiras, trouxe a público a história sobre aquele jogador de futebol canalha. Não posso lamentar por ela não estar mais aqui para tentar outra coisa. — Deu um longo suspiro. — Acho que isso me torna muito frio.

— Não. Angela não inspirava muito amor nem devoção.

— Você inspira.

Ela levantou a cabeça e se virou para sorrir para ele quando um barulho na porta os fez saltar.

— Oh, meu Deus! — Lá estava Cassie com um pesa-papéis em uma das mãos e uma escultura de bronze na outra. — Pensei que alguém havia arrombado o escritório de novo. — Apertou o pesa-papéis de vidro no peito.

Com as pernas bambas, Deanna conseguiu dar dois passos para se sentar em uma cadeira.

— Cheguei cedo — disse ela enquanto tentava, desesperadamente, parecer calma e controlada. — Pensei que pudesse começar o dia me pondo a par dos acontecimentos.

— Então somos três. — Com os olhos em Deanna, Cassie colocou a escultura e o porta-papéis de lado. — Você tem certeza de que está bem?

— Não. — Deanna fechou os olhos por um instante. — Mas preciso estar aqui.

♦ ♦ ♦ ♦

TALVEZ AINDA estivesse com os nervos à flor da pele e sem muita paciência, mas, no meio da manhã, Deanna encontrou certo consolo na rotina básica do escritório. Entrevistas tinham de ser reorganizadas e remarcadas, e outras, totalmente canceladas por falta de tempo. Novos temas para o programa foram propostos e discutidos. Uma vez que se espalhou a notícia de que Deanna estava de volta ao trabalho, os telefones começaram a tocar e as pessoas da sala de redação começaram a subir por pura curiosidade e por autêntica preocupação.

— Benny espera que você dê uma entrevista — disse-lhe Roger. — Uma exclusiva pelos velhos tempos.

Deanna passou-lhe a metade do sanduíche que estava beliscando à mesa sobrecarregada de trabalho.

— Benny pensa muito nos velhos tempos.

— É notícia, Dee. E muito quente quando pensamos que aconteceu bem aqui, na CBC, e envolveu duas grandes estrelas.

*Uma grande estrela*, pensou ela. Qual era a diferença entre uma grande e uma pequena estrela? Ela sabia o que Loren teria dito: uma pequena estrela busca tempo no ar. Uma grande estrela vende esse tempo.

— Acho que preciso de um tempinho. — Esfregou a nuca para aliviar a tensão. — Diga-lhe que vou pensar no assunto.

— Claro. — Tirou os olhos das mãos de Deanna para olhar para as suas. — Eu agradeceria se você decidisse fazer a entrevista e se me deixasse entrevistá-la. — Seus olhos voltaram para ela e depois se desviaram novamente. — Seria uma força. Há boatos de cortes na sala de redação de novo.

— Sempre há boatos de cortes na sala de redação. — Não viu com bons olhos o favor que ele estava pedindo, e não queria se sentir assim. — Tudo bem, Roger, pelos velhos tempos. Só me dê alguns dias.

— Você é maravilhosa, Dee. — E ele se sentiu a pior das criaturas. — É melhor eu descer. Tenho umas gravações para fazer. — Ele se levantou e deixou o sanduíche intacto. — É bom tê-la de volta. Você sabe que se precisar de alguém para ouvi-la, sou todo ouvidos.

— Confidencial?

Roger teve a graça de corar.

— Claro. Confidencial.

Ela estendeu as mãos como para endossar as palavras.

— Desculpe. Estou um pouco sensível. Vou pedir a Cassie que marque uma entrevista para daqui a um ou dois dias, tudo bem?

— Quando você quiser. — Seguiu para a porta. — Isso é uma droga — murmurou ao fechar a porta.

— Pode apostar. — Deanna encostou-se na cadeira, fechou os olhos e se permitiu ouvir somente o vozerio impessoal da televisão do outro lado da sala. Angela estava morta, pensou ela, e sua morte a transformou em uma notícia mais quente do que quando ela estava viva.

Deanna sabia que a terrível verdade era que ela também era uma notícia quente agora. E esse tipo de notícia contribuía para picos de audiência. Desde o assassinato, *A Hora de Deanna*, ou melhor, as reprises do programa, corrigiu ela, haviam aumentado os pontos, derrubando a concorrência. Nenhum programa de entretenimento ou novela podia competir com homicídios e escândalos.

Angela tinha dado à sua maior rival o sucesso que havia esperado roubar dela. Ela só precisou morrer para isso.

— Deanna?

Seu coração pulou na garganta, seus olhos se arregalaram. Do outro lado de sua mesa, Simon saltou da mesma forma violenta que ela.

— Desculpe — disse ele, rapidamente. — Eu acho que você não me ouviu bater.

— Tudo bem. — Aborrecida com sua reação, ela deu uma risada sem graça. — Parece que meus nervos estão mais aflorados do que eu imaginava. Você parece exausto.

Ele tentou sorrir, mas não conseguiu.

— Estou com dificuldade para dormir. — Tateou o bolso à procura de um cigarro.

— Pensei que você tivesse parado de fumar.

— Eu também. — Constrangido, ele mexeu os ombros. — Eu sei que você disse que gostaria de começar a gravar na segunda.

— Isso mesmo. Algum problema?

— É que... — Ele parou e deu uma boa tragada no cigarro. — Eu pensei que, sob essas circunstâncias... mas talvez não importe para você. É que me pareceu que...

Deanna ficou imaginando se as palavras sairiam se lhe agarrasse a língua e a puxasse.

— O quê?

— O set — disse sem pensar e passou a mão nervosa nos cabelos ralos. — Eu pensei que você talvez quisesse mudar o set. As cadeiras... você sabe.

— Oh, meu Deus! — Colocou a mão na boca quando a imagem de Angela morta, sentada confortavelmente na cadeira branca espaçosa, lhe passou pela cabeça. — Oh, meu Deus! Eu não havia pensado.

— Desculpe, Deanna. — Por falta de algo melhor, ele deu um tapinha no ombro dela. — Eu não deveria ter comentado nada. Que idiota que eu sou!

— Não. Não. Graças a Deus que você comentou. Eu não acho que poderia ter lidado... — Ela se imaginou entrando no set e ficando paralisada de espanto e horror. Teria saído gritando, como havia feito antes? — Oh, Simon. Oh, meu Deus!

— Dee. — Sem saber o que fazer, ele bateu no ombro dela novamente. — Eu não queria perturbar você.

— Eu acho que você acabou de salvar minha lucidez. Por favor, ponha alguém para decorá-lo, Simon. Peça que mude tudo. As cores, as cadeiras, as mesas, as plantas. Tudo. Diga que...

Simon já havia tirado um caderno de anotação para escrever as instruções de Deanna. O gesto simples e habitual que, de algum modo, a animava.

— Obrigada, Simon.

— Sou detalhista, lembra? — Apagou o cigarro que fumava pela metade. — Não se preocupe. Teremos uma decoração totalmente nova.

— Mas o mantenha confortável. E por que você não vai para casa mais cedo? Faça uma massagem.

— Eu prefiro trabalhar.

— Eu sei o que você quer dizer.

— Eu não sabia que isso me afetaria assim. — Guardou o caderno no bolso. — Trabalhei com Angela durante anos. Não posso dizer que gostava tanto assim dela, mas eu a conhecia. Eu ficava bem aqui, neste lugar, quando ela estava sentada aí. — Ele levantou os olhos novamente e encontrou os de Deanna. — Agora Angela está morta. Não consigo parar de pensar nisso.

— Nem eu.

— Quem fez isso estava aqui também. — Desconfiado, examinou a sala como se esperasse que alguém saísse de um canto com uma arma na mão. — Meu Deus, sinto muito. Eu só estou assustando nós dois. Eu acho que isso está me consumindo porque a cerimônia fúnebre é hoje à noite.

— Hoje à noite? Em Nova York?

— Não, aqui. Eu acho que ela queria ser enterrada em Chicago, onde teve sua grande oportunidade. Não será uma grande cerimônia ou algo assim, porque... — lembrou-se do motivo e engoliu com dificuldade. — Bem, será apenas uma cerimônia durante o velório. Eu acho que vou.

— Dê os detalhes a Cassie, por favor. Acho que devo ir também.

♦ ♦ ♦ ♦

— *Isso* não é só uma estupidez — disse Finn com uma fúria que mal conseguia controlar. — É loucura.

Deanna observava os limpadores tirarem a chuva de granizo sujo do para-brisa. A neve que caíra ao longo do dia havia se transformado em uma gosma cinzenta e oleosa junto ao meio-fio ao longo das ruas. O granizo que a substituía batia no vidro, frio e desprezível.

Era uma boa noite para um funeral.

Ela levantou o queixo e contraiu a mandíbula.

— Eu lhe disse que você não precisava vir comigo.

— Sim, claro. — Viu a multidão de repórteres amontoados do lado de fora do local do velório e passou direto. — Maldita imprensa.

Ela quase sorriu com o comentário e sentiu o desejo de rir alto. Mas teve medo de que parecesse um momento de histeria.

— Não vou comentar nada sobre o sujo falando do mal-lavado.

— Vou estacionar no final do quarteirão — disse ele com os dentes cerrados. — Vamos ver se conseguimos uma entrada lateral ou nos fundos.

— Desculpe — repetiu quando ele estacionou. — Desculpe por ter arrastado você para fora de casa hoje. — Ela estava com uma dor de cabeça que nem se atrevia a mencionar. E uma sensação desagradável no estômago que prometia piorar.

— Eu não me lembro de ter sido arrastado.

— Eu sabia que você não me deixaria vir sozinha. Então, dá no mesmo. Eu nem posso explicar para mim mesma por que acho que devo fazer isso. Mas tenho de fazê-lo.

De repente, ela se virou para ele e apertou-lhe a mão.

— Quem a matou pode estar aí. Eu fico me perguntando se vou reconhecê-lo. Se ao olhá-lo no rosto, vou saber quem ele é. Tenho pavor só de pensar na possibilidade.

— Mas você ainda quer entrar.

— Eu tenho de entrar.

A chuva de granizo ajudou, pensou ela. Não só estava frio, mas também o tempo exigia que usassem casacos longos e guarda-chuvas. Eles entraram em silêncio, contra o vento. Deanna viu o furgão da CBC antes que Finn virasse a rua para acompanhar a lateral do edifício. Ele a fez entrar, e os dois se molharam quando ele fechou o guarda-chuva.

— Eu odeio esses malditos funerais.

Surpresa, ela examinou o rosto de Finn enquanto tirava as luvas e o casaco. Podia vê-lo agora. Mais do que chateado com ela por ter insistido em ir, mais do que preocupado ou mesmo com medo, havia espanto em seus olhos.

— Desculpe. Eu não sabia.

— Nunca mais fui a um desde... faz anos. Qual é o sentido? O morto está morto. Flores e música no órgão não mudam isso.

— É para consolar os vivos.

— Nunca pensei por esse lado.

— Não vamos demorar. — Ela segurou a mão dele, surpresa ao ver que era ele, e não ela, que precisava de consolo.

Finn pareceu tremer, uma vez.

— Vamos acabar logo com isso.

Saíram de uma antessala. Já podiam ouvir o murmúrio de vozes, as notas abafadas de uma música fúnebre. Muito aliviado, Finn percebeu que não havia uma música ao órgão, mas um duo melancólico de um piano e um violoncelo. Havia aroma de limão, perfume e flores no ar. Ele podia jurar que havia sentido o cheiro de uísque também, como uma lâmina afiada cortando o ar excessivamente adocicado.

O tapete grosso cheio de rosas vermelhas amorteceu o som de seus passos quando atravessaram um amplo corredor. Dos dois lados, portas pesadas de carvalho estavam discretamente fechadas. No final do corredor, elas estavam abertas. A fumaça de cigarros se somava ao miasma de odores.

Ao sentir Deanna tremer, Finn a segurou com mais firmeza na cintura.

— Podemos dar a volta e ir embora. Não há do que se envergonhar.

Ela só fez que não com a cabeça. Então, viu a primeira câmera de televisão. Ao que parecia, a imprensa não estava só amontoada do lado de fora. Várias equipes tiveram permissão para entrar com câmeras, microfones e luzes. Cabos espalhavam-se pelo tapete no salão principal.

Em silêncio, os dois entraram.

O teto da catedral com seu mural pintado com querubins e serafins lançava o murmúrio de vozes e o som de copos para todos os lados.

A sala estava cheia. Ao olhar de um rosto para outro, Deanna se perguntava se via dor, medo ou simplesmente resignação. Angela sentiria que as pessoas estavam chorando por ela na medida adequada? E seu assassino estaria ali para observar?

Finn percebeu que ninguém chorava. Viu comoção e olhares sérios. As pessoas falavam em voz baixa por respeito. E as câmeras registravam tudo. Ele se perguntou, sem pensar, se elas registrariam um rosto que não conseguiria esconder uma expressão de triunfo. Mantinha Deanna ao seu lado, sabendo que o assassino poderia estar no salão, observando.

Havia uma fotografia de Angela em uma moldura dourada. A agradável foto publicitária estava sobre um caixão brilhante de mogno.

A imagem fazia Finn se lembrar de forma muito vívida do que jazia discretamente por baixo da tampa fechada. Sentindo Deanna estremecer ao seu lado, ele instintivamente a puxou para si.

— Vamos embora daqui.

— Não.

— Kansas... — Mas, ao olhar para ela, Finn viu mais do que choque e medo. Viu o que faltava em tantos rostos que enchiam a sala: dor.

— Quaisquer que tenham sido os motivos dela — disse Deanna, tranquilamente —, Angela me ajudou no passado. E quem fez isso com ela me usou. — Sua voz falhou. — Não vou me esquecer.

Tampouco Finn. Era isso que o assustava.

— Seria melhor se Dan Gardner não visse nenhum de nós dois.

Deanna concordou com a cabeça ao vê-lo na frente do salão, recebendo as condolências.

— Ele a está usando também, ainda que morta. É horrível.

— Ele vai se aproveitar da imagem dela por um tempo. Angela teria entendido isso.

— Imagino que sim.

— Uma cena interessante, não? — comentou Loren quando se juntou aos dois. Deu a Deanna um olhar firme e atento e depois fez que sim com a cabeça. — Você parece muito bem.

— Não, eu não. — Agradecida pela mentira, ela o beijou no rosto. — Não pensei que você viesse.

— Eu poderia dizer o mesmo. — Ele aqueceu as mãos frias de Deanna nas suas. — Pareceu-me necessário, de alguma maneira, mas já estou me arrependendo. — Sua expressão passou a ser de desgosto ao olhar por sobre o ombro para Dan Gardner. — Dizem que ele está pensando em levar ao ar partes desta cerimônia junto com o especial que Angela gravou para o próximo mês de maio. E ele está exigindo outros cinco mil dólares por minuto dos patrocinadores. E o filho da puta vai conseguir.

— O mau gosto muitas vezes custa mais que o bom gosto — murmurou Deanna. — Deve ter quinhentas pessoas aqui.

— Fácil, fácil. Um punhado delas até lamenta que ela esteja morta.

— Oh, Loren. — Deanna sentiu uma fisgada no estômago.

— Tenho de admitir que sou uma delas. — Então, ele suspirou e deu de ombros para afastar o clima triste. — Ela teria adorado saber disso. — Para tirar a emoção de sua voz, Loren tossiu levemente na mão. — Sabe, não consigo decidir se Angela merecia ou não Dan Gardner. É uma decisão difícil.

— Tenho certeza de que ela não merecia você. — As lágrimas ardentes em seus olhos fizeram Deanna se sentir uma hipócrita, uma vez que não eram para Angela. — Estamos indo embora, Loren. Por que você não vem com a gente?

— Não, vou ficar até o final. Mas eu acho que você deveria evitar qualquer tipo de publicidade aqui hoje à noite. Saia discretamente.

Quando voltaram para a antessala, Deanna virou-se para Finn.

— Eu não sabia que ele ainda a amava.

— Eu também não. — Ele levantou o rosto dela até que seus olhos estivessem no mesmo nível. — Você está bem?

— Na verdade, estou melhor. — Virou a cabeça e apoiou a bochecha no ombro dele. Percebeu que grande parte do medo havia desaparecido. Aquele pânico que ela já estava quase acostumada a sentir se acalmou.

— Que bom que viemos!

— Com licença. — A voz abafada de Kate Lowell fez Deanna virar a cabeça. Ela estava à porta, elegante e séria com uma roupa de seda preta, os cabelos avermelhados em ondas sobre os ombros. — Lamento interromper.

— Imagine — disse Deanna. — Estávamos de saída.

— Eu também. — Olhou na direção do vozerio e da música. — Não é o tipo de festa de que gosto. — Sorriu discretamente. — Angela era uma puta — disse Kate. — E eu a odiava. Mas não sei ao certo se ela merecia ser usada de maneira tão descarada. — Suspirou uma vez, movendo os ombros como se estivesse afastando o pensamento. — Eu queria beber alguma coisa. E preciso conversar com você. — Olhou para Finn e franziu o cenho. — Imagino que tenha de ser com os dois, e, no momento, isso pouco importa. — Viu Finn levantar uma sobrancelha e sorriu novamente, com mais emoção.

— Sou boazinha, não sou? Olhem só, por que não nos encontramos em um bar? Eu pago a bebida e conto uma historinha que vocês talvez achem interessante.

## Capítulo Vinte e Cinco

♦ ♦ ♦ ♦

— A HOLLYWOOD — disse Kate ao levantar o copo de uísque. — Terra de ilusões.

Confusa, Deanna bebia devagar seu vinho enquanto Finn tomava café.

Não era o tipo de bar onde alguém esperaria encontrar uma das maiores estrelas de Hollywood. O pianista tocava uma melodia triste de *blues* de modo que as notas subiam lentamente no ar carregado de fumaça. O canto onde eles estavam era escuro, como Kate havia pedido. Na mesa cheia de marcas, as bebidas descansavam perto de um cinzeiro de vidro âmbar lascado.

— Você veio de longe para o funeral de alguém de quem não gostava. — Deanna observou as unhas bem-feitas de Kate baterem na mesa ao ritmo do piano.

— Eu estava na cidade. Mas, se não estivesse, teria vindo do mesmo jeito. Pelo prazer de ter certeza de que ela está morta. — Kate deu um gole na bebida novamente e depois pôs o copo de lado. — Eu não acho que você se importava mais com ela do que eu, mas talvez seja mais difícil para você, já que foi quem a encontrou. — Os olhos de Kate se suavizaram ao encararem os de Deanna. — Pelo que dizem, não foi uma cena nada agradável.

— Não, não foi.

— Eu queria que tivesse sido eu — disse Kate baixinho. — Você é muito mansa, sempre foi. Mesmo depois de tudo o que ela fez e tentou fazer com você... Sei muito mais do que possa imaginar — acrescentou ela quando Deanna a examinou. — Coisas que não saíram na imprensa. Angela gostava de fazer alarde. Ela odiava você — inclinou o copo na direção de Finn —, porque você não saía correndo quando ela estalava os dedos.

E o queria exatamente por isso. Ela achava que Deanna estava no caminho dela, em todos os sentidos. Teria feito qualquer coisa para se livrar de Deanna.

— Isso não é novidade. — Observando o copo vazio de Kate, Finn fez sinal para que lhe servissem outro. A mulher estava enrolando, concluiu ele.

— Não, é só uma pequena introdução. — Ela se esticou para trás, mas o gesto sinuoso era de puro nervosismo. — Eu não acho que você ficaria surpresa ao saber que Angela teve bastante trabalho e gastou muito para desenterrar aquela sua história do passado, Deanna. O estupro de seu namorado. Mas o tiro saiu pela culatra, é claro. — Seus lábios formaram um belo sorriso. — Assim como alguns dos projetos dela. Era assim que ela os chamava, em vez de chantagem. — Aborreceu-se por um instante, e os dedos continuaram a bater na mesa. — Rob Winters era um de seus projetos. Marshall Pike também. — Não olhou para a garçonete, mas pôs o copo de lado quando ela o colocou à sua frente. — Há muitos outros. Nomes que deixariam vocês surpresos. Ela contratou um investigador particular chamado Beeker, de Chicago. Angela mantinha o homem bem ocupado, juntando provas para seus projetos. Custou-me cinco mil dólares conseguir o nome dele com a secretária de Angela. Entretanto, todo mundo tem um preço. Eu tive o meu — acrescentou, tranquilamente.

— Você está me dizendo que Angela chantageava as pessoas? — Deanna inclinou-se para a frente. — Ela trocava segredos por dinheiro?

— De vez em quando. Ela preferia trocar segredos por favores. Palavras dela de novo. — Distraída, pôs a mão na vasilha de plástico com vários tipos de nozes. — "Faça-me um favorzinho, querida, que eu guardo esta informação comigo." "Sua esposa tem problema com drogas, senador. Não se preocupe. Não vou dizer uma palavra se você me fizer um favor." Que ganhadora de vários Grammys foi vítima de incesto? Que estrela popular da televisão tem ligação com a Ku Klux Klan? Pergunte a Angela. Para ela, conhecer os segredos de todo mundo se tornou um negócio. E, se estivesse segura de que tinha suas garras bem cravadas em você, talvez lhe contasse esses segredos. Era uma maneira de exibir sua força. Ela estava convencida de que me tinha nas mãos.

— E agora ela está morta.

Kate reconheceu o comentário de Finn com um sim de cabeça.

— Engraçado, agora que Angela não é mais uma ameaça para mim, eu me sinto levada a fazer o que ela sempre usou para me ameaçar. Vou a público. Na verdade, eu havia decidido fazer isso na noite em que ela foi assassinada. A polícia poderia achar conveniente, não? Como um roteiro ruim. Eu a vi naquela noite. — Percebeu o horror nos olhos de Deanna. — Não no estúdio, mas em seu hotel. Nós discutimos. Como havia uma camareira no quarto ao lado, imagino que a polícia já saiba disso.

Kate levantou uma sobrancelha na direção de Finn.

— Sim, dá para ver que pelo menos você já sabia. Pois bem, vou me apresentar à polícia e fazer uma declaração antes que eles me procurem. Eu acho que até ameacei matá-la. — Ela fechou os olhos. — É aquele terrível roteiro de novo. Eu não a matei, mas vocês vão ter de decidir se ainda poderão acreditar em mim depois que eu terminar.

— Por que você está nos contando isso? — perguntou Deanna. — Por que não vai direto à polícia?

— Eu sou uma atriz. Gosto da chance de escolher meu público. Você sempre foi um bom público, Dee. — Estendeu a mão em um gesto rápido de amizade. — E, de qualquer forma, acho que você tem o direito de saber toda a história. Você nunca quis saber por que desisti da ideia de participar de seu programa? Por que eu nunca estava disponível para aparecer nele?

— Sim. Mas acho que já respondeu. Angela estava chantageando você. E o favor que você tinha de fazer era boicotar meu programa.

— Esse era um deles. Eu estava em uma posição maravilhosa e delicada quando você se aproximou de mim há alguns anos. Eu havia participado de dois filmes que foram sucessos de bilheteria. E os críticos me amavam.

Eu era a garota comum que havia se transformado em um símbolo sexual. Não acredite nessa besteira de que as estrelas não leem suas críticas. Eu lia atentamente as minhas. Cada palavra — disse ela com um sorriso demorado e sonhador. — Eu poderia citar algumas das melhores. Tudo o que eu queria era ser uma atriz. Uma estrela — corrigiu ela e encolheu os ombros. — E é assim que os críticos me chamam. A primeira estrela de cinema da nova geração. Uma nova versão de Bacall, de Bergman e de Davis. E não levei anos para isso. Um papel de coadjuvante em um filme que foi um tremendo sucesso e uma indicação ao Oscar. Em seguida, fui protagonista ao lado de Rob, e nós botamos fogo na tela e partimos corações. No filme seguinte, meu nome apareceu antes do título. Minha imagem estava consagrada. Uma mulher que encanta com um sorriso. — Kate riu com isso e bebeu novamente. — A boa moça, a heroína, a mulher que você gostaria que seu filho levasse para jantar em casa. Essa é a imagem. É isso que Hollywood quer de mim, é isso que o público espera. E foi exatamente o que demonstrei ser. Eles me deram muito crédito por meu talento, mas a imagem é tão importante quanto.

Seus olhos ficaram semicerrados.

— Você acha que os produtores e diretores mais importantes, os atores, os homens que decidem que projeto deve decolar e que projeto deve ir para a gaveta encheriam minha agente de propostas se soubessem que sua heroína perfeita, a mulher que ganhou um Oscar por interpretar a mãe extremamente dedicada, havia engravidado aos 17 anos e entregado a filha para adoção sem pensar duas vezes?

Ela riu quando a boca de Deanna se abriu. Mas não foi um som de alegria.

— Não combina, certo? Mesmo nestes tempos mais esclarecidos, quantas pessoas gastariam sete dólares em um ingresso para me ver no papel da heroína sofrida ou cheia de vida?

— Eu não... — Deanna parou para organizar os pensamentos. — Não vejo por que isso seja importante. Você fez uma escolha que tenho certeza de que não foi nada fácil. E você era uma menina.

Entretida, Kate deu uma olhada para Finn.

— Ela é inocente assim mesmo?

— Com relação a algumas coisas. — A despeito do orgulho de ser um juiz veemente do caráter, ele mudou de assunto rapidamente. — Dá para entender por que uma notícia dessa teria abalado o mundo das estrelas. Você teria levado uns golpes da imprensa, mas teria conseguido sair da confusão.

— Talvez. Fiquei com medo. Angela sabia disso. E eu tinha vergonha. Ela sabia disso também. A princípio, ela foi muito compreensiva. "Como deve ter sido difícil para você, querida. Uma menina com toda a vida a perder por causa de um pequeno erro. Como deve ter sido difícil para você fazer o que julgou ser o melhor para a criança."

Chateada consigo mesma, Kate enxugou uma lágrima.

— E, vejam só, uma vez que foi difícil e até horrível, e uma vez que Angela foi compreensiva, eu cedi. Aí ela me teve nas mãos. Ficava me lembrando de que não seria nada bom se certos figurões de Hollywood descobrissem que eu havia cometido esse pequeno erro. Ah, ela entendia, era compreensiva! Mas e eles? O público que comprava ingressos e que me havia coroado como princesa entenderia?

— Kate, você só tinha 17 anos.

Muito lentamente, Kate levantou os olhos para olhar para Deanna.

— Eu tinha idade suficiente para fazer um filho e idade suficiente para abrir mão dele. Idade suficiente para pagar por isso. Espero ser forte o bastante para enfrentar as consequências. — Franziu as sobrancelhas para o copo. Se não resistisse e se fracassasse, isso acabaria com ela. Angela sabia disso. — Há alguns anos, eu não era. Simples assim. Eu não acho que poderia ter sobrevivido às cartas de ódio naquela época, ou aos tabloides, ou às piadas maldosas. — Kate sorriu novamente, mas Deanna percebeu sua dor. — Não posso dizer que estou esperando ansiosa para ver o que vai acontecer. Mas o simples fato é que a polícia, inevitavelmente, vai me rastrear. Mais cedo ou mais tarde, eles vão chegar a Beeker e a todos os arquivos sujos de Angela. Vou escolher o momento e o lugar para fazer meu anúncio público. Eu gostaria de fazer isso em seu programa.

Deanna piscou.

— Como é que é?

— Eu disse que gostaria de fazer isso em seu programa.

— Por quê?

— Por duas razões. Primeiro, para mim, seria a melhor maneira de me vingar de Angela. Você não gosta disso — murmurou ela ao ver a desaprovação nos olhos de Deanna. — Disso gostará mais: eu confio em você. Você tem classe e compaixão. Não vai ser fácil para mim, e eu vou precisar dessas duas coisas. Estou com medo. — Pôs a bebida na mesa. — Detesto essa razão, mas também tenho de admiti-la. Perdi minha filha por causa de minha ambição — disse ela, calmamente. — Já passou — continuou, impetuosa. — Não quero perder o que consegui, Deanna. Aquilo pelo que trabalhei. Para mim, Angela é tão perigosa morta como viva. Pelo menos assim posso escolher o momento certo e o lugar. Tenho muito respeito por você. Sempre tive. Vou ter de falar sobre minha vida particular, minhas tristezas pessoais. Eu gostaria de começar com alguém que respeito.

— Vamos conciliar as agendas — disse Deanna, simplesmente. — Faremos isso na segunda de manhã.

Kate fechou os olhos por um instante e reuniu as forças que lhe restavam.

— Obrigada.

♦♦♦♦

A CHUVA DE granizo havia parado quando eles chegaram em casa, deixando o ar frio, úmido e triste. Nuvens carregadas, escuras, cobriam o céu. Havia luz em uma das janelas da frente, lançando um brilho dourado através do vidro em um sinal acolhedor de boas-vindas. O cachorro começou a latir no momento em que Finn colocou a chave na fechadura.

O retorno para casa deveria ser bom, mas o cheiro sempre presente de tinta fazia-os se lembrarem de que a casa fora invadida. Pedaços grandes de plástico espalhavam-se pelo corredor, e os latidos do cachorro ecoavam no vazio. Louças quebradas e móveis danificados foram tirados de muitos cômodos. Era como ser recebido por um amigo com uma doença terminal.

— Ainda podemos ir para um hotel.

Deanna fez que não com a cabeça.

— Não, seria só outra maneira de se esconder. Não posso deixar de me sentir responsável por isso.

Percebeu a impaciência na voz de Finn. Parou para acariciar o cachorro enquanto ele tirava o casaco.

— Eram suas coisas, Finn.

— Coisas. — Pendurou o casaco no vestíbulo. Na superfície espelhada, viu Deanna curvar a cabeça sobre a do cachorro. — Só coisas, Deanna. Que estão no seguro e podem ser substituídas.

Ela permaneceu onde estava, mas levantou a cabeça. Seus olhos estavam bem abertos e cansados.

— Eu amo tanto você. Detesto saber que ele esteve aqui, que tocou em coisas que eram suas.

Ele se agachou ao lado dela, levando o cachorro, na expectativa, a deitar-se de barriga para cima. Mas Finn segurou-a nos ombros com os olhos ardentes.

— Você é a única coisa que tenho que é insubstituível. Quando conheci você, eu soube pela primeira vez que nada que havia acontecido comigo antes ou que aconteceria depois significaria tanto. Entende isso? — Sua mão impetuosa tocou os cabelos de Deanna. — É muito forte o que sinto por você. É espantoso. E é tudo para mim.

— Sim. — Pôs as mãos no rosto de Finn e guiou a boca dele até a sua. — Eu posso entender isso. — As emoções fluíram naquele beijo, de modo que seus lábios ficaram insistentes e impacientes. Finn puxou seu casaco, mas o cachorro se retorcia no meio deles, choramingando.

— Estamos deixando Cronkite constrangido — murmurou ele, colocando Deanna em pé.

— Deveríamos achar uma cadela para ele.

— Você quer ir ao canil de novo para pegar outro vira-lata.

— Já que você mencionou... — Mas seu sorriso desapareceu rapidamente. — Finn, preciso falar sobre uma coisa com você.

— Parece sério.

— Podemos subir?

Deanna queria o quarto, uma vez que ele estava quase pronto. Finn cuidou para que a reforma daquele cômodo fosse a primeira a ser feita. As coisas que não haviam sido destruídas foram colocadas ali. Sobre a cama, onde ela sabia que uma mensagem desesperada havia sido escrita, a pintura estava fresca e livre de manchas. Finn colocou ali um quadro que havia comprado na galeria, sem que ela soubesse, muito tempo atrás.

*Despertares*. Todas aquelas cores salpicadas, aquela energia e vivacidade. Ele sabia que ela precisaria disso ali, um lembrete da vida. E, assim, o quarto se transformou em um refúgio.

— Você está preocupada com Kate?

— Sim. — Manteve a mão na dele enquanto subiam as escadas. — Mas o que tenho para falar é outra coisa. — Entrou no quarto, aproximou-se da lareira, foi até a janela e depois voltou. — Eu amo você, Finn.

O tom de Deanna deixou-o alerta.

— Já comprovamos isso.

— Amar você não significa que eu tenha o direito de me intrometer em todas as áreas de sua vida.

Curioso, ele inclinou a cabeça. Podia lê-la como se fosse um livro. Ela estava preocupada.

— Que áreas você considera proibidas?

— Você está irritado. — Confusa, jogou as mãos para cima. — Nunca consigo entender por que irrito você com tanta facilidade, especialmente quando estou tentando ser razoável.

— Detesto quando você acha que está sendo razoável. Diga logo, Deanna.

— Tudo bem. O que Angela tinha contra você?

A expressão de Finn mudou subitamente, de impaciência para total confusão.

— Como é?

— Não faça isso. — Ela arrancou o casaco e jogou-o de lado. Com seu elegante terninho preto e sapatos molhados, começou a andar pelo quarto. — Se não quiser me contar, é só dizer. Aceito que qualquer coisa que você tenha feito no passado não está necessariamente ligada à nossa relação.

— Calma aí e pare de andar pelo quarto. O que você acha que eu fiz?

— Sei lá. — Sua voz pareceu-lhe estridente. — Sei lá — disse mais calma. — E se você acha que não preciso saber, vou tentar aceitar. Mas, assim que a polícia interrogar esse tal de Beeker, seu segredo, com certeza, virá à tona.

— Espere um minuto. — Ele levantou as mãos enquanto ela desabotoava o casaco do terninho. — Se estou entendendo bem, e me corrija se eu estiver enganado, você acha que Angela estava me chantageando. Entendi essa parte?

Deanna seguiu para o armário e tirou dele um cabide forrado.

— Eu disse que não me intrometeria se você não quisesse. Eu estava sendo razoável.

— É claro que você estava. — Ele se aproximou, apertou os ombros dela e a levou até uma cadeira. — Agora se sente aí e me diga por que acha que eu estava sendo chantageado.

— Fui me encontrar com Angela naquela noite porque ela disse que sabia algo sobre você. Algo que poderia prejudicá-lo.

Então ele se sentou, na beira da cadeira, enquanto um novo tipo de fúria o consumia.

— Ela atraiu você ao estúdio ao me ameaçar?

— Não diretamente. Não exatamente. — Ela passou a mão nos cabelos. — Nada que Angela me dissesse mudaria meus sentimentos por você. Eu queria ter certeza de que ela entenderia isso. De que nos deixasse em paz.

— Deanna, por que você não me procurou?

Ela recuou com a pergunta simples e racional.

— Porque eu queria cuidar disso sozinha — respondeu rapidamente. — Porque eu não preciso que você nem ninguém resolvam as coisas para mim.

— Não foi isso que você, equivocadamente, tentou fazer por mim?

Isso a fez se calar, mas só por um momento. Ela sabia que era uma discussão entre dois especialistas em entrevistas. E era uma competição que ela não tinha a intenção de perder.

— Você está fugindo do assunto. O que Angela teria me dito, Finn?

— Eu não faço a menor ideia. Eu não sou *gay*, não uso drogas, nunca roubei nada. Exceto algumas revistas em quadrinhos quando tinha 12 anos, e ninguém pôde provar.

— Não vejo graça nenhuma.

— Ela não estava me chantageando, Deanna. Tive um caso com ela, mas isso não era segredo para ninguém. Angela não foi a primeira mulher com quem me envolvi, e não houve nenhuma relação sexual pervertida que eu quisesse esconder. Eu não tenho nenhum envolvimento com o crime organizado e nunca cometi uma fraude. Não escondo filhos ilegítimos. Nunca matei ninguém.

Parou abruptamente, e a expressão divertida de impaciência desapareceu de seu rosto.

— Oh, meu Deus! — Levou as mãos ao rosto e apertou os olhos. — Meu Deus!

— Desculpe. — Esquecendo a competição, ela se levantou de um salto. — Finn, desculpe, eu nunca deveria ter tocado nesse assunto.

— Ela poderia ter feito isso? — disse Finn para si mesmo. — Mesmo Angela seria capaz de fazer uma coisa dessas? E para quê? — Deixou as mãos caírem com uma expressão de assombro nos olhos. — Para quê?

— Feito o quê? — perguntou Deanna, tranquilamente, com os braços ainda em volta dele.

Finn afastou-se um pouco, como se o que estava se passando dentro dele pudesse prejudicá-la.

— Meu melhor amigo da faculdade. Pete Whitney. Tínhamos uma queda pela mesma menina. Uma noite, ficamos bêbados, de cair pelas tabelas, e tentamos arrancar a droga da verdade um do outro enquanto nos atracávamos. Brigamos feio. Tomamos cuidado para que a briga fosse fora do campus. Depois chegamos à conclusão de que ela não valia a pena e bebemos mais.

Sua voz era fria e distante.

— Essa foi a última vez que fiquei bêbado. Pete brincava dizendo que isso era meu sangue irlandês. Que eu podia resolver qualquer assunto com bebida, briga ou conversa. — Lembrou-se de como era na época: irritado, rebelde, agressivo. Determinado a não ser nem um pouco parecido com seus pais frios e civilizados. — Já não bebo mais, e descobri que as palavras normalmente são armas melhores que os punhos. Foi ele que me deu isto. — Finn puxou a cruz celta que estava debaixo da camisa e a fechou dentro da mão. — Pete foi meu melhor amigo, o que mais se aproximava do conceito de família que já tive.

*Foi*, pensou Deanna e sentiu pena por ele.

— Esquecemos a menina. Ela não era tão importante para nenhum de nós como nós éramos um para o outro. Esvaziamos outra garrafa. Com meu olho parecendo um tomate podre de tão inchado, joguei as chaves do carro para ele, me sentei no assento do passageiro e apaguei. Tínhamos 20 anos e éramos tontos. A ideia de entrarmos em um carro completamente bêbados não significava nada para nós. Com essa idade, a pessoa acha que vai viver para sempre. Mas não foi o que aconteceu com Pete.

"Acordei com o grito dele. Foi isso. Eu o ouvi gritar e a única coisa que lembro é acordar com todas aquelas luzes e pessoas à minha volta e com a sensação de que um caminhão havia passado por cima de mim. Ele fez uma curva rápido demais e atingiu um poste. Nós dois fomos lançados para fora do carro. Tive uma concussão, uma clavícula quebrada, um braço quebrado e muitos cortes e escoriações. Pete morreu."

— Oh, Finn. — Ela o envolveu nos braços novamente e assim ficou.

— Como o carro era meu, eles acharam que eu estivesse dirigindo. Iriam me acusar de homicídio culposo na direção de veículo automotor. Meu pai apareceu, mas, quando chegou lá, eles já haviam encontrado várias testemunhas que tinham visto Pete ao volante. Pete já estava morto, é claro. Isso não mudou, tampouco o fato de que eu estava bêbado, fui burro e criminalmente negligente.

Apertou os dedos ao redor do crucifixo de prata.

— Eu não estava escondendo o caso, Deanna. É só uma coisa de que não gosto de me lembrar. Que engraçado, pensei em Pete hoje quando chegamos ao funeral de Angela. Eu não ia a um funeral desde o dele. Sua mãe sempre me culpou. Dá para entender.

— Você não estava dirigindo, Finn.

— Isso realmente importa? — Olhou para ela, embora já soubesse a resposta. — Eu poderia estar ao volante. Meu pai deu dinheiro aos Whitney, e assim o caso foi encerrado. Não fui acusado de nada, nem fui culpado pelo acidente.

Afundou o rosto nos cabelos de Deanna.

— Mas eu fui. Fui tão responsável quanto Pete. A única diferença é que estou vivo e ele não.

— A diferença é que você teve uma segunda chance e ele não. — Ela fechou a mão sobre a dele, de modo que os dois segurassem o crucifixo. — Sinto muito, Finn.

Ele também sentia. Passou a vida adulta se transformando no homem que era, tanto por Pete como por si mesmo. Usava aquele crucifixo todos os dias como se fosse um talismã, sim, e um lembrete.

— Angela poderia ter desenterrado os fatos facilmente — disse Finn. — Ela poderia até ter feito parecer que o dinheiro e o poder dos Riley influenciaram o desfecho do caso. Mas Angela teria chantageado você, não a mim. Ela sabia que, se me procurasse, eu lhe teria dito para publicar a notícia.

— Eu quero falar com a polícia.

Ele a deitou na cama para que ambos se acolhessem, abraçados.

— Vamos falar muitas coisas. Amanhã. — Delicadamente, virou o rosto dela para o seu. — Você teria me protegido, Deanna?

Ela começou a negar, mas viu o brilho nos olhos dele. Sabia que ele reconheceria uma mentira.

— Sim. E daí?

— Daí que... obrigado.

Ela sorriu ao aproximar sua boca da dele.

♦ ♦ ♦ ♦

Não muito longe dali, alguém estava chorando. As lágrimas eram quentes e amargas, e queimavam a garganta, os olhos, a pele. Fotos de Deanna com um sorriso generoso olhavam para aquela figura que se debulhava em soluços. A única luz vinha de três velas, cujas chamas constantes iluminavam as fotos, o único brinco e o tufo de cabelo amarrado por um cordão dourado. Todos os tesouros sobre o altar do desejo frustrado.

Havia pilhas de fitas de vídeo, mas a tela da televisão estava escura e silenciosa naquela noite.

Angela estava morta, mas isso ainda não era suficiente. Profundo, sombrio e insano, o amor havia puxado o gatilho da arma, mas não era suficiente. Era preciso mais.

A luz das velas projetava a sombra de um corpo encurvado, atormentado pelo desespero. Deanna veria — e teria de ver — que era amada, apreciada, adorada.

Havia uma maneira de provar isso.

♦♦♦♦

Finn teria preferido fazer a entrevista sozinho. Jenner teria preferido o mesmo. Uma vez que não conseguiam se livrar um do outro, os dois foram juntos ao escritório de Beeker.

— É melhor você aproveitar ao máximo a situação — disse Jenner. — Estou lhe fazendo um favor ao deixá-lo me acompanhar.

Essa afirmação rendeu a Jenner um olhar gélido.

— Eu não acompanho ninguém, tenente. E deixe-me lembrá-lo de que você não saberia nada sobre Kate Lowell ou Beeker se não tivéssemos procurado você com as informações.

Jenner sorriu e esfregou o queixo, que havia cortado ao fazer a barba.

— E eu tenho o pressentimento de que você não teria me procurado se não fosse a insistência da srta. Reynolds.

— Deanna se sente mais tranquila sabendo que a polícia está à frente das coisas.

— E como ela se sente com relação ao seu envolvimento na investigação? — Silêncio. — Ela não sabe — concluiu Jenner. — Como um homem que completou trinta anos de casado no último mês de julho, deixe-me dizer que você está pisando em terreno perigoso.

— Deanna está apavorada. E vai continuar a se sentir assim até que o assassino de Angela esteja atrás das grades.

— Não posso discutir com isso. Agora vamos tratar desse assunto de Kate Lowell. Sendo um repórter, talvez você não concorde comigo, mas eu acho que ela tem direito à sua privacidade.

— É difícil querer privacidade quando se ganha a vida com a atenção do público. Eu acredito no direito de saber, tenente. Mas não acredito em chantagem, nem em lentes telescópicas colocadas na janela do quarto de alguém.

— Você ficou irritado. — Contente, Jenner passou por um farol amarelo. — Sinto muito por Kate. Ela era uma criança, provavelmente estava assustada.

— Você é manso, tenente.

— De modo algum. Não se pode ser um policial e ser manso. — Mas ele era, droga. E, uma vez que isso o envergonhava, optou por uma reação agressiva. — Mesmo assim, ela poderia ter matado Angela Perkins.

Finn esperou Jenner estacionar em fila dupla e depois colocou no painel o sinal indicando que o carro era de um policial em serviço.

— Convença-me.

— Ela discute com Angela no hotel. Está cansada de Angela e louca de raiva por ter de sofrer por algo que aconteceu quando ainda era praticamente uma criança.

— Lá vem o papo manso de novo. Continue — sugeriu Finn enquanto saía do carro.

— Ela está cansada de Angela fazendo-a se lembrar disso o tempo todo e a ameaçando. Ouve a camareira no quarto, por isso sai. Mas segue Angela até a CBC, confronta a mulher no estúdio e a assassina. Então, Deanna entra, e ela se vale de sua criatividade. Kate trabalha no cinema há anos. Ela sabe como montar uma câmera.

— Sim. — Uma brisa rápida e cortante veio do lago. Finn sentiu seu frescor agradável quando eles atravessaram a rua. — Aí ela decide encobrir seu motivo ao tornar público exatamente aquilo pelo que matou Angela. É melhor que o mundo saiba que ela é uma mãe solteira do que uma assassina.

— Não me convence — concluiu Jenner.

— Nem a mim. Se Beeker tiver a metade da sujeira que Kate acredita que ele tenha, teremos mais uma dezena de cenários até a hora do jantar. — Eles entraram no prédio de escritórios, e Jenner mostrou seu distintivo ao segurança no saguão.

Uma vez lá em cima, Jenner examinou o amplo corredor. As pinturas a óleo eram originais e muito boas. O carpete era grosso. Plantas altas e frondosas estavam inseridas em nichos a cada poucos metros.

As portas da Investigações Beeker eram de vidro e davam para uma recepção arejada com um pinheiro em miniatura.

Uma morena bem-arrumada de trinta e poucos anos estava sentada atrás de uma mesa de recepção circular acomodada em blocos de vidro.

— Em que posso ajudá-los?

— Beeker. — Jenner entregou à recepcionista sua identificação.

— O sr. Beeker está em uma conferência, tenente. Algum de seus sócios pode ajudá-lo?

— Beeker — disse ele novamente. — Vamos esperar, mas, se eu fosse você, telefonaria para ele.

— Muito bem. — Seu sorriso simpático endureceu. — Posso perguntar do que se trata?

— Homicídio.

— Que tato! — murmurou Finn quando se aproximaram das cadeiras almofadadas na área de espera. — Parece algo que o detetive Joe Friday faria na TV. — Passou novamente os olhos pelo lugar. — Muito elegante para um investigador particular.

— Um par de clientes como Angela Perkins significa que esse cara ganha em um mês o que eu ganho em um ano.

— Tenente Jenner? — A recepcionista, obviamente irritada, estava em pé no centro da sala. — O sr. Beeker irá recebê-lo agora. — Ela os conduziu por outra série de portas de vidro e passou por vários escritórios. Bateu suavemente na porta no final do corredor e a abriu.

Clarence Beeker era como seu escritório: bem-arrumado, discretamente elegante e prático. Um homem de altura mediana e corpo esbelto, ele se levantou atrás de sua mesa. A mão que estendeu era de ossos longos.

Os cabelos estavam ficando elegantemente grisalhos nas têmporas, e ele tinha um rosto fino que era mais vistoso com as rugas e linhas causadas pelo tempo. Seu corpo estava obviamente confortável debaixo de seu terno Savile Row.

— Posso ver sua identificação? — Sua voz era suave, como creme fresco sobre um café quente.

Jenner estava decepcionado. Esperava que Beeker fosse um homem largado.

Examinou a placa metálica depois de colocar os óculos de leitura com armação prateada.

— Eu o reconheço, sr. Riley. Assisto com frequência ao seu programa nas terças à noite. Já que está acompanhado por um repórter, detetive Jenner, imagino que esta seja uma visita extraoficial.

— É oficial — corrigiu Jenner. — O sr. Riley está aqui como representante do prefeito. — Nem Jenner nem Finn pestanejaram em reação à mentira descarada.

— É uma honra. Por favor, sentem-se. Digam em que posso ajudá-los.

— Estou investigando o assassinato de Angela Perkins — começou Jenner. — Ela era cliente sua.

— Sim. — Beeker acomodou-se atrás de sua mesa. — Fiquei chocado e chateado ao ler sobre a morte dela.

— Temos informações que nos levam a acreditar que a falecida estava chantageando muitas pessoas.

— Chantagem. — As sobrancelhas grisalhas de Beeker se levantaram. — Parece um termo pouco atrativo para uma mulher muito atraente.

— Também é um motivo atraente para o assassinato — disse Finn. — Você investigou pessoas para a srta. Perkins.

— Cuidei de vários casos da srta. Perkins ao longo de nossa associação de dez anos. Dada a natureza de sua profissão, era vantajoso para ela estar a par de detalhes, antecedentes e hábitos pessoais das pessoas que entrevistava.

— O interesse e o uso que ela fazia desses hábitos pessoais podem ter levado à sua morte.

— Sr. Riley, fiz investigações e apresentei relatórios para a srta. Perkins. Tenho certeza de que você entende essas duas funções. Eu não tinha nenhum controle sobre o uso que ela fazia das informações que eu lhe dava, assim como você não tem do uso que o público faz das informações que você lhe dá.

— E nenhuma responsabilidade.

— Nenhuma — concordou Beeker, de forma simpática. — Prestamos um serviço. A Investigações Beeker tem uma excelente reputação porque somos qualificados, discretos e confiáveis. Agimos de acordo com a lei, detetive, e um código de ética. Se nossos clientes agem ou não da mesma forma, isso é problema deles, não nosso.

— Uma de suas clientes levou um tiro no rosto — disse Jenner em poucas palavras. — Gostaríamos de ver cópias dos relatórios que você fez para a srta. Perkins.

— Por mais que eu queira cooperar com a polícia, infelizmente isso não é possível. A menos que você tenha uma ordem judicial — disse ele cordialmente.

— Você não tem uma cliente para proteger, sr. Beeker. — Jenner inclinou-se para a frente. — O que restou dela está em um caixão.

— Eu sei disso. No entanto, eu tenho um cliente. O sr. Gardner contratou serviços desta empresa. Como ele é ex-marido e beneficiário da falecida, estou moralmente obrigado a ceder aos seus desejos.

— Quais são eles?

— Investigar o assassinato de sua esposa. Para ser franco, senhores, o sr. Gardner está insatisfeito com a investigação da polícia até o momento. E, como ele era meu cliente quando sua esposa era viva e continua a ser depois da morte dela, em termos éticos, não posso entregar meus arquivos sem uma ordem judicial. Tenho certeza de que vocês entendem minha posição.

— E você entenderá a minha — disse Finn, cordialmente. — Como representante ou não, sou um repórter. Como tal, tenho a obrigação de informar. E seria interessante que o público tomasse conhecimento do tipo de trabalho que você fez para Angela. Fico imaginando quantos de seus outros clientes gostariam dessa ligação.

Beeker enrijeceu.

— Ameaças, sr. Riley, não são bem-vindas.

— Tenho certeza de que não. Mas isso não as torna menos viáveis. — Finn olhou para seu relógio. — Eu acho que tenho tempo suficiente para inserir uma nota rápida no noticiário da noite. Amanhã poderemos apresentar uma versão mais detalhada.

Com os dentes cerrados, Beeker pegou o telefone e conversou baixinho com sua secretária.

— Vou precisar de cópias dos arquivos de Angela Perkins. Todos eles. — Pôs o telefone no gancho e entrelaçou os dedos. — Vai levar alguns minutos.

— Temos muito tempo — assegurou-lhe Jenner. — Enquanto esperamos, por que você não nos fala onde estava na noite em que Angela Perkins levou um tiro?

— Com prazer. Eu estava em casa, com minha esposa e minha mãe. Pelo que me lembro, jogamos *bridge* até quase meia-noite.

— Então, você não objetará que interroguemos sua esposa e sua mãe.

— É claro que não. — Embora não estivesse contente de terem lhe passado a perna, Beeker era um homem prático. — Os senhores aceitam uma xícara de café enquanto esperamos os arquivos?

# Capítulo Vinte e Seis
♦♦♦♦

Fazia mais de uma hora que Marshall Pike esperava em seu carro no estacionamento da CBC quando Deanna, finalmente, saiu. Sentiu seus músculos ficarem rápida e espontaneamente tensos quando a viu: em parte por raiva e em parte por desejo. Nos últimos dois anos, ele havia sido obrigado a se contentar com imagens dela na tela da televisão. Vê-la naquele momento na penumbra do fim de tarde, de saia curta e com suas pernas bem-torneadas enquanto seguia depressa para o sedã escuro, era algo que ia além de suas lembranças.

— Deanna — chamou enquanto saía rapidamente de seu carro.

Ela parou e olhou para ele, examinando com curiosidade em meio à noite que escurecia rapidamente. O sorriso rápido e amigável de cumprimento desapareceu.

— Marshall, o que você quer?

— Você nunca retornou nenhuma de minhas ligações. — Ele se repreendeu por parecer petulante. Queria parecer forte, dinâmico.

— Eu não estava interessada em falar com você.

— Você vai falar comigo. — Ele a segurou pelo braço. Seu gesto fez o motorista de Deanna sair do carro.

— Peça para seu amiguinho se afastar, Deanna. É claro que você pode me dar cinco minutos.

— Está tudo bem, Tim. — Mas tirou a mão de Marshall antes de se virar para seu motorista. — Não vou fazê-lo esperar muito.

— Sem problema, srta. Reynolds. — Mediu Marshall com o olhar e depois tirou o quepe. — Sem problema nenhum.

— Se pudéssemos conversar em particular... — Marshall fez sinal para o outro lado do estacionamento. — Seu vigia poderá ver você, Deanna. Tenho certeza de que ele virá correndo socorrê-la se eu tentar alguma coisa.

— Eu acho que posso me virar sozinha. — Ela atravessou o estacionamento com ele, esperando que o encontro fosse breve. — Já que não consigo pensar em algo que temos para conversar em um nível pessoal, imagino que você queira falar comigo sobre Angela.

— Deve ter sido difícil para você. Encontrá-la...

— Sim, foi.

— Eu posso ajudar você.

— Como profissional? — Sua sobrancelha arqueou. O vento e a raiva davam cor às suas bochechas, uma expressão ríspida aos seus olhos. — Não, obrigada. Diga o que você quer.

Por um instante, ele ficou olhando para ela. Deanna ainda era perfeita, viçosa, sedutora. Toda olhos luminosos e lábios úmidos.

— Jante comigo — disse ele, finalmente. — No restaurante francês de que você sempre gostou tanto.

— Marshall, por favor. — Não havia raiva em sua voz, somente pena. Isso arranhava o ego de Marshall como se fosse uma lâmina enferrujada.

— Ah, sim. Parece que me esqueci de parabenizá-la por seu noivado com nosso espirituoso correspondente.

— Obrigada. É só isso?

— Eu quero o arquivo. — Diante do olhar apático de Deanna, ele a agarrou com força. — Não finja que não me entendeu. Eu sei que Angela lhe deu uma cópia do relatório do investigador sobre mim. Ela me disse. Ela estava exultante com isso. Eu não pedi antes porque esperava que você percebesse o que eu poderia lhe oferecer. Agora, sob as atuais circunstâncias, preciso dele.

— Não estou com ele.

A raiva escureceu o rosto de Marshall.

— Está mentindo. Ela o entregou a você.

— Sim, entregou. — Seu braço latejava agora, mas ela se recusou a tentar soltá-lo. — Você realmente acha que eu teria ficado com ele? Eu o destruí há muito tempo.

Ele agarrou os braços dela e quase a levantou do chão.

— Não acredito em você.

— Não estou nem aí se você acredita ou não. Não estou com ele. — Mais furiosa do que assustada, ela lutou para se soltar dele. — Você não entende que eu não me importava o bastante para guardá-lo? Você não era importante o bastante para mim.

— Sua vagabunda. — Muito enfurecido para pensar com clareza, ele a arrastou para seu carro. — Você não vai me ameaçar com aquele arquivo. — Gemeu, escorregando os sapatos no pavimento enquanto era puxado pelas costas. Caiu feio no chão, ferindo o quadril e sua dignidade.

— Não, Tim, não faça isso. — Embora estivesse tremendo, Deanna agarrou o braço de seu motorista antes que ele pudesse colocar Marshall em pé e derrubá-lo novamente.

Tim alisou seu casaco volumoso enquanto via Marshall derrubado.

— A senhorita está bem, srta. Reynolds?

— Sim, estou bem.

— Ei! — Com um boné de beisebol cobrindo os olhos e uma câmera no ombro, Joe atravessou correndo o estacionamento. — Dee? Você está bem?

— Sim. — Apertou a mão na têmpora enquanto Marshall se levantava. Perfeito, pensou ela. Imagens daqui a dez minutos. — Sim, estou bem.

— Eu estava entrando no estacionamento quando vi este sujeito discutindo com você. — Joe estreitou os olhos. — É o psicólogo, não é? — Deu um tapa no peito de Marshall antes que o médico pudesse sair em direção ao seu carro. — Espere aí, colega. Dee, você quer que eu ligue para a polícia ou Tim e eu devemos mostrar para esse vagabundo o que acontece com homens que intimidam mulheres?

— Solte-o.

— Tem certeza?

Deanna olhou nos olhos de Marshall. Algo neles parecia haver morrido, mas ela não conseguia ver compaixão.

— Sim, solte-o.

— A dama está lhe dando uma nova oportunidade — murmurou Joe. — Se eu pegar você perturbando-a de novo, não serei tão bonzinho.

Em silêncio, Marshall entrou em seu carro. Travou as portas e colocou o cinto de segurança antes de sair do estacionamento.

— Tem certeza de que ele não a machucou, srta. Reynolds?

— Sim. Ele não me machucou. Obrigada, Tim.

— Sem problema. — Tim voltou orgulhoso para o carro.

— Você bem que podia ter me deixado dar uns murros nele. — Joe suspirou com pesar antes de voltar a olhar para Deanna. — Está assustada, hein? — Ele olhou para a câmera em seu ombro e fez uma careta. — Fiquei tão pê da vida que nem gravei nada.

Isso pelo menos já era alguma coisa.

— Eu acho que não vai adiantar pedir para você não mencionar nada disso na sala de redação.

Ele abriu um sorriso largo enquanto a acompanhava até o carro.

— Não vai adiantar nadinha. Notícia é notícia.

◆ ◆ ◆ ◆

Ela não queria contar para Finn o que havia acontecido, mas eles tinham um trato. Nada de esconder coisas. Esperava que Finn trabalhasse até tarde, mas quis o destino que ele abrisse a porta e a cumprimentasse com um beijo longo e molhado.

— Oiê!

— Oi — respondeu ela logo atrás dele e deu a Cronkite o carinho que ele pedia.

— Tivemos uma mudança na agenda, por isso cheguei em casa um pouco mais cedo. — A mudança na agenda foi cancelar todos os seus compromissos e passar a tarde com Jenner lendo os arquivos de Beeker. — O jantar está pronto.

Cooperando, Deanna fareja o ar.

— O cheiro está ótimo.

— Receita nova. — Com uma sobrancelha erguida, pôs o dedo debaixo do queixo de Deanna. — O que foi?

— O quê?

— Você está agitada.

Ela fez uma cara feia e afastou a mão dele.

— Droga, Finn, isso irrita. Você não sabe que uma mulher gosta de pensar que tem certo mistério? — Ainda na expectativa, tirou o casaco e o pendurou no vestíbulo.

— O que aconteceu, Kansas?

— Conversamos mais tarde. Estou morrendo de fome.

Ele simplesmente se moveu e impediu a passagem dela.

— Diga.

Deanna podia discutir, mas, uma vez que o que precisamente queria era evitar uma discussão, que sentido teria?

— Você promete me ouvir até o fim sem reagir de forma exagerada?

— Claro. — Ele sorriu, passou o braço nos ombros dela e a levou até as escadas. Eles se sentaram no primeiro degrau com o cachorro alegre aos seus pés. — É alguma coisa sobre Angela?

— Não diretamente. — Ela deu um longo suspiro. — Foi Marshall. Ele, de certa forma, me preparou uma emboscada no estacionamento.

— Emboscada?

Seu tom frio deixou-a alerta. Mas, quando ergueu os olhos para olhar para Finn, ele parecia calmo o bastante.

— É só um jeito de falar. Marshall estava transtornado. Você sabe que não retornei as ligações dele. — Uma vez que Finn não disse nada, ela desatou a falar. — Ele estava um pouco irritado e transtornado, só isso. Por eu não ter retornado as ligações. E por causa dos arquivos que Angela enviou para mim. Eu falei deles para você. Marshall colocou na cabeça que estão comigo. É claro, com a investigação em andamento, ele está preocupado. É natural.

— É natural — repetiu Finn, cordialmente.

Ele ficaria sabendo do resto do mesmo jeito, lembrou Deanna. Por Joe ou por outra pessoa da sala de redação. Isso seria pior.

— Tivemos uma briga.

Havia uma luz perigosa nos olhos de Finn.

— Marshall botou as mãos em você?

Deanna encolheu os ombros na esperança de deixar o clima mais leve.

— De certo modo, sim. Na verdade, foi aquele negócio de empurrar um ao outro. Mas Tim estava lá — acrescentou ela, rapidamente. — E Joe. Então, não aconteceu nada. Nada mesmo.

— Marshall botou as mãos em você — repetiu Finn. — E ameaçou você?

— Não sei se poderia chamar aquilo de ameaça. Foi só... Finn! — Ele já estava em pé pegando o casaco. — Finn, que droga! Você disse que seria razoável.

A olhada que ele lhe deu foi tão surpreendentemente fria que seu coração quase parou.

— Eu menti.

Com os joelhos batendo um no outro, Deanna correu atrás dele quando ele saiu de casa. O frio e a expressão nos olhos de Finn fizeram-na bater os dentes enquanto ela tentava colocar seu casaco.

— Pare com isso agora! Já! O que você vai fazer?

— Vou explicar para Pike por que ele deve manter as mãos longe de minha mulher.

— Sua mulher? — Aquela foi a gota d'água. Ela entrou na frente de Finn e começou a bater as mãos no peito dele. — Não me venha com essa besteira de macho para cima de mim, Finn Riley. Eu não vou...

Sua voz parou na garganta quando ele a segurou pelos cotovelos e a tirou do chão. Os olhos de Finn estavam pegando fogo.

— Você é minha mulher, Deanna. Isso não é um insulto; é um fato. Qualquer um que maltratar você, qualquer um que ameaçar você, terá de se ver comigo. Algum problema com isso?

— Não. Sim. — Seus pés tocaram no chão com um golpe, e ela rangeu os dentes. — Eu não sei. — Como ela conseguiria pensar quando tudo o que podia ver eram aqueles olhos furiosos e mortais lhe atravessando? — Vamos entrar e conversar de forma sensata.

— Vamos conversar quando eu voltar.

Ela correu para o carro atrás dele.

— Eu vou com você. — Havia uma chance, ainda que pequena, de que pudesse convencê-lo.

— Entre, Deanna.

— Eu vou com você. — Ela abriu a porta, entrou no carro e a bateu com força. Ele não era o único que podia meter medo com os olhos. — Se *meu homem* vai fazer papel de bobo, eu quero estar lá para ver. Algum problema com isso?

Finn bateu a porta e girou a chave.

— Que droga!

♦ ♦ ♦ ♦

A melhor coisa que Deanna podia esperar agora era que Marshall não estivesse em casa.

O vento aumentava e ameaçava nevar. Passava pelos cabelos de Finn e revirava-os em seu rosto enquanto ele seguia para a porta de Marshall. Ele só tinha uma coisa na cabeça e, como um bom repórter, ignorou todas as outras distrações: as imprecações murmuradas por Deanna, o barulho de pneus na rua, o frio dormente no ar.

— Marshall não vale nada. — Deanna disse pela centésima vez. — Ele não vale a cena que você está fazendo.

— Não tenho intenção de fazer uma cena. Vou falar, e ele vai me ouvir. E aí, a menos que eu esteja muito enganado, você nunca mais irá vê-lo ou ouvi-lo de novo.

Finn estava querendo uma confrontação com Marshall desde o dia em que Deanna saiu correndo do prédio da CBC, aos prantos, e caiu em seus braços. Ele já podia sentir a grande satisfação de prazer postergada.

Deanna viu Finn com os olhos semicerrados como os de um predador quando a porta se abriu. Sentiu um aperto no estômago e só lhe ocorreu um pensamento precipitado: colocar-se entre os dois.

Mas Finn não se jogou contra Marshall, como ela temia. Ele simplesmente passou pela porta e entrou no vestíbulo.

— Não acho que o convidei a entrar. — Marshall correu um dedo pela gravata preta de seu smoking. — E, infelizmente, estou de saída.

— Resolveremos isso o mais rápido possível, porque não acho que Deanna esteja à vontade aqui.

— Deanna sempre é bem-vinda em minha casa — disse Marshall, duramente. — Você não.

— O que você não parece entender é que ela e eu somos uma dupla. Ao ameaçá-la, você está me ameaçando. Não reajo bem a ameaças, dr. Pike.

— Minha conversa com Deanna foi pessoal.

— Errou de novo. — Finn aproximou-se. O brilho feroz em seus olhos fez Marshall dar um passo para trás. — Se você voltar a se aproximar dela, se botar as mãos nela de novo, eu vou acabar com você em todos os sentidos que você pode imaginar.

— Existem leis que protegem um homem de uma agressão física em sua própria casa.

— Eu tenho formas melhores de lidar com você. O arquivo de Angela sobre você foi muito interessante, Pike.

Os olhos de Marshall correram para Deanna.

— Ela não tem o arquivo. Ela o destruiu.

— É verdade, Deanna não o tem. Mas você não sabe o que eu tenho, sabe?

A atenção de Marshall voltou para Finn.

— Você não tem o direito...

— Eu me baseio na Primeira Emenda. Fique longe, Pike, bem longe. Do contrário, vou parti-lo em dois.

— Seu canalha! — O medo de ser exposto instigou Marshall, que tentou acertar Finn mais por pânico que por intenção. Finn facilmente desviou-se do golpe e, em seguida, deu-lhe um soco na barriga.

Tudo acabou em questão de segundos. Deanna não fez mais do que responder com um grunhido. Marshall não fez mais do que gemer. E Finn, percebeu ela surpresa, não fez som algum.

Então, ele se agachou, assustadoramente elegante e calmo.

— Ouça com atenção. Nunca mais se aproxime de Deanna. Não ligue, não escreva, não lhe envie telegramas. Você está me entendendo? — Ficou satisfeito quando Marshall piscou. — Isso encerra nossa breve entrevista. — Recuou até o lugar na varanda onde Deanna ainda estava, boquiaberta. Calmamente, fechou a porta. — Vamos.

As pernas de Deanna estavam bambas. Teve de apertar os joelhos para que parassem de tremer.

— Meu Deus, Finn. Meu Deus!

— Vamos ter de esquentar o jantar — disse ele enquanto a conduzia até o carro.

— Você... quero dizer, você... — Ela não sabia o que queria dizer. — Não podemos deixá-lo lá.

— É claro que podemos. Ele não precisa de um médico, Deanna. Eu só amassei o smoking dele e lhe feri o ego.

— Você bateu nele. — Uma vez sentada no carro e com o cinto de segurança, ela apertou as mãos na boca.

O mau humor de Finn havia passado. Ele parecia feliz enquanto dirigia o carro, cortando a noite açoitada pelo vento.

— Não é exatamente meu estilo, mas, já que foi ele que começou, funcionou para mim.

Deanna virou a cabeça. Não podia explicar, não podia *acreditar* no que estava sentindo. O modo como Finn havia atingido Marshall com palavras. Afiadas e frias como uma espada. E depois movimentado seu corpo para o lado com a graça de um dançarino. Ela não havia previsto o golpe, assim como Marshall também não. Finn havia se movido de maneira tão rápida, tão impressionante... Ela apertou a mão na barriga e deu um pequeno gemido.

— Pare o carro — disse Deanna com a voz abafada. — Agora.

Ele parou, com medo de que ela estivesse passando mal, aborrecido por não ter conseguido convencê-la a ficar em casa.

— Calma, Deanna. Lamento que você tenha tido de ver isso, mas...

Qualquer coisa que ele quisesse dizer se perdeu quando ela se lançou sobre ele. Com um movimento leve, tirou o cinto de segurança e o beijou. Sua boca estava quente, úmida e ansiosa. Surpreso e excitado no mesmo instante, Finn sentiu a batida violenta do coração de Deanna.

E suas mãos. Meu Deus! Suas mãos.

Carros passavam a toda velocidade por eles. Ele só conseguia gemer enquanto Deanna mergulhava a boca na dele, a língua ávida, os dentes ferozes.

Os dois estavam ofegantes quando ela se inclinou para trás.

— Bem — conseguiu falar Finn, mas sua mente não pensou em mais nada. — Bem...

— Não me orgulho disso. — Deanna caiu para trás no assento, o rosto corado, os olhos brilhantes. — Não aprovo intimidação nem briga. De maneira nenhuma. Meu Deus! — Com meio sorriso, fechou bem os olhos. Seu corpo vibrava como um motor superaquecido. Ela descobriu que a razão pode ser completamente dominada pelas emoções. — Vou explodir. Dirija rápido, por favor.

— Claro. — Sua mão ansiosa tremeu um pouco quando ele girou a chave novamente. Então, ao pisar no acelerador, começou a sorrir. O sorriso transformou-se em uma gargalhada brusca que veio do fundo da garganta. — Deanna, estou louco por você.

Ela teve de fechar as mãos para se conter e não arrancar as roupas dele.

— Nós dois estamos loucos — concluiu ela. — Dirija mais rápido.

♦ ♦ ♦ ♦

𝓜ARSHALL CONSOLAVA-SE como podia, apertando os músculos atingidos da barriga, tomando analgésicos. Vergonha e fúria tiraram-no de casa. Optou por um copo de bebida, primeiro, depois dois, antes de comparecer ao seu compromisso na ópera.

Não imaginou que gostaria da música nem da companhia. Mas as duas coisas acalmaram-no. Ele era um homem civilizado, lembrou para si mesmo. Um homem respeitado. Não seria intimidado por um repórter metido à besta como Finn Riley. Simplesmente esperaria o momento certo, com calma.

Maravilhado com a ária final da diva, Marshall ainda se sentia sereno quando parou o carro à entrada de casa, embora sentisse muitas dores no estômago. Ele sabia que outra dose de analgésico aliviaria a dor. A fúria e a frustração haviam diminuído com a música de Mozart. Cantarolando baixinho, ligou o alarme do carro. Se Deanna tivesse o arquivo, e ele já não mais podia ter certeza disso, iria convencê-la a devolvê-lo a ele. Mas esperaria até que Riley estivesse viajando a trabalho.

Marshall prometeu para si mesmo que eles conversariam e, finalmente, deixariam o passado para trás. Assim como Angela havia ficado para trás.

Seus olhos brilharam enquanto ele pegava as chaves. Pensou ter visto um movimento à sua esquerda. Teve tempo de se virar, tempo de entender. Não teve tempo de gritar.

♦ ♦ ♦ ♦

𝓕INN OBSERVAVA Deanna dormir quando o telefone tocou. Os dois haviam começado a se provocar no vestíbulo e subiram lentamente as escadas. No meio do caminho, decidiram, taticamente, que já haviam aguentado muito.

Sorriu ao se lembrar de como ela arrancara suas roupas. E o atacara, pensou ele, convencido. É claro que ele havia sido a vítima por livre e espontânea vontade, mas ela revelara uma surpreendente energia e uma espantosa resiliência. Ele quase se arrependeu por não ter tratado Pike daquele modo antes.

Espantou todos os pensamentos sobre o psicólogo ao relaxar, excitando-se deliciosamente quando Deanna se enroscou nele.

Finn não iria despertá-la, embora a ideia fosse muito tentadora. Estava aliviado por ver que ela não mais se debatia, virava ou acordava tremendo como havia acontecido várias noites depois do assassinato de Angela. Em vez disso, ficou simplesmente desfrutando do modo delicioso com que o corpo dela se encaixava no seu.

Praguejou quando o telefone tocou e ela acordou.

— Calma. — Como Deanna, ele não esperava ouvir outra coisa senão uma respiração quando atendeu o telefone.

— Finn? Aqui é Joe.

— Joe. — Viu a tensão desaparecer dos ombros de Deanna. — Acho que talvez seja inútil dizer que passa de uma da madrugada.

— Tenho uma informação para você, colega. Eu estava com Leno monitorando o rádio da polícia. Pegamos um homicídio no Lincoln Park.

— Eu não trabalho com esse tipo de furo jornalístico.

— De acordo, Finn. Mas eu imaginei que você gostaria de saber agora, em vez de ouvir a notícia no noticiário da manhã. Tem a ver com Pike. Sabe, o psicólogo que perturbou Dee hoje. Alguém o matou.

Finn olhou para Deanna.

— Como?

— Do mesmo jeito que foi com Angela. No rosto. Meu contato na polícia não me passou muita coisa. Mas o crime aconteceu na porta da casa dele. Um vizinho disse ter ouvido tiros por volta da meia-noite. Um policial foi verificar e o encontrou. Estou ligando da delegacia. Temos uma unidade no local. Será a principal notícia do *Noticiário da Manhã*.

— Obrigado.

— Achei que Dee aceitaria melhor a notícia se você a desse.

— Sim. Você me mantém informado?

— Pode apostar.

Abatido, desligou o telefone.

— Aconteceu alguma coisa. — Deanna podia ver isso no rosto de Finn, no modo como o ar parecia pesado em volta dele. — Diga de uma vez, Finn.

— Tudo bem. — Ele pôs as mãos em cima das dela. — Marshall Pike foi assassinado.

As mãos de Deanna tremeram uma vez e depois ficaram paradas.

— Do mesmo jeito que Angela? Foi do mesmo jeito que Angela, não foi?

— Parece que sim.

Ela ficou com um som sufocado na garganta, que desapareceu quando ele a segurou.

— Estou bem. Precisamos contar à polícia o que aconteceu hoje depois do trabalho. Deve ter alguma ligação com o assassinato.

— É possível.

— Sem rodeios. — Deanna saiu da cama. — Marshall me incomodou hoje, e nós fomos à sua casa. Horas depois, ele foi assassinado. Não podemos fingir que uma coisa não tem nada a ver com a outra.

— E se tiver, o que você pode fazer?

— Qualquer coisa que estiver ao meu alcance. — Passou um suéter pela cabeça e pegou a calça no armário. — Mesmo não tendo puxado o gatilho, eu sou a causa, e deve haver alguma coisa que eu possa fazer.

Sem resistir quando Finn a envolveu com os braços, ela se agarrou a ele e afundou o rosto em seu ombro.

— Eu tenho de fazer alguma coisa, Finn. Do contrário, não vou aguentar.

— Vamos procurar Jenner. — Segurou o rosto dela nas mãos e a beijou. — Vamos pensar em alguma coisa.

— Está bem. — Terminou de se vestir em silêncio. Tinha certeza de que ele não se sentira culpado por ter derrubado Marshall apenas horas antes, porque considerava o que havia feito como um puro e simples ato de justiça.

Seria isso também o que pensava o assassino de Marshall?

A ideia a fez se sentir mal.

— Vou esperar lá embaixo — disse enquanto ele pegava as botas.

Deanna viu o envelope antes de chegar ao pé das escadas. Ele estava enrugado, e seu branco se destacava no piso brilhante do vestíbulo, a alguns centímetros da porta. Sentiu uma dor rápida, uma fisgada no estômago como se tivesse levado um soco ali. Então, ficou aturdida, atravessou o piso lustrado e se curvou.

Abriu o envelope enquanto Finn descia as escadas atrás dela.

— Droga. — Ele o tirou da mão trêmula de Deanna e leu.

Ele nunca mais vai machucar você.

Quando os dois saíram da casa, alguém os estava observando com o coração cheio de amor, desejo e uma terrível dor. Matar por ela não era nada. Isso já havia sido feito antes e precisaria ser feito novamente.

Talvez, assim, ela finalmente entendesse.

## Capítulo Vinte e Sete
♦ ♦ ♦ ♦

JEFF ESTAVA em pé na sala de controle que dava de frente para o estúdio, mordendo os lábios, agitado. Deanna estava para gravar seu primeiro programa desde a morte de Angela.

— Câmera três em Dee — ordenou ele em voz alta. — Câmera dois, sem zoom. Imagem mais ampla e panorâmica, câmera um. Quero Dee fechada na imagem, câmera três, com música. Ótimo, ótimo, aplausos. Vídeo de playback.

Aplaudiu, e os que estavam na sala de controle também. Daquela posição, que tinha uma visão panorâmica do estúdio, eles podiam ver o público em pé e aplaudindo.

— Aproveite — ordenou Jeff. Ah, sim, pensou ele, compartilhando o triunfo. Ela está de volta. — Aproveite os aplausos.

Lá embaixo estava Deanna em pé no novo set, com seus tons vivos e arranjos alegres de azevinhos, deixando-se envolver pela onda de aplausos. Ela sabia que era uma demonstração de apoio e de acolhida. Não se preocupou em piscar os olhos cheios de água para conter as lágrimas. Não pensava nisso.

— Obrigada. — Soltou um suspiro longo e instável. — É muito bom estar de volta. Eu... — Parou enquanto passava os olhos na multidão. Rostos familiares espalhavam-se por entre os estranhos. Rostos da sala de redação, da produção. O prazer que ela sentia irradiava em seu rosto. — É muito bom ver vocês. Antes de começarmos, eu gostaria de agradecer a vocês pelas cartas e ligações ao longo da última semana. Esse apoio tem nos ajudado, a mim e a todos os envolvidos no programa, durante um momento difícil.

E isso, pensou Deanna, era todo o tempo que ela poderia, e iria, dar ao passado.

— Agora eu gostaria de apresentar uma mulher que nos proporcionou muitas horas de entretenimento. Ela é brilhante e genial, com um talento tão dourado quanto seus olhos. De acordo com a *Newsweek*, Kate Lowell pode "incendiar a tela com um movimento dos cílios e o brilho de seu sorriso inconfundível". Provou merecer a simpatia que conquistou do público e de seus críticos ao se manter como a atriz de maior sucesso de bilheteria por dois anos consecutivos e ganhar um Oscar por seu papel como a heroica e inesquecível Tess, em *A farsa*. Senhoras e senhores, Kate Lowell.

Mais uma vez, os aplausos irromperam. Kate entrou no palco com a aparência confiante e viva de uma verdadeira estrela. Mas, ao segurar sua mão, Deanna viu que estava fria e trêmula. Intencionalmente, Deanna a abraçou.

— Não faça nada que não esteja preparada para fazer — murmurou no ouvido de Kate. — Não vou pressioná-la para que faça revelações.

Kate hesitou por um momento.

— Oh, meu Deus! Que bom que você está aqui, Dee! Vamos nos sentar? Minhas pernas estão tremendo.

Não seria um programa fácil em sentido algum. Deanna conseguiu conduzir os dez primeiros minutos com um bate-papo interessante sobre Hollywood, mantendo a plateia entretida e chegando a acreditar que Kate havia mudado de ideia sobre o anúncio.

— Eu gosto de interpretar mulheres fortes e de caráter. — Com um movimento gracioso que fez a seda farfalhar, Kate cruzou as pernas compridas de um milhão de dólares. — E, ao que parece, há mais roteiros com mulheres fortes, que não são apenas espectadoras, mas que têm convicções e modelos pelos quais estão dispostas a lutar. Eu agradeço pela oportunidade de interpretar essas mulheres, porque nem sempre lutei pelo que eu queria.

— Então é como se você pudesse fazer isso agora, por meio de seu trabalho?

— Eu me identifico com muitos dos personagens que interpreto. Com Tess, em particular, porque ela foi uma mulher que sacrificou tudo e arriscou tudo por sua filha. De um modo estranho, eu sou um reflexo de Tess. Como uma imagem no espelho, que é ao contrário. Eu sacrifiquei minha filha, minha oportunidade com ela, quando a entreguei para adoção há dez anos.

— Droga! — Na sala de controle, os olhos de Jeff se arregalaram. Boquiaberto, o público ficou em silêncio. — Droga! — repetiu ele. — Câmera dois, feche em Kate. Nossa! Nossa!

Mas, mesmo enquanto mordia os lábios novamente, preocupado, ele se concentrou no rosto de Deanna. Ela sabia, percebeu ele, e soltou um suspiro longo e mais tranquilo. Ela sabia...

— Uma gravidez não planejada, em qualquer momento, sob quaisquer circunstâncias, é assustadora. — Deanna queria que o público se lembrasse disso. — Quantos anos você tinha?

— Dezessete anos. Como você sabe, Dee, eu tinha uma família que me apoiava e um bom lar. Eu havia começado minha carreira como modelo e achava que o mundo estava aos meus pés. Então, descobri que estava grávida.

— E o pai? Você quer falar sobre ele?

— Era um bom rapaz que estava tão assustado como eu. Ele foi meu primeiro homem. — Sorriu ao se lembrar dele. — E eu fui a primeira dele. Estávamos deslumbrados um com o outro e com o que sentíamos. Quando eu lhe contei, caímos sentados, paralisados. Estávamos em Los Angeles e havíamos ido à praia. Ficamos sentados ali, observando as ondas do mar. Ele queria se casar comigo.

— Algumas pessoas talvez achem que essa seria a melhor solução. Você não?

— Não para mim, nem para ele, nem para o bebê — continuou Kate, usando toda a sua habilidade para manter a voz calma. — Você se lembra de como falávamos sobre o que queríamos fazer quando crescêssemos?

— Sim, eu me lembro. — Deanna entrelaçou os dedos nos de Kate. — Você nunca teve dúvidas.

— Eu sempre quis ser atriz. Havia feito certo sucesso como modelo e ia conquistar Hollywood de qualquer jeito. Aí, fiquei grávida.

— Você pensou em aborto? Discutir a opção com o pai, com sua família?

— Sim, pensei. Por mais difícil que fosse, Dee, eu me lembro de como meus pais me apoiaram. Eu os tinha magoado e decepcionado. Só percebi quando estava mais velha e comecei a ter certa perspectiva das coisas. Mas eles nunca hesitaram. Não posso explicar por que tomei essa decisão. Foi uma decisão puramente emocional, mas eu acho que o apoio incondicional de meus pais me ajudou a tomá-la. Decidi ter o bebê e entregá-lo para adoção. E só percebi como seria difícil quando chegou o momento de fazer isso.

— Você sabe quem adotou o bebê?

— Não. — Kate enxugou uma lágrima. — Não, eu não quis saber. Fiz um acordo. Preferi entregar a criança às pessoas que iriam amá-la e cuidar dela. E a bebê não era mais minha, mas deles. Ela está com 10 anos agora, quase 11. — Com os olhos cheios de lágrimas, olhou para a câmera. — Espero que ela esteja feliz. Espero que não tenha ódio de mim.

— Milhares de mulheres estão diante da mesma situação. Cada escolha que elas fazem é delas, por mais difícil que seja. Eu acho que uma das razões pelas quais você interpreta personagens admiráveis com as quais nos identificamos é que você já passou pela prova mais difícil pela qual uma mulher pode passar.

— Quando interpretei Tess, fiquei imaginando como tudo seria se eu tivesse feito outra escolha. Nunca vou saber.

— Você se arrepende?

— Uma parte de mim sempre lamentará por eu não ter sido uma mãe para essa criança. Mas eu acho que finalmente percebi, depois de todos esses anos, que foi a escolha certa. Para todos.

— Voltaremos em instantes — disse Deanna para a câmera e se virou para Kate. — Tudo bem?

— Mais ou menos. Não achei que seria tão difícil. — Respirou profundamente duas vezes, mas manteve os olhos em Deanna, em vez de olhar para o público. — As perguntas logo vão aparecer, cheias de raiva. E, meu Deus, a imprensa amanhã...

— Você vai superar.

— Sim, vou. Dee... — Inclinou-se para a frente e agarrou a mão de Deanna. — Era muito importante para mim poder fazer isso aqui, com você. Por um ou dois minutos, foi como se estivéssemos apenas conversando. Do modo como costumávamos fazer.

— Então, quem sabe dessa vez você mantenha o contato comigo.

— Sim, vou manter. Sabe, enquanto eu estava falando, descobri por que eu odiava tanto Angela. Eu achava que era porque ela estava me usando. Mas era porque ela estava usando meu bebê. Ajuda muito saber disso.

♦ ♦ ♦ ♦

— Que programa sensacional! — Fran pôs as mãos no quadril enquanto Deanna entrava no camarim. — Você sabia. Eu podia dizer que você sabia. Por que não me contou? Eu, que sou sua produtora e sua melhor amiga?

— Porque eu não sabia ao certo se ela levaria a história adiante. — A tensão da última hora deixou Deanna com dor nos ombros. Fazendo pequenos círculos com eles, ela foi diretamente para o espelho iluminado para mudar a maquiagem. Fran estava magoada. Deanna entendia e já esperava por isso. Assim como entendia e esperava que a mágoa passasse logo. — E não achei certo contar antes dela. Me diga como foi a reação do público, Fran.

— Depois que as ondas de choque passaram? Eu diria que 65% das pessoas ficaram do lado dela, talvez 10% nunca consigam passar da fase de espanto e o restante ficou chateado ao ver sua musa caindo do pedestal.

— Foi o que imaginei. Nada mal. — Deanna espalhou uma quantidade generosa de creme hidratante no rosto. — Ela ficará bem. — Levantou uma sobrancelha para a imagem de Fran no espelho. — E qual é sua posição?

Depois de um momento de silêncio forçado, Fran expirou fundo, fazendo a franja na testa subir.

— Do lado de Kate, totalmente. Deve ter sido difícil para ela, coitadinha. Meus Deus, Dee, o que a fez decidir ir a público assim?

— Tem tudo a ver com Angela — começou Deanna e lhe contou o resto.

— Chantagem. — Muito intrigada, Fran deu um assobio baixo. — Eu sabia que ela era uma puta, mas nunca pensei que desceria tanto. Eu acho que a lista de suspeitos aumentou consideravelmente. — Seus olhos arregalaram-se. — Você não acha que Kate...

— Não, não acho. — Não que essa ideia não tivesse passado por sua cabeça, pensou Deanna, de forma lógica e objetiva. — Mesmo que eu acreditasse que ela matou Angela, o que não acredito, Kate não tem nenhum motivo para matar Marshall. Ela nem o conhecia.

— Eu acho que não. Eu queria que a polícia resolvesse o caso e colocasse esse maluco atrás das grades. Fico muito preocupada em saber que você ainda está recebendo esses bilhetes. — Agora que havia perdoado Deanna, aproximou-se e começou a massagear automaticamente os ombros tensos dela. — Pelo menos posso ficar mais sossegada sabendo que Finn não vai sair da cidade até que isso esteja resolvido.

— Como você sabe?

— Eu sei porque... — Fran parou de falar e olhou para seu relógio. — Meu Deus! O que estou fazendo aqui de papo com você? Tenho mil coisas...

— Fran. — Deanna levantou-se e se colocou na frente dela. — Como você sabe que Finn não vai sair da cidade antes que isso esteja resolvido? A última coisa que fiquei sabendo foi que ele terá de ir para Roma logo depois do Natal.

— Eu, ah, devo ter me confundido.

— De modo algum.

— Droga, Dee, não gosto desse olhar feio em seu rosto.

— Como você sabe?

— Ele me disse, está bem? — Aborrecida, jogou as mãos para cima. — E eu deveria ter ficado com minha grande boca fechada sobre o fato de que ele cancelou a viagem para Roma e qualquer outra coisa que o tire de Chicago.

— Entendi. — Deanna abaixou os olhos e tirou um pedacinho de algodão da saia de seda verde-azulada.

— Não, você não entendeu porque está predisposta a não entender. Você realmente espera que o homem cruze o Atlântico, feliz da vida, enquanto tudo isso está acontecendo aqui? Pelo amor de Deus, ele ama você.

— Eu sei disso. — Mas suas costas estavam tensas. — Tenho coisas para fazer — disse ela e saiu furiosa.

— Muito bem, Myers. — Enquanto murmurava imprecações, Fran pegou o telefone e ligou para o escritório de Finn. Se ela havia, sem querer, começado uma guerra, o mínimo que podia fazer era dizer para ele ficar bem preparado.

◆◆◆◆

EM SEU escritório acima da sala de redação, Finn pôs o telefone no gancho e olhou de cara feia para Barlow James.

— Você está prestes a receber reforços. Deanna está subindo aqui.

— Ótimo. — Satisfeito, Barlow reclinou-se em sua cadeira e estendeu os braços fortes. — Vamos resolver essa questão de uma vez por todas.

— Está resolvida, Barlow. Só vou viajar para algum lugar a mais de uma hora de casa quando a polícia prender esse assassino.

— Finn, eu entendo sua preocupação com Deanna. Eu também me preocupo. Mas você está prejudicando o programa. Você reage de forma exagerada.

— Sério? — A voz de Finn foi fria. — E eu que pensei que estivesse aceitando bem dois assassinatos e o assédio da mulher que eu amo.

O sarcasmo não reprimiu Barlow.

— O que eu quero dizer é que ela pode ter 24 horas de proteção por dia. De profissionais. Deus sabe que uma mulher com a posição financeira dela pode se dar ao luxo de ter o melhor. Sem querer ofender sua masculinidade, Finn, mas você é um repórter, não uma babá. E — continuou ele antes que Finn pudesse responder —, por mais que seja um repórter experiente, você não é um detetive. Deixe a polícia fazer o trabalho dela e, faça o seu. Você tem responsabilidade para com o programa, para com as pessoas que trabalham com você. Para com a rede, para com os patrocinadores. Assinou um contrato, Finn. Pela lei, é obrigado a viajar toda vez que houver uma notícia, seja onde for. Você concordou com esses termos. Que droga, foi você que os exigiu.

— Pode me processar — disse Finn com os olhos brilhando na expectativa de uma briga. Levantou os olhos quando a porta se abriu.

Lá estava ela, com seu terninho de seda elegante, os olhos brilhando de raiva e o queixo inclinado. Um desafio a cada passo, ela foi até a mesa de Finn e bateu as palmas das mãos na superfície.

— Não vou aceitar isso.

Ele não se deu ao trabalho de fingir que não sabia do que se tratava.

— Você não tem de dizer nada, Deanna. A escolha é minha.

— Você nem ia me contar. Ia inventar uma desculpa esfarrapada para explicar por que a viagem havia sido cancelada. Você teria mentido para mim.

Teria matado por ela, pensou ele e deu de ombros.

— Agora isso não é necessário. — Ele se reclinou na cadeira e juntou as mãos com os dedos esticados. Embora estivesse usando um suéter e jeans, ele parecia um verdadeiro astro. — Como foi o programa hoje de manhã?

— Pare. Por favor, pare. — Ela se virou e apontou o dedo para Barlow. — Você pode ordenar que ele vá, não pode?

— Eu achei que podia. — Ele levantou as mãos e as deixou cair. — Eu vim de Nova York com a esperança de fazê-lo cair em si. Eu já deveria saber... — Com um suspiro, ele se levantou. — Estarei na sala de redação durante as próximas horas. Se você tiver alguma sorte, me avise.

Finn esperou até que a porta fizesse um barulho indicando que estava fechada. O som foi tão definitivo quanto o sino no ringue de boxe.

— Você não vai me convencer, Deanna, por isso é melhor aceitar.

— Eu quero que você vá — disse ela, deixando com cuidado um espaço entre as palavras. — Eu não quero que isso interfira em nossa vida. É importante para mim.

— Você é importante para mim.

— Então faça isso por mim.

Ele pegou um lápis, passou-o pelos dedos uma vez, duas vezes, e depois o partiu em dois.

— Não.

— Sua carreira pode estar em jogo.

Finn inclinou a cabeça como se estivesse considerando a possibilidade. E, droga, suas covinhas sorriram para ela.

— Eu não acho.

Ele estava, pensou ela, tão inflexível, tão firme e tão inabalável como um pedaço de granito.

— Eles podem cancelar seu programa.

— E pôr tudo a perder? — Embora não estivesse se sentindo particularmente calmo, ele se reclinou mais ainda e pôs os pés na mesa. — Eu sei que os executivos da rede fazem coisas mais estúpidas, por isso digamos que cancelem um programa de grande audiência, lucrativo e vencedor de vários prêmios porque eu não vou cair na estrada por um tempo. — Finn olhou para ela com uma expressão misteriosamente divertida. — Eu acho que você teria de me sustentar enquanto eu estivesse desempregado. Eu poderia gostar da ideia de me aposentar de uma vez. Passaria a me dedicar à jardinagem ou ao golfe. Não, já sei. Eu seria seu gerente de negócios. Você seria a estrela, sabe, como uma cantora de música *country*.

— Isso não é uma brincadeira, Finn.

— Também não é uma tragédia. — Seu telefone tocou. Finn atendeu a ligação, disse "mais tarde" e desligou. — Estou preso aqui, Deanna. Não poderei acompanhar a investigação se estiver na Europa.

— Por que você precisa acompanhar a investigação? — Seus olhos estreitaram-se. — É isso que você está fazendo aqui? Por que houve uma reprise na última terça à noite? Todas essas ligações de Jenner. Você não está trabalhando em seu programa. Está trabalhando com ele.

— Ele não vê nenhum problema nisso. Por que você vê?

Ela se afastou.

— Detesto isso. Detesto que sua vida privada e profissional e a minha se misturem e se desequilibrem. Detesto ficar assustada assim. Dar um pulo toda vez que ouço um barulho no corredor ou me preparar para o pior toda vez que a porta do elevador se abre.

— É disso que estou falando. É exatamente assim que me sinto. Venha aqui. — Estendeu as mãos e segurou as de Deanna quando ela deu a volta na mesa. Com os olhos nos dela, ele a pôs sentada em seu colo. — Eu estou morrendo de medo, Kansas.

Ela abriu a boca, surpresa.

— Você nunca disse isso.

— Talvez eu devesse ter tido. O orgulho masculino é um assunto delicado. A verdade é que eu preciso estar aqui, preciso me envolver, saber o que está acontecendo. É a única maneira que tenho para lutar contra o medo.

— Só me prometa que você não vai se arriscar.

— Ele não virá atrás de mim, Deanna.

— Eu quero ter certeza disso. — Fechou os olhos. Mas ela não tinha certeza.

♦ ♦ ♦ ♦

Depois que Deanna saiu, Finn foi até a sala de vídeo. Algo vinha-o incomodando desde o assassinato de Marshall: a impressão de que havia esquecido ou ignorado alguma coisa.

Tudo o que Barlow havia dito sobre responsabilidades e lealdades despertara uma lembrança. Finn foi passando pelas caixas pretas de vídeo até encontrar a de fevereiro de 1992.

Colocou a fita no aparelho e avançou pelas notícias locais, internacionais, meteorológicas e desportivas. Não sabia ao certo a data precisa nem onde fora feita a cobertura. Mas sabia que a conexão prévia de Lew McNeil com Chicago havia justificado pelo menos uma matéria completa sobre seu assassinato.

Conseguiu mais do que esperava.

Finn pôs a fita para rodar em velocidade normal e estreitou os olhos enquanto se concentrava no repórter da CBC em pé na calçada coberta de neve.

"Violência nas primeiras horas da manhã neste bairro rico de Nova York. Lewis McNeil, produtor sênior do *Programa da Angela*, conhecido programa de entrevistas, foi baleado do lado de fora de sua casa, em Brooklyn Heights, nesta manhã. Segundo uma fonte policial, McNeil, natural de Chicago, saía para o trabalho quando foi baleado à queima-roupa. A esposa de McNeil estava na casa..." A câmera fez uma lenta panorâmica. "Ela acordou pouco depois das sete com o barulho do tiro."

Finn ouviu o restante da matéria com os olhos fixos nas imagens. Assustadoramente, passou por outra semana de notícias que reuniam fragmentos sobre a investigação do assassinato de McNeil.

Guardou suas anotações e foi para a sala de redação. Encontrou Joe quando o cinegrafista saía para fazer um trabalho.

— Uma pergunta.

— Rápida. Estou em cima da hora.

— Fevereiro de 92. Assassinato de Lew McNeil. Era você que estava cobrindo a matéria em Nova York, não era?

— O que posso dizer? — Joe lustrou as unhas na blusa de moletom. — Minha arte é inconfundível.

— É verdade. Onde atiraram nele?

— Pelo que me lembro, foi do lado de fora da casa. — Enquanto forçava a memória, Joe pôs a mão no bolso da calça para pegar uma barra de chocolate. — Sim, parece que ele estava limpando o carro.

— Não, eu me referia a uma parte do corpo. Peito, barriga, cabeça? Não li isso em nenhuma das matérias que revisei.

— Oh. — Joe franziu as sobrancelhas e fechou os olhos como se estivesse trazendo a cena à mente. — Estava tudo bem limpo quando chegamos lá. Não vi o presunto. — Abriu os olhos. — Você conhecia Lew?

— Um pouco.

— É, eu também. Difícil. — Mordeu um bom pedaço do chocolate. — Por que o interesse?

— Por algo em que estou trabalhando. O repórter que estava com você não pediu detalhes à polícia?

— Quem estava comigo era... Clemente, certo? Não durou muito por aqui. Relaxado demais, sabe? Eu não sei se ele pediu ou não. Olha, tenho de ir. — Dirigiu-se para as escadas e depois bateu os dedos na lateral da cabeça. — Sim, sim. — Subiu os degraus de costas enquanto olhava para Finn. — Parece que ouvi um dos outros repórteres falar que Lew levou um tiro no rosto. Terrível, hein?

— Sim. — Sentiu uma satisfação cruel atravessar seu sangue. — Muito.

♦ ♦ ♦ ♦

No meio da manhã, Jenner mastigava ruidosamente um pedaço de rosca, engolindo o recheio de cereja junto com seu café adoçado. Enquanto comia e bebia, examinava as fotos horríveis presas ao quadro de cortiça. A sala de reunião estava em silêncio naquele momento, mas ele havia deixado aberta a persiana da porta de vidro que separava a sala dos outros departamentos.

Angela Perkins. Marshall Pike. Olhava para o que havia sido feito a eles. Se olhasse por muito tempo, sabia que poderia entrar em um tipo de transe, um estado mental que deixaria seu cérebro aberto para ideias e possibilidades.

Ele estava irritado o suficiente com Finn por deixar a emoção interferir na razão. O homem deveria ter lhe contado os detalhes de sua conversa com Pike. Por mais leve que tivesse sido, era assunto de polícia. A ideia de Finn entrevistar Pike sozinho queimava Jenner mais do que o café da delegacia.

Lembrou-se da última vez que se encontraram, nas primeiras horas da manhã em que Pike foi assassinado.

♦ ♦ ♦ ♦

— Estamos certos de que quem efetuou o disparo conhece a srta. Reynolds — disse Jenner e levantou um dedo. — Estava ciente de sua relação ou pelo menos de sua discussão com Pike. — Levantou outro dedo. — Sabe o endereço de Deanna, sabia o de Pike e conhecia muito bem o estúdio para montar a câmera depois de matar Angela Perkins.

— De acordo.

— Os bilhetes apareceram debaixo da porta da casa de Deanna, em sua mesa, em seu carro, no apartamento que ela ainda tem em Old Town. — Jenner levantou uma sobrancelha na esperança de que Finn desse alguma explicação para aquele fato interessante. Mas ele não deu. Finn sabia guardar informações. Era uma das coisas que Jenner admirava nele. — Tem de ser alguém que trabalha na CBC — concluiu Jenner.

— De acordo. Em teoria. — Finn sorriu quando Jenner bufou de raiva. — Poderia ser alguém que *trabalhou* lá. É possível que seja um fã de Deanna que esteve no estúdio. Uma pessoa comum da plateia. Muitas pessoas têm noções básicas de televisão para operar uma câmera fixa.

— Eu acho que isso é exagero.

— Então, vamos exagerar. Ele a vê todos os dias na televisão.

— Poderia ser uma mulher.

Finn ficou pensando por um instante e depois fez que não com a cabeça.

— É uma possibilidade remota. Vamos deixá-la de lado por um momento e examinar esta teoria: É um homem, um homem solitário e frustrado. Ele mora sozinho, mas, todos os dias, Deanna entra em sua sala pela televisão. Ela fica sentada bem ali com ele, conversando com ele, sorrindo para ele. Esse homem não se sente sozinho quando ela aparece. E a quer ali o tempo todo. Ele não se sai bem com as mulheres. Tem um pouco de medo delas. Sabe planejar e provavelmente tem um trabalho decente e responsável, porque sabe pensar muito bem nas coisas. Ele é cuidadoso e meticuloso.

Impressionado, Jenner franziu os lábios.

— Parece que você fez sua lição de casa.

— Eu fiz. Uma vez que estou apaixonado por Deanna, acho que eu o entendo. A questão é que ele tem esse temperamento, essa raiva. E não matou enquanto estava com raiva. Eu acho que fez isso com frieza. — E era isso que gelava o sangue de Finn. — Mas ele destrói minha casa e o escritório de Deanna. Ele escreve na parede o que considera ser traição. Como ela o traiu? O que mudou do momento em que ela recebeu o primeiro bilhete ao assassinato de Angela?

— Ela começou a sair com você.

— Ela está envolvida comigo há dois anos. — Finn inclinou-se para a frente. — Estamos noivos, Jenner. O anúncio oficial mal havia chegado às ruas quando tivemos o assassinato de Angela e os arrombamentos.

— Então, ele matou Angela porque estava irritado com Deanna Reynolds?

— Ele matou Angela e Pike porque ama Deanna Reynolds. Qual é a melhor maneira de demonstrar sua devoção do que eliminar as pessoas que a perturbam ou irritam? Ele destruiu as coisas dela, em especial os desenhos de vestido de noiva, as matérias sobre o noivado nos jornais, as fotos de Deanna comigo. Estava furioso porque Deanna tinha anunciado publicamente que preferia outro homem a ele, que ela estava disposta a se comprometer para provar isso.

Concordando lentamente com a cabeça, Jenner começou a desenhar em uma folha de papel.

— Por que você não pegou seu diploma de psiquiatria? Por que ele não foi atrás de você?

Instintivamente, Finn estendeu os braços para passar os dedos na manga. Debaixo dela havia uma cicatriz causada por uma bala. Uma bala que veio de um franco-atirador ou da equipe da SWAT. Mas ele não podia ter certeza.

— Porque não fiz nada para *machucar* Deanna. Marshall fez, no dia em que foi morto e, há alguns anos, quando caiu na armadilha de Angela.

— Eu deveria ter falado com Pike. — Jenner bateu levemente o punho em seus arquivos. — Talvez ele soubesse de alguma coisa, tivesse visto alguma coisa. É possível que tenha recebido ameaças.

— Duvido. Ele era do tipo que teria procurado correndo a polícia. Ou teria me contado quando conversei com ele.

— Você estava muito ocupado batendo no coitado.

— Eu não bati nele. — Finn cruzou os braços sobre o peito. — Apenas nos entendemos. De qualquer forma, eu quis dizer que Marshall teria me dito quando conversei com ele em seu escritório há alguns dias.

Jenner parou de desenhar.

— Você o procurou para falar do assassinato de Angela Perkins?

— Era uma teoria.

— Uma teoria que você não julgou necessário dividir comigo?

— Era pessoal.

— Nada é pessoal nisso, nada. — Jenner moveu-se para a frente e estreitou os olhos. Eu o deixei participar dessa investigação porque o considero um homem inteligente e compreendo sua posição. Mas você passou à minha frente e está fora.

— Farei o que tiver de fazer, tenente, com ou sem você.

— Os repórteres não são os únicos que podem incomodar. Lembre-se disso. — Jenner fechou o arquivo e se levantou. — Agora tenho muito trabalho a fazer.

♦ ♦ ♦ ♦

*Não*, pensou Jenner naquele momento, compreensão e admiração à parte, ele não tinha a intenção de deixar Finn continuar sozinho. Finn talvez estivesse cego para o fato de que sua vida estava em perigo, mas Jenner sabia das coisas.

Ele se levantou para encher novamente a xícara de café e olhou pela porta de vidro.

— Falando no diabo... — murmurou ele. Jenner abriu a porta. — Procurando por mim? — perguntou a Finn e fez um sinal para o policial que impedia a passagem dele. — Está tudo bem, policial. Atenderei o sr. Riley. — Fez um sim rápido para Finn. — Você tem cinco minutos.

— Vai demorar um pouco mais. — Finn examinou calmamente as fotos da polícia no quadro. Havia fotos das duas vítimas tiradas antes e depois de sua morte. Lado a lado, pareciam aquelas fotos do tipo "antes e depois" que não deram certo. — Você vai precisar pôr mais uma aí.

♦ ♦ ♦ ♦

Vinte minutos depois, Jenner encerrou sua conversa com o detetive em Brooklyn Heights.

— Eles vão nos enviar um fax — disse a Finn. — Está bem, sr. Riley, quem sabia que McNeil estava passando informações para Angela?

— O pessoal da equipe de Deanna. Tenho quase certeza. Também aposto que pode ser alguém da sala de redação. — Finn estava ficando entusiasmado agora. O tipo de entusiasmo que ele reconhecia como a energia proporcionada por um quebra-cabeça quase concluído. — Sempre houve muita interação entre a equipe de Deanna e a sala de redação. Estamos de acordo aqui? Três pessoas estão mortas porque ameaçaram Deanna de alguma forma.

— Eu não posso comentar sobre isso, sr. Riley.

Finn afastou-se da mesa.

— Droga, eu não estou aqui como repórter. Eu não estou à procura de um furo jornalístico, o mais recente boato de uma fonte policial não identificada. Você quer me revistar para ver se encontra um microfone?

— Eu não acho que esteja atrás de uma história, sr. Riley — disse Jenner calmamente. — Se eu tivesse pensado isso, o senhor nunca teria conseguido chegar até a porta. Mas talvez eu pense que esteja muito acostumado a fazer as coisas de seu jeito, mexer seus pauzinhos para lidar com a delicada questão da cooperação.

Finn bateu as mãos na mesa.

— Se você pensa que vai conseguir me tirar dessa, está enganado. Você está certo sobre o assédio, tenente. Uma ligação, e eu faço uma dezena de câmeras perseguirem cada movimento seu. Posso colocar tanta pressão sobre você que não será capaz de espirrar sem alguém enfiando um microfone em seu nariz. Antes de você respirar de novo, Chicago se verá movimentada por causa de um serial killer. O comissário e o prefeito vão adorar isso, não vão? — Ele esperou um instante. — Você me usa ou eu uso você. A escolha é sua.

Jenner cruzou os braços sobre a mesa e se inclinou sobre eles.

— Eu não gosto de ameaças.

— Nem eu. Mas eu vou fazer muito mais do que ameaçar se você tentar me atrapalhar agora. — Finn olhou para as vítimas no quadro. — Ele pode se descontrolar. — Falou calmamente, com cuidado. — Pode perder a cabeça a qualquer momento e tentar colocá-la lá em cima. Você está chateado porque eu fiz algumas investigações por minha conta. Tudo bem, fique chateado. Mas me use. Ou, por Deus, eu vou usar você.

Objetivamente, Jenner reprimiu sua irritação, calculando o dano que poderia causar uma guerra com a mídia. Muito, pensou ele. Era sempre muito.

— Vamos fazer assim, sr. Riley. Digamos que McNeil foi a primeira vítima dos três... e vamos manter isso em segredo.

— Eu disse que não estou interessado em uma história.

— Só estabelecendo as regras do jogo. Vamos teorizar isso, e que apenas um número limitado de pessoas sabia o que levaria ao motivo para o assassinato dele. — Jenner apontou para uma cadeira, esperando que Finn se sentasse novamente. — Fale-me sobre essas pessoas. Comece com Loren Bach. — Indicando que estava disposto a cooperar, Jenner abriu o arquivo sobre Loren que Angela tinha encomendado a Beeker.

♦ ♦ ♦ ♦

CASSIE ENTROU no escritório de Deanna e deixou escapar um suspiro muito longo. Deanna estava em um banquinho no centro da sala, a costureira a seus pés. Metros de seda branca cintilante se espalhavam por ali.

— É lindo.

— Não está terminado. — Deanna estava quase se lamentando ao passar a mão sobre a saia plissada perfeitamente presa ao corpete rendado. Renda irlandesa, pensou ela. Para Finn. — Mas você tem razão.

— Eu tenho de pegar minha câmera. — Inspirada, Cassie correu para a porta. — Não se mexa.

— Eu não vou a lugar nenhum.

— Você tem de ficar parada — queixou-se a costureira com a boca cheia de alfinetes. Sua voz era rouca, como se ela já tivesse engolido muitos deles.

Deanna usou toda a sua força de vontade para não mudar a perna em que estava se apoiando. — Eu estou parada.

— Você está vibrando como uma mola.

— Desculpe. — Deanna deu um suspiro longo e forte. — Acho que estou nervosa.

— A noiva... — Cassie ia falando enquanto caminhava com uma câmera de vídeo na frente do rosto. — Deanna Reynolds, a rainha das manhãs da televisão, escolheu um vestido elegante de...

— Seda italiana — acrescentou a costureira, rapidamente. — Com toques de renda irlandesa e detalhes de pérolas de água doce.

— Deslumbrante — disse Cassie sobriamente. — E nos diga, srta. Reynolds... — Com um toque de especialista, ela deu um zoom no rosto de Deanna. — Como você se sente neste momento tão emocionante?

— Apavorada. — Ela envesgou os olhos. Se a prova levasse cinco minutos a mais da hora estipulada, teria de recuperar esse tempo durante a semana. — E parcialmente insana. Fora isso, estou aproveitando cada minuto.

— Se você ficar completamente parada, vou dar uma volta para que nossos espectadores possam ver todo o efeito desse vestido. — Cassie se desviou e fez uma panorâmica. — Isso vai para minha crescente biblioteca sobre o que se passa nos bastidores de *A Hora de Deanna*.

Deanna sentiu seu sorriso endurecer.

— Você tem muitas fitas?

— Ah, um pouco disso, um pouco daquilo. Simon puxando o que lhe sobrou de cabelo. Margaret jogando bolas de papel mascado. Você correndo para o elevador.

Sob o corpete brilhante, o coração de Deanna bateu forte.

— Acho que eu nunca tinha prestado muita atenção. Tantas câmeras por aí. Você sempre tem essa à mão, não tem?

— Você nunca sabe que momento histórico ou humilhante pode registrar.

Alguém a tinha filmado, lembrou Deanna, enquanto dormia em sua mesa. Vindo para o trabalho, saindo dele, fazendo compras, brincando com a bebê de Fran no parque.

Eles a tinham filmado inconsciente no estúdio ao lado do corpo de Angela.

Cassie, que estava dentro e fora dos escritórios dezenas de vezes por dia. Cassie, que conhecia todos os detalhes da agenda de Deanna. Cassie, que havia saído com um dos operadores de câmera do estúdio.

— Desligue isso, Cassie.

— Só mais um segundo.

— Desligue isso! — Deanna falou de forma severa, cerrando os dentes para enfatizar.

— Desculpe. — Obviamente perplexa, Cassie abaixou a câmera. — Acho que eu me empolguei.

— Está tudo bem. Eu só estou nervosa. — Deanna conseguiu sorrir novamente. Era ridículo, disse a si mesma. Era loucura imaginar que Cassie seria capaz de matar.

— É seu primeiro dia de volta. — Cassie tocou a mão dela, e Deanna teve de se forçar para não se afastar. — Deus sabe que foi uma loucura por aqui depois do programa com todas aquelas ligações chegando sobre Kate

Lowell. Por que você não se dá uma pausa depois de terminar esses ajustes e vai para casa? Posso remarcar o resto dos compromissos da tarde.

— Eu acho que é uma boa ideia — falou lentamente, enquanto seu coração batia em descompasso. — Tenho muitas coisas para fazer em casa.

Cassie apertou a boca.

— Eu não quis dizer que você deve pular de uma loucura para outra. Você não vai conseguir fazer nada lá, com todos os pintores e carpinteiros trabalhando sem parar. Eu acho... — Ela viu que os olhos de Deanna se focaram atrás dela e se virou. — Jeff. — Sua boca se suavizou pela admiração no rosto dele. — Ela está fabulosa, não está?

— Sim. De verdade. — Ele olhou para a câmera que Cassie segurava. — Você filmou?

— Claro. Para registrar bem este momento. Olhe, a menos que seja uma crise, não diga nada, está bem? Essa é uma ocasião muito importante. Dee vai para casa mais cedo.

— Oh, boa ideia. Finn ligou, Deanna. Pediu para lhe dizer que tem uma reunião e que vai vê-la em casa. Ele acha que vai chegar lá pelas quatro.

— Bom, está perfeito. Talvez eu consiga chegar lá antes.

— Não se você não ficar parada — murmurou a costureira.

♦ ♦ ♦ ♦

𝓜as foi apenas às três e meia que Deanna conseguiu calçar os sapatos e pegar a pasta.

— Cassie, você pode chamar Tim?

— Já chamei. Ele deve estar esperando lá embaixo.

— Obrigada. — Ela parou perto da mesa, sentindo-se envergonhada e tola sobre o que havia pensado antes. — Por favor, me desculpe, Cassie. O negócio da câmera.

— Não se preocupe com isso. — Cassie abriu com força uma das cartas diárias que se amontoavam sobre a mesa. — Eu sei que sou um incômodo. — Ela riu. — Eu gosto de ser um incômodo com isso. Vejo você amanhã.

— Tudo bem. Não fique até muito tarde.

Mais à vontade, Deanna caminhou até o elevador e olhou para seu relógio quando apertou o botão para descer. Com sorte, poderia surpreender Finn ao chegar primeiro. Não precisaria se esforçar muito, sabia ela, para convencê-lo a preparar frango grelhado e massa. Ela queria algo picante para coroar seu primeiro dia de volta ao trabalho.

Podia lidar com uma montanha de papéis e ligações lá. Então, se programasse uma pausa, ela poderia vestir alguma coisa para deixar Finn louco.

Eles jantariam mais tarde. Bem tarde, decidiu Deanna, e saiu do elevador.

Talvez ela embrulhasse alguns presentes de Natal de última hora, ou falaria para Finn assar alguns biscoitos. Poderia falar de umas ideias novas para o segmento com ele.

O brilho da luz do sol fez com que ela automaticamente pegasse os óculos escuros. Ao colocá-los, entrou na parte de trás da limusine à espera.

— Olá, Tim. — Fechou os olhos e se espreguiçou. A limusine estava bem quente.

— Olá, srta. Reynolds.

— Acabou por ser um dia lindo. — Por força do hábito, pegou a garrafa de suco gelado que sempre estava ali para ela. Olhou preguiçosamente para as costas do motorista. Apesar do calor do carro, ele estava encolhido dentro do casaco, o quepe inclinado para baixo.

— Pois é.

Bebendo o suco, Deanna abriu a pasta. Colocou o arquivo identificado como "Planos de Casamento" de lado e pegou a correspondência diária que Cassie havia separado para ela ler. Sempre considerara o trajeto de ida para o escritório e de volta dele como parte do dia de trabalho. Naquele dia, tinha de compensar o tempo que a prova do vestido havia tomado e a volta mais cedo para casa.

Mas, na terceira carta, as palavras ficaram borradas. Não havia motivo para estar tão cansada àquela hora do dia. Irritada, passou os dedos sob os óculos para esfregar os olhos. Mas eles turvaram ainda mais, como se ela os tivesse limpado com óleo. Sua cabeça girou uma vez, como em um mal-estar, e seu braço caiu pesadamente no assento.

Muito cansada, pensou ela. Muito quente. Como em câmera lenta, tentou tirar o casaco dos ombros. Os papéis caíram no chão, e o esforço para alcançá-los só aumentou a tontura.

— Tim. — Deanna se inclinou para a frente, pressionou a mão contra a parte de trás do assento do motorista. Ele não respondeu, mas o que ela falou soava fraco e distante de seus próprios ouvidos. Enquanto lutava para se concentrar nele, a garrafa pela metade de suco escorregou de seus dedos dormentes.

— Alguma coisa está errada — tentou dizer para ele enquanto escorregava toda mole para o carpete do carro. — Alguma coisa está muito errada.

Mas ele não respondeu. Ela se sentiu atravessando o chão da limusine e caindo em um abismo escuro e sem fim.

## Capítulo Vinte e Oito
••••

Deanna sonhou que estava nadando entre nuvens tingidas de vermelho, que lenta e preguiçosamente a puxavam para a superfície, onde uma tênue luz branca brilhava através de camadas de névoa. Ela gemeu enquanto se debatia. Não de dor, mas pela náusea que começava a sentir e que lhe queimava a garganta.

Para se defender, manteve os olhos fechados, respirando profunda e longamente, desejando o mal-estar de volta. Gotas de suor pegajoso adornavam sua pele como pérolas, a ponto de sua blusa de seda fina grudar-se desagradavelmente nos braços e nas costas.

Quando o pior havia passado, abriu os olhos com cautela.

Estava no carro, lembrou. Tim estava dirigindo para a casa dela e ela começou a se sentir mal. Mas ela não estava em casa agora. Hospital?, perguntou-se, confusa, quando deixou os olhos cautelosamente abertos. A sala estava suavemente iluminada com violetas delicadas espalhadas pelo papel de parede. Um ventilador de teto branco agitava o ar suavemente com o som sussurrado das hélices. Uma estante de mogno brilhante exibia uma coleção de garrafas e potes bonitos e coloridos. Uma magnífica poinsétia e um abeto azul em miniatura decorado com sinos de prata lembravam aquela época do ano.

Hospital?, pensou novamente. Tonta, tentou sentar-se. A cabeça girava de novo, terrivelmente, mandando o gosto da náusea de volta para o estômago. Sua visão estava duplicada. Quando tentou levar a mão ao rosto, sentiu-a muito pesada. Por um momento, ela só conseguiu ficar parada, lutando contra o mal-estar. Viu que o quarto era uma caixa, uma caixa fechada e sem janelas. Como um caixão.

Uma onda de pânico a atravessou. Ela se ergueu da cama, gritando, tropeçando como se estivesse bêbada. Cambaleando até uma parede, correu os dedos sobre o delicado papel de parede floral em uma busca rápida por uma abertura. Presa. Virou-se, os olhos arregalados. Presa.

Ela viu, então, o que estava na parede sobre a cama. Foi o suficiente para acabar com a histeria que aumentava. Uma enorme fotografia sorriu desdenhosamente para ela. Por vários atordoados momentos, Deanna olhou para Deanna. Lentamente, com o som de seu próprio coração ecoando nos ouvidos, ela examinou o resto da sala.

Não, não havia portas, nem janelas, apenas flores, buquês delas, de parede a parede. E havia outras fotografias. Dezenas de fotos dela estavam alinhadas nas paredes laterais. Flagrantes, capas de revista, fotos de imprensa estavam lado a lado sobre o gracioso papel de parede.

— Oh, meu Deus! Oh, meu Deus! — Ela ouviu na própria voz o pânico choroso e mordeu fortemente o lábio.

Desviando o olhar de suas próprias imagens, os olhos vidrados com o choque, ela olhou para a mesa de refeição, com um caminho de mesa muito branco e engomado como pano de fundo para castiçais de prata, com velas brancas brilhantes. Dezenas de pequenos tesouros estavam dispostos ali: um brinco que ela havia perdido meses antes, um batom, um lenço de seda que Simon tinha lhe dado de Natal, uma luva de couro vermelho flexível, que havia desaparecido no inverno anterior.

Havia mais. Deanna se aproximou com cuidado, lutando contra a onda de medo enquanto examinava a coleção. Um memorando que ela havia escrito à mão para Jeff, uma mecha de cabelos negros envolta em um cordão dourado, outras fotografias suas, sempre suas, em molduras elegantes e ornamentadas. Os sapatos que ela estava usando na limusine estavam ali também, com sua jaqueta, cuidadosamente dobrada.

O lugar era como um santuário, percebeu ela com um estremecimento. O som em sua garganta era rude e assustado. Havia uma televisão no canto, uma prateleira de álbuns encadernados em couro. E, o mais assustador, câmeras nos cantos superiores do quarto. Os pontinhos de suas luzes vermelhas sorriam como minúsculos olhos.

Ela cambaleou para trás, enchendo-se de medo. Seu olhar ia de uma câmera a outra.

— Você está me observando. — Ela lutou contra o terror na voz. — Eu sei que está. Você não pode me manter aqui. Eles vão me procurar. Você sabe que eles vão me encontrar. Provavelmente já estão procurando por mim.

Olhou para o pulso para ver que horas eram, mas viu que o relógio havia desaparecido. Quanto tempo faz?, perguntou-se freneticamente. Poderiam ter-se passado minutos ou dias, desde que desmaiou no carro.

O carro. Sua respiração começou a falhar.

— Tim. — Ela apertou os lábios até que a dor escapou na necessidade de chorar. — Tim, você tem de me deixar ir. Vou tentar ajudar você. Eu prometo. Vou fazer o que eu puder. Por favor, venha aqui, fale comigo.

Como se estivesse esperando seu convite, uma parte da parede se abriu. Automaticamente, Deanna avançou, mas logo teve de reprimir um gemido de desespero enquanto a cabeça girava em círculos que a deixavam enjoada por causa da droga. Ainda assim, endireitou os ombros e tentou esconder o pior de seus medos.

— Tim — começou ela e, então, apenas olhou, confusa.

— Bem-vinda ao lar, Deanna.

Com o rosto corado por um prazer tímido, Jeff entrou na sala. Ele carregava uma bandeja de prata em que havia um copo de vinho, um prato de porcelana de macarrão com ervas e um único botão de rosa vermelha.

— Eu espero que você goste do quarto. — A seu modo eficiente e sem pressa, ele colocou a bandeja sobre a mesa. — Levei muito tempo para deixá-lo arrumado. Não quero que você se sinta apenas à vontade. Quero que você esteja feliz. Eu sei que não há nenhuma vista. — Virou-se para ela com os olhos muito brilhantes, enquanto o pedido de desculpas fazia sua voz tremer. — Mas é mais seguro assim. Ninguém vai nos incomodar quando estivermos aqui.

— Jeff. — Calma, ordenou a si mesma. Tinha de manter a calma. — Você não pode me manter aqui.

— Claro que posso. Eu planejei tudo com muito cuidado. Tive anos para trabalhar nisso. Por que você não se senta, Dee? Provavelmente você está se sentindo um pouco tonta, e eu quero que fique confortável enquanto come.

Ele deu um passo para a frente, e, embora ela tenha se protegido, ele não a tocou.

— Mais tarde — continuou ele —, depois que entender tudo, vai se sentir muito melhor. Você só precisa de tempo. — Levantou a mão como se fosse tocar o rosto dela, mas a abaixou novamente, como se não quisesse assustá-la. — Por favor, tente relaxar. Você nunca relaxa. Eu sei que você pode estar um pouco assustada agora, mas vai dar tudo certo. Se lutar comigo, eu vou ter de... — Uma vez que não suportaria dizer as palavras, ele tirou uma seringa do bolso. — Eu não quero. — Quando ela recuou no mesmo instante, ele tirou a agulha de sua vista novamente. — Eu não quero, de verdade. E você não conseguiria fugir.

Sorrindo novamente, ele moveu uma mesa e uma cadeira para perto da cama.

— Você precisa comer — disse ele de modo agradável. — Você sempre me preocupou quando o assunto era cuidar de si mesma. Todas aquelas refeições apressadas ou ignoradas. Mas eu vou cuidar bem de você. Sente-se, Deanna.

Poderia recusar, pensou ela. Poderia gritar, dar uma de louca e ameaçar. E para quê? Ela conhecia Jeff, ou pensava que conhecia, há anos. Ele podia ser teimoso, lembrou. Mas ela sempre conseguiu fazê-lo pensar de modo racional.

— Estou com fome — disse ela com a expectativa de que seu estômago não se rebelasse. — Você vai falar comigo enquanto eu comer? Me explicar tudo? — Ela lhe deu seu melhor sorriso de entrevistadora.

— Sim. — Um sorriso se estampou em seu rosto, vibrante. — Eu pensei que você poderia ficar com raiva no início.

— Eu não estou com raiva. Estou com medo.

— Eu nunca iria machucá-la. — Ele segurou uma das mãos inertes dela e a apertou levemente. — Eu não vou deixar ninguém machucar você. Eu sei que talvez esteja pensando em fugir, Deanna, e sair pelo painel. Mas você não pode. Eu sou muito forte, e você ainda está fraca por causa da droga. Não importa o que faça, você ainda vai estar trancada aqui. Sente-se.

Como em um sonho, ela fez o que ele mandou. Queria correr, mas, mesmo que o pensamento passasse do cérebro para o corpo, as pernas fraquejavam. Como ela podia correr quando mal conseguia ficar de pé? A droga ainda estava no comando de seu corpo. Era exatamente o tipo de detalhe em que ele teria pensado. Precisamente o tipo de detalhe que havia feito dele uma parte tão importante de sua equipe.

— É errado me manter aqui, Jeff.

— Não, não é. — Ele colocou a bandeja em cima da mesa na frente dela. — Eu pensei nisso por muito, muito tempo. E isso é o melhor. Para você. Estou sempre pensando em você. Mais para a frente, poderemos viajar juntos. Dei uma olhada em vilas no sul da França. Acho que você gostaria de lá. — Ele a tocou, então, apenas uma leve roçada carinhosa em seu ombro. Por baixo da blusa, a pele dela se arrepiou. — Eu amo tanto você.

— Por que nunca me contou? Você poderia ter falado comigo sobre o que sentia.

— Eu não podia. No começo, eu pensei que era só porque sou tímido, mas depois percebi que era tudo como um plano. Um projeto de vida. Para você e para mim.

Ansioso para explicar, ele puxou outra cadeira. Quando se inclinou para a frente, seus óculos deslizaram no nariz. Enquanto a visão dela embaçava e, então, clareava, ela o viu empurrá-los para cima de novo — um velho hábito, antes cativante, mas que, agora, gelava seu sangue.

— Havia coisas que você precisava fazer, experiências, e homens, que você tinha de tirar de sua vida antes que pudéssemos ficar juntos. Eu entendi isso, Dee. Eu nunca culpei você por Finn. Isso me machucou. — Apoiando as mãos nos joelhos, ele soltou um suspiro. — Mas eu não culpo você. E eu não podia culpá-lo. — Seu rosto iluminou-se novamente. — Como eu poderia sabendo que você era perfeita? A primeira vez que vi você na televisão, eu não conseguia recuperar o fôlego. Isso me assustou um pouco. Você estava olhando diretamente para mim, dentro de mim. Eu nunca vou esquecer aquilo. Sabe, eu estava tão sozinho antes. Fui filho único. Cresci nesta casa. Você não está comendo, Deanna. Eu gostaria que comesse.

Obediente, ela pegou o garfo. Ele queria falar. Parecia ansioso para isso. A melhor maneira de escapar, calculou ela, era entender.

— Você me disse que cresceu em Iowa.

— Foi para lá que minha mãe me levou mais tarde. Ela era uma mulher violenta. — O tom de pedido de desculpas voltou à sua voz. — Ela nunca ouvia ninguém, nunca obedeceu às regras. Então, naturalmente, o tio Matthew teve de castigá-la. Ele era mais velho, sabe. Era o chefe da família. Ele a mantinha neste quarto, tentando fazê-la ver que havia formas adequadas e formas inadequadas de fazer as coisas. — Seu rosto mudou enquanto ele falava, apertando a boca e os olhos, tornando-se, de alguma forma, mais velho, mais severo. — Mas minha mãe nunca aprendeu, por mais que meu tio tenha tentado ensiná-la. Ela fugiu e ficou grávida. Quando eu tinha 6 anos, eles a levaram embora. Ela teve um colapso nervoso, e eu vim morar com o tio Matthew. Não havia mais ninguém para ficar comigo, sabe. E era o dever familiar dele.

Deanna engoliu um pedaço de massa, que se grudou em sua garganta, mas estava com medo de experimentar o vinho. Ele pode ter colocado alguma droga aí, pensou ela, como na garrafa de suco.

— Sinto muito, Jeff, sobre sua mãe.

— Está tudo bem. — Ele deu de ombros. Seu rosto se suavizou novamente, como uma folha acariciada por mãos cuidadosas. — Ela não me amava. Ninguém nunca me amou, só o tio Matthew. E você. É apenas vinho, Dee. Seu tipo favorito. — Sorrindo da brincadeira, ele pegou o copo e tomou um gole para mostrar a ela. — Eu não coloquei nada nele. Não precisei, porque você está aqui agora. Comigo.

Com droga ou não, ela evitou o vinho, por não saber como seria misturá-lo com as drogas em seu organismo.

— O que aconteceu com sua mãe?

— Minha mãe tinha demência. Ela morreu. Seu jantar está bom? Sei que massa é seu prato favorito.

— Está bom. — Deanna passou outro pedaço pelos lábios rígidos. — Quantos anos você tinha quando ela morreu?

— Eu não sei. Não importa, eu estava feliz aqui, com meu tio. — Ele ficava nervoso ao falar da mãe; por isso, não o fez. — Ele era um grande homem. Forte e bom. Quase nunca tinha de me castigar, porque eu era bom também. Eu não era uma provação para ele, como foi minha mãe. Nós cuidamos um do outro. — Jeff falava rapidamente agora, cada vez mais empolgado. — Ele se orgulhava de mim. Eu estudava muito e não queria sair com outras crianças. Eu não precisava delas. Quer dizer, tudo o que elas queriam fazer era andar em carros rápidos, ouvir música alta e brigar com os pais. Eu tinha respeito. E nunca esquecia de fazer coisas, como limpar meu quarto ou escovar os dentes. Tio Matthew sempre me dizia que eu não precisava de ninguém, só da família. E ele era a única família que eu tinha. Então, quando ele morreu, apareceu você. E eu soube que tudo ficaria bem.

— Jeff. — Deanna usava todas as suas habilidades para manter a conversa fluindo, para conduzi-la na direção que queria. — Você acha que seu tio aprovaria o que está fazendo agora?

— Ah, com certeza. — Jeff sorriu, seu rosto iluminado, inocente e aterrorizante. — Meu tio fala comigo o tempo todo, bem aqui. — Ele tocou na cabeça e piscou. — Ele me disse para ser paciente, para esperar até o momento certo. Você sabe quando eu comecei a lhe enviar cartas?

— Sim, eu me lembro.

— Foi quando eu sonhei com o tio Matthew pela primeira vez. Só que não parecia um sonho. Era muito real. Ele me disse que eu tinha de cortejar você, como faria um cavalheiro. Que eu tinha de ser paciente. Ele sempre disse que as coisas boas levam tempo. Ele me disse que eu teria de esperar, e que eu tinha de cuidar de você. Homens devem cuidar de mulheres, protegê-las. As pessoas se esqueceram disso. Ninguém mais parece cuidar de ninguém.

— Foi por isso que você matou Angela, Jeff? Para me proteger?

— Eu planejei isso por meses. — Ele se inclinou para trás de novo e descansou uma perna dobrada sobre o joelho. As conversas com Deanna sempre haviam sido um ponto importante em sua vida. E aquela, pensou ele, era a melhor. — Você não sabia que eu a fiz pensar que eu ocuparia o lugar de Lew.

— De Lew? Lew McNeil?

— Depois que o matei...

— Lew. — O garfo bateu contra o prato ao escorregar por entre seus dedos. — Você matou Lew.

— Ele traiu você. Eu tive de castigá-lo. E ele usou Simon. Antes de começar a trabalhar com você, eu nunca havia tido amigos de verdade. Simon é meu amigo. Eu ia matá-lo, também, mas percebi que ele tinha sido usado. Na verdade, não foi culpa dele, foi?

— Não — disse ela rapidamente, acentuando a palavra ao colocar a mão sobre a de Jeff. — Não, Jeff, não foi culpa de Simon. Eu gosto muito de Simon. Eu não quero que você o machuque.

— Foi o que pensei. — Ele sorriu, uma criança elogiada por um adulto indulgente. — Viu como eu conheço você muito bem, Deanna? Eu sei tudo sobre você. Sua família, seus amigos. Suas comidas e cores favoritas. Onde gosta de fazer compras. Sei tudo o que está pensando. É como se eu estivesse aí dentro de sua cabeça. Ou você, dentro da minha — acrescentou ele, lentamente. — Às vezes, eu acho que você estava dentro da minha. Eu sabia que você queria que Angela desaparecesse. E eu sabia que você nunca iria machucá-la. Você é muito meiga, muito boa. — Ele virou a mão para apertar a dela. — Então, eu fiz isso por você. Marquei um encontro com ela no estacionamento da CBC. Ela dispensou o motorista, como eu havia lhe dito. Deixei-a entrar no edifício e a levei ao estúdio. Eu lhe disse que havia copiado papéis do escritório. Ideias de histórias, convidados, planos de externas. Angela iria comprá-los de mim. Só que ela não me disse que você estava chegando. — Surpreendentemente, seu lábio inferior se encolheu, fazendo beicinho. — Ela mentiu para mim sobre isso.

— Você a matou. E ligou as câmeras.

— Eu estava com raiva de você. — Sua boca tremia, seus olhos abaixaram-se. Deanna agarrou o garfo de novo, pensando em usá-lo como arma. Os efeitos da droga estavam desaparecendo, e ela se sentia mais forte. Pensou que poderia agradecer ao medo por isso. Mas os olhos dele fitaram os dela e a luz fria neles deixou seus dedos paralisados. — Eu sabia que era errado, mas eu queria machucar você. Eu quase quis matar você, porque ia se casar com ele, Dee. Eu podia entender você na cama com ele. A carne é fraca. Tio Matthew me explicou tudo sobre como o sexo pode perverter e como as pessoas podem ser fracas. Até você. — A mão que cobria a dela apertou, apertou, até osso atritar osso. — Então, eu entendi e fui paciente, porque sempre soube que viria para mim. Mas você não podia se casar com ele, não podia se comprometer. Eu soube que era você quando a porta se abriu. Eu sempre sabia quando era você. Eu bati em você. Queria bater de novo, mas eu não podia. Então, carreguei você até a cadeira, coloquei Angela em outra e liguei a câmera. Eu queria que você visse o que eu tinha feito por você. Eu já tinha estado lá em cima, em seu escritório. — Ele comprimiu os lábios, suspirou e suavemente soltou a mão que pulsava na dela. — Foi errado de minha parte destruir seu escritório. Eu não deveria ter ido para a casa de Finn também. Sinto muito.

Ele disse isso como se tivesse se esquecido de um compromisso de almoço.

— Jeff, você nunca falou para ninguém sobre seus sentimentos?

— Só para meu tio, quando falamos em minha cabeça. Ele tinha certeza de que você entenderia logo e viria para casa comigo. E, depois que fiquei sabendo o que aquele idiota fez com você no estacionamento, eu soube que estava chegando a hora.

— Marshall?

— Ele tentou machucar você. Joe me contou como ele agiu; então, eu esperei por ele. Eu o matei do mesmo jeito que matei os outros. Foi simbólico, Deanna. Minha visão destruiu a visão deles. É algo quase sagrado, você não acha?

— Matar não é sagrado, Jeff.

— Você perdoa muito fácil. — Seus olhos examinaram o rosto dela, com adoração. — Se perdoa as pessoas que a machucam, elas só vão machucar você de novo. Precisa proteger o que é seu.

Lembrou-se do cachorro que havia entrado no quintal muitas vezes, desenterrando as flores do tio Matthew, estragando a grama. Chorou quando o tio envenenou o cachorro. Chorou até que ele lhe explicou por que era certo e honrado defender o que é seu contra qualquer intruso. Com isso em mente, Jeff se levantou e foi para a escrivaninha. Abriu a primeira gaveta e tirou uma lista.

— Eu planejei isso — disse a ela. — Você e eu sempre fazemos listas e planejamos coisas. Nós não somos do tipo que sai correndo sem pensar, não é? — Radiante de novo, ofereceu a lista para ela.

LEW MCNEIL<br>
ANGELA PERKINS<br>
MARSHALL PIKE<br>
DAN GARDNER<br>
JAMIE THOMAS<br>
FINN RILEY?

— Finn — foi tudo o que ela conseguiu dizer.

— Ele não é certeza. Eu o elimino caso ele machuque você. Eu quase fiz isso uma vez antes. Quase. Mas, no último minuto, percebi que ia matá-lo só porque eu estava com ciúmes. Foi como se o tio Matthew estivesse lá e, no último minuto, desviasse o rifle em minha mão. Fiquei muito feliz por não tê-lo matado quando vi como você ficou chateada por ele ter sido baleado.

— Em Greektown — disse Deanna com os lábios trêmulos. — Naquele dia, em Greektown. Você atirou nele?

— Foi um erro. Eu sinto muito mesmo.

— Oh, meu Deus. — Horrorizada, ela se encolheu. — Oh, meu Deus.

— Foi um erro. — Sua voz estava perigosamente irritada. Jeff olhou para longe dela. — Eu disse que sinto muito. Eu não vou fazer nada com ele a não ser que ele faça mal a você.

— Ele não fez. Ele não vai fazer.

— Então, não terei de fazer nada com relação a ele.

A palma da mão dela bateu no papel, e seu coração começou a bater forte na garganta.

— Prometa-me que você não vai, Jeff. É importante para mim que Finn esteja seguro. Ele tem sido muito bom para mim.

— Eu sou melhor para você.

A petulância de uma criança estava no rosto dele agora. Deanna aproveitou-se do momento.

— Prometa-me, Jeff, ou eu vou ser muito infeliz. Você não quer isso, quer?

— Não. — Ele lutou entre suas necessidades e as dela. — Eu acho que isso não importa agora. Não agora que você está aqui.

— Você tem de prometer. — Ela apertou os dentes para afastar o desespero da voz. Razão, disse para si mesma. A razão calma. — Eu sei que você não quebraria sua palavra para mim.

— Tudo bem. Se isso faz você feliz. — Para mostrar sua sinceridade, pegou uma caneta e riscou o nome de Finn da lista. — Viu?

— Obrigada. E Dan Gardner...

— Não. — Sua voz foi impetuosa, e Jeff dobrou o papel. — Dan já machucou você, Dee. Ele disse coisas terríveis sobre você; ajudou Angela a tentar arruinar você. Ele tem de ser punido.

— Mas ele não importa, Jeff. Ele não é nada. — Calma, lembrou para si mesma. Calma, mas firme. De adulto para criança. — E Jamie Thomas? Aquilo foi há muitos anos. Eu não estou nem aí para eles.

— Mas eu sim. Eu me importo. Eu o teria matado primeiro, de imediato, mas ele estava na Europa. Escondendo-se — disse Jeff com desdém. — Não é fácil passar uma arma pela alfândega, por isso tive de ter paciência. — Então, sorriu. — Ele está de volta agora, você sabe. Está em New Hampshire. Vou até lá em breve.

A droga já não a fazia se sentir mal, mas a náusea embrulhou seu estômago.

— Eu não me importo com ele. Com nenhum deles, Jeff. Eu não quero que você os machuque por minha causa.

Ele virou o rosto, emburrado.

— Eu não quero mais falar sobre isso.

— Eu quero...

— Você tem de pensar no que eu quero também. — Ele enfiou a lista de volta na gaveta e bateu-a com força suficiente para sacudir garrafas. — Eu só estou pensando em você.

— Sim, eu sei. Sei que está. Mas, se você for para Nova York matar Gardner ou para New Hampshire, por causa de Jamie, eu vou ficar sozinha aqui. Eu não quero ficar trancada aqui sozinha, Jeff.

— Não se preocupe. — Seu tom de voz suavizou. — Eu tenho tempo de sobra, e vou ser bastante cuidadoso. Estou muito feliz por você estar aqui.

— Você me deixa ir lá fora, por favor? Preciso de ar.

— Eu não posso. Ainda não. Isso não é parte do plano. — Ele se sentou novamente, inclinando-se para a frente. — Você precisa de três meses.

O horror fez com que seu sangue parecesse ter desaparecido.

— Você não pode me manter trancada assim por três meses.

— Está tudo bem. Você vai ter tudo o que precisa. Livros, televisão, companhia. Vou alugar filmes para você, preparar suas refeições. Eu comprei roupas para você. — Ele se levantou para abrir outro painel. — Viu? Passei semanas escolhendo apenas as coisas certas. — Ele fez um gesto para dentro do armário cheio de calças, vestidos e jaquetas. — E há camisas e suéteres, pijamas e lingerie na cômoda. Aqui — Abriu outra porta escondida. — O banheiro.

Ele corou e olhou para os pés.

— Lá dentro não existem câmeras. Juro. Eu não iria espiá-la no banheiro. Comprei seus óleos de banho e sabonetes favoritos, seus cosméticos. Você vai ter tudo de que precisa.

*Tudo de que precisa. Tudo de que precisa.* As palavras giravam em sua cabeça. Ela não conseguia se livrar do nó na garganta.

— Eu não quero ficar presa.

— Desculpe. Essa é a única coisa que eu não posso lhe dar agora. Logo, quando você entender de verdade, vai ser diferente. Mas qualquer outra coisa que quiser, eu vou fazer por você. Sempre que eu tiver de sair, você vai ficar bem aqui. A sala é segura, à prova de som. Mesmo que alguém entre na casa, não vai encontrar você. O outro lado da porta é uma estante de livros. É muito legal! Eu mesmo projetei. Ninguém jamais vai imaginar que existe um quarto aqui. Assim, você estará segura e a salvo sempre que eu estiver fora. E, quando eu estiver ocupado na casa, poderei ver você. — Ele apontou para as câmeras. — Então, se você precisar de mim, eu vou saber.

— Eles vão me encontrar, Jeff. Mais cedo ou mais tarde. Eles não vão entender. Você tem de me deixar ir embora.

— Não, eu tenho de manter você aqui. Quer assistir televisão? — Ele cruzou a sala e pegou o controle remoto do criado-mudo. — Nós temos todos os canais.

Lutando contra uma risada histérica, ela apertou os olhos com os dedos.

— Não, não, agora não.

— Você pode assistir quando quiser. E a prateleira está cheia de vídeos. Filmes e fitas que fiz de você. E os cadernos de recortes. — Ele se movimentava pela sala com um empenho enérgico para entretê-la. — Guardei tudo para você. Tudo o que já foi escrito sobre você está aqui. E há o aparelho de som. Tenho todas as suas músicas favoritas. Há uma pequena geladeira no banheiro com bebidas e salgadinhos.

— Jeff. — Ela podia sentir que a bolha de pânico estava aumentando. Suas mãos tremiam enquanto se levantava. — Você já arranjou um monte de problemas. Eu entendo isso. E eu entendo que fez o que pensou que tinha de fazer. Mas isso é errado. Você está me mantendo prisioneira.

— Não, não, não. — Ele se aproximou rapidamente dela e agarrou-lhe as mãos quando ela deu um passo para trás. — Você é como a princesa do conto de fadas, e eu estou protegendo você. Estou cuidando de você. É como se você estivesse sob um feitiço, Dee. Um dia, vai acordar e eu vou estar aqui. E nós vamos ser felizes.

— Eu não fui enfeitiçada. — Ela o empurrou para longe, a fúria fervendo sob o medo como um ensopado esquisito. — E eu não sou uma maldita princesa. Eu sou um ser humano, com o direito de fazer minhas próprias escolhas. Você não pode me trancar e esperar que eu lhe agradeça pelo privilégio de ir ao banheiro.

— Eu sabia que, de início, você ficaria com raiva. — A decepção se manifestou em sua voz quando ele estendeu a mão para pegar os pratos do jantar. — Mas você vai se acalmar.

— Uma ova que eu vou! — Ela pulou nele, batendo-lhe com a mão livre. O primeiro golpe resvalou em sua bochecha. O prato quebrou no chão e os cacos voaram. Rosnando, ela agarrou um pedaço da porcelana.

Deanna gritou, lutando como uma louca, enquanto ele a segurava no chão. Jeff era forte, muito mais do que parecia com aqueles braços longos e finos. Ele não fez absolutamente nenhum som, apenas apertou com muita força o pulso dela até os dedos se abrirem para liberar a arma improvisada.

Ele a arrastou para a cama, aguentando estoicamente os pontapés e os socos. Quando ela ficou pressionada debaixo dele e sentiu a ereção contra sua coxa, o terror dobrou.

Havia coisas piores do que estar presa.

— Não! — Tentou atirá-lo longe, seus dedos abrindo-se e fechando-se enquanto ele lhe segurava as mãos sobre a cabeça.

— Eu quero você, Deanna. Meu Deus, eu quero você. — Seu beijo atrapalhado umedecia o queixo dela. A sensação do corpo de Deanna se contorcendo debaixo do seu fazia com que o desejo, como uma névoa vermelha, turvasse sua visão. O coração dela batia como um pistão contra o seu, e a pele era suave como água, quente como fogo. — Por favor, por favor. — Ele estava quase chorando quando sua boca cobriu a dela. — Só me deixe tocar em você.

— Não. — Enjoada, ela virou a cabeça. Controle. Agarrou-se à única esperança. — Você não é melhor do que Jamie. Você está me machucando, Jeff. Você tem de parar de me machucar.

Lágrimas desciam pelo rosto dele quando levantou a cabeça.

— Sinto muito. Deanna, eu sinto muito. É que eu esperei tanto tempo. Nós só vamos fazer amor quando você estiver pronta. Juro. Não tenha medo de mim.

— Estou com medo. — Ela percebeu que ele não iria estuprá-la e quase se sentiu envergonhada por estar disposta a se contentar com isso. — Você me trancou. Você me disse que ninguém pode me encontrar. E se algo acontecer com você? Eu posso morrer aqui.

— Nada vai acontecer. Eu planejei tudo, cada detalhe. Eu amo você, Deanna, e sei que, lá no fundo, você me ama também. Mostrou isso para mim de mil formas. A maneira como sorri para mim. O modo como me toca ou ri. A maneira como atrai meu olhar do outro lado da sala. Você me fez seu diretor. Eu não posso nem explicar o que isso significou para mim. Confiou em mim para guiar você. Acreditou em mim. Em nós.

— Isso não é amor. Eu não amo você.

— Você só não está pronta ainda. Agora você precisa descansar. — Ele segurou os pulsos dela com uma de suas mãos enquanto manipulava a seringa com a outra.

— Não. Não faça isso. — Ela se torceu, contorceu, implorou. — Por favor, não. Eu não posso ir a lugar nenhum. Você disse que eu não posso fugir.

— Você precisa descansar — disse ele em voz baixa e espetou a agulha sob a pele dela. Eu vou observar você, Dee.

A cabeça de Deanna pendeu para trás, e as lágrimas dele caíram para se misturar com as dela. Angustiado, esperou até que ela deixasse de lutar contra a droga. Quando o corpo de Deanna relaxou, ele reprimiu o desejo de afagá-lo.

Só quando ela estiver pronta, lembrou a si mesmo, contente por limpar a umidade do rosto dela. Delicadamente, ele a ajeitou sobre os travesseiros e deu-lhe um beijo casto na testa.

Sua princesa, pensou, examinando-a enquanto ela dormia. Ele havia construído para ela uma torre de marfim. Eles viveriam juntos ali. Para sempre.

— Tio Matthew, ela não é perfeita? Ela não é linda? Você também a teria amado. Você teria sabido que ela era a mulher da minha vida, a única.

Suspirou. Tio Matthew não estava falando com ele. Ele tinha errado ao permitir que o sexo distorcesse seus planos. Precisava ser punido. Só pão e água durante dois dias. Isso é o que seu tio teria feito. Humildemente, agachou-se para recolher os pratos quebrados. Arrumou o quarto e reduziu as luzes. Com uma última e longa olhada para Deanna, saiu do cômodo, fechando o painel em silêncio.

◆ ◆ ◆ ◆

— Eu acho que seria melhor você levar a srta. Reynolds para casa. — Jenner entrou no elevador com Finn. Ele ainda se ressentia da pressão anterior de Finn, mas a escondeu com calma dignidade. — Eu prefiro que ela esteja fora do escritório quando interrogarmos sua equipe de novo.

— Quando Deanna descobrir o que você pretende fazer, ela não vai ceder. — Satisfeito porque parecia que tudo estava caminhando, Finn encostou-se na parede. — Eu vou fazer o que puder para convencê-la a ficar fora do caminho, mas isso é o melhor que posso oferecer. Deanna é ferozmente leal. Ela não vai aceitar que alguém de sua equipe esteja envolvido.

— Ela talvez tenha de aceitar. — Jenner saiu logo que as portas se abriram. — Se Deanna fizer muito barulho, podemos levar a equipe para a delegacia. Ela vai gostar menos ainda.

— Você pode tentar. Você não a conhece como eu, tenente. Cassie — disse ele ao entrar na recepção. — Ela está?

— Não. — Confusa, Cassie deixou de reunir as pilhas de correspondência que pretendia pôr no correio a caminho de casa. — O que você está fazendo aqui?

— Cassie Drew? — Jenner inclinou a cabeça. — Nós gostaríamos de lhe fazer mais algumas perguntas. Gostaria de saber se a senhorita pode reunir o restante da equipe da srta. Reynolds.

— Eu... eu não sei quem ainda está no prédio. Finn?

— Por que você não liga para todos? — sugeriu ele. — E encontre Deanna para mim, por favor. — Ele queria tirá-la dali, e logo. Seu instinto lhe dizia para se apressar. Tinha a intenção de acatá-lo. — Diga a ela que estou a fim de cozinhar.

— Ela foi para casa. Saiu logo depois que você ligou.

— Eu liguei? — Ele se sentiu incomodado. — Deanna disse que eu liguei?

— Não. Ela recebeu um recado dizendo que você tinha uma reunião e que chegaria em casa mais cedo. O recado chegou enquanto ela estava provando o vestido, e ela saiu logo que terminou.

Finn abriu a porta do escritório de Deanna com força e deu uma rápida olhada.

— Você levou o recado para ela?

— Não. Eu estava com ela quando o recebeu. Foi Jeff que o trouxe.

Os olhos de Finn estavam gelados quando ele voltou.

— Ele disse que falou comigo?

— Sim... eu acho. Alguma coisa errada? — O medo começou a se transformar em confusão. O olhar espantado de Cassie correu de Jenner para Finn e vice-versa. — Alguma coisa errada com Deanna?

Em vez de responder, Finn pegou o telefone e ligou para casa. Dois toques depois, ele ouviu a secretária eletrônica. Com os dentes cerrados, esperou até o fim da mensagem.

— Deanna? Atenda se você estiver aí. Pegue o telefone, droga!

— Ela deveria estar em casa agora. Ela saiu há mais de uma hora. Finn, o que está acontecendo?

— O que Jeff disse a ela?

— Que você tinha ligado, eu já disse.

— Por que você não atendeu o telefone?

— Eu... — Assustada, e sem saber por quê, ela colocou a mão sobre a mesa para manter o equilíbrio. — Eu não ouvi o telefone. Eu não ouvi.

— Onde está Jeff?

— Eu não sei. Ele...

Mas Finn já estava correndo pelo corredor. Entrou em uma sala e encontrou Simon conversando com Margaret.

— Ei, Finn. Você não bate antes?

— Onde está Jeff?

— Ele não estava se sentindo bem e foi para casa. — Simon estava se levantando ao mesmo tempo que falava. — Qual é o problema?

— Finn. — Embora estivesse com as mãos duras de frio, Cassie puxou a manga de Finn. — Eu mesma liguei para Tim. Falei com ele. Ele a encontrou lá embaixo.

— Ligue para ele. Agora.

— Sr. Riley. — Jenner falou calmamente enquanto Cassie corria para obedecer. — Mandei um policial para sua casa agora. É possível que a srta. Reynolds não esteja atendendo o telefone. Só isso.

— O que diabos está acontecendo? — perguntou Simon. — O que aconteceu agora?

— Tim não respondeu. — Cassie estava no corredor, com a mão na garganta. — Deixei recado na secretária eletrônica dele.

— Me dê o endereço — disse Jenner, energicamente.

## Capítulo Vinte e Nove
♦ ♦ ♦ ♦

— Sr. Riley, eu sei que você está chateado, mas vai ter de me deixar cuidar disso.

Jenner ficou na calçada em frente à casa de Jeff, em um bairro residencial, consciente de que estava impedindo temporariamente Finn de arrombar a porta.

— Ela está aí dentro. Eu sei.

— Não menosprezo seus instintos, mas não temos como saber. Sabemos apenas que Jeff Hyatt entregou uma mensagem. Vamos verificar tudo — lembrou Jenner. — Da mesma forma que verificamos o motorista, Tim O'Malley.

— Que não estava em casa — grunhiu Finn, olhando para as janelas atrás de Jenner. — E o carro da empresa não estava no estacionamento. E ninguém viu O'Malley desde a parte da tarde. — Seu olhar gelado cortava como uma lâmina em direção a Jenner. — Então, onde diabos ele está? Onde diabos está Deanna?

— Isso é o que vamos tentar descobrir. Eu não vou perder tempo pedindo para você voltar para o carro e ir para casa, mas estou pedindo para você me deixar cuidar disso com Hyatt.

— Então, faça isso.

Sua voz pode ter sido fria, seus olhos, gelados, mas Jenner reconhecia um barril de pólvora pronto para explodir. O som melodioso de sinos se ouviu quando Jenner tocou a campainha. Sob seus pés havia um tapete com a palavra BEM-VINDO tecida em preto. No centro da porta estava uma guirlanda de Natal brilhante com um arco vermelho no alto. Luzes coloridas haviam sido cuidadosamente amarradas em torno da porta. Jeff Hyatt parecia preparado para as festas.

Sabia que eles viriam e estava preparado. Vestido confortavelmente em um suéter esfarrapado e calças largas, Jeff desceu as escadas. Da janela de seu quarto, ele os havia visto chegar. Sorriu para si mesmo quando parou diante da porta. Ele sabia que esse era o próximo passo para libertar Deanna. Para unir-se a ela.

Abriu a porta.

— Oi, Finn! — A confusão nublou seus olhos quando olhou para os visitantes. — O que está acontecendo?

— Onde ela está? — Finn espaçou cada palavra com precisão. Sim, havia um barril de pólvora dentro dele, e o simples fato de saber que ele poderia explodir sobre Deanna era o que o impedia de fazer um estrago. — Eu quero saber onde ela está.

— Ei! — Seu sorriso indicava confusão. Jeff olhou inexpressivamente para Finn e, depois, para Jenner. — O que está acontecendo? Alguma coisa errada?

— Sr. Hyatt — Jenner se colocou entre os dois homens. — Eu preciso lhe fazer algumas perguntas.

— Tudo bem. — Jeff esfregou os dedos na têmpora. — Sem problema. Você quer entrar?

— Obrigado. Sr. Hyatt — começou Jenner —, você passou um recado a srta. Reynolds aproximadamente às três horas de hoje?

— Sim. Por quê? — Estremecendo, Jeff continuou a massagear a têmpora. — Meu Deus! Podemos sentar? Estou com uma dor de cabeça terrível. — Ele se virou para a sala de estar. Os móveis haviam saído de um catálogo. Mesas que faziam jogo, cadeiras combinando, lâmpadas iguais, um apartamento sem alma e prático, pensado para solteiros sem inspiração ou para recém-casados com orçamento apertado. Apenas Jeff se sentou.

— Você disse que eu liguei?

— Claro que sim. — O sorriso de Jeff era cauteloso. Seus olhos eram cautelosos. — Sua assistente me pediu para dizer a Dee que você tinha essa reunião e que chegaria mais cedo em casa.

— Você não falou com o sr. Riley? — perguntou Jenner.

— Não. Eu achei meio estranho que a ligação tivesse ido parar em meu escritório, mas, quando fui falar com Dee, vi que ela e Cassie estavam bem ocupadas. Dee estava provando o vestido de noiva. Ela estava maravilhosa.

— Por que você saiu do escritório mais cedo?

— Essa dor de cabeça. Eu não consegui me livrar dela o dia todo. Fica difícil me concentrar. Olhe só... — Levantou-se de novo, obviamente impaciente e perplexo. — O que significa tudo isso? É algum tipo de crime entregar um recado de telefone?

— A que horas você saiu do escritório?

— Logo depois de conversar com Dee. Vim para casa... bom, passei na farmácia primeiro para pegar uma aspirina mais forte. Eu pensei que se me deitasse um pouco... — Sua voz foi sumindo. — Aconteceu alguma coisa com Dee. — Como se suas pernas não fossem sustentá-lo, ele se abaixou lentamente para se sentar no sofá. — Oh, meu Deus! Ela está ferida?

— Ela não foi vista desde que saiu do escritório — disse-lhe Jenner.

— Oh, meu Deus! Meu Deus! Você já falou com Tim? Ele não a levou para casa?

— Não conseguimos localizar o sr. O'Malley.

Tremendo ao respirar, Jeff esfregou as mãos no rosto.

— Não era uma mensagem de sua assistente, era, Finn? Eu não fiz nenhuma pergunta. Eu não estava prestando atenção. — Seu queixo tremia quando ele deixou as mãos caírem novamente. Seus olhos eram sombrios com uma emoção que se passava por medo. — Eu só conseguia pensar em chegar em casa e ir para a cama. Eu só disse, claro, que daria o recado. E foi o que eu fiz.

— Eu não acredito em você. — Finn não moveu um músculo, mas as palavras acertaram Jeff como uma bofetada. — Você é um homem meticuloso, Jeff. É assim que Deanna descreve você. — E os minutos foram passando. — Por que você, com tudo o que está acontecendo, passou adiante uma mensagem meia-boca como aquela?

— Eu achei que fosse sua — respondeu Jeff, rapidamente. O modo como Finn o examinava, como se pudesse ver todos os segredos vagando em seu cérebro, deixou Jeff nervoso. — Por que eu não daria o recado?

— Então, você não vai se incomodar se revistarmos a casa. — Finn virou-se para Jenner. — Cada centímetro dela.

— Você acha que eu... — Jeff fechou a boca, saltando do sofá. — Vá em frente — disse ele aos dois. — Procurem. Revistem todos os quartos. Eu quero que façam isso.

— Agradecemos sua cooperação, sr. Hyatt. Seria melhor se o senhor viesse conosco enquanto fazemos a busca.

— Tudo bem. — Jeff parou por um momento, olhando para Finn. — Eu sei o que você sente por ela, e eu não posso culpá-lo por isso.

Eles revistaram todos os quartos e também os guarda-roupas, os armários e a garagem, onde o sedã comum de Jeff estava estacionado. Isso levou menos de vinte minutos.

Finn observou os móveis arrumados e funcionais, as roupas práticas e bem-passadas. Como diretor do programa de maior audiência, Jeff devia estar ganhando bem. E Finn podia ver que ele, com certeza, não estava gastando dinheiro consigo mesmo.

Para que, ele se perguntava, Jeff Hyatt estava economizando seus trocados?

— Eu gostaria que Deanna estivesse aqui. — Jeff sentiu uma tensão rápida e alegre quando passaram pela estante de livros. — Pelo menos ela estaria segura. Eu quero ajudar. Quero fazer alguma coisa. Podemos começar com a imprensa. Podemos obter cobertura nacional. Pela manhã, teremos cada pessoa do país procurando por ela. Todo mundo conhece o rosto dela. — Ele olhou suplicante para Finn. — Alguém vai vê-la. Ele não pode mantê-la trancada em uma torre em algum lugar.

— Onde quer que ele esteja com ela... — Finn nunca tirava os olhos de Jeff. — Vou encontrá-la.

Sem olhar para trás, Finn saiu da casa. Segundos depois, o som de seu motor rugiu.

— Eu não posso culpá-lo — murmurou Jeff. Olhou para Jenner. — Ninguém pode.

Trancou cuidadosamente a porta depois que o policial saiu. Seu sorriso ficava cada vez mais largo enquanto subia as escadas. Eles podem voltar. Uma parte pequena e sorridente dele esperava que fizessem isso. Porque ele iria acompanhá-los pela casa e passar com eles perto do quarto escondido onde sua princesa dormia.

Nunca a encontrariam. E, por fim, iriam embora. Ele e Deanna estariam sozinhos. Para sempre.

Ligou a televisão no quarto. O noticiário da noite não lhe interessou. Mexeu em um interruptor atrás do aparelho e acomodou-se para ver Deanna.

Ela dormia, imóvel como uma boneca, por trás do vidro da tela. As lágrimas que ele chorava agora eram de pura alegria.

◆ ◆ ◆ ◆

JENNER PEGOU Finn em casa. Ele não fez nenhuma menção aos limites de velocidade que Finn havia ignorado.

— Vamos averiguar a fundo Hyatt e O'Malley. Por que não ser um repórter e pôr a história no ar?

— Ela vai ao ar. — Em pé no vento frio de dezembro, Finn se esforçou para evitar o pânico. — Hyatt parecia tão inocente como um cordeiro recém-nascido, não é?

— Sim, parecia. — Jenner soltou um suspiro que se tornou vapor. Faltam três dias para o Natal, pensou. Ele faria tudo o que estivesse ao seu alcance para ter certeza de que seria um dia de celebração.

— Eu fiquei incomodado com a casa — disse Finn, após um momento.

— Com o quê?

— Não há nada fora do lugar. Nenhum quadro torto, nenhuma poeira. Livros e revistas alinhados como soldados, todos os móveis geometricamente dispostos. Tudo centrado, quadrado e muito limpo.

— Eu notei. Obsessivo.

— Foi o que me ocorreu. Ele se encaixa no padrão.

Jenner concordou com um leve aceno de cabeça.

— Um homem pode ser obsessivamente organizado sem ser obsessivamente homicida.

— Onde estava a árvore de Natal? — murmurou Finn.

— Árvore de Natal?

— Ele tem a guirlanda, as luzes. Mas não tem árvore. Qualquer um diria que ele tem uma árvore em algum lugar.

— Talvez ele seja um daqueles tradicionalistas que só a montam na véspera de Natal. — Mas a ausência dela era um fato interessante.

— Só mais uma coisa, tenente. Jeff alega que veio para casa mais cedo para se deitar. A cama no quarto dele era a única coisa bagunçada. O travesseiro estava um pouco torcido, a colcha, enrugada. Nós o tiramos do cochilo.

— Assim como ele disse.

— Por que ele estava de sapatos? — Os olhos de Finn brilharam sob a meia-luz. — Os cadarços estavam amarrados com nós duplos. Alguém tão preocupado com o asseio não se deita na cama de sapatos.

Eu deixei passar essa pista, caramba, pensou Jenner.

— Acho que já mencionei antes, sr. Riley, que o senhor tem um olho muito bom.

◆ ◆ ◆ ◆

Ele não podia ficar em casa. Não sem ela. Finn fez a única coisa que parecia possível. Voltou para a estação, evitando a sala de redação. Não suportaria responder a perguntas, nem que lhe fizessem perguntas. Foi para seu escritório, preparou uma xícara de café forte. Acrescentou uma boa dose de uísque à primeira xícara.

Ligou o computador.

— Finn. — Fran estava à porta, com o rosto manchado, os olhos inchados e vermelhos. Antes de ele se levantar completamente, ela deu um passo cambaleante para a frente. — Oh, meu Deus! Finn.

Ele acariciou os ombros trêmulos dela, embora não sentisse o conforto que poderia oferecer. Era só rotina, a demonstração de consolo que não significava nada para ninguém.

— Eu tive de levar Kelsey ao pediatra para os exames de rotina dela. Eu não estava aqui. Eu nem estava aqui.

— Você não poderia mudado nada.

— Eu poderia, sim. — Ela se afastou, os olhos ferozes agora. — Como ele a pegou? Eu ouvi uma dezena de histórias diferentes.

— Esse é o lugar para elas. Verdade ou precisão: o que você quer?

— As duas.

— São coisas diferentes, Fran. Você está no jogo há tempo suficiente. O que aconteceu exatamente, nós não sabemos. Ela saiu cedo e foi para o estacionamento onde o carro e o motorista deveriam estar à sua espera. Agora, ela sumiu. O motorista parece ter desaparecido no ar.

Fran não gostava do controle frio da voz dele nem do barulho do computador.

— Então, qual é a verdade, Finn? Por que você não me diz?

— A verdade é que a pessoa que enviou a ela aqueles bilhetes, que matou Lew McNeil, Angela e Pike, está com Deanna. Já foi emitida uma ordem de busca para ela, como também para O'Malley e o carro.

— Não deve ser Tim. Ele não poderia.

— Por quê? — A pergunta foi como um tiro. — Porque você o conhece? Porque ele faz parte da família estendida de Deanna? Foda-se! Ele pode ter feito. — Finn sentou-se e bebeu metade de seu café. A mistura de cafeína e uísque se espalhava por ele como um relâmpago delicado. — Mas eu não acho que ele tenha feito. Não posso ter certeza enquanto ele não aparecer. Se é que vai aparecer.

— E por que não? — perguntou Fran. — Tim trabalhou para Dee por dois anos. Ele nunca faltou um único dia.

— Ele nunca esteve morto antes, não é? — praguejou para ela, e para si mesmo, quando ela voltou da palidez. Levantando-se, ele lhe serviu o uísque. — Sinto muito, Fran. Estou meio fora de mim.

— Como você pode ficar sentado aí e dizer essas coisas? Como pode trabalhar, pensar em trabalho, quando Dee está lá fora, em algum lugar? Isso não é um desastre internacional que está cobrindo, porra, em que você é o jornalista equilibrado e imperturbável. É a Dee!

Ele pôs as mãos inúteis nos bolsos.

— Quando alguma coisa é importante, vital, quando a resposta é tudo, você se senta, trabalha, pensa naquilo, pega todos os fatos e cria um cenário que explica tudo. Isso é algo preciso. Acho que Jeff está com ela.

— Jeff. — Fran se engasgou com o uísque. — Você está louco. Jeff é dedicado a Dee, e ele é inofensivo, como um bebê. Ele nunca a machucaria.

— Estou contando com isso — disse ele, entorpecido. — Eu aposto minha vida nisso. Preciso de tudo o que você tiver sobre ele, Fran. Registros pessoais, memorandos, arquivos. Preciso de suas impressões, suas observações. Eu preciso que você me ajude.

Ela não disse nada, só estudou o rosto de Finn. Não, os olhos dele não eram frios, percebeu ela. Eles estavam queimando. E havia terror por trás deles.

— Preciso de dez minutos — disse ela e deixou-o sozinho.

Ela voltou em menos tempo que o previsto com uma pilha de arquivos e uma caixa de disquetes de computador.

— Registro de emprego, currículo, pedido de emprego, informações fiscais. — Fran sorriu fracamente. — Eu peguei seus calendários de mesa. Ele guarda todos de um ano para o outro. Eles estavam todos arquivados.

Meticuloso. Obsessivo. Embora seu sangue estivesse gelado, Finn acessou o primeiro disco.

— Esse é o arquivo pessoal dele que pertence à CBC. Espero que você não se importe de violar a lei.

— Nem um pouco. Essa solicitação de emprego é de abril de 1989. Quando Dee foi ao ar na CBC?

— Mais ou menos um mês antes. — Fran pegou o uísque para desobstruir a garganta. — Isso não prova nada.

— Não, mas é um fato. — O primeiro que ele podia obter. — Mesmo endereço de agora. Como Jeff conseguiu comprar uma casa assim quando trabalhava como um faz-tudo da rádio?

— Ele a herdou. O tio deixou para ele. Finn, eu tenho de ligar para a família de Dee. — Ela apertou a mão na boca. — Eles vão pegar o primeiro voo da manhã.

— Desculpe. — Ele olhou fixamente para a tela. Famílias. Finn nunca havia tido uma antes com a qual se preocupar. — Eu deveria ter feito isso.

— Não, eu não quis dizer isso. É que eu... eu não sei o que dizer a eles.

— Diga-lhes que nós vamos encontrá-la. Essa é a verdade. Fran, veja se você encontra na agenda dele a data em que Lew McNeil foi morto. Foi em fevereiro de 1992.

— Sim, eu me lembro. — Ela abriu a agenda, folheou as páginas, passando os olhos nas anotações precisas e meticulosas de Jeff. — Nós tivemos um programa naquele dia. Jeff estava dirigindo. Eu me lembro porque nevou e todo mundo estava preocupado que houvesse pouco público.

— Você se lembra se ele apareceu?

— Com certeza, ele estava aqui. Jeff nunca faltou. Parece que ele teve uma reunião às dez da manhã com Simon.

— Ele teria tido tempo — murmurou Finn.

— Meu Deus do céu, você acha mesmo que ele poderia ter ido a Nova York, atirado em Lew, voltado e entrado calmamente no estúdio para dirigir um programa, tudo antes do almoço?

Sim, pensou Finn friamente. Ah, sim, ele fez.

— Fato: Lew foi morto por volta das sete da manhã, horário-padrão. Há diferença de uma hora no fuso entre Chicago e Nova York. Especulação: ele vai e volta, talvez na ponte aérea. Preciso dos recibos dele.

— Ele não guarda suas coisas pessoais aqui.

— Então, eu vou ter de voltar à casa dele. Faça com que Jeff venha amanhã de manhã. E cuide para que ele fique aqui.

Ela se levantou e derramou café no uísque.

— Tudo bem. Que mais?

— Vamos ver o que mais a gente consegue descobrir.

♦ ♦ ♦ ♦

Deanna havia perdido a noção do tempo. Dia ou noite, não havia diferença no mundo claustrofóbico que Jeff havia criado para ela. Sua cabeça estava zonza por causa da droga, seu estômago, embrulhado, mas ela tomou o café da manhã que ele lhe havia deixado. Não abriu o envelope branco que estava na bandeja.

Por um tempo que não conseguia precisar, tentou, até suar, encontrar uma abertura na parede. Ela a havia examinado e raspado com uma colher até os dedos ficarem com cãibra. Em vão. Só conseguiu estragar o papel de parede impecável.

Não tinha certeza se ele tinha ido embora ou há quanto tempo estava sozinha. Então, lembrou-se da televisão e saltou como um gato no controle remoto.

Ainda é manhã, pensou ela, com os olhos observando com lágrimas enquanto passava os canais. Como era fácil cronometrar a vida em torno da conhecida programação da televisão durante o dia. O riso brilhante de um programa de entretenimento familiar era zombeteiro e, ao mesmo tempo, acalmava.

Ela dormiu durante seu próprio programa, percebeu, e sufocou um riso amargo. Onde estava Finn? O que ele estava fazendo? Estaria procurando por ela?

Levantou-se mecanicamente e entrou no banheiro. Embora já tivesse verificado uma vez, repetiu a rotina de ficar em pé na borda da banheira, subir na tampa do vaso sanitário e procurar câmeras ocultas.

Ela não tinha escolha a não ser confiar que Jeff não iria espioná-la naquele cômodo. Correu a porta e a fechou, tentando não pensar na falta de fechadura. E se despiu.

Tinha de lutar contra o medo de que ele entrasse quando ela estivesse mais vulnerável. Ela precisava de uma ducha fria e estimulante para ajudar a pensar melhor. Esfregou-se com força, deixando que seus pensamentos se concentrassem enquanto se ensaboava e se enxaguava, ensaboava e enxaguava.

Ele não havia esquecido nenhum detalhe, pensou ela. A marca preferida de xampu, de pó, de cremes. Deanna usou todos eles, encontrando certo conforto naquela rotina diária. Envolta em uma toalha de banho, voltou para o quarto para revirar gavetas.

Escolheu um suéter e calças. O tipo de roupa que ela escolheria para um dia de ficar relaxada em casa. Ignorando o novo arrepio, levou para o banheiro a roupa e a lingerie rendada que ele lhe tinha dado. Vestida, começou a andar. Andando, começou a planejar.

♦ ♦ ♦ ♦

FINN ESTACIONOU o carro meio quarteirão para baixo e, depois, retornou a pé. Ele foi diretamente à porta da frente de Jeff Hyatt. Não se preocupou em bater. Uma vez que havia acabado de falar com Fran pelo telefone, ele sabia que Jeff estava no escritório.

Finn tinha o molho extra de chaves que Fran havia tirado do fundo da gaveta da mesa de Jeff. Havia três fechaduras. Muita segurança, pensou ele, para um bairro tranquilo. Ele destrancou as três e, uma vez lá dentro, tomou a precaução de trancá-las novamente.

Subiu as escadas primeiro, reprimindo a vontade de mexer descontroladamente em mesas e arquivos. Em vez disso, procurou com atenção por qualquer detalhe, revistando cada gaveta, cada papel, com os olhos afiados de repórter. Queria um recibo, uma prova de que Jeff havia viajado para Nova York e voltado no dia do assassinato de Lew.

A polícia podia ignorar seu instinto de repórter, mas não podia ignorar os fatos. Uma vez que tivessem Jeff sob custódia, poderiam tirar dele o paradeiro de Deanna. Ele mantinha os olhos abertos, também, para alguma prova de que Jeff tinha outra casa, um quarto, um apartamento. Talvez estivesse mantendo Deanna lá.

Ele não podia acreditar que ela estivesse morta.

O padrão até agora era matar pessoas em locais públicos.

Fechou a última gaveta da escrivaninha e foi para os arquivos.

Quando terminou, as palmas das suas mãos estavam úmidas. Reprimindo o impulso para se desesperar, saiu do escritório para o quarto de Jeff. Ele não havia encontrado nada, absolutamente nada, exceto provas de que Jeff Hyatt era um empregado organizado e dedicado que vivia tranquilamente e bem, quase muito bem, dentro de suas possibilidades.

◆ ◆ ◆ ◆

Enquanto Finn revistava o quarto, Deanna andava no andar abaixo dele. Ela sabia que teria apenas uma chance, e que o fracasso seria mais do que arriscado. Poderia ser fatal.

◆ ◆ ◆ ◆

Na sala acima, Finn passou por fila após fila de fitas de vídeo. O homem não era só um fã, ponderou Finn. Ele era fanático. Os rótulos alinhados indicavam séries de televisão, filmes, notícias. Mais de uma centena de caixas pretas alinhadas na parede ao lado da televisão. Finn balançou o controle remoto na mão, concluindo que, se tivesse tempo depois de vasculhar a casa, assistiria a algumas para ver se havia algo mais pessoal nas fitas.

Largou o controle remoto, apenas um toque de botão de distância de trazer Deanna à vida na tela. Virou-se para o armário.

O cheiro de naftalina, odor de uma mulher de idade, irritou suas narinas. Calças pendiam alinhadas, na posição certa, jaquetas enfeitadas enchiam cabides. Os sapatos estavam dispostos cuidadosamente. O álbum de fotos que encontrou na prateleira tinha apenas retratos de um homem idoso, ora sozinho, ora com Jeff ao seu lado. A mandíbula dele parecia permanentemente cerrada, os lábios apertados como em uma carranca. Abaixo de cada foto havia uma anotação cuidadosa.

Tio Matthew no aniversário de 75 anos. Junho de 1983. Tio Matthew e Jeff, Páscoa de 1977. Tio Matthew, novembro de 1988.

Não havia mais ninguém no álbum. Apenas um homem, jovem, um pouco magro, e seu tio de rosto duro. Nunca uma jovem ou uma criança rindo, um animal de estimação brincando.

O livro parecia enfermo, doente, em sua mão. Finn colocou-o de volta na prateleira, cuidadoso para alinhar as bordas.

Detalhes, pensou sombriamente. Os dois podiam participar desse jogo.

A roupa de baixo estava enfiada na primeira gaveta da penteadeira. Todas as caixas brancas estavam prensadas e dobradas. Não havia nada por baixo a não ser papel branco com um leve perfume de lilás.

Era quase pior do que as bolas de naftalina, pensou Finn, e foi para a próxima gaveta.

Nenhum dos habituais esconderijos foi utilizado. Ele não encontrou documentos nem pacotes colados com fita na parte de baixo ou nas costas de gavetas, nem objetos de valor enfiados em sapatos. A gaveta do criado-mudo tinha um guia de televisão atual com programas destacados em amarelo. Um bloco, um lápis apontado e um lenço adicional estavam ali também.

Fazia quase uma hora que ele estava na casa quando teve algum sucesso. O diário estava sob o travesseiro. Era de capa de couro, brilhante e fechado com chave. Finn estava pegando o canivete no bolso quando ouviu o barulho de chave na fechadura.

— Que droga, Fran. — Ele olhou para o armário, desistindo imediatamente dele, não só por ser clichê, mas também por ser humilhante. Preferia enfrentar um inimigo a se esconder dele. Deu um passo em direção à porta do quarto, enquanto Jeff caminhava pelo corredor, assobiando a caminho da cozinha.

— Não parece muito arrasado, não é? Seu filho da puta. — Murmurando baixinho, Finn se esgueirou em direção às escadas.

◆ ◆ ◆ ◆

Ele não podia esperar para vê-la. Jeff sabia que estava se arriscando ao sair do escritório quando Fran estava sendo tão insistente em que ele ficasse. Mas saiu, impaciente para chegar em casa. Para chegar a Deanna. O escritório estava um caos, pensou ele. Ninguém podia trabalhar, e ele sempre podia alegar que precisava ficar sozinho. Ninguém iria culpá-lo.

Encheu um copo com leite, dispôs biscoitos em um prato de porcelana e colocou tudo em uma bandeja com outra rosa única.

Ele tinha certeza de que Deanna estaria descansada agora. Ela estaria se sentindo melhor, mais em casa. E, em breve, muito em breve, veria que ele era capaz de cuidar dela.

Finn esperava no alto das escadas. Ouviu Jeff assobiando e o barulho de pratos. Ouviu os passos, um clique suave, seguido pouco depois por outro.

Então, não ouviu mais nada.

Onde é que o desgraçado se meteu?, perguntou. Movendo-se em silêncio, desceu as escadas. Passou como uma sombra de cômodo em cômodo. Ao chegar à cozinha, ficou perplexo. Viu a caixa de biscoitos, sentiu um aroma doce. Mas o homem havia desaparecido como fumaça.

♦ ♦ ♦ ♦

— Você está linda! — Seguro na sala à prova de som, Jeff sorriu timidamente para Deanna. — Você gostou das roupas?

— São muito bonitas. — Ela se impôs sorrir. — Tomei banho. Não posso acreditar no trabalho que deve ter sido para você escolher todas as minhas marcas favoritas.

— Você viu as toalhas? Eu mandei bordar suas iniciais.

— Eu vi. — Seu estômago revirou. — Foi muito gentil de sua parte, Jeff. Biscoitos?

— São dos que você mais gosta.

— Sim, são esses mesmo. — Olhando para ele, ela se aproximou, esforçando-se para não ranger os dentes. Manteve os olhos nos dele ao pegar um biscoito, bem delicadamente. — Delicioso. — Deanna viu o olhar dele abaixar para sua boca quando ela lambeu uma migalha. — Você demorou.

— Eu voltei assim que pude. Vou entregar minha demissão na próxima semana. Tenho muito dinheiro guardado, e meu tio o investiu. Não vou precisar deixar você sozinha de novo.

— É solitário aqui. Só eu. — Ela se sentou na beirada da cama. — Você vai ficar comigo, não vai?

— O tempo que você quiser.

— Senta aqui comigo. — Em um convite sutil, ela tocou na cama ao seu lado. — Eu acho que, se você me explicar as coisas agora, eu talvez possa entender.

As mãos dele tremiam quando soltou a bandeja.

— Você não está com raiva?

— Não. Eu ainda estou um pouco assustada. Tenho medo de ficar trancada aqui dentro.

— Eu sinto muito. — Ele se sentou ao lado dela, tomando cuidado para manter uma pequena distância entre eles. — Um dia, vai ser diferente.

— Jeff. — Ela se aproximou e colocou a mão sobre a dele. — Por que você decidiu fazer isso? Como você sabia que esse era o momento certo?

— Eu sabia que tinha de ser logo, antes do casamento. Quando eu entrei ontem em seu escritório e vi você no vestido de noiva eu não pude esperar mais. Foi como um sinal. Você estava tão bonita, Dee.

— Mas você correu um risco muito grande. Tim estava lá embaixo, esperando.

— Era eu. Eu estava esperando. Usei o chapéu e o casaco dele, os óculos de sol. Eu tinha de manter Tim fora do caminho.

— Como? — Quando ele olhou para baixo, vendo as mãos de ambos juntas, o coração dela apertou. — Jeff. Tim está morto?

— Eu não fiz como fiz com os outros. — Impaciente, ansioso, olhou para ela, os olhos tão esperançosos quanto os de uma criança. — Eu não teria feito isso. Tim não machucou você. Mas eu tinha de tirá-lo do caminho, e rápido. Gostava dele, também, de verdade. Então, eu agi bem rápido. Ele não sofreu. Eu o coloquei no porta-malas do carro depois e, aí, quando trouxe você para cá, levei o carro para um estacionamento no centro da cidade. Eu o deixei lá e voltei para casa. Para estar com você. — Seu rosto se transtornou quando ela se virou para o outro lado. — Você tem de entender, Deanna.

— Estou tentando. — Oh, meu Deus! Tim. — Você não machucou Finn?

— Eu prometi que não faria isso. Ele teve você todo esse tempo, e eu estava esperando.

— Eu sei. Eu sei. — Instintivamente, ela se acalmou. — Eles estão me procurando, não estão?

— Eles não vão encontrar você.

— Mas estão me procurando.

— Sim! — Sua voz se ergueu quando ele levantou da cama. Tudo estava saindo perfeitamente até agora, lembrou para si mesmo. Perfeitamente. Mas ele se sentia como se estivesse em pé à beira de um precipício, e não podia ver o fundo. — E eles vão procurar e procurar. Depois, vão parar. E ninguém vai nos incomodar. Ninguém.

— Está tudo bem. — Ela se levantou, também, embora suas pernas tremessem. — Você sabe como eu sou curiosa sobre tudo. Sempre fazendo perguntas.

— Você não vai sentir falta de estar na televisão, Dee. — Ele usou a manga para enxugar uma lágrima. — Eu sou seu melhor público. Posso ouvi-la por horas e horas. Eu faço isso. Mas agora eu não vou ter de assistir a uma fita. Agora, pode ser real.

— Você quer que isso seja real, não é?

— Mais do que qualquer coisa.

Seu coração bateu contra as costelas enquanto estendia a mão para acariciar o rosto dele.

— E você me quer.

— Você é tudo o que eu sempre quis. — Seu rosto se contorceu sob a palma da mão dela. — Durante todos esses anos, você é tudo o que eu sempre quis. Nunca estive com outra mulher. Não como Pike. Não como Riley. Eu estava esperando você.

Ela queria poder endurecer o coração, mas parte dela chorou por ele.

— Você quer me tocar. — Ela se preparou e ergueu a mão dele, colocando-a em seu peito. — Assim.

— Você é macia. Tão macia. — Havia algo de patético e de assustador no modo como a mão dele tremia sobre ela, mesmo quando seus dedos se moviam para acariciar.

— Se eu deixar você me tocar, como quer fazer, você me deixa sair?

Ele a empurrou para trás como se ela o tivesse queimado. O gosto da amarga traição brotou em sua garganta.

— Você está tentando me enganar.

— Não, Jeff. — Não havia problema algum em mostrar seu desespero, disse para si mesma. Deixe-o ver sua fraqueza. — Eu não gosto de ficar trancada aqui. Isso me assusta. Eu só quero sair por alguns minutos, tomar um pouco de ar. Você quer que eu seja feliz, não é?

— Vai levar algum tempo. — Sua boca desenhou uma linha resoluta. — Você não está pronta.

— Você sabe como eu preciso me manter ocupada, Jeff. — Ela deu um passo em direção a ele, tendo o cuidado de manter os olhos fixos nos dele. Quando ela passou os braços pelo peito dele, os olhos de Jeff nublaram, escureceram. — Ficar sentada aqui assim, hora após hora, está me perturbando. Sei o quanto você tem feito por mim. — E ela sentiu o contorno da seringa no bolso. — Eu sei que você quer que fiquemos juntos.

— Nós estamos juntos. — Jeff levou a mão trêmula de volta ao peito dela. Como Deanna não vacilou, ele sorriu. — Nós estaremos juntos para sempre.

Ele abaixou a cabeça para beijá-la. Ela sacou a agulha do bolso dele.

— Deanna — sussurrou ele.

A respiração apreensiva a traiu. Ela se contorceu, lutando para fincar a agulha nele enquanto se atracavam no chão.

♦ ♦ ♦ ♦

*A* procura por Jeff finalmente trouxe Finn de volta à estante de livros. E viu o que ele e Jenner não haviam percebido na primeira busca. As dimensões, pensou ele, com a saliva seca na boca. As dimensões estavam erradas. A estante não poderia ser uma parede de fundo. Não podia ser.

Ela estava lá, percebeu ele. Deanna estava lá dentro. E não estava sozinha. Ele sentiu o impulso de se jogar contra as prateleiras. Seu corpo tremia enquanto tentava movê-la. Não era esse o jeito. Deus sabia o que Jeff faria com ela no tempo em que levaria para abrir.

Esforçando-se para manter a calma, Finn começou a procurar metodicamente um mecanismo.

◆ ◆ ◆ ◆

Deanna estava perdendo. A seringa escapou de seus dedos quando ele rolou sobre ela. Ela gritou quando sua cabeça bateu com força contra o chão. Embora sua visão tivesse ficado turva, podia vê-lo em cima dela, com o rosto distorcido, as lágrimas correndo. E sabia que ele podia matar. Não só aos outros, mas a ela.

— Você mentiu! — gritou ele, agoniado de desespero. — Você mentiu. Vou ter de castigar você. Vou ter de fazer isso. — E, soluçando, fechou as mãos em torno da garganta dela.

Ela cravou as unhas no rosto dele. O sangue brotou e correu como as lágrimas. Quando ele uivou de dor, ela se contorceu, livre. Seus dedos roçaram a seringa, mas ele lhe agarrou o tornozelo.

— Eu amei você. Eu amei você. Agora, eu vou ter de machucá-la. É a única maneira de você entender. É para seu próprio bem. Isso é o que o tio Matthew diz. É para seu próprio bem. Você vai ter de ficar aqui. Vai ter de ficar e vai ter pão e água até que se comporte. — Ele falava as palavras de modo cantado ao mesmo tempo que a arrastava de volta para a cama. — Eu estou fazendo o melhor para você, não estou? Eu lhe dei um teto. Coloquei roupas em você. E é assim que me agradece? Você só vai ter de aprender. Eu sei como.

Ele lhe agarrou a mão e levantou o braço.

Ela cravou a agulha nele.

◆ ◆ ◆ ◆

Finn ouviu o som de sirenes a distância, mas elas não significavam nada. Ele estava totalmente concentrado no quebra-cabeça que tinha à sua frente. Havia uma maneira de entrar. Sempre havia um jeito. E ele iria encontrá-lo.

— Aqui — murmurou para si mesmo. — Bem aqui. O filho da puta não atravessou a parede. — Seu dedo bateu em uma protuberância. Ele a torceu. O painel se abriu com um silêncio bem-lubrificado.

Deanna estava ao lado da cama com a seringa em uma das mãos. Com os olhos vidrados e murmurando o nome dela, Jeff arrastou-se pelo colchão em sua direção.

— Eu amo você, Deanna. — Sua mão roçou a dela antes que ele perdesse a consciência.

— Oh, meu Deus! Deanna! — De um salto, Finn a tinha nos braços. Ela se mexeu, a agulha caiu de seus dedos frouxos.

— Finn. — O nome dele queimou sua garganta machucada, e foi como se ela estivesse no céu. Mesmo parecendo ser alguma coisa muito distante, ela o ouviu praguejar quando seu corpo estremeceu.

— Ele machucou você? Você está ferida?

— Não. Não. Ele queria cuidar de mim. — Ela escondeu o rosto no ombro de Finn. — Ele só queria cuidar de mim.

— Vamos sair daqui. — Passou-a pela abertura, no fim do corredor, e trancou as fechaduras.

— Eu ficava pedindo para ele me deixar sair. — Ela respirou o ar frio como vinho. — Ele atirou em você, Finn. Foi ele quem atirou em você. Ele matou Tim.

Ela sacudiu ao som de pneus derrapando.

— Bem. — Jenner saiu de seu carro, momentos antes de os dois carros da polícia chegarem. A imagem de Finn segurando Deanna nos degraus da escada não era o que ele esperava ver depois de ter recebido a ligação desesperada de Fran Myers. Mas foi uma imagem que o deixou satisfeito.

— Agindo por sua conta de novo, sr. Riley.

— Não se pode confiar em um repórter, tenente.

— Acho que não. Que bom vê-la, srta. Reynolds. Feliz Natal.

◆ ◆ ◆ ◆

Deanna examinou seu reflexo no espelho do camarim. As contusões haviam desaparecido da garganta e o olhar assustado havia diminuído de seus olhos.

Mas seu coração ainda estava dolorido.

Como Joe muitas vezes lhe havia dito quando ela era repórter, Deanna tinha um coração que sangrava com muita facilidade.

Ela não podia se dar ao luxo de sangrar agora. Tinha um programa para fazer em trinta minutos.

— Oi.

Ela levantou os olhos e viu Finn. Sorriu.

— Oi.

— Você tem um minuto para mim?

— Eu tenho vários para você. — Ela girou a cadeira e estendeu as mãos. — Você não tem de pegar um avião?

— Eu liguei para o aeroporto. Meu voo está atrasado duas horas. Tenho tempo de sobra.

Os olhos de Deanna brilharam com uma suspeita.

— Você não vai perder aquele avião.

— Eu sei, eu sei. Você já mostrou sua autoridade. Tenho um trabalho para fazer, e você não vai me apoiar se eu estragar tudo. Vou a Roma. Apenas uma semana fora da programação. — Ele se abaixou e a beijou. — Eu percebi que tinha tempo para lhe dar mais uma chance de vir comigo.

— Eu também tenho um trabalho para fazer.

— A imprensa vai cair em cima de você.

Ela arqueou as sobrancelhas.

— Promessas, promessas. — Deanna saiu da cadeira e girou. — Como é que eu estou?

— Como algo do que eu não quero estar a milhares de quilômetros de distância. — Ele levantou o queixo dela e olhou profundamente em seus olhos. — Você está triste.

— Estou melhor. Finn, já falamos sobre isso. — Ela viu o rosto dele mudar, endurecer-se. — Não faça isso.

— Eu não sei quanto tempo vai demorar para que eu feche os olhos e pare de ver você naquele quarto. Saber que você esteve lá todas aquelas horas, e eu passei bem perto de você. — Ele a puxou bruscamente para si. — Eu ainda quero matá-lo.

— Ele está doente, Finn. Todos esses anos de abuso emocional. Ele precisava de uma válvula de escape e usou a televisão. E um dia, o dia em que ele encontrou o tio morto, eu saí da tela e entrei na vida dele.

— Eu não estou nem aí para o quanto ele é doente, pervertido ou patético. — Puxou-a de volta. — Eu não posso, Deanna. Isso não está em mim. E não suporto ouvir você se culpar.

— Eu não estou. De verdade, não estou. Sei que não foi culpa minha. Nada do que ele fez foi minha culpa. — Ainda assim, ela pensou em Tim, cujo corpo havia sido encontrado no porta-malas do carro da empresa em um estacionamento no centro. — Eu nunca fui real para ele, Finn. Mesmo durante todo o tempo em que trabalhamos juntos, eu nunca fui nada, só uma imagem, uma visão. Tudo o que ele fez foi porque distorceu aquela imagem. Eu não posso me culpar por isso. Mas, ainda assim, posso lamentar.

— Dee. — Fran entrou pela porta e piscou para Finn. — Precisamos da estrela em cinco minutos.

— A estrela está pronta.

— Eu posso adiar o voo, ficar por aqui para a coletiva à imprensa após o programa.

— Eu posso lidar com repórteres. — Ela beijou Finn com firmeza, na boca. — Tenho muita experiência.

— Você quer se casar comigo, Kansas? — Com o braço ao redor dela, conduziu-a pelo corredor em direção ao set.

— Pode apostar que sim. Três de abril. Esteja lá.

— Eu nunca perco um prazo. — Ele a virou para encará-lo. — Eu fico louco com você. — E fez uma careta. — Má escolha de palavras.

Ela não estava surpresa que pudesse rir. Nada a surpreenderia agora.

— Ligue para mim de Roma. — Marcie saltou para retocar o batom de Deanna. — E não se esqueça: você tem de contratar as flores para a igreja e a recepção. Você tem a lista que eu fiz?

Às costas dela, ele revirou os olhos.

— Qual?

— Todas elas.

— Não, de novo não. — Marcie levantou a mão antes de Deanna se inclinar para outro beijo. — Você tem trinta segundos, e eu não quero meu trabalho borrado.

— Fique ligada, Kansas. Eu volto. — Deanna deu mais um passo em direção ao estúdio.

— Que se dane. — Ela se virou e voou para os braços de Finn. Sob o grunhido de Marcie, ela apertou os lábios contra os dele. — Volte depressa — disse ela e correu para o palco, agarrando seu roteiro.

O diretor de estúdio apontou um dedo na direção dela. Sob o som de aplausos, Deanna sorriu para o olho de vidro da câmera e entrou na vida de milhões de pessoas.

— Bom-dia. É bom estar em casa.

Impresso no Brasil pelo Sistema Digital Instant Duplex da Divisão Gráfica da
DISTRIBUIDORA RECORD DE SERVIÇOS DE IMPRENSA S.A.